# Sean mis Discípulos

## Be My Disciples

Peter M. Esposito
Presidente/President

Jo Rotunno, MA
Editora/Publisher

Francisco Castillo, DMin
Redactor Principal y Especialista Multicultural
Senior Editor and Multicultural Specialist

Asesores del Programa/Program Advisors
Michael P. Horan, PhD
Elizabeth Nagel, SSD

Edición Bilingüe
Bilingual Edition

El Subcomité para el Catecismo de la Conferencia de Obispos Católicos de los Estados Unidos consideró que este texto catequético, copyright 2014, está en conformidad con el *Catecismo de la Iglesia Católica*.

NÍHIL ÓBSTAT
Rvdo. Mons. Robert Coerver
Censor Librorum

IMPRIMÁTUR
† Reverendísimo Kevin J. Farrell DD
Obispo de Dallas
22 de agosto de 2011

El *Níhil Óbstat y el Imprimátur* son declaraciones oficiales de que el material revisado no contiene ningún error doctrinal ni moral. Dichas declaraciones no implican que quienes han otorgado el *Níhil Óbstat* y el *Imprimátur* estén de acuerdo con el contenido, las opiniones o los enunciados expresados.

## Agradecimientos

The Subcommittee on the Catechism, United States Conference of Catholic Bishops, has found this catechetical series, copyright 2014, to be in conformity with the Catechism of the Catholic Church.

NIHIL OBSTAT
Rev. Msgr. Robert Coerver
Censor Librorum

IMPRIMATUR
† Most Reverend Kevin J. Farrell DD
Bishop of Dallas
August 22, 2011

## Acknowledgments

Toll Free       877-275-4725
Fax             800-688-8356

Visit us at RCLBenziger.com
and ByMyDisciples.com

20805  ISBN 978-0-7829-1613-3 (Student Edition)
20815  ISBN 978-0-7829-1670-6 (Catechist Edition)

4th Printing.
July 2017.

# Contenido

# Contents

# Bienvenidos a *Sean mis* Discípulos

Jesús te invita a que seas su **discípulo**. Quiere que lo conozcas mejor, que comprendas su mensaje y que sigas su manera de vivir. Durante este año, aprenderás más acerca de Jesús y de lo que Él te pide. Aprenderás sobre las virtudes, los hábitos y las cualidades que son los atributos de un discípulo. Y aprenderás que los católicos que siguen a Jesús no se lo guardan para sí mismos. El mensaje de Jesús es una noticia tan buena que, sencillamente, ¡tienes que compartirla!

## Resuelve el acertijo

*En la página siguiente, te invitaremos a buscar en tu libro del estudiante y a tener un avance de lo que aprenderás este año. El siguiente acertijo es parecido a un crucigrama. Empieza por resolver las seis pistas de los recuadros de la página 12. Luego transfiere las letras de tus respuestas a las casillas del acertijo que está debajo, que tienen los números correspondientes. La solución es una frase que transmite el tema principal del Evangelio.*

| | 5 | 14 | | 5 | 12 | | 13 | 9 | 19 | 20 | 5 | 18 | 9 | 15 |
| 16 | 1 | 19 | 3 | 21 | 1 | 12 | | 10 | 5 | 19 | 21 | 19 | | |
| 16 | 1 | 19 | 15 | | 4 | 5 | | 12 | 1 | | 22 | 9 | 4 | 1 |
| | 1 | | 20 | 18 | 1 | 22 | 5 | 19 | | 4 | 5 | | | |
| | 12 | 1 | | 13 | 21 | 5 | 18 | 20 | 5 | | 1 | | | |
| | 21 | 14 | 1 | | 14 | 21 | 5 | 22 | 1 | | | | | |
| 7 | 12 | 15 | 18 | 9 | 15 | 19 | 1 | | 22 | 9 | 4 | 1 | | |

# Welcome to
# Be My
# †Disciples

Jesus invites you to be his **disciple**. He wants you to know him better, to understand his message, and to follow his way of life. During this year, you will learn more about Jesus and what he asks of you. You will learn about virtues, habits, and qualities that are the marks of a disciple. And you will learn that Catholics who follow Jesus don't keep it to themselves. Jesus' message is such good news that you just have to share it!

## Solve the Puzzle

*On the next page you will be invited to search through your student book and get a preview of what you will be learning this year. The puzzle below is a little bit like a crossword puzzle. Begin by solving the six clues in the boxes on page 13. Then transfer the letters of your answers into the puzzle squares below that have the corresponding numbers. The solution is a sentence that tells the main theme of the Gospel.*

| | 9 | 14 | | 20 | 8 | 5 | | 16 | 1 | 19 | 3 | 8 | 1 | 12 |
|---|---|---|---|---|---|---|---|---|---|---|---|---|---|---|
| 13 | 25 | 19 | 20 | 5 | 18 | 25 | | 10 | 5 | 19 | 21 | 19 | | |
| 16 | 1 | 19 | 19 | 5 | 4 | | 6 | 18 | 5 | 13 | | 12 | 9 | 6 | 5 |
| | 20 | 8 | 18 | 15 | 21 | 7 | 8 | | 4 | 5 | 1 | 20 | 8 | |
| 9 | 14 | 20 | 15 | | 1 | | 14 | 5 | 23 | | 1 | 14 | 4 | |
| 7 | 12 | 15 | 18 | 9 | 15 | 21 | 19 | | 12 | 9 | 6 | 5 | | |

## 1. Creemos, Parte Uno

Este año, en la Unidad 1, aprenderás cómo la __ __ __ __ __ __ __  __ __
16  1  12  1  2  18  1    4  5

Dios nos habla a través de la creación, las personas y Él mismo. La __ __ __ __ __ __ __ __ __ __
18  5  22  5  12  1  3  9  15  14

__ __ __ __ __ __ es el acto en el que Dios nos habla. *(Consulta las páginas 24 y 26.)*
4  9  22  9  14  1

## 2. Creemos, Parte Dos

Este año, en la Unidad 2, aprenderás sobre la sección del Evangelio que

cuenta acerca del Sufrimiento y la Muerte de __ __ __ __ __ .
10  5  19  21  19

Esta sección se llama la narración de la __ __ __ __ __ __ .
16  1  19  9  15  14

*(Consulta la página 112.)*

## 3. Celebramos, Parte Uno

En la Unidad 3, aprenderás más acerca de la __ __ __ __ __ __ __ __ de la Iglesia,
12  9  20  21  18  7  9  1

"la obra del pueblo" que realizamos cuando adoramos a Dios. El ciclo anual de la Iglesia para

la celebración de la liturgia se llama año __ __ __ __ __ __ __ __ __ __ .
12  9  20  21  18  7  9  3  15

*(Consulta las páginas 172 y 174.)*

## 4. Celebramos, Parte Dos

En la Unidad 4, aprenderás de qué manera los Sacramentos celebran el amor

de Dios por nosotros. El Sacramento de la __ __ __ __ __ __ __ __
3  21  18  1  3  9  15  14

perdona nuestros pecados y nos reconcilia con Dios. *(Consulta la página 262.)*

## 5. Vivimos, Parte Uno

En la Unidad 5, aprenderás que Dios siempre cumple su promesa.

La f __ __ __ __ __ __ __ __  __ __  __ __ __ __
9  4  5  12  9  4  1  4   4  5   4  9  15  19

es eterna. *(Consulta las páginas 350 y 352.)*

## 6. Vivimos, Parte Dos

En la Unidad 6, aprenderás acerca del __ __ __ __
7  18  1  14

__ __ __ __ __ __ __ __ __ __ __ . Tenemos que amar a Dios
13  1  14  4  1  13  9  5  14  20  15

y tenemos que __ __ __ __  __  __ __ __ __ __ __ __
1  13  1  18  1  14  21  5  19  20  18  15

__ __ __ __ __ __ __ como a nosotros mismos. *(Consulta la página 386.)*
16  18  15  10  9  13  15

## 1. We Believe, Part One

This year in Unit 1 you will learn how the ___ ___ ___ ___ God speaks to us
                                         23 15 18 4

through creation, people, and himself. God speaking to us
is called ___ ___ v ___ ___ ___  ___ ___ v ___ ___ ___ ___ ___ ___ ___.
          4 9   9 14 5   18 5   5 12 1 20 9 15 14

*(See pages 25–27.)*

## 2. We Believe, Part Two

This year in Unit 2 you will learn about the section of the Gospel
that tells about the Suffering and Death of ___ ___ ___ ___ ___. The
                                              10 5 19 21 19

section is called the ___ ___ ___ ___ ___ ___ ___ narrative. *(See page 113.)*
                     16 1 19 19 9 15 14

## 3. We Worship, Part One

In Unit 3 you will learn more about the Church's ___ ___ ___ ___ ___ ___ ___,
                                         12 9 20 21 18 7 25

the "work of the people" that we do when we worship God. The
yearly cycle of the Church's celebration of the liturgy is called the

___ ___ ___ ___ ___ ___ ___ ___ ___ ___ year. *(See pages 173–175.)*
12 9 20 21 18 7 9 3 1 12

## 4. We Worship, Part Two

In Unit 4 you will learn about how Sacraments celebrate
God's love for us. The Sacraments of ___ ___ ___ ___ ___ ___ ___
                                      8 5 1 12 9 14 7

forgive us our sins and reconcile us to God. *(See page 263.)*

## 5. We Live, Part One

In Unit 5 you will learn that God always keeps his promise.

___ ___ ___ ___' ___ ___ ___ ___ ___ ___ ___ ___ ___ ___ ___ ___
7 15 4 19  6 1 9 20 8 6 21 12 14 5 19 19

is everlasting. *(See pages 351–353.)*

## 6. We Live, Part Two

In Unit 6 you will learn about the ___ ___ ___ ___ ___
                                    7 18 5 1 20

___ ___ ___ ___ ___ ___ ___ ___ ___ ___ ___. We are to love God and
3 15 13 13 1 14 4 13 5 14 20

we are to ___ ___ v ___  ___ ___ ___  ___ ___ ___ ___ b ___ ___ ___
          12 15  5  15 21 18  14 5 9 7 8  15 18 19

as we love ourselves. *(See page 387.)*

# ¡Haz lo que Él te diga!

*El líder guía una procesión hacia el espacio de oración, llevando en alto la Biblia para que todos la vean. Coloca la Biblia en un lugar de honor sobre la mesa de oración. Todos lo siguen y se reúnen alrededor de la mesa de oración y hacen juntos la Señal de la Cruz.*

**Líder:** Señor, nos reunimos hoy para honrarte y agradecerte por el don de tu Palabra. Queremos seguir el ejemplo de María, tu Madre, y ser tus discípulos en todo lo que decimos y hacemos.

**Todos:** **Haremos lo que Tú nos digas que hagamos.**

**Líder:** Lectura del Evangelio según San Juan.

**Todos:** **Gloria a ti, oh Señor.**

**Líder:** *Proclama Juan 2:1–10*
Palabra del Señor.

**Todos:** **Gloria a ti, Señor Jesús.**

**Líder:** Señor Jesús, tu Madre, María, fue tu primera y mejor discípula. Nosotros también queremos ser tus discípulos. Ayúdanos a seguirte mientras aprendemos acerca de tus palabras y acciones en los Evangelios. Haremos lo que Tú nos digas que hagamos.

**Todos:** **¡Amén! ¡Haremos lo que Tú nos digas que hagamos!**

*Todos intercambian una señal de la paz.*

# Do Whatever He Tells You!

*The leader leads a procession to the prayer space, holding the Bible high for all to see. He/she places the Bible in a place of honor on the prayer table. All follow and gather around the prayer table and make the Sign of the Cross together.*

**Leader:** Lord, we gather today to honor you and thank you for the gift of your Word. We want to follow the example of Mary, your Mother, and be your disciples in all we say and do.

**All:** **We will do whatever you tell us to do.**

**Leader:** A reading from the Gospel according the John.

**All:** **Glory to you, O Lord.**

**Leader:** *Proclaim John 2: 1-10.*
The Gospel of the Lord.

**All:** **Praise to you, Lord Jesus Christ.**

**Leader:** Lord Jesus, your mother, Mary, was your first and best disciple. We want to be your disciples too. Help us to follow you as we learn of your words and deeds in the Gospels. We will do whatever you tell us to do.

**All:** **Amen! We will do whatever you tell us to do!**

*All exchange a sign of peace.*

# La Santísima Trinidad

Jesús fue a ver a Juan, su primo, que estaba bautizando a las personas en el río Jordán. Jesús le pidió a Juan que lo bautizara.

*Una vez bautizado, Jesús salió del agua. En ese momento se abrieron los Cielos y vio al Espíritu de Dios que bajaba como una paloma y se posaba sobre él. Al mismo tiempo se oyó una voz del cielo que decía: "Este es mi Hijo, el Amado; en él me complazco."*

MATEO 3:16–17

# The Trinity

Jesus went to see his cousin John who was baptizing people at the River Jordan. Jesus asked John to baptize him.

After Jesus was baptized, he came up from the water and behold, the heavens were opened [for him], and he saw the Spirit of God descending like a dove [and] coming upon him. And a voice came from the heavens, saying, "This is my beloved Son, with whom I am well pleased."

MATTHEW 3:16–17

# Lo que he aprendido

*¿Qué es lo que ya sabes acerca de estos conceptos de fe?*

**Revelación Divina**

_____
_____
_____

**El Antiguo Testamento**

_____
_____

**La Santísima Trinidad**

_____
_____

# Vocabulario de fe para aprender

*Escribe X junto a las palabras de fe que sabes. Escribe ? junto a las palabras de fe que necesitas aprender mejor.*

_____ Fe

_____ Evangelio

_____ Señor

_____ Anunciación

_____ Evangelistas

_____ Abbá

_____ Inspiración de la Biblia

## La Biblia

*¿Qué sabes acerca de cómo encontrar pasajes en la Biblia?*

_____
_____
_____

## La Iglesia

*¿Qué cosa podrías decirle a un amigo acerca de lo que la Iglesia cree?*

_____
_____
_____

## Tengo preguntas

*¿Qué te gustaría preguntar acerca del misterio de Dios?*

_____
_____

# What I Have Learned

*What is something you already know about these faith terms?*

**Divine Revelation**

_____
_____
_____

**The Old Testament**

_____
_____

**The Holy Trinity**

_____
_____

# Faith Terms to Know

*Put an X next to the faith terms you know. Put a ? next to faith terms you need to learn more about.*

_____ Faith

_____ Gospel

_____ Lord

_____ Annunciation

_____ Evangelists

_____ Abba

_____ Inspiration of the Bible

## The Bible

*What do you know about how to find passages in the Bible?*

_____
_____
_____

## The Church

*What is one thing you could tell a friend about what the Church believes?*

_____
_____
_____

## Questions I Have

*What questions would you like to ask about the mystery of God?*

_____
_____
_____

## Lo que vendrá

En este capítulo el Espíritu Santo te invita a ▶

**INVESTIGAR** cómo el Beato Juan XXIII nos ayudó a vivir como seguidores de Cristo.

**DESCUBRIR** las diferentes maneras en que Dios se revela a sí mismo ante nosotros.

**DECIDIR** cómo llegarás a conocer mejor a Dios.

# Háblanos, Señor

❓ ¿Cuáles son algunas de las maneras en que llegas a conocer mejor a las personas?

Aprendemos cosas de los demás de muchas maneras diferentes. Una de las maneras en que podemos aprender sobre las personas es a través de aquellos que conocen y aman a los demás. Dios Padre envió a su Hijo, Jesús, para que pudiéramos conocer a Dios y su amor más profundamente.

> ¡Así amó Dios al mundo! Le dio al Hijo Único . . . JUAN 3:16

❓ ¿Qué te dice Dios en este pasaje?

¿De qué otras maneras podríamos llegar a conocer mejor a Dios?

**EXPLORE** how Blessed John XXIII helped us live as followers of Christ.

**DISCOVER** the different ways that God reveals himself to us.

**DECIDE** how you will come to know God better.

### CHAPTER 1

# Speak, Lord

**?** What are some of the ways you come to know people better?

We learn about others through many different ways. One of the ways we can learn about people is through those who know and love others. God the Father sent his Son, Jesus, so that we could know God and his love more deeply.

> For God so loved the world that he gave his only Son . . .  JOHN 3:16

**?** What is God saying to you in this passage?

What are some other ways we might come to know God better?

# San Juan XXIII

## Poder de los discípulos

### Ciencia

La ciencia es una virtud y un don del Espíritu Santo, que nos permite elegir el camino correcto hacia Dios. Nos anima a evitar los obstáculos que nos alejan de Él.

Desde sus inicios, la Iglesia Católica ha tenido pastores que han guiado a la Iglesia y a otras personas en su búsqueda de Dios. Estos pastores han ayudado a los demás a crecer en la fe. El San Juan XXIII fue uno de esos líderes.

El Papa Juan XXIII convocó al Concilio Vaticano II, que empezó en 1962. Convocó al Concilio para ayudar a toda la Iglesia y a todo el mundo a comprender mejor a Dios y su plan para nosotros. El Papa Juan XXIII quería que la Iglesia fuera un signo claro y poderoso del amor de Dios en el mundo.

El Papa Juan XXIII murió el 3 de junio de 1963. Cuatro décadas más tarde, el Papa Juan Pablo II lo nombró Beato Juan XXIII. El 27 de abril de 2014 el Papa Francisco lo nombró Santo de la Iglesia. San Juan XXIII sigue inspirando a las personas a escuchar la voz de Dios y a poner su fe, su esperanza y su amor en Él.

**Actividad** En la sección de arriba, escribe el nombre de una persona. En la sección de abajo, escribe cómo esa persona te ayuda a vivir como seguidor de Cristo.

### PERSONA

_____

_____

### ME AYUDA . . .

_____

_____

_____

_____

San Juan XXIII fue el Papa número 261.

# THE CHURCH FOLLOWS JESUS

## Saint John XXIII

From her very beginning, the Catholic Church has had pastors who have guided the Church and other people in their search for God. These pastors have helped others grow in faith. Saint John XXIII was one of those leaders.

Pope John XXIII called the Second Vatican Council, which began in 1962. He called the Council to help the whole Church and the whole world better understand God and his plan for us. Pope John XXIII wanted the Church to be a clear and powerful sign of God's love in the world.

Pope John XXIII died on June 3, 1963. Four decades later, Pope John Paul II named him Blessed John XXIII. On April 27, 2014, Pope Francis named him a Saint of the Church. Saint John XXIII continues to inspire people to listen for God's voice and place their faith, hope, and love in him.

### Disciple Power

**Knowledge**

Knowledge is a virtue and a gift of the Holy Spirit that allows you to choose the right path to God. It encourages you to avoid obstacles that will keep you from him.

**Activity** In the top section, write the name of a person. In the bottom section, write how this person helps you to live as a follower of Christ.

PERSON

_____

_____

HELPS ME BY . . .

_____

_____

_____

_____

_____

_____

Saint John XXIII was elected the 261st Pope.

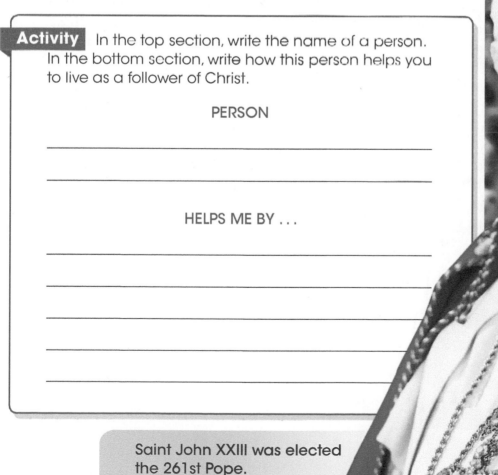

23

ENFOQUE EN LA FE
¿De qué maneras Dios se
ha revelado a sí mismo?

**VOCABULARIO DE FE**
**Revelación Divina**
A través del tiempo, Dios
nos da a conocer el
misterio de sí mismo y su
plan divino de creación
y Salvación.

**fe**
Es una de las tres
Virtudes Teologales.
Es un don y un poder
sobrenatural de Dios, que
nos invita a conocerlo y
a creer en Él, y nosotros
respondemos libremente
a esa invitación.

# Revelación Divina

Cada uno de nosotros nació con un deseo interior. Este deseo nos hace darnos cuenta de que existe alguien que es mucho más grande que nosotros. Ese alguien es Dios. Este deseo forma parte de quiénes somos como seres humanos. Cada uno de nosotros está buscando a Dios, y Él está buscándonos.

San Agustín, un obispo de África del siglo iv, resumió nuestro deseo y nuestra búsqueda de Dios. Agustín escribió: "Nos has creado para ti y nuestro corazón estará inquieto hasta que descanse en ti" (de *Confesiones*).

El amor de Dios por nosotros es tan grande que Él viene a nosotros y nos invita a conocerlo, a tener esperanza en Él y a amarlo. Esta es la razón por la cual Dios nos creó.

## Dios se revela a sí mismo

¿Cómo nos ayuda Dios para que lo conozcamos? La respuesta es: Dios se revela a sí mismo ante nosotros.

No podemos ver a Dios. No podemos saber qué tiene en mente Dios. Solos, no podemos llegar a saber quién es Dios ni su plan de bondad para nosotros y para el mundo. Por lo que Dios, por amor, se reveló a sí mismo ante nosotros. La **Revelación Divina** es Dios que se da a conocer a sí mismo y a su plan de creación y Salvación.

Dios ha revelado que Él nos ha creado. Está siempre invitándonos a participar de su vida y su amor. Hacer a Dios parte de nuestra vida, aprender acerca de Él y conocerlo nos da felicidad. Dios quiere que seamos completamente felices con Él, no solo en el Cielo para siempre, sino también ahora en la Tierra. Por esa razón Dios nos creó.

**?** ¿Cómo nos demuestra la Revelación de Dios que Él nos ama?

# Divine Revelation

Every one of us is born with a desire within us. This desire makes us realize there is someone who is much greater than we are. That someone is God. This desire is part of who we are as human beings. Each of us is looking for God, and he is looking for us.

Saint Augustine, a bishop in Africa in the fourth century, summarized our desire and our search for God. Augustine wrote, "You, O God, have made us for yourself, and our hearts are restless until they rest in you" (from *Confessions*).

God's love for us is so great that he comes to us and invites us to know him, to have hope in him, and to love him. This is the reason God created us.

## God Reveals Himself

How does God help us get to know him? The answer is: God reveals himself to us.

We cannot see God. We cannot know what is in God's mind. We cannot, on our own, come to know who God is and his plan of goodness for us and for the world. So God, out of love, revealed himself to us. **Divine Revelation** is God making himself and his plan of creation and Salvation known.

God has revealed that he has created us. He is always inviting us to share in his life and love. Making God part of our lives, learning about him, and knowing him bring us happiness. God wants us to be completely happy with him, not only forever in Heaven but also now on Earth. That is why God created us.

[?] How does God's Revelation show us that he loves us?

**FAITH FOCUS**
In what ways has God revealed himself?

**FAITH VOCABULARY**

**Divine Revelation**
God's making known over time the mystery of himself and his divine plan of creation and Salvation.

**faith**
One of the three Theological Virtues. A supernatural gift and power from God inviting us to know and believe in him, and our free response to that invitation.

## Personas de fe

### San Anselmo de Canterbury

Anselmo era el arzobispo de Canterbury, Inglaterra. Se lo honra como uno de los grandes teólogos de la Iglesia. Un teólogo es una persona que estudia y explica la fe de manera que podamos comprender mejor lo que Dios ha revelado. Anselmo describió su trabajo como "la fe que busca comprender". Su día es el 21 de abril.

## Dios habla a través de la creación

Una de las maneras en que Dios nos habla es a través de su creación. Dios es el Creador que nos habla de sí mismo a través del mundo en que vivimos. Cuando miramos la creación, nos damos cuenta de lo maravilloso que es Dios.

El cielo, las estrellas y las galaxias cantan sobre el amor de Dios. La belleza de los caballos que galopan por un prado, de los delfines que se deslizan por el océano y de las águilas que planean en los cielos, todo refleja la bondad y la belleza de Dios. Toda la creación honra y glorifica a Dios.

## Dios habla a través de las personas

Una de las mejores maneras en que Dios nos ayuda a conocerlo es a través de las personas. A lo largo de la historia, Dios ha elegido a personas especiales, a través de las cuales se ha revelado a sí mismo. En la Biblia, Dios nos dice que los israelitas fueron las primeras personas que eligió. Ellas serían su pueblo, y Él sería su Dios. El escritor del Libro del Deuteronomio, el quinto libro de la Biblia, les recordó a los israelitas:

> Yavé te ha elegido de entre todos los pueblos que hay sobre la faz de la tierra, para que seas su propio pueblo.
>
> DEUTERONOMIO 7:6

Dios no era extraño a su pueblo. Estaba siempre presente con ellos.

**Actividad** Diseña un adhesivo para alabar a Dios.

## God Speaks through Creation

One way God speaks to us is through his creation. God is the Creator who tells us about himself through the world we live in. When we look at creation, we realize how wonderful God is.

The sky, the stars, and the galaxies sing of God's love. The beauty of horses galloping through a field, dolphins gliding through the ocean, and eagles soaring in the skies all reflect God's goodness and beauty. All creation gives honor and glory to God.

## God Speaks through People

One of the best ways God helps us know him is through people. Throughout the ages God has chosen special people through whom he has revealed himself. In the Bible, God tells us that the Israelites were the first people he chose. They would be his people, and he would be their God. The writer of the Book of Deuteronomy, the fifth book of the Bible, reminded the Israelites:

> [The Lord] has chosen you from all the nations on the face of the earth to be a people peculiarly his own.                    DEUTERONOMY 7:6

God was no stranger to his people. He was always present with them.

**Activity**

Design a sticker to give praise to God.

## Faith-Filled People

**Saint Anselm of Canterbury**

Anselm was the archbishop of Canterbury, England. He is honored as one of the great theologians of the Church. A theologian is a person who studies and explains the faith so we can better understand what God has revealed. Anselm described his work as "faith seeking understanding." His feast day is April 21.

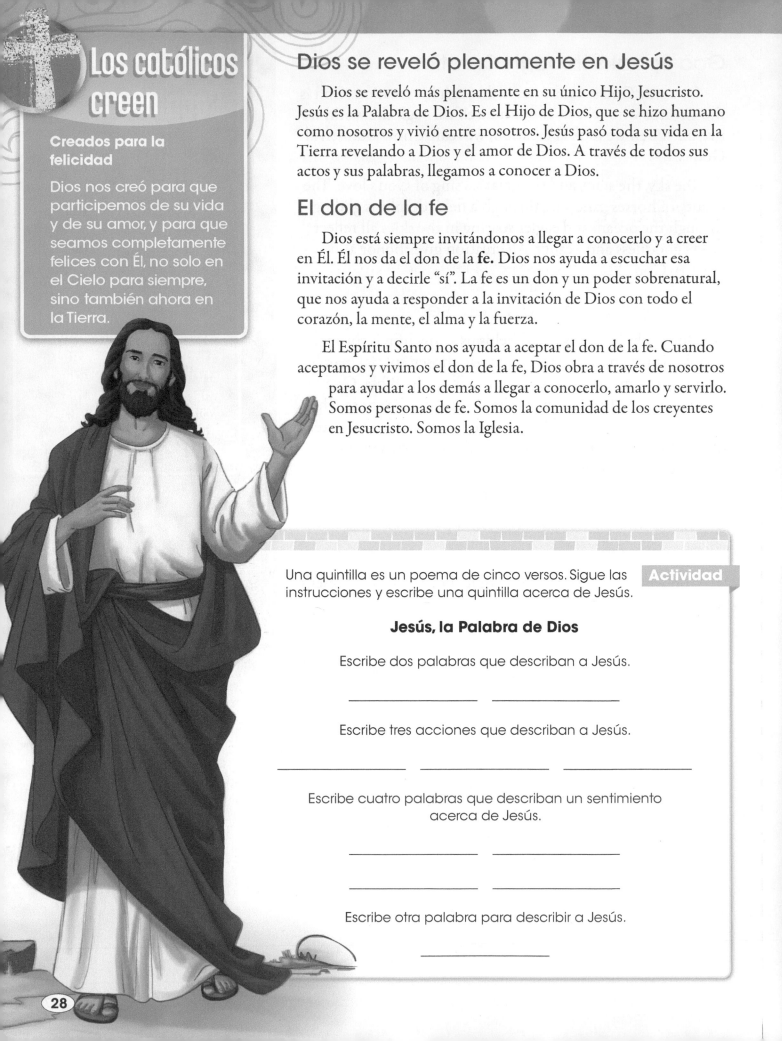

### Creados para la felicidad

Dios nos creó para que participemos de su vida y de su amor, y para que seamos completamente felices con Él, no solo en el Cielo para siempre, sino también ahora en la Tierra.

## Dios se reveló plenamente en Jesús

Dios se reveló más plenamente en su único Hijo, Jesucristo. Jesús es la Palabra de Dios. Es el Hijo de Dios, que se hizo humano como nosotros y vivió entre nosotros. Jesús pasó toda su vida en la Tierra revelando a Dios y el amor de Dios. A través de todos sus actos y sus palabras, llegamos a conocer a Dios.

## El don de la fe

Dios está siempre invitándonos a llegar a conocerlo y a creer en Él. Él nos da el don de la **fe.** Dios nos ayuda a escuchar esa invitación y a decirle "sí". La fe es un don y un poder sobrenatural, que nos ayuda a responder a la invitación de Dios con todo el corazón, la mente, el alma y la fuerza.

El Espíritu Santo nos ayuda a aceptar el don de la fe. Cuando aceptamos y vivimos el don de la fe, Dios obra a través de nosotros para ayudar a los demás a llegar a conocerlo, amarlo y servirlo. Somos personas de fe. Somos la comunidad de los creyentes en Jesucristo. Somos la Iglesia.

**Actividad**

Una quintilla es un poema de cinco versos. Sigue las instrucciones y escribe una quintilla acerca de Jesús.

### Jesús, la Palabra de Dios

Escribe dos palabras que describan a Jesús.

_____ _____

Escribe tres acciones que describan a Jesús.

_____ _____ _____

Escribe cuatro palabras que describan un sentimiento acerca de Jesús.

_____ _____

_____ _____

Escribe otra palabra para describir a Jesús.

_____

## God Is Fully Revealed in Jesus

God revealed himself most fully in his only Son, Jesus Christ. Jesus is the Word of God. He is the Son of God, who became one of us and lived among us. Jesus spent his whole life on Earth revealing God and God's love. Through all of his actions and words, we come to know God.

## The Gift of Faith

God is always inviting us to come to know him and believe in him. He gives us the gift of **faith**. God helps us listen to and say yes to that invitation. Faith is a supernatural gift and power that helps us respond to God's invitation with all our heart, mind, soul, and strength.

The Holy Spirit helps us accept the gift of faith. When we accept and live the gift of faith, God works through us to help others come to know, love, and serve him. We are people of faith. We are the community of believers in Jesus Christ. We are the Church.

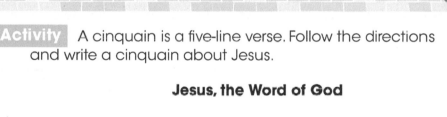

**Activity**  A cinquain is a five-line verse. Follow the directions and write a cinquain about Jesus.

### Jesus, the Word of God

Write two words that describe Jesus.

_____  _____

Write three action words that describe Jesus.

_____  _____  _____

Write four words that describe a feeling about Jesus.

_____  _____

_____  _____

Write another word for Jesus.

_____

# YO SIGO A JESÚS

**Todos los días, el Espíritu Santo** te ayuda a llegar a conocer, amar y servir mejor a Dios. Aprender lo que la Iglesia Católica enseña nos ayudará a comprender y a vivir lo que Dios ha revelado. El Espíritu Santo te ayudará a crecer como hijo de Dios y como discípulo de Jesucristo.

## APRENDER MÁS SOBRE DIOS

Coloca una marca en la casilla que está junto a las cosas que haces para crecer en tu fe. Luego escribe otras cosas que puedes hacer para llegar a conocer mejor a Dios.

☐ Leer la Biblia

☐ Aprender las enseñanzas de la Iglesia

☐ Rezarle al Espíritu Santo

☐ Pensar en el don de Dios de la Creación

Otras cosas que puedo hacer para conocer mejor a Dios incluyen:

_____

_____

_____

_____

_____

_____

_____ .

Algunas de las personas que pueden ayudarme a crecer en mi fe son:

_____

_____

_____

_____

_____

_____ .

## MI ELECCIÓN DE FE

Esta semana, trataré de conocer mejor a Dios. Yo

_____

_____

_____ .

 **Reza para agradecer a Dios por el don de la ciencia, y pídele al Espíritu Santo que continúe ayudándote a crecer en el conocimiento y en la manera de vivir tu fe.**

# I FOLLOW JESUS

**Every day the Holy Spirit** is helping you come to know, love, and serve God better. Learning what the Catholic Church teaches will help you understand and live what God has revealed. The Holy Spirit will help you grow as a child of God and as a disciple of Jesus Christ.

## LEARNING MORE ABOUT GOD

Place a check in the box next to the things you do to grow in your faith. Then write down other things you can do to come to know God better.

- ☐ Reading the Bible
- ☐ Learning the teachings of the Church
- ☐ Praying to the Holy Spirit
- ☐ Thinking about God's gift of Creation

Other things I can do to know God better include:

_____

_____

_____

_____

_____

_____

_____.

Some people who can help me grow in my faith are:

_____

_____

_____

_____

_____.

This week I will try to know God better. I will

_____

_____

_____.

## MY FAITH CHOICE

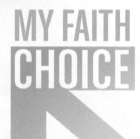 **Pray,** thanking God for the gift of knowledge, and ask the Holy Spirit to continue to help you grow in knowing and living your faith.

1. La Revelación Divina es Dios que se da a conocer a sí mismo y a su plan de creación y Salvación.

2. Podemos llegar a conocer a Dios a través de la creación, especialmente a través de las personas.

3. Dios se revela a sí mismo de una manera más plena en Jesucristo, el Hijo de Dios, quien se hizo humano como nosotros y vivió entre nosotros.

# Repaso del capítulo

*Elige tres de las palabras del vocabulario de fe de la lista. Usa cada término en una oración para describir cómo llegas a conocer a Dios.*

| creación | personas | Jesucristo | fe | Iglesia |
|----------|----------|------------|-----|---------|

1. _____

_____

2. _____

_____

3. _____

_____

# Señor, ayúdanos a creer

*Reza este acto de fe. Pídele a Dios que te ayude a llegar a conocerlo y a creer en Él mejor.*

**Líder:** "Habla, Yavé, que tu siervo escucha".

**Todos:** **"Habla, Yavé, que tu siervo te escucha".**

**Líder:** Señor, ayúdame a conocerte mejor.

**Todos:** **"Habla, Yavé, que tu siervo escucha".**

**Líder:** Señor, ayúdame a escuchar y a decir "sí" a tu don de fe.

**Todos:** **"Habla, Yavé, que tu siervo te escucha." Amén.**

1.° SAMUEL 3:9

# Chapter Review

*Choose three of the faith terms in the word bank. Use each term in a sentence to describe how you come to know God.*

| creation | people | Jesus Christ | faith | Church |
|----------|--------|--------------|-------|--------|

1. _____

_____

2. _____

_____

3. _____

_____

▶ **TO HELP YOU REMEMBER**

1. Divine Revelation is God making himself and his plan of creation and Salvation known.

2. We can come to know God through creation, especially through people.

3. God most fully reveals himself in Jesus Christ, the Son of God, who became one of us and lived among us.

# Lord, Help Us Believe

*Pray this act of faith. Ask God to help you come to know and believe in him better.*

**Leader:** "Speak, Lord, for your servant is listening."

**All:** **"Speak, Lord, for your servant is listening."**

**Leader:** Lord, help me come to know you better.

**All:** **"Speak, Lord, for your servant is listening."**

**Leader:** Lord, help me listen and say yes to your gift of faith.

**All:** **"Speak, Lord, for your servant is listening."**
**Amen.**

1 Samuel 3:9

# Con mi familia

## Esta semana...

**En el capítulo 1,** "Háblanos, Señor", su niño aprendió que:

▶ Todas las personas han sido creadas con un anhelo y un deseo innatos por Dios.

▶ Dios se revela a sí mismo y nos da el don de la fe para conocer y responder a ese deseo.

▶ La Creación señala la existencia de un Dios sabio, amoroso y todopoderoso.

▶ Dios se ha revelado a sí mismo de una manera más plena en Jesucristo, el Hijo de Dios, quien se hizo humano como nosotros y vivió entre nosotros.

▶ La virtud de la ciencia es un Don del Espíritu Santo, que nos permite elegir el camino correcto que nos llevará a Dios. Nos anima a evitar los obstáculos que nos mantendrán alejados de Él.

**Para saber más** sobre otras enseñanzas de la Iglesia, consulten el *Catecismo de la Iglesia Católica,* 50–67, 142–175, 185–197, y el *Catecismo Católico de los Estados Unidos para los Adultos,* páginas 11–19 y 35–47.

## ■ Compartir la Palabra de Dios

**Inviten a todos los miembros de la familia** a compartir sus relatos preferidos de la Biblia. Luego comenten acerca de lo que cada relato les dice de Dios. Enfaticen que el Espíritu Santo nos ayuda a conocer a Dios y a creer en Él.

## ■ Vivimos como discípulos

**El hogar cristiano** con la familia es una escuela de discipulado. Elijan una o más de las siguientes actividades para hacer en familia, o creen una actividad similar ustedes mismos.

▶ Inviten a los miembros de la familia a compartir el nombre de las personas que los han ayudado a conocer a Dios. Cuenten cómo estas personas los han ayudado.

▶ **Miren la TV** o busquen en revistas. Comenten los comerciales y los anuncios publicitarios acerca de la felicidad. ¿En qué se parece esto a la felicidad que Dios creó para nosotros?

## ■ Nuestro viaje espiritual

**La oración diaria** es vital para la vida cristiana. A través de la oración, conversamos con Dios. Él es nuestro Compañero en nuestro viaje terrenal. En este capítulo, su niño rezó un acto de fe. Lean y recen juntos esta oración de la página 32.

Para hallar más ideas sobre las maneras en que su familia puede vivir como discípulos de Jesús, visiten **seanmisdiscipulos.com**

# With My Family

## This Week...

**In chapter 1**, "Speak, Lord," your child learned:

- ▶ Every person has been created with an innate longing and a desire for God.
- ▶ God has revealed himself and gives us the gift of faith to know and respond to that desire.
- ▶ Creation points to the existence of a wise, loving, and all-powerful God.
- ▶ In Jesus Christ, the Son of God, who became one of us and lived among us, God has revealed himself most fully.
- ▶ The virtue of knowledge is a Gift of the Holy Spirit that allows us to choose the right path that will lead us to God. It encourages us to avoid obstacles that will keep us from him.

**For more** about related teachings of the Church, see the *Catechism of the Catholic Church*, 50–67, 142–175, 185–197; and the *United States Catholic Catechism for Adults*, pages 11–19 and 35–47.

## Sharing God's Word

**Invite all family members** to share their favorite Bible stories. Then talk about what each story tells us about God. Emphasize that the Holy Spirit helps us know and believe in God.

## We Live as Disciples

**The Christian home** and family is a school of discipleship. Choose one of the following activities to help the members of your family follow Jesus.

- ▶ Invite family members to share the names of people who have helped them know about God. Share how these people have helped.

- ▶ **Watch TV** or look through magazines. Talk about what the commercials and advertisements tell us about happiness. How does this compare to the happiness God created us to have?

## Our Spiritual Journey

**Daily prayer** is vital to the Christian life. Through prayer we converse with God. He is our Companion on our earthly journey. In this chapter your child prayed an act of faith. Read and pray together this prayer on page 33.

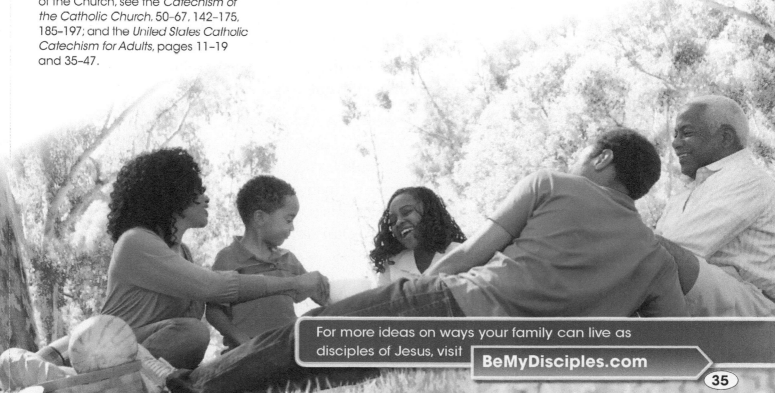

For more ideas on ways your family can live as disciples of Jesus, visit **BeMyDisciples.com**

CAPÍTULO

2

**Lo que vendrá**

En este capítulo el Espíritu Santo te invita a ▶

**INVESTIGAR** por qué los cristianos muestran reverencia por la Biblia.

**DESCUBRIR** los tipos diferentes de escritos que hay en la Biblia.

**DECIDIR** cómo escuchar y vivir la Palabra de Dios cada día.

# La Palabra de Dios

**?** ¿Cuál es tu libro de lectura preferido?

La Biblia es el libro más leído en el mundo. En la Biblia, Dios nos habla de su amor por nosotros. Dios nos habla especialmente de su amor a través de las palabras y los actos de Jesús, el Hijo de Dios. En un relato del Evangelio, Jesús calma una tormenta y pide a sus discípulos que tengan fe.

[Jesús] entonces se despertó. Se encaró con el viento y dijo al mar: "Cállate. Cálmate". El viento se apaciguó y siguió una gran calma. Después les dijo [a sus discípulos]: "¿Por qué son tan miedosos? ¿Todavía no tienen fe?" Pero ellos estaban muy asustados por lo ocurrido y se preguntaban unos a otros: "¿Quién es éste, que hasta el viento y el mar le obedecen?" MARCOS 4:39–41

**?** ¿Qué puedes aprender acerca de la fe con este relato?

## Looking Ahead

In this chapter the Holy Spirit invites you to ▶

**EXPLORE** why Christians show reverence for the Bible.

**DISCOVER** the different kinds of writings in the Bible.

**DECIDE** how to listen to and live God's Word each day.

CHAPTER **2**

# The Word of God

**?** What is your favorite book to read?

The Bible is the most widely read book in the world. In the Bible God tells us about his love for us. God most especially tells us about his love through the words and actions of Jesus, the Son of God. In one Gospel story, Jesus calms a storm and calls on his disciples to have faith.

> [Jesus] woke up, rebuked the wind, and said to the sea, "Quiet! Be Still!" The wind ceased and there was a great calm. Then he asked [his disciples], "Why are you terrified? Do you not yet have faith?" They were filled with great awe and said to one another, "Who then is this whom even wind and sea obey?"
>
> MARK 4:39–41

**?** What can you learn about faith from this story?

## Poder de los discípulos

**Reverencia**

La reverencia es una virtud y un Don del Espíritu Santo. La reverencia nos ayuda a respetar y honrar a Dios, a María y los Santos, a la Iglesia y a las personas como "imagen de Dios".

# Reverencia por la Biblia

Los cristianos se fortalecen al oír y escuchar con reverencia la Palabra de Dios. San Jerónimo nos recordó la importancia de la Biblia. Escribió: "Porque el desconocimiento de las Escrituras es desconocimiento de Cristo".

Antes de que se inventara la imprenta en el siglo XVI, los maestros de la Ley copiaban la Biblia a mano. Los artistas pintaban las páginas de la Biblia con imágenes coloridas y decoraban los bordes de las páginas con oro.

Muchas familias cristianas tienen una Biblia familiar. En ella escriben los acontecimientos clave del relato de fe de su familia. Anotan bautismos, matrimonios y otros momentos importantes en la historia de fe de la familia.

En todas las celebraciones de la Misa, la Palabra de Dios es proclamada en voz alta. Llevamos el Evangeliario con dignidad en la procesión de entrada y proclamamos la Palabra de Dios desde un lugar de honor llamado *ambón*. Esta celebración muestra la fe de la Iglesia en la Biblia como la propia Palabra de Dios para nosotros.

Jesús está allí cuando nos reunimos con otros miembros de la Iglesia o como familia para leer y escuchar la Biblia.

**?** ¿Cuándo oyen la Palabra de Dios tu familia y la parroquia?

# Reverence for the Bible

## Disciple Power

**Reverence**

Reverence is a virtue and a Gift of the Holy Spirit. Reverence helps us to respect and honor God, Mary and the Saints, the Church, and people as "images of God."

Christians are strengthened by hearing and listening reverently to the Word of God. Saint Jerome reminded us of the importance of the Bible. He wrote, "Ignorance of the Scriptures is ignorance of Christ."

Before the printing press was invented in the sixteenth century, scribes copied the Bible by hand. Artists painted pages of the Bible with colorful images and decorated the edges of the pages with gold.

Many Christian families have a family Bible. They write down the key events of their family's faith story in it. They record Baptisms, marriages, and other important milestones in the faith history of the family.

At every celebration of the Mass, the Word of God is proclaimed aloud. We carry the Book of the Gospels with dignity in the entrance procession and proclaim the Word of God from a place of honor called the *ambo*. This celebration shows the faith of the Church in the Bible as God's own Word to us.

When we gather with other members of the Church or as a family to read and listen to the Bible, Jesus is there.

? When does your family and parish hear the Word of God?

## VOCABULARIO DE FE

**Inspiración de la Biblia**
La guía del Espíritu Santo a los escritores humanos de la Sagrada Escritura para comunicar la Palabra de Dios con fidelidad y exactitud.

**Evangelio**
El Evangelio es la Buena Nueva del amor de Dios revelado en la vida, sufrimiento, Muerte, Resurrección y Ascensión de Jesucristo.

# Sagrada Escritura

Los libros nos cuentan relatos de felicidad y de tristeza, de éxitos y fracasos. La Biblia nos cuenta el relato del amor de Dios por su pueblo y la respuesta del pueblo a este amor. La Biblia es la propia palabra de Dios para nosotros. Dios nos habla a través de la Biblia.

La Sagrada Escritura es otro nombre que se le da a la Biblia. Es un nombre que significa "escritos sagrados". La Biblia es una colección de muchos escritos sagrados. La Iglesia divide la Biblia en Antiguo Testamento y Nuevo Testamento. La palabra *testamento* significa "alianza".

El Espíritu Santo inspiró, o guió, a los escritores humanos de la Biblia para comunicar la Palabra de Dios con fidelidad y exactitud. Llamamos a esta verdad de nuestra fe **Inspiración de la Biblia**. Con la guía del Espíritu Santo, la Iglesia ha identificado los cuarenta y seis libros del Antiguo Testamento y los veintisiete libros del Nuevo Testamento para que sean la Palabra de Dios inspirada. A esto le decimos canon de las Sagradas Escrituras.

**Actividad** ¿Sabes cómo buscar un pasaje de la Biblia? Busca Juan 8:31–32. Primero, decide si el pasaje está en el Antiguo Testamento o en el Nuevo Testamento. Luego sigue las siguientes pistas para hallar el pasaje.

JUAN = Libro de la Biblia
(¡PISTA! Mira la parte superior de la página de la Biblia.)

JUAN 8 = Capítulo

JUAN 8:31–32 = Versículos

Lee el pasaje en silencio y escribe en el espacio lo que aprendiste.

_____

_____

_____

# Sacred Scripture

Books tell stories of happiness and sadness, successes and failures. The Bible tells the story of God's love for his people and their response to his love. The Bible is God's own word to us. God speaks to us through the Bible.

Sacred Scripture is another name for the Bible. It is a name that means "holy writings." The Bible is a collection of many holy writings. The Church divides the Bible into the Old Testament and the New Testament. The word *testament* means "covenant."

The Holy Spirit inspired, or guided, the human writers of the Bible to faithfully and accurately communicate God's Word. We call this truth of our faith the **Inspiration of the Bible**. Guided by the Holy Spirit, the Church has identified the forty-six books of the Old Testament and the twenty-seven books of the New Testament to be the inspired Word of God. We call this the canon of Scripture.

**FAITH FOCUS**
What kinds of writings are in the Bible?

**FAITH VOCABULARY**

**Inspiration of the Bible**
The Holy Spirit guiding the human writers of Sacred Scripture to faithfully and accurately communicate God's Word.

**Gospel**
The Gospel is the Good News of God's love revealed in the life, suffering, Death, Resurrection, and Ascension of Jesus Christ.

**Activity**  Do you know how to look up a Bible passage? Look up John 8:31–32. First decide whether the passage is in the Old Testament or the New Testament. Then follow the clues below to find the passage.

JOHN = Book of the Bible
(HINT! Look at the top of the Bible page.)

JOHN 8 = Chapter

JOHN 8:31–32 = Verses

Read the passage silently and write in the space what you learned.

_____

_____

_____

### San Jerónimo

San Jerónimo (343–420) tradujo la Biblia al latín. La traducción de Jerónimo se conoce como la Biblia Vulgata y fue, durante cientos de años, la Biblia estándar de la Iglesia Católica Romana. A San Jerónimo se lo honra como uno de los cuatro grandes Doctores de la Iglesia Occidental. Su día es el 30 de septiembre.

## El Antiguo Testamento

El Antiguo Testamento cuenta el relato de la Alianza. La Alianza es el acuerdo solemne que hicieron Dios y su pueblo. El relato de la Alianza empieza en la creación. Continúa con los relatos de Noé, Abrahán y Moisés y los profetas.

### Tora

La Tora son los cinco primeros libros del Antiguo Testamento. Estos libros también se conocen como el Pentateuco, palabra que significa "cinco recipientes". El Pentateuco contiene el relato de la Alianza, los Diez Mandamientos y otras leyes que ayudan al pueblo de Dios a vivir la Alianza.

### Los libros históricos

Hay dieciséis libros históricos. Hablan sobre la lucha de los israelitas para vivir la Alianza con fidelidad.

### Los libros sapienciales

Hay siete libros sapienciales. Estos enseñan maneras prácticas de vivir la Ley de Dios.

### Los libros proféticos

Hay dieciocho libros proféticos. Estos libros contienen las enseñanzas de los profetas. Los profetas eran personas que Dios eligió para que hablaran en su nombre.

? ¿Cuál es el contenido principal de la Tora, los libros históricos y los libros sapienciales de la Biblia?

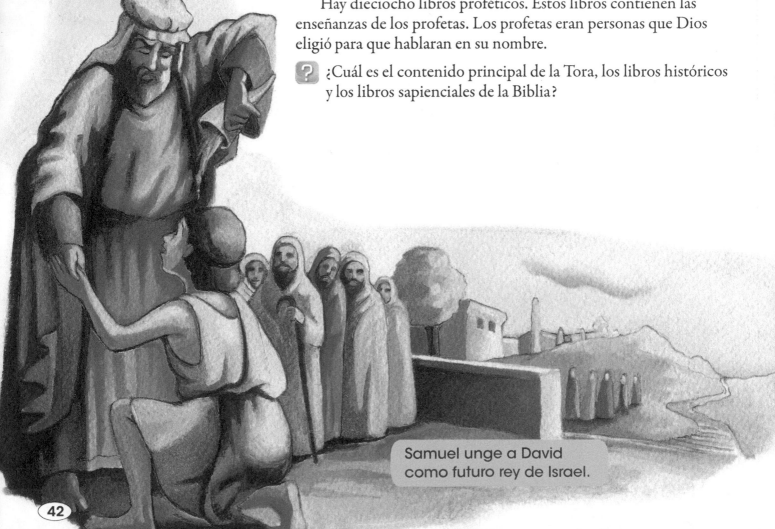

Samuel unge a David como futuro rey de Israel.

## The Old Testament

The Old Testament tells the story of the Covenant. The Covenant is the solemn agreement that God and his people entered into. The story of the Covenant begins at creation. It continues with the stories of Noah, Abraham, and Moses and the prophets.

### Torah

The Torah is the first five books of the Old Testament. These books are also known as the Pentateuch, a word meaning "five containers." The Pentateuch contains the story of the Covenant, the Ten Commandments, and other laws that help God's people live the Covenant.

### The Historical Books

There are sixteen historical books. They tell about the struggle of the Israelites to live the Covenant faithfully.

### The Wisdom Books

There are seven wisdom books. They teach practical ways to live God's Law.

### The Prophetic Books

There are eighteen prophetic books. These books contain the teachings of the prophets. The prophets were people God chose to speak in his name.

? What is the main content of the Torah, the Historical books, and the Wisdom books of the Bible?

Samuel anointing David as the future King of Israel.

## Los católicos creen

### El Leccionario y el Evangeliario

Las dos primeras lecturas de la Misa del domingo se proclaman del Leccionario. El diácono o el sacerdote proclaman el Evangelio del Evangeliario.

## El Nuevo Testamento

El Nuevo Testamento revela que Jesucristo es el Hijo de Dios, el Salvador y el Redentor del mundo. Jesús es la Alianza nueva y eterna. Él revela a Dios y su amor por nosotros más plenamente de lo que nadie haya hecho ni hará jamás.

### Los Evangelios

Los cuatro Evangelios de Mateo, Marcos, Lucas y Juan son el corazón del Nuevo Testamento. Cada **Evangelio** comparte, a su propio modo, el relato y significado de la vida, sufrimiento y Pasión, Muerte, Resurrección y Ascensión de Jesús.

### Los Hechos de los Apóstoles

Los Hechos de los Apóstoles relatan los primeros años de la Iglesia y la obra de la Iglesia en el mundo. Hechos nos da la historia de los Apóstoles cuando difundían el Evangelio por todo el mundo.

### Las epístolas y las cartas

Estas veintiuna cartas de San Pablo Apóstol y otros primeros escritores cristianos nos enseñan acerca de Jesús y cómo tienen que vivir los cristianos. Las cartas más largas y formales se llaman Epístolas.

### El Libro del Apocalipsis

El Libro del Apocalipsis es el último libro de la Biblia. En él, el Espíritu Santo anima a los cristianos que sufren para que sigan siendo fieles a Jesucristo.

## Índice

Capítulo 1

_____

Capítulo 2

_____

Capítulo 3

_____

**Actividad**

Los escritores de la Biblia contaron el relato de fe del pueblo de Dios. Tú también tienes un relato de fe. En el espacio que está a la derecha, escribe un índice para un libro que compartiría tu propio relato de fe.

## The New Testament

The New Testament reveals that Jesus Christ is the Son of God, the Savior and Redeemer of the world. Jesus is the new and everlasting Covenant. He reveals God and his love for us more fully than anyone else did or will ever do.

### The Gospels

The four Gospels of Matthew, Mark, Luke, and John are the heart of the New Testament. Each **Gospel** shares in its own way the story and meaning of Jesus' life, suffering and Passion, Death, Resurrection, and Ascension.

### The Acts of the Apostles

The Acts of the Apostles tells the story of the first years of the Church and the work of the Church in the world. Acts gives an account of the Apostles as they spread the Gospel throughout the world.

### The Epistles and Letters

These twenty-one letters of Saint Paul the Apostle and other early Christian writers teach about Jesus and how Christians are to live. Longer, formal letters are called Epistles.

### The Book of Revelation

The Book of Revelation is the last book of the Bible. In it the Holy Spirit encourages Christians who are suffering to remain faithful to Jesus Christ.

**Activity** The writers of the Bible told the faith story of God's people. You also have a faith story. In the space on the right, write a table of contents for a book that would share your own faith story.

## Catholics Believe

**Lectionary and Book of the Gospels**

The first two readings at Mass on Sunday are proclaimed from the Lectionary. The deacon or priest proclaims the Gospel from the Book of the Gospels.

## Table of Contents

Chapter 1

Chapter 2

Chapter 3

# YO SIGO A JESÚS

## Mientras escuchas la Palabra de Dios, el Espíritu
Santo te ayuda a escuchar con reverencia lo que Dios te dice. Su don de la ciencia te ayuda a entender la Palabra de Dios. Su don del valor te da la fuerza para poner en práctica la Palabra de Dios y para vivir como discípulo de Jesús.

### LA PALABRA VIVA DE DIOS

Diseña un cartel o una página web con palabras e imágenes que animen a los demás a vivir la Palabra de Dios.

## MI ELECCIÓN DE FE

Esta semana, escucharé y viviré la Palabra de Dios. Yo

_____

_____

 Reza: "Ven, Espíritu Santo, llena mi corazón de reverencia mientras escucho tu Palabra santa. Ayúdame a vivir como discípulo de Jesús en mi hogar, en la escuela y en mi vecindario. Amén".

# I FOLLOW JESUS

**As you listen to the Word of God,** the Holy Spirit helps you listen with reverence to what God says to you. His gift of knowledge helps you understand God's Word. His gift of courage gives you strength to put God's Word into practice and to live as a disciple of Jesus.

## GOD'S LIVING WORD

Design a poster or Web page using words and images to encourage others to live God's Word.

This week I will listen to and live God's Word. I will

_____

_____

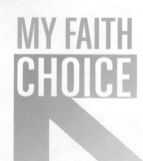

MY FAITH CHOICE

 Pray, "Come, Holy Spirit, fill my heart with reverence as I listen to your holy Word. Help me live as a disciple of Jesus in my home, at school, and in my neighborhood. Amen."

> **PARA RECORDAR**
>
> 1. La Biblia es la Palabra de Dios inspirada y escrita.
>
> 2. El Antiguo Testamento cuenta el relato de la Alianza, o acuerdo solemne, que Dios hizo con su pueblo.
>
> 3. El Nuevo Testamento revela que Jesucristo, el Hijo de Dios, es la Alianza nueva y eterna.

# Repaso del capítulo

*Relaciona los términos de fe de la columna izquierda con las descripciones de la columna derecha.*

| Términos | Descripciones |
|---|---|
| ____ **1.** Inspiración | **a.** los cinco primeros libros del Antiguo Testamento |
| ____ **2.** Sagrada Escritura | **b.** la lista de los libros inspirados que la Iglesia nombró y reunió en la Biblia |
| ____ **3.** Pentateuco | **c.** los cuatro primeros libros del Nuevo Testamento |
| ____ **4.** Evangelios | **d.** los escritos sagrados de Dios |
| ____ **5.** canon de las Sagradas Escrituras | **e.** la ayuda que el Espíritu Santo dio a los escritores humanos de la Biblia |

# Una luz para mi camino

*Rezar con la Biblia es una forma de meditación en la cual pasamos un momento de silencio con Dios. Leemos y reflexionamos sobre su Palabra. Tomamos la decisión de vivir como discípulos de Cristo. Medita sobre la Palabra de Dios usando estos pasos.*

1. Siéntate tranquilamente. Cierra los ojos. Respira lentamente.

2. En tu mente, imagínate a ti mismo en un lugar donde puedas hablar con Dios y escucharlo.

3. Abre tu Biblia y lee Juan 8:12–16.

4. Tómate tu tiempo para hablar con Dios y escucharlo. Di: "Tu palabra, Señor, es una luz para mi camino" (basado en el Salmo 119:105).

5. Después de unos momentos de silencio, pregúntale al Espíritu Santo: "¿Qué me dice tu Palabra?". Comparte tus pensamientos con un compañero.

6. En silencio, toma una decisión de fe para poner en práctica la Palabra de Dios.

# Chapter Review

*Match the faith terms in the left column with the descriptions in the right column.*

**Terms**

_____ **1.** Inspiration

_____ **2.** Sacred Scripture

_____ **3.** Pentateuch

_____ **4.** Gospels

_____ **5.** canon of Scripture

**Descriptions**

**a.** the first five books of the Old Testament

**b.** the list of inspired books named by the Church and collected in the Bible

**c.** the first four books of the New Testament

**d.** the holy writings of God

**e.** the help that the Holy Spirit gave to the human writers of the Bible

# A Light for My Path

*Praying with the Bible is a form of meditation in which we spend quiet time with God. We read and reflect on his Word. We make a decision to live as disciples of Christ. Meditate on God's Word, using these steps.*

**1.** Sit quietly. Close your eyes. Breathe slowly.

**2.** In your mind, picture yourself in a place where you can talk and listen to God.

**3.** Open your Bible and read John 8:12–16.

**4.** Take time to talk and listen to God. Say, "Your word, Lord, is a light for my path" (based on Psalm 119:105).

**5.** After a few quiet moments, ask the Holy Spirit, "What is your Word saying to me?" Share your thoughts with a partner.

**6.** Silently make a faith decision to put God's Word into action.

# Con mi familia

## Esta semana...

**En el capítulo 2,** "La Palabra de Dios", su niño aprendió que:

▶ La Biblia contiene los escritos sagrados que el Espíritu Santo inspiró al pueblo de Dios a escribir.

▶ La lista de los escritos que la Iglesia nombró se llama canon de las Sagradas Escrituras.

▶ El Antiguo Testamento cuenta la primera parte del relato de la Alianza que Dios hizo con las personas.

▶ El Nuevo Testamento trata sobre el cumplimiento de la promesa de Dios en la Alianza nueva y eterna de Jesucristo.

▶ La virtud de la reverencia nos ayuda a tener y a mostrar un profundo respeto por Dios y por la Iglesia.

**Para saber más** sobre otras enseñanzas de la Iglesia, consulten el *Catecismo de la Iglesia Católica,* 50–133, y el *Catecismo Católico de los Estados Unidos para los Adultos,* páginas 11–33.

## ■ Compartir la Palabra de Dios

**Lean juntos** 1.ª Tesalonicenses 2:13 y 2.ª Timoteo 3:16–17. Enfaticen que la Biblia es la Palabra de Dios para nosotros.

## ■ Vivimos como discípulos

**El hogar cristiano** con la familia es una escuela de discipulado. Elijan una o más de las siguientes actividades para hacer en familia, o creen una actividad similar ustedes mismos.

▶ Hablen entre ustedes acerca de cómo la Biblia guía a su familia para vivir como discípulos de Jesús. Comenten: ¿De qué manera la Biblia es una luz para nuestro camino?

▶ Elijan un relato de la Biblia con el que estén familiarizados. Hállenlo en la Biblia y léanlo juntos. Récenlo como una oración de meditación.

▶ Inviten a cada persona a compartir el nombre de una persona preferida de la Biblia. Compartan entre ustedes los relatos acerca de estas personas.

## ■ Nuestro viaje espiritual

**La oración de meditación** nos ayuda a reflexionar sobre la Palabra de Dios y a pedirle a Él que nos ayude a comprender su significado para nuestra vida. Una conversación así con Dios es vital mientras vivimos nuestra vida de fe. En este capítulo, su niño rezó una forma de meditación llamada *lectio divina.* Lean y recen juntos esta oración de la página 48.

Para hallar más ideas sobre las maneras en que su familia puede vivir como discípulos de Jesús, visiten **seanmisdiscipulos.com**

# With My Family

## This Week...

**In chapter 2,** "The Word of God," your child learned:

▶ The Bible contains the holy writings that the Holy Spirit inspired God's people to write.

▶ The list of writings named by the Church is called the canon of Scripture.

▶ The Old Testament tells the first part of the story of the Covenant that God made with people.

▶ The New Testament tells about the fulfillment of God's promise in the new and everlasting Covenant of Jesus Christ.

▶ The virtue of reverence helps us to have and to show a deep respect for both God and the Church.

**For more** about related teachings of the Church, see the *Catechism of the Catholic Church*, 50–133, and the *United States Catholic Catechism for Adults*, pages 11–33.

## Sharing God's Word

**Read together** 1 Thessalonians 2:13 and 2 Timothy 3:16–17. Emphasize that the Bible is God's Word to us.

## We Live as Disciples

**The Christian home** and family is a school of discipleship. Choose one of the following activities to do as a family or design a similar activity of your own.

▶ Talk with each other about how the Bible guides your family to live as disciples of Jesus. Discuss: How is the Bible a light for our path?

▶ Choose a Bible story that you are familiar with. Find it in the Bible and read it together. Pray it as a prayer of meditation.

▶ Invite each person to share the name of a favorite person in the Bible. Share with each other the stories about these people.

## Our Spiritual Journey

**The prayer of meditation** helps us reflect on God's Word and ask him to help us understand its meaning for our life. Such a conversation with God is vital as we live our life of faith. In this chapter your child prayed a form of meditation called *lectio divina*. Read and pray together this prayer on page 49.

For more ideas on ways your family can live as disciples of Jesus, visit **BeMyDisciples.com**

## Lo que vendrá

En este capítulo el Espíritu Santo te invita a ▶

**INVESTIGAR** cómo aprendió Agustín acerca del misterio de Dios.

**DESCUBRIR** la enseñanza de la Iglesia acerca de la Santísima Trinidad.

**DECIDIR** cómo demostrar amor por la Santísima Trinidad.

# La Santísima Trinidad

**?** ¿Cuál es un ejemplo de un misterio que podrías resolver por ti mismo? ¿Para qué clase de misterio necesitarías la ayuda de los demás para resolverlo?

Las siguientes palabras están tomadas del Libro de los Salmos del Antiguo Testamento. En ellas, el escritor anhela saber más acerca de Dios. Escucha con reverencia estas palabras de la Biblia.

> Haz, Señor, que conozca tus caminos, muéstrame tus senderos. En tu verdad guía mis pasos, instrúyeme, tú que eres mi Dios y mi Salvador. Te estuve esperando todo el día, . . . SALMO 25:4–5

**?** ¿Qué más sabes acerca de quién es Dios? ¿Qué te gustaría saber?

## Looking Ahead

In this chapter the Holy Spirit invites you to ▶

**EXPLORE** how Augustine learned about the mystery of God.

**DISCOVER** the Church's teaching about the Holy Trinity.

**DECIDE** how to show love for the Holy Trinity.

CHAPTER

**3**

# The Holy Trinity

**?** What is an example of a mystery you might be able to solve by yourself? What kind would you need the help of others to solve?

The words below are from the Old Testament Book of Psalms. In them the writer longs to know more about God. Listen reverently to these words from the Bible.

> Make known to me your ways, LORD;
>   teach me your paths.
> Guide me in your truth and teach me,
>   for you are God my savior.
> For you I wait all the long day, . . .          PSALM 25:4–5

**?** What else do you know about who God is? What would you like to know?

## Poder de los discípulos

### Admiración y veneración

Este don del Espíritu Santo nos anima a respetar a Dios y a adorarlo. El misterio de la fe es algo que puede maravillarnos, o inspirarnos admiración, por el gran amor de Dios.

# San Agustín

Muchos cristianos han tratado de comprender lo que Jesús quiso decir cuando explicó que hay un Dios que es Padre, Hijo y Espíritu Santo. Uno de los que trataron de comprender este misterio de la fe fue San Agustín. Tal vez recuerdes haber leído sobre él en el capítulo 1.

¿Sabías que hay un famoso relato sobre San Agustín y sus esfuerzos por aprender más acerca de Dios? Que este relato haya sucedido de verdad no es tan importante como la verdad esencial que enseña.

Un día, Agustín estaba caminando en la playa. El vasto océano lo inspiró a pensar en Dios. Mientras caminaba, encontró a un niño pequeño que estaba sacando agua del mar con un baldecito. Agustín observaba mientras el niño seguía vertiendo el agua, balde por balde, en un hoyo que había cavado en la arena.

Agustín sintió mucha curiosidad y preguntó:
—¿Por qué sigues vertiendo agua en el hoyo?
—¿No es obvio? —respondió el niño—. Estoy poniendo el océano en el hoyo.

Agustín empezó a reírse:
—Eso es imposible —le dijo al niño—. El vasto mar es demasiado grande para ese hoyo pequeño.

El niño levantó la vista y dijo:
—Y Dios es demasiado grande para tu pequeña mente. De repente, el niño desapareció.

De muchas maneras, con la guía del Espíritu Santo, podemos llegar a conocer más acerca del misterio de Dios Santísima Trinidad, en cuya imagen hemos sido creados.

**?** ¿De qué manera ayuda este relato a que crezca tu fe en Dios?

# THE CHURCH FOLLOWS JESUS

# Saint Augustine

Many Christians have tried to understand what Jesus meant when he said there is one God who is Father, Son, and Holy Spirit. One of those who tried to understand this mystery of faith was Saint Augustine. You may remember reading about him in chapter 1.

Did you know there is a famous story about Saint Augustine and his efforts to learn more about God? Whether this story really happened is not as important as the underlying truth it teaches.

One day Augustine was walking on the beach. The vast ocean inspired him to think about God. As he was walking along, he met a young boy who was taking water from the sea with a small bucket. Augustine watched as the boy kept pouring the water, one bucket at a time, into a hole he had dug in the sand.

Augustine became very curious and asked, "Why do you keep pouring water into the hole?" The boy answered, "Isn't it plain to see? I'm putting the ocean in the hole."

Augustine began to laugh. "That's impossible," he told the boy. "The great sea is much too large for that small hole." The boy looked up and said, "And God is too big for your little mind." Suddenly, the boy disappeared.

In many ways, with the guidance of the Holy Spirit, we can come to know more about the mystery of God the Holy Trinity in whose image we have been created.

[?] How does this story help your faith in God grow?

## Disciple Power

**Wonder and Awe**

This gift of the Holy Spirit encourages us to respect and be in awe of God. The mystery of faith is something that can cause us to marvel, or stand in awe, at God's great love.

# La Santísima Trinidad

Jesús dijo a sus discípulos:

*"Vayan, pues, y hagan que todos los pueblos sean mis discípulos. Bautícenlos en el nombre del Padre y del Hijo y del Espíritu Santo..."* Mateo 28:19

La Iglesia sigue ese mandamiento en el presente. Cada vez que la Iglesia bautiza a una persona, nombramos el misterio de quién es Dios. Bautizamos en el nombre de un solo Dios que es la **Santísima Trinidad**. Bautizamos en el nombre de un solo Dios que es Dios Padre, Dios Hijo y Dios Espíritu Santo. El misterio de la Santísima Trinidad es la creencia más profunda y principal de la fe cristiana. Esta es una verdad sobre Dios que nunca hubiéramos podido saber, a menos que Dios nos la revelara.

## El Antiguo Testamento

En el Antiguo Testamento, leemos el comienzo del relato en el que de Dios se revela a sí mismo. Primero, Dios se revela a sí mismo en la creación a Adán y Eva. Años más tarde, Dios se presentó a Abrahán y Sara, y reveló que solo Él es Dios. Sus descendientes, los israelitas, compartieron durante muchas generaciones su fe en el único Dios verdadero.

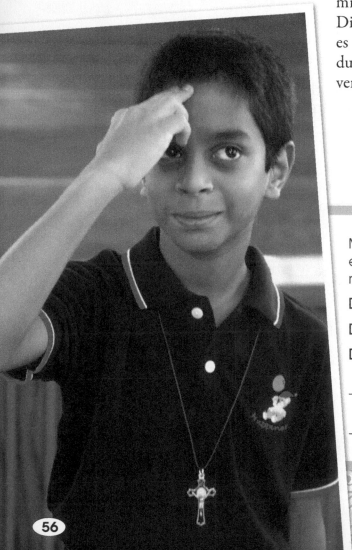

**Actividad**

Marca (√) las maneras en que expresas fe en la Santísima Trinidad. En el espacio, nombra una manera adicional.

☐ **Me bendigo a mí mismo.**

☐ **Rezo los credos de la Iglesia.**

☐ **Rezo el Ave María.**

_____

_____

# The Holy Trinity

Jesus told his disciples,

*"Go, therefore, and make disciples of all nations, baptizing them in the name of the Father, and of the Son, and of the holy Spirit."* MATTHEW 28:19

The Church follows that command today. Every time the Church baptizes a person, we name the mystery of who God is. We baptize in the name of the One God who is the **Holy Trinity**. We baptize in the name of the One God who is God the Father, God the Son, and God the Holy Spirit. The mystery of the Holy Trinity is the deepest and most central belief of the Christian faith. This is a truth about God we could have never known unless God revealed it to us.

## The Old Testament

In the Old Testament we read the beginning of the story of God's Revelation of himself. God first revealed himself at creation to Adam and Eve. Years later God came to Abraham and Sarah and revealed that he alone is God. Their descendants, the Israelites, shared through many generations their faith in the one true God.

**FAITH FOCUS**
What is the mystery of the Holy Trinity?

**FAITH VOCABULARY**
**Holy Trinity**
The central belief of the Christian faith; the mystery of One God in Three Divine Persons— God the Father, God the Son, God the Holy Spirit.

**Annunciation**
The announcement to the Virgin Mary by the angel Gabriel that God had chosen her to be the mother of Jesus, the Son of God, through the power of the Holy Spirit.

**Activity** Check (√) the ways you express faith in the Holy Trinity. In the space name an additional way.

☐ **Bless myself.**

☐ **Pray the creeds of the Church.**

☐ **Pray the Hail Mary.**

_____

_____

57

## María, la madre de Jesús

Muchos siglos después de que Dios se revelara ante Abrahán, Dios invitó a la Virgen María para que pusiera su confianza en Él. Dios eligió a la Virgen María para que fuera la madre de Jesús, el Hijo de Dios y el Salvador que prometió enviar. Ella se convirtió en la madre de Jesús por el poder del Espíritu Santo.

Este acontecimiento, que está registrado en los Evangelios de Mateo y Lucas, se conoce como la **Anunciación.** Nos deja dar un vistazo al misterio de la Santísima Trinidad. Dios eligió a María para que fuera la madre de Jesús, el Hijo de Dios. El papel de María en el plan de Dios es tan especial que ella estuvo libre de todo pecado desde el momento mismo de su concepción y durante toda su vida. A esto le decimos la Inmaculada Concepción de María.

## Jesucristo

Durante toda su vida en la Tierra, Jesús, el Hijo de Dios, habló claramente del Padre y del Espíritu Santo. En una ocasión, les dijo al Apóstol Felipe y a los demás discípulos:

"En adelante el Espíritu Santo, el Intérprete que el Padre les va a enviar en mi Nombre, les enseñará todas las cosas y les recordará todo lo que yo les he dicho." JUAN 14:26

Los cristianos han llegado a creer y a comprender que Jesús estaba hablando de Un Dios, que es Padre, Hijo y Espíritu Santo. Muchos años después de su Ascensión, o regreso de Jesús Resucitado y Glorificado a su Padre en el Cielo, la Iglesia llamó a este misterio principal de nuestra fe Santísima Trinidad.

? ¿Qué podemos aprender acerca de la Santísima Trinidad gracias a Abrahán y Sara, María y Jesús?

*La Anunciación*, Iglesia de Saint Wilfrid, Burgess Hill, R. U.

## Mary, the Mother of Jesus

Many centuries after God revealed himself to Abraham, God invited the Virgin Mary to place her trust in him. God chose the Virgin Mary to be the mother of Jesus, the Son of God and the Savior he promised to send. She became the mother of Jesus through the power of the Holy Spirit.

This event, which is recorded in the Gospels of Matthew and Luke, is known as the **Annunciation**. It gives us a glimpse into the mystery of the Holy Trinity. God chose Mary to be the mother of Jesus, the Son of God. So special is Mary's role in God's plan that she was free from all sin, from the very first moment of her conception and throughout her whole life. We call this Mary's Immaculate Conception.

## Jesus Christ

Throughout his life on Earth, Jesus, the Son of God, spoke clearly of the Father and the Holy Spirit. On one occasion he told Philip the Apostle and the other disciples:

*"The Advocate, the holy Spirit that the Father will send in my name—he will teach you everything and remind you of all that [I] told you."* JOHN 14:26

Christians have come to believe and understand that Jesus was speaking of One God, who is Father, Son, and Holy Spirit. Many years after his Ascension, or the return of the Risen and Glorified Jesus to his Father in Heaven, the Church named this central mystery of our faith the Holy Trinity.

**?** What can we learn about the Holy Trinity from Abraham and Sarah, Mary, and Jesus?

"The Annunciation," St. Wilfrid's Church, Burgess Hill, UK.

## Los católicos creen

### Agua bendita

Bendecirnos a nosotros mismos con agua bendita y decir: "En el nombre del Padre y del Hijo y del Espíritu Santo" es un sacramental de la Iglesia. Cada vez que nos bendecimos, recordamos nuestro Bautismo y profesamos nuestra fe en la Santísima Trinidad.

## El Credo de Nicea

Bajo la guía del Espíritu Santo, dos primeros concilios, o reuniones oficiales de la Iglesia convocadas por el Papa, enseñaron acerca del gran misterio de la Santísima Trinidad. Estos fueron el Concilio de Nicea, en el 325 d. de C. y el Concilio de Constantinopla, en el 381 d. de C. El Credo, que profesamos en Misa, viene de estos dos concilios.

Nunca podremos comprender plenamente el misterio de la Santísima Trinidad. Cuando se complete nuestra vida en la Tierra, viviremos para siempre con Dios en el Cielo. Veremos a Dios de una manera en la que nunca lo hemos visto ni conocido.

**Actividad** Usa cada letra de la palabra TRINIDAD para escribir ocho palabras o frases acerca de la Santísima Trinidad.

T _____

TRES PERSONAS

I _____

N _____

I _____

D _____

A _____

D _____

## The Nicene Creed

Under the guidance of the Holy Spirit, two early councils, or official meetings of the Church called by the Pope, taught about the great mystery of the Holy Trinity. These were the Council of Nicaea in A.D. 325 and the Council of Constantinople in A.D. 381. The Creed, which we profess at Mass, comes from these two councils.

We can never fully understand the mystery of the Holy Trinity. When our life on Earth is completed, we will live forever with God in Heaven. We will see God in a way we have never seen or known him before.

**Activity** Use each letter in the word TRINITY to write seven words or phrases that tell something about the Trinity.

T _____

THREE PERSONS _____

I _____

N _____

I _____

T _____

Y _____

# YO SIGO A JESÚS

## Te estás convirtiendo en discípulo de Jesucristo.

Los discípulos creen que hay un solo Dios en Tres Personas Divinas: Dios Padre, Dios Hijo y Dios Espíritu Santo. Poco a poco, el Espíritu Santo te está ayudando a creer en este maravilloso misterio de la fe.

### EL MISTERIO DE DIOS

En el espacio, crea un símbolo colorido que exprese tu comprensión de lo que has aprendido sobre la Santísima Trinidad.

## MI ELECCIÓN DE FE

Esta semana, profesaré mi fe en la Santísima Trinidad. Yo

_____

_____

_____ .

**Reza:** "Ven, Espíritu Santo, llena mi corazón con tu don de la admiración y veneración. Ayúdame a llegar a conocerte, amarte y servirte con toda mi mente, todo mi corazón y toda mi alma. Amén".

# I FOLLOW JESUS

## You are becoming a disciple of Jesus Christ.

Disciples believe there is One God in Three Divine Persons: God the Father, God the Son, and God the Holy Spirit. Little by little the Holy Spirit is helping you believe in this wonderful mystery of faith.

### THE MYSTERY OF GOD

In the space, create a colorful symbol that expresses your understanding of what you have learned about the Holy Trinity.

This week I will profess my faith in the Holy Trinity. I will

_____

_____

_____ .

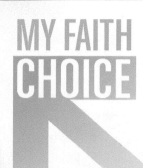

**MY FAITH CHOICE**

**Pray, "Come, Holy Spirit, fill my heart with your gift of wonder and awe. Help me come to know, love, and serve you with my whole mind, heart, and soul. Amen."**

1. La Santísima Trinidad es la creencia principal de la fe de la Iglesia.

2. El misterio de la Santísima Trinidad se revela más plenamente en Jesucristo.

3. Profesamos nuestra creencia en la Santísima Trinidad cuando rezamos el Credo de Nicea en la Misa.

# Repaso del capítulo

*Encierra en un círculo si cada enunciado es verdadero o falso.*

**1.** El Espíritu Santo es el misterio de un solo Dios en Tres Personas Divinas.

**Verdadero** **Falso**

**2.** La Anunciación significa que María fue concebida libre de todo pecado.

**Verdadero** **Falso**

**3.** Jesús habló a sus discípulos sobre el Espíritu Santo.

**Verdadero** **Falso**

**4.** El Libro del Apocalipsis forma parte del Antiguo Testamento.

**Verdadero** **Falso**

**5.** El Intérprete es un nombre para el Espíritu Santo.

**Verdadero** **Falso**

# Renovación de la fe

*Ahora, renovemos nuestra fe en Dios. En este credo, profesamos la fe en la Santísima Trinidad. Cada año, en Pascua, las personas bautizadas renuevan su fe con estas palabras con las que las bautizaron.*

**Líder:** ¿Creen en Dios, Padre Todopoderoso?

**Todos:** **Sí, creo.**

**Líder:** ¿Creen en Jesucristo, su único Hijo, nuestro Señor?

**Todos:** **Sí, creo.**

**Líder:** ¿Creen en el Espíritu Santo?

**Todos:** **Sí, creo.**

**Líder:** Esta es nuestra fe. Esta es la fe de la Iglesia. Estamos orgullosos de profesarla.

# Chapter Review

*Circle whether each statement is true or false.*

**1.** The Holy Spirit is the mystery of One God in Three Divine Persons.

        **True**        **False**

**2.** The Annunciation means that Mary was conceived free from all sins.

        **True**        **False**

**3.** Jesus spoke to his disciples about the Holy Spirit.

        **True**        **False**

**4.** The Book of Revelation is part of the Old Testament.

        **True**        **False**

**5.** The Advocate is a name for the Holy Spirit.

        **True**        **False**

**TO HELP YOU REMEMBER**

**1.** The Holy Trinity is the central belief of the faith of the Church.

**2.** The mystery of the Trinity is most fully revealed in Jesus Christ.

**3.** We profess our belief in the Holy Trinity when we pray the Nicene Creed at Mass.

# Renewal of Faith

*Let us renew our faith in God now. In this creed we profess faith in the Holy Trinity. Each year at Easter, people who are baptized renew their faith with these words in which they were baptized.*

**Leader:** Do you believe in God, the Father Almighty?

    **All: I do.**

**Leader:** Do you believe in Jesus Christ, his only Son our Lord?

    **All: I do.**

**Leader:** Do you believe in the Holy Spirit?

    **All: I do.**

**Leader:** This is our faith. This is the faith of the Church. We are proud to profess it.

# Con mi familia

## Esta semana...

**En el capítulo 3,** "La Santísima Trinidad", su niño aprendió que:

▶ La Santísima Trinidad es el misterio de un solo Dios en Tres Personas Divinas: Dios Padre, Dios Hijo y Dios Espíritu Santo.

▶ El misterio del Dios Santísima Trinidad es el misterio principal de la fe cristiana. Es una verdad acerca de Dios que nunca hubiéramos podido saber, a menos que Dios la revelara.

▶ Dios reveló este misterio durante un largo período de tiempo.

▶ Profesamos la fe en la Santísima Trinidad en el Bautismo.

▶ Cada vez que rezamos el Credo de Nicea en la Misa, renovamos y profesamos nuestra fe en este gran misterio.

▶ El don de la admiración y veneración nos anima a respetar y adorar a Dios.

**Para saber más** sobre otras enseñanzas de la Iglesia, consulten el *Catecismo de la Iglesia Católica,* 232–260, y el *Catecismo Católico de los Estados Unidos para los Adultos,* páginas 49–63.

## ■ Compartir la Palabra de Dios

**Lean juntos** Mateo 28:16–20, el relato del Evangelio en el que Jesús encomienda una misión a los discípulos. Enfaticen que profesamos nuestra fe en la Santísima Trinidad y recordamos nuestro Bautismo cuando hacemos la Señal de la Cruz.

## ■ Vivimos como discípulos

**El hogar cristiano** con la familia es una escuela de discipulado. Elijan una o más de las siguientes actividades para hacer en familia, o creen una actividad similar ustedes mismos.

▶ Las palabras del Credo de Nicea se encuentran en la página 528 de este libro. Hagan piezas de rompecabezas con el Credo de Nicea y ármenlas con su niño para ayudarlo a memorizar esta importante oración de la Iglesia.

▶ Esta semana, cuando su familia participe de la Misa dominical, asegúrense de bendecirse con agua bendita y de hacer la Señal de la Cruz cuando entren a la iglesia y cuando salgan.

## ■ Nuestro viaje espiritual

**Nuestro viaje espiritual** está marcado por acciones que expresan nuestra fe en la Trinidad. Una de estas acciones es la limosna. Cuando damos limosna, o compartimos nuestras bendiciones espirituales o materiales con los demás, profesamos nuestra fe en Dios, que es la fuente de todas las bendiciones. En este capítulo, su niño rezó una oración en la que renovó su profesión de fe bautismal. Lean y recen juntos esta oración de la página 64.

Para hallar más ideas sobre las maneras en que su familia puede vivir como discípulos de Jesús, visiten **seanmisdiscipulos.com**

# With My Family

## This Week...

**In chapter 3,** "The Holy Trinity," your child learned:

▶ The Holy Trinity is the mystery of One God in Three Divine Persons—God the Father, God the Son, and God the Holy Spirit.

▶ The mystery of God the Holy Trinity is the central mystery of the Christian faith. It is a truth about God that we could never have known unless God revealed it.

▶ God revealed this mystery over a long period of time.

▶ We profess faith in the Trinity at Baptism.

▶ Each time we pray the Nicene Creed at Mass, we renew and profess our faith in this great mystery.

▶ The gift of wonder and awe encourages us to respect and be in awe of God.

**For more** about related teachings of the Church, see the *Catechism of the Catholic Church,* 232–260, and the *United States Catholic Catechism for Adults,* pages 49–63.

## Sharing God's Word

**Read together** Matthew 28:16–20, the Gospel account of Jesus commissioning the disciples. Emphasize that we profess our faith in the Holy Trinity and remember our Baptism when we pray the Sign of the Cross.

## We Live as Disciples

**The Christian home** and family is a school of discipleship. Choose one of the following activities to do as a family or design a similar activity of your own.

▶ The words of the Nicene Creed can be found on page 529 of this book. Make Nicene Creed puzzle pieces and assemble them with your child to help him or her memorize this important prayer of the Church.

▶ This week when your family takes part in Sunday Mass be sure to bless yourself with holy water and pray the Sign of the Cross as you enter and leave the church.

## Our Spiritual Journey

**Our spiritual journey** is marked by actions that express our faith in the Trinity. Almsgiving is one of those actions. When we give alms, or share our spiritual and material blessings with others, we profess our faith in God who is the source of all blessings. In this chapter your child prayed a prayer renewing their baptismal profession of faith. Read and pray together this prayer, which is found on page 65.

For more ideas on ways your family can live as disciples of Jesus, visit **www.BeMyDisciples.com**

CAPÍTULO

**4**

**Lo que vendrá**

En este capítulo
el Espíritu Santo
te invita a ▶

**INVESTIGAR** cómo usa
la Iglesia las oraciones de
bendición.

**DESCUBRIR** los atributos
de Dios.

**DECIDIR** cómo dar a
conocer a los demás una
cualidad de Dios.

# Grande es el Señor

**?** Usamos imágenes para describir las cualidades de las personas. Por ejemplo, podríamos decir: "Ella es rápida como un rayo". ¿Qué imagen usarías para describirte?

El profeta Isaías usó muchas imágenes para describir la relación que hay entre Dios y su pueblo. En este pasaje de la Sagrada Escritura, Isaías afirma que fuimos creados por Dios.

*Y, sin embargo, Yavé, tú eres nuestro Padre, somos la greda que tus manos plasmaron, todos nosotros fuimos hechos por tus manos.* Isaías 64:7

**?** ¿Qué otras imágenes de la creación de Dios nos dicen algo sobre la bondad de Dios?

## Looking Ahead

In this chapter the Holy Spirit invites you to ▶

**EXPLORE** how the Church uses blessing prayers.

**DISCOVER** the attributes of God.

**DECIDE** how to make a quality of God known to others.

CHAPTER
**4**

# Great Is the Lord

**?** We use images to describe the qualities of people. For example, we might say, "She's as fast as lightning." What is an image you would use to describe yourself?

The prophet Isaiah used many images to describe the relationship between God and his people. In this Scripture passage Isaiah affirms that we are created by God.

> Yet, O LORD, you are our father; we are the clay and you the potter: we are all the work of your hands.
>
> ISAIAH 64:7

**?** What other images from God's creation tell us something about God's goodness?

# Poder de los discípulos

## Gozo

El gozo muestra que estamos cooperando con la gracia del Espíritu Santo. Reconocemos que la verdadera felicidad viene, no del dinero ni de las posesiones, sino de conocer, confiar y amar a Dios. El gozo es un Fruto del Espíritu Santo.

# Oraciones de bendición

La Iglesia celebra su fe en Dios de muchas maneras. Cuando rezamos, ponemos toda nuestra confianza y seguridad en Dios. Demostramos que sabemos que Él nos ama y que siempre hará lo que sea mejor para nosotros.

Las oraciones de bendición son una de las cinco clases de oración de la Iglesia. Nos recuerdan que Dios está siempre con nosotros y nos bendice con su amor. Cuando rezamos una bendición, estamos pidiendo por el poder y la protección de Dios para una persona, un lugar, un animal (como una mascota), un objeto o una actividad.

Los católicos usan muchas oraciones de bendición. Decimos la acción de gracias antes y después de comer. Le pedimos a Dios que nos bendiga al final de la Misa. Pedimos la bendición de Dios para todas las parejas recién casadas. Algunas familias piden una bendición cuando se mudan a una casa nueva. Los católicos también tienen objetos religiosos bendecidos por un sacerdote, como medallas.

**Actividad** Describe dos bendiciones especiales que hayas recibido.

1. _____

2. _____

Escribe acerca de una bendición que te gustaría recibir.

_____

_____

_____

## Blessing Prayers

The Church celebrates her faith in God in many ways. When we pray, we place all our trust and confidence in God. We show that we know that he loves us and will always do what is best for us.

Blessing prayers are one of the five kinds of prayer of the Church. They remind us that God is always with us and blesses us with his love. When we pray a blessing, we are asking for God's power and protection upon a person, a place, an animal such as a pet, an object, or an activity.

Catholics use many blessing prayers. We pray grace before and after meals. We ask God to bless us at the conclusion of Mass. We ask God's blessing on every newly married couple. Some families ask for a blessing when they move into a new home. Catholics also have religious objects such as medals blessed by a priest.

## Disciple Power

### Joy

Joy shows that we are cooperating with the grace of the Holy Spirit. We recognize that true happiness comes, not from money or possessions, but from knowing, trusting, and loving God. Joy is a Fruit of the Holy Spirit.

**Activity** Describe two special blessings you have received.

1. _____

2. _____

Write about a blessing you would like to receive.

_____

_____

_____

ENFOQUE EN LA FE
¿A través de quién se
reveló Dios a sí mismo?

**VOCABULARIO DE FE**

**atributos de Dios**
Las cualidades de Dios
que nos ayudan a
entender el misterio de
Dios.

**Abbá**
El nombre usado por
Jesús para llamar a Dios
Padre, el cual nos revela
el amor y la confianza
que existen entre Jesús,
Dios Hijo, y Dios Padre.

# Atributos de Dios

Para ayudarnos a entender a través de quién se revela Dios a sí mismo, los escritores inspirados de la Biblia han usado ciertas cualidades para describirlo. Estas cualidades se conocen como **atributos de Dios**. Nos ayudan a darle un vistazo al misterio de Dios.

**Uno**    Dios es Uno. Hay un solo Dios. Nada ni nadie es como Él.

*"Escucha, Israel: Yavé, nuestro Dios, es Yavé-único."*

DEUTERONOMIO 6:4

**Señor**    Dios reveló el nombre sagrado YAVÉ para describirse. Algunos escritores de la Biblia usaron el nombre *Adonai,* o Señor, en lugar del nombre YAVÉ.

**Todopoderoso**    Dios es todopoderoso. Esto significa que Dios pos sí solo puede hacerlo todo.

*"Que el Dios de las Alturas te bendiga... y de ti salgan muchas naciones."*    GÉNESIS 28:3

**Eterno**    Dios es eterno. Dios siempre ha estado y seguirá estando siempre. Dios no tiene principio ni tiene final.

*Yavé es un Dios eterno.*    ISAÍAS 40:28

**Santo**    Dios es santo. La palabra *santo* significa "sin igual". Nada ni nadie que Dios haya creado se compara con Él.

*"Santo, santo, santo es Yavé de los Ejércitos..."*

ISAÍAS 6:3

**Amor**    Dios es amor. Dios nos creó y nos salvó para que participemos de ese amor.

*"Dios es amor..."*    1.ª JUAN 4:16

**Verdad**    Dios es verdad. Dios es siempre fiel a su palabra. Siempre cumple sus promesas.

*Pues recta es la palabra del Señor...*    SALMO 33:4

 ¿Cuál de los atributos de Dios es tu preferido? ¿Por qué?

# Attributes of God

To help us understand who God has revealed himself to be, the inspired writers of the Bible have used certain qualities to describe him. These qualities are called **attributes of God**. They help us get a glimpse into the mystery of God.

**One**  God is One. There is only One God. No one and nothing is like him.

*"Hear, O Israel! The LORD is our God, the LORD alone!"*  DEUTERONOMY 6:4

**Lord**  God revealed the sacred name YHWH to describe himself. The writers of the Bible used the name *Adonai*, or LORD, in place of the name YHWH.

**Almighty**  God is almighty. This means that God alone can do anything.

*"May God Almighty bless you . . . that you may become an assembly of peoples."*  GENESIS 28:3

**Eternal**  God is eternal. God always has been and always will be. God had no beginning and will have no end.

*The LORD is the eternal God.*  ISAIAH 40:28

**Holy**  God is holy. The word *holy* means "without equal." No one and no thing that God created is equal to him.

*"Holy, holy, holy is the LORD of Hosts!"*  ISAIAH 6:3

**Love**  God is love. God created and saved us to share in that love.

*"God is love . . ."*  1 JOHN 4:16

**Truth**  God is truth. God is always faithful to his word. He always keeps his promises.

*For the LORD's word is true . . .*  PSALM 33:4a

❓ Which is your favorite attribute of God? Why?

**FAITH FOCUS**
Who has God revealed himself to be?

**FAITH VOCABULARY**

▶ **attributes of God**
Qualities of God that help us understand the mystery of God.

▶ **Abba**
The name Jesus used for God the Father that reveals the love and trust that exist between Jesus, God the Son, and God the Father.

### Santa Teresa del Niño Jesús

Teresa nació en Lisieux, Francia, en 1873. Vivió una vida sencilla y con confianza en Dios. A Teresa le encantaba la naturaleza y, a menudo, la usaba para explicar cómo el cuidado amoroso de Dios está en todas partes. Esto llenaba de gozo el corazón de Teresa. La Iglesia celebra el día de Santa Teresa del Niño Jesús el 1 de octubre.

*Jesús enseña junto al mar*, de James J. Tissot.

## Dios Padre

Dios se reveló más plenamente en Jesucristo. Jesús habló de muchas maneras acerca de Dios. Sobre todo, Jesús habló de Dios Padre.

Jesús tenía un nombre muy especial para Dios Padre. Lo llamaba **Abbá**, que significa "querido padre" o, incluso "papá". En la época de Jesús, cuando las personas usaban el nombre *abbá*, demostraban cuán cerca estaban de su padre y cuánto lo amaban y confiaban en él. Cuando Jesús llamó *Abbá* a Dios, reveló cuánto amaba a su Padre y cuánto confiaba en Él.

Jesús invitó a sus discípulos a que, como él, amaran a Dios Padre y confiaran en Él. Dijo:

"Ustedes, pues, recen así: Padre nuestro..."  Mateo 6:9

Jesús reveló que su Padre es también nuestro Padre. Dios Padre nos ama y nos conoce a cada uno por nuestro nombre. Somos sus hijos. Cuando le decimos Padre a Dios, estamos diciendo que somos sus hijos. Creemos y confiamos en Dios, y lo amamos, como Abbá, nuestro Padre.

**Actividad** Escribe y decora tu nombre preferido para Dios. Usa hoy ese nombre para hablarle a un compañero acerca de Dios. Usa este nombre frecuentemente en una oración.

## God the Father

God has revealed himself most fully in Jesus Christ. Jesus spoke about God in many ways. Most of all Jesus spoke about God the Father.

Jesus had a very special name for God the Father. He called God, **Abba**, which means "dear Father" or even "Dad." In Jesus' time, when people used the name *abba,* they show how close they were to their fathers and how much they loved and trusted them. When Jesus called God *Abba*, he revealed how much he loved and trusted his Father.

Jesus invited his disciples to love and trust God the Father as he did. He said,

*"This is how you are to pray: Our Father..."* MATTHEW 6:9

Jesus revealed that his Father is our Father, too. God the Father loves us and knows each of us by name. We are his children. When we call God Father, we are saying that we are his children. We believe and trust and love God as Abba, our Father.

*Jesus Teaching by the Seashore,* by James J. Tissot.

**Activity**

Write and decorate your favorite name for God. Use that name today to tell a partner about God. Use this name often in prayer.

**El misterio de Dios**

Dios es un misterio que nunca podremos conocer plenamente. No importa cuánto sepamos acerca de Dios, siempre habrá más por conocer.

## Dios Creador

La creación muestra la gran gloria de Dios. Dios creó de la nada y sin ninguna ayuda a todo el universo y a todas las criaturas, visibles e invisibles. Todas las personas y todas las cosas que Dios creó son buenas.

Dios creó a las personas a su imagen y semejanza. Nos creó con un cuerpo físico y un alma espiritual e inmortal. Inmortal significa que nuestra alma no morirá jamás.

Los escritores de la Biblia les dieron el nombre de Adán y Eva a los primeros humanos. Sin importar el color de nuestra piel, la vida que vivamos o el idioma que hablemos, todos pertenecemos a una familia: la familia de Dios.

## Pecado Original

Lamentablemente, Adán y Eva no estaban satisfechos con el plan de bondad y santidad que Dios tenía para ellos. Prefirieron hacer su propio camino al plan de Dios. Desobedecieron a Dios. La Iglesia llama Pecado Original a su decisión de vivir apartados de Dios. Se llama Pecado Original porque es el primer pecado y el comienzo de todo el mal y de todos los pecados del mundo.

El Pecado Original hiere a todas las personas y a todas las cosas que Dios creó. Cada persona nace compartiendo los efectos del Pecado Original. A pesar del Pecado Original, Dios nos invita y nos ayuda a todos a participar de su bondad y su amor. Él envió a Jesús, su único Hijo, para que nos redimiera y restaurara nuestra amistad con Dios.

**?** ¿Qué puede hacer cada persona para superar los efectos del Pecado Original?

## God the Creator

Creation shows the great glory of God. God created the whole universe and all creatures, visible and invisible, out of nothing and without any help. Everyone and everything God created is good.

God created people in his image and likeness. He created us with a physical body and a spiritual, immortal soul. Immortal means that our soul will never die.

The writers of the Bible gave the names Adam and Eve to the first humans. No matter the color of our skin, the lives we live, or the languages we speak, we all belong to one family—the family of God.

## Original Sin

Sadly, Adam and Eve were not satisfied with God's plan of goodness and holiness for them. They preferred their own way to God's plan. They disobeyed God. The Church calls their decision to live apart from God Original Sin. It is called Original Sin because it is the first sin and the beginning of all evil and sin in the world.

Original Sin hurts everyone and everything God created. Each person is born sharing in the effects of Original Sin. Despite Original Sin, God invites and helps everyone to share in his goodness and love. He sent Jesus, his only Son, to redeem us and restore our friendship with God.

? What can each person do to overcome the effects of Original Sin?

# YO SIGO A JESÚS

**Los discípulos de Jesús** son personas de gozo. Tu gozo viene de tu creencia de que Dios está siempre a tu lado. Puedes demostrar de muchas maneras que crees y confías en Dios Padre, como hizo Jesús. Puedes rezar. Puedes tratar a los demás y al mundo con respeto y bondad.

## CREAR UNA PELÍCULA

Imagina que eres un director de cine que está filmando una película titulada, *Todo acerca de Dios*. En este espacio, ilustra o escribe una escena de esa película.

## MI ELECCIÓN DE FE

Esta semana, compartiré mi fe en Dios haciendo que los demás conozcan un atributo de Él. Demostraré mi gozo al

_____

_____

_____.

**Reza y pide al Espíritu Santo que te ayude a vivir la verdadera felicidad en Dios.**

# I FOLLOW JESUS

**Disciples of Jesus** are people of joy. Your joy comes from your belief that God is always by your side. You can show that you believe in and trust in God the Father, as Jesus did, in many ways. You can pray. You can treat others and the world with respect and kindness.

## CREATING A MOVIE

Imagine you are a movie director shooting a movie entitled *"All About God."* In this space illustrate or write about a scene in that movie.

This week I will share my faith in God by making known to others one attribute about him. I will show my joy by

_____

_____

_____.

## MY FAITH CHOICE

 **Pray,** asking the Holy Spirit to help you live with true happiness in God.

# Repaso del capítulo

*Ordena las letras de las palabras de la lista.*
*Luego relaciónalas con su significado.*

| toribusat | maal | odaceP rigalinO | bnedónici | notsa |
|---|---|---|---|---|

**1.** Las cualidades de Dios

_____

**2.** La dimensión espiritual de la persona humana, que nunca muere y vive para siempre

_____

**3.** El pecado cometido por Adán y Eva

_____

**4.** Uno de las cinco formas de oración

_____

**5.** Una palabra que se usa para Dios y que significa sin comparación

_____

# ¡Señor, Tú solo eres Dios!

*En una oración de alabanza, nos dirigimos a Dios a través de un título de grandeza. Alaba a Dios con esta sencilla oración de alabanza.*

**Líder:** Dios, Tú eres Abbá.

**Todos: ¡Amén! Tú solo eres Dios.**

**Líder:** Dios, eres el más Santo.

**Todos: ¡Amén! Tú solo eres Dios.**

**Líder:** Dios, Tú eres Amor.

**Todos: ¡Amén! Tú solo eres Dios.**

**Líder:** Dios, Tú eres el único Señor, el Todopoderoso.

**Todos: ¡Amén! Tú solo eres Dios.**

# Chapter Review

Unscramble the letters of the words in the word box.
Then match the words with their meanings.

| teribusatt | luso | naligOri Sni | gbslseni | lohy |
| --- | --- | --- | --- | --- |

**1.** The qualities of God

_____

**2.** The spiritual dimension of the human person that never dies and lives forever

_____

**3.** The sin committed by Adam and Eve

_____

**4.** One of the five kinds of prayer

_____

**5.** A word for God that means without equal

_____

## TO HELP YOU REMEMBER

1. One, almighty, holy, eternal, love, and truth are qualities about himself that God has revealed.

2. God is the creator of everyone and everything, visible and invisible.

3. Adam and Eve disobeyed God and turned away from his goodness. This sin caused the beginning of all other sin in the world.

# Lord, You Alone God!

*In a prayer of praise, we address God with a title of his greatness. Praise God, using this simple prayer of praise.*

**Leader:** God, you are Abba.

    **All: Amen! You alone are God.**

**Leader:** God, you are most Holy.

    **All: Amen! You alone are God.**

**Leader:** God, you are Love.

    **All: Amen! You alone are God.**

**Leader:** God, you are one Lord, the Almighty One.

    **All: Amen! You alone are God.**

# Con mi familia

## Esta semana...

**En el capítulo 4,** "Grande es el Señor", su niño aprendió que:

▶ Los escritores bíblicos usaron varias cualidades o atributos para describir a Dios.

▶ Jesús amaba y confiaba en su Padre, a quien llamaba Abbá.

▶ El relato de Dios Creador y la Caída revela el gran amor de Dios por nosotros.

▶ El gozo es uno de los Frutos del Espíritu Santo.

▶ El gozo es un signo de que la verdadera felicidad viene de conocer, amar y confiar en Dios.

**Para saber más** sobre otras enseñanzas de la Iglesia, consulten el *Catecismo de la Iglesia Católica,* 199–227, 268–274, 279–412, y el *Catecismo Católico de los Estados Unidos para los Adultos,* páginas 49–75.

## ■ Compartir la Palabra de Dios

**Lean juntos** y en silencio, piensen en los versículos de la Sagrada Escritura de la página 72, uno a uno. Enfaticen que, aunque Dios es tan increíble, Jesús nos enseñó a llamarlo con un nombre sencillo y familiar, Padre.

## ■ Vivimos como discípulos

**El hogar cristiano** con la familia es una escuela de discipulado. Elijan una o más de las siguientes actividades para hacer en familia, o creen una actividad similar ustedes mismos.

▶ Elijan uno de los versículos de la Sagrada Escritura de la página 72. Hagan un cartel con ese versículo. Coloquen el cartel donde pueda recordarles a todos lo maravilloso que es Dios.

▶ Este domingo, cuando se preparen para participar de la Misa, dediquen un momento a mirar las estatuas religiosas y otras obras de arte que haya en la iglesia. Comenten la manera en que estas obras de arte los ayudan a honrar y a adorar a Dios.

## ■ Nuestro viaje espiritual

**¿Se dieron cuenta alguna vez** de que las personas que tienen pocas posesiones materiales, como Santa Teresa del Niño Jesús, son personas alegres? Este gozo viene de reconocer que Dios está siempre bendiciéndolas con su presencia. En este capítulo, su niño rezó una oración de alabanza. Lean y recen juntos esta oración de la página 80. Alaben a Dios por su presencia dentro de ustedes

Para hallar más ideas sobre las maneras en que su familia puede vivir como discípulos de Jesús, visiten **seanmisdiscipulos.com**

# With My Family

## This Week...

**In chapter 4,** "Great Is the Lord," your child learned:

▶ The biblical writers used several qualities, or attributes, to describe God.

▶ Jesus loved and trusted his Father, whom he addressed as Abba.

▶ The story of God the Creator and the Fall reveal God's great love for us.

▶ Joy is one of the Fruits of the Holy Spirit.

▶ Joy is a sign that true happiness comes from knowing, trusting, and loving God.

**For more** about related teachings of the Church, see the *Catechism of the Catholic Church*, 199–227, 268–274, 279–412; and the *United States Catholic Catechism for Adults*, pages 49–75.

## Sharing God's Word

**Read together** and quietly think about the Scripture verses on page 73 one at a time. Emphasize that as amazing as God is, Jesus taught us to call God a simple and familiar name, Father.

## We Live as Disciples

**The Christian home** and family is a school of discipleship. Choose one of the following activities to do as a family or design a similar activity of your own.

▶ Choose one of the Scripture verses on page 73. Make a banner using that verse. Display the banner where it can remind everyone how wonderful God is.

▶ This Sunday when you take part in Mass, take time to look at the religious statues and other artwork in your church. Talk about how these works of art help you honor and worship God.

## Our Spiritual Journey

**Did you ever notice** that people who have very few material possessions, such as Saint Thérèse of the Child Jesus, are people of joy? This joy comes from the recognition that God is always blessing them with his presence. In this chapter your child prayed a prayer of praise. Read and pray together this prayer on page 81. Praise God for his presence within you.

For more ideas on ways your family can live as disciples of Jesus, visit **BeMyDisciples.com**

# Unidad 1: **Repaso**

## A. Elije la mejor palabra

*Completa los espacios en blanco con las palabras de la lista.*

| | | |
|---|---|---|
| Jesucristo | cuarenta y seis | veintisiete |
| María | atributos de Dios | fe |

**1.** Dios se reveló a sí mismo más plenamente en _____.

**2.** Hay _____ libros en el Antiguo Testamento y

_____ libros en el Nuevo Testamento.

**3.** Dios eligió a _____ para que fuera la madre de Jesús,
el Hijo de Dios.

**4.** Los _____ nos ayudan a tener una visión
del misterio de Dios.

**5.** La _____ es un don y un poder sobrenatural que nos ayuda a
responder a la invitación de Dios con todo el corazón, la mente, el alma
y la fuerza.

## B. Muestra lo que sabes

*Une las palabras o frases de la columna A con las palabras o
frases de la columna B.*

**Columna A**

**1.** Revelación Divina

**2.** Evangelistas

**3.** Tora

**4.** El misterio de la
Santísima Trinidad

**5.** Pecado Original

**Columna B**

_____ **a.** los cinco primeros libros de Moisés

_____ **b.** hirió a todas las personas y a todas
las cosas que Dios creó

_____ **c.** la creencia más profunda y principal
de la fe cristiana

_____ **d.** a través del tiempo, Dios nos da a
conocer el misterio de sí mismo y su
plan divino de creación y Salvación

_____ **e.** los escritores de los cuatro Evangelios

# Unit 1 **Review**

Name _____

## A. Choose the Best Word

*Fill in the blanks, using the words from the word bank.*

| | | |
|---|---|---|
| Jesus Christ | forty-six | twenty-seven |
| Mary | attributes of God | Faith |

1. God revealed himself most fully in _____.

2. There are _____ books in the Old Testament and _____ books in the New Testament.

3. God chose _____ to be the mother of Jesus, the Son of God.

4. The _____ help us get a glimpse into the Mystery of God.

5. _____ is a supernatural gift and power that helps us respond to God's invitation with all our heart, mind, soul, and strength.

## B. Show What You Know

*Match the words or phrases in Column A with the words or phrases in Column B.*

**Column A**

1. Divine Revelation

2. Evangelists

3. Torah

4. The mystery of the Holy Trinity

5. Original Sin

**Column B**

____ **a.** the first five books of Moses

____ **b.** wounded everyone and everything God created

____ **c.** the deepest and central belief of the Christian faith

____ **d.** God's making known over time the mystery of God and the divine plan of creation and Salvation

____ **e.** the writers of the four Gospels

## C. La Escritura y tú

*Vuelve a leer el pasaje de la Sagrada Escritura de la página de Inicio de la unidad.*
*¿Qué relación hay entre lo que ves en esta página y lo que aprendiste en esta unidad?*

_____

_____

_____

## D. Sé un discípulo

**1.** *Repasa las cuatro páginas de esta unidad llamadas La Iglesia sigue a Jesús.*
*¿Qué persona o ministerio de la Iglesia de estas páginas te inspirará para ser un mejor discípulo de Jesús? Explica tu respuesta.*

_____

_____

_____

**2.** *Trabaja en grupo. Repasa las cuatro virtudes o dones de Poder de los discípulos que has aprendido en esta unidad. Después de anotar tus ideas, comparte con el grupo maneras prácticas en las que vivirás estas virtudes o dones día a día.*

_____

_____

_____

## C. Connect with Scripture

*Reread the Scripture passage on the Unit Opener page. What connection do you see between this passage and what you learned in this unit?*

_____

_____

_____

## D. Be a Disciple

1.  *Review the four pages in this unit titled The Church Follows Jesus. What person or ministry of the Church on these pages will inspire you to be a better disciple of Jesus? Explain your answer.*

    _____

    _____

    _____

2.  *Work with a group. Review the four Disciple Power virtues or gifts you have learned about in this unit. After jotting down your own ideas, share with the group practical ways that you will live these virtues or gifts day by day.*

    _____

    _____

    _____

# Nicaragua: La Purísima

La Solemnidad de la Inmaculada Concepción de la, Santísima Virgen María se celebra el 8 de diciembre.

Cada año, el pueblo de Nicaragua celebra la Solemnidad de la Inmaculada Concepción de la Santísima Virgen María de una manera muy especial. En ese país, la festividad se llama *La Purísima*, que significa "La Más Pura Concepción". Las enseñanzas de la Iglesia católica sobre la Inmaculada Concepción afirman que María, por la gracia de Dios, fue concebida libre del Pecado Original.

En honor de *La Purísima*, los nicaragüenses colocan un altar en su hogar con una estatua de la Inmaculada Concepción de María. Luego, se reúnen con familiares, amigos y vecinos para rezar durante nueve días la Novena a la Virgen María. Algunas familias rezan la novena en su hogar, en privado, los primeros ochos días, especialmente si quieren dar gracias a María por bendiciones especiales recibidas. Pero en el noveno día, se reúnen con otras familias para hacer una gran celebración.

Parte de esta celebración consiste en cantar himnos tradicionales. Los músicos acompañan el canto con instrumentos como silbatos, panderetas y matracas, que es un instrumento de madera. La familia anfitriona de la celebración distribuye fruta y otros obsequios entre quienes están reunidos en su hogar. La festividad concluye con un evento conocido como *la gritería*. La gente grita en voz alta: "¿Quién causa tanta alegría?". El resto de la gente responde: "¡La Concepción de María!". Luego todos van afuera. La celebración suele terminar con fuegos artificiales en las calles de ciudades y pueblos de toda Nicaragua.

¿Puedes ver una relación entre esta devoción a la Inmaculada Concepción y la Salvación que Dios nos ofrece en Jesucristo?

¿Por qué piensas que el pueblo de Nicaragua celebra esta solemnidad con tanta alegría?

# Nicaragua: La Purisima

Each year the people of Nicaragua celebrate the Solemnity of the Immaculate Conception of the Blessed Virgin Mary in a unique way. In that country the feast is called *La Purisima,* which means The Purest Conception. The Catholic Church's teaching on the Immaculate Conception states that Mary, by the grace of God, was conceived free from Original Sin.

In honor of *La Purisima,* Nicaraguans place an altar in their homes with a statue of Mary of the Immaculate Conception. Then, they gather with family, friends, and neighbors for nine days to pray the Novena to the Virgin Mary. Some families pray the novena privately in their homes the first eight days, especially if they want to give personal thanks to Mary for special blessings they have received. But on the ninth day, they gather with other families for a large celebration.

This celebration includes singing traditional hymns. Musicians accompany the singing with instruments such as whistles, tambourines, and *matracas,* a wooden musical instrument. The family hosting each large celebration distributes fruits and other gifts to those gathered in the home. The feast concludes with an event known as *la griteria* (roaring). People cry out in loud voices, "Who is the cause of such joy?" The rest of the people reply: "The Conception of Mary!" Then everyone goes outside. The celebration usually ends with the lighting of fireworks in the streets of cities and towns throughout Nicaragua.

**?** Can you see any connection between this devotion to the Immaculate Conception and the Salvation offered to us by God through Jesus Christ?
Why do you think the people of Nicaragua celebrate this feast with such joy?

▶ The Solemnity of the Immaculate Conception of the Blessed Virgin Mary is celebrated on December 8.

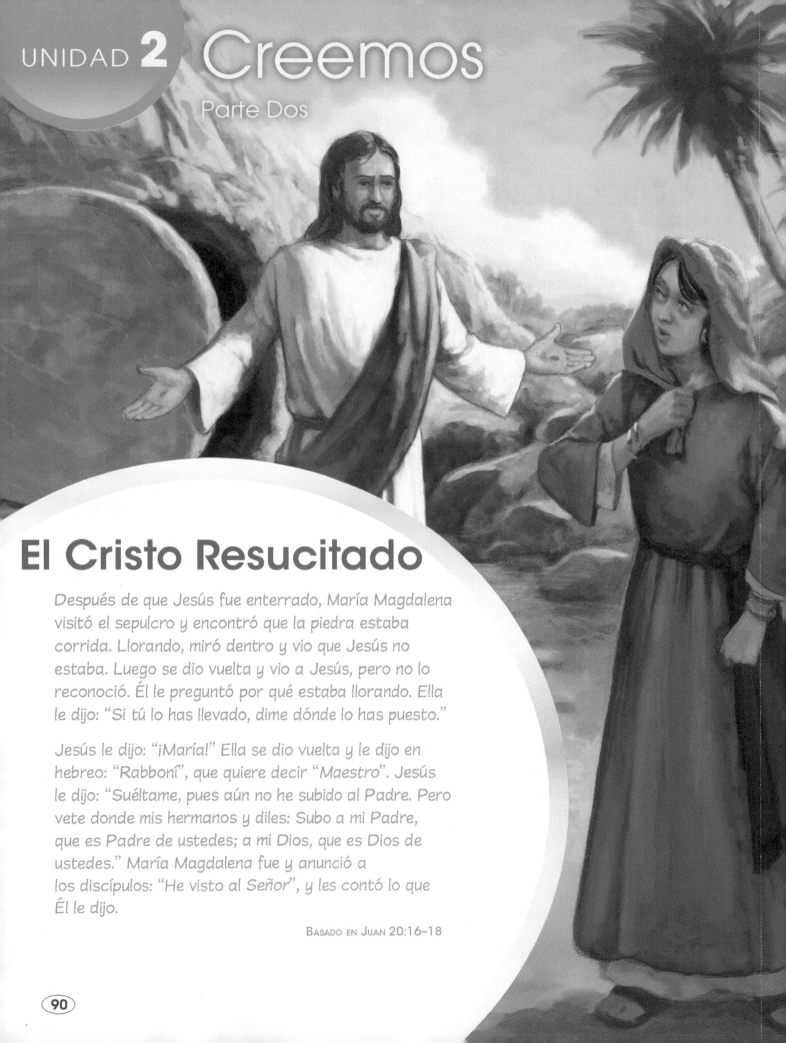

# El Cristo Resucitado

Después de que Jesús fue enterrado, María Magdalena visitó el sepulcro y encontró que la piedra estaba corrida. Llorando, miró dentro y vio que Jesús no estaba. Luego se dio vuelta y vio a Jesús, pero no lo reconoció. Él le preguntó por qué estaba llorando. Ella le dijo: "Si tú lo has llevado, dime dónde lo has puesto."

Jesús le dijo: "¡María!" Ella se dio vuelta y le dijo en hebreo: "Rabboní", que quiere decir "Maestro". Jesús le dijo: "Suéltame, pues aún no he subido al Padre. Pero vete donde mis hermanos y diles: Subo a mi Padre, que es Padre de ustedes; a mi Dios, que es Dios de ustedes." María Magdalena fue y anunció a los discípulos: "He visto al *Señor*", y les contó lo que Él le dijo.

BASADO EN JUAN 20:16–18

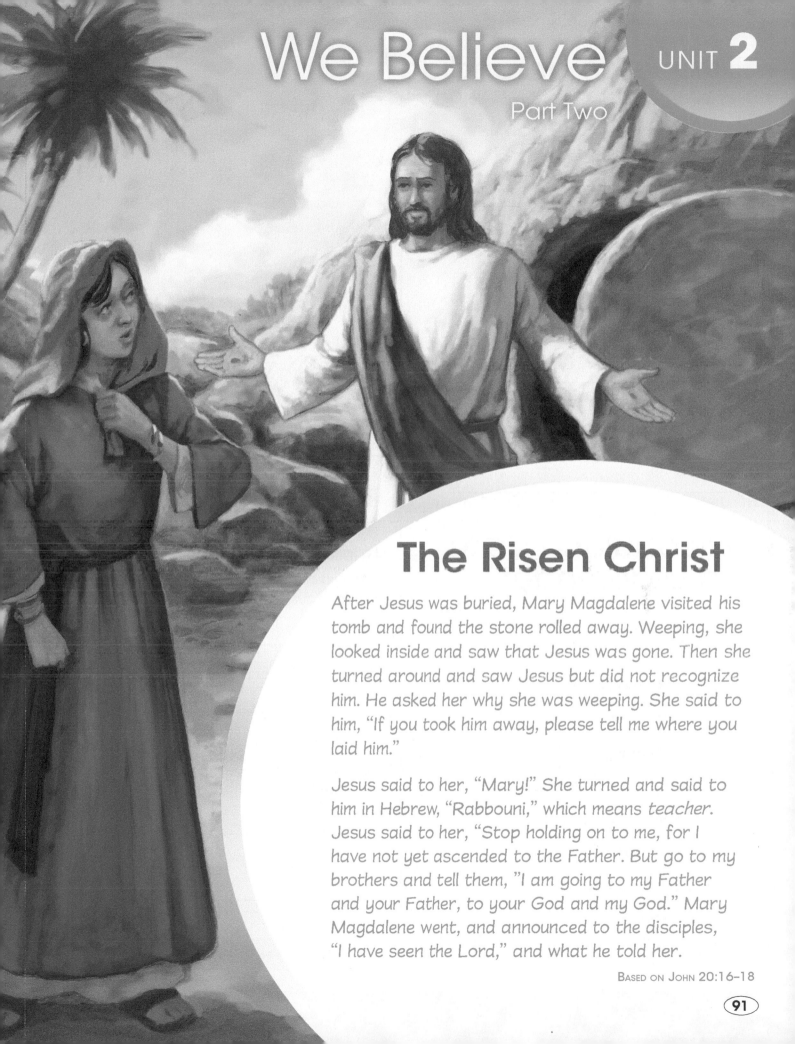

# We Believe

Part Two

## The Risen Christ

After Jesus was buried, Mary Magdalene visited his tomb and found the stone rolled away. Weeping, she looked inside and saw that Jesus was gone. Then she turned around and saw Jesus but did not recognize him. He asked her why she was weeping. She said to him, "If you took him away, please tell me where you laid him."

Jesus said to her, "Mary!" She turned and said to him in Hebrew, "Rabbouni," which means *teacher*. Jesus said to her, "Stop holding on to me, for I have not yet ascended to the Father. But go to my brothers and tell them, "I am going to my Father and your Father, to your God and my God." Mary Magdalene went, and announced to the disciples, "I have seen the Lord," and what he told her.

BASED ON JOHN 20:16–18

# Lo que he aprendido

*¿Qué es lo que ya sabes acerca de estos conceptos de fe?*

**El Mesías**

_____

_____

**La Resurrección**

_____

_____

**Los Atributos de la Iglesia**

_____

_____

# Vocabulario de fe para aprender

*Escribe X junto a las palabras de fe que sabes. Escribe ? junto a las palabras de fe que necesitas aprender mejor.*

_____ Encarnación

_____ Ascensión

_____ carismas

_____ ministros ordenados

_____ Cristo

_____ Pascua judía

_____ Espíritu Santo

_____ Cielo

**La Biblia**

*¿Qué sabes acerca del nacimiento de Jesús?*

_____

_____

_____

**La Iglesia**

*¿Acerca de qué Santo u organización de la Iglesia te gustaría aprender más?*

_____

_____

_____

**Tengo preguntas**

*¿Qué te gustaría preguntar acerca de la vida de Jesús?*

_____

_____

_____

# What I Have Learned

*What is something you already know about these faith terms?*

## The Messiah

_____

_____

_____

## The Resurrection

_____

_____

## The Marks of the Church

_____

_____

# Faith Terms to Know

*Put an X next to the faith terms you know. Put a ? next to faith terms you need to know more about.*

_____ Incarnation

_____ Ascension

_____ charisms

_____ ordained ministers

_____ Christ

_____ Passover

_____ Holy Spirit

_____ Heaven

## The Bible

*What do you know about Jesus' birth?*

_____

_____

_____

## The Church

*What Saint or organization of the Church would you like to learn more about?*

_____

_____

_____

## Questions I Have

*What questions would you like to ask about Jesus' life?*

_____

_____

_____

CAPÍTULO
# 5

## Lo que vendrá

En este capítulo el Espíritu Santo te invita a ▶

**INVESTIGAR** qué revela el nombre de Jesús acerca de Él.

**DESCUBRIR** cómo el arte puede expresar fe en Cristo.

**DECIDIR** cómo demostrarás a los demás que crees en Jesús.

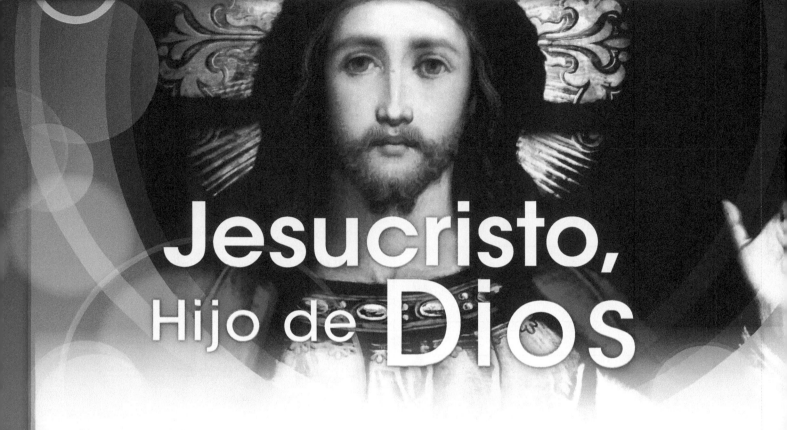

# Jesucristo, Hijo de Dios

**?** ¿Cómo eligieron tu nombre? ¿Qué sabes sobre el significado de tu nombre?

Los nombres son muy importantes. Pueden decirnos muchas cosas acerca de una persona. En los Evangelios de Mateo y Lucas, oímos el relato de un ángel que anuncia el nacimiento del Salvador y que revela que deberá llamarse Jesús.

> [E]l ángel del Señor se le apareció [a José] en un sueño y dijo: "[María] tendrá un hijo y lo llamarás Jesús, porque él salvará a su pueblo de sus pecados".
>
> BASADO EN MATEO 1:20–21

**?** ¿Qué crees que significa el nombre Jesús?

**Looking Ahead**

In this chapter the Holy Spirit invites you to ▶

**EXPLORE** what Jesus' name reveals about him.

**DISCOVER** how art can express belief in Christ.

**DECIDE** how you will show others that you believe in Jesus.

CHAPTER

5

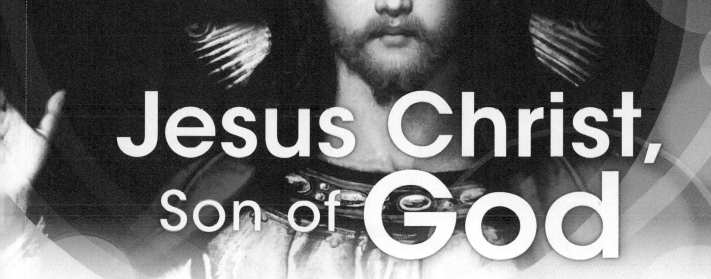

# Jesus Christ, Son of God

❓ How was your name chosen? What do you know about the meaning of your name?

Names are very important. They can tell us many things about a person. In the Gospels of Matthew and Luke, we hear the story of an angel announcing the Savior's birth and revealing that he is to be given the name Jesus.

> [T]he angel of the Lord appeared [to Joseph] in a dream and said, "[Mary] will bear a son and you are to name him Jesus, because he will save his people from their sins."
>
> BASED ON MATTHEW 1:20–21

❓ What do you think the name Jesus means?

## Fidelidad

La fidelidad es uno de los Frutos del Espíritu Santo. Los Frutos del Espíritu Santo son doce signos de que estamos cooperando con la gracia del Espíritu Santo. Cuando somos fieles, vivimos de acuerdo a la voluntad de Dios. Ponemos en práctica las enseñanzas de Jesús, las Sagradas Escrituras y la Iglesia Católica.

# LA IGLESIA SIGUE A JESÚS

# La Virgen y el Niño

Desde los primeros días de la Iglesia, los artistas cristianos han proclamado la Natividad. A través de la pintura, la escultura, las tallas en madera y la música, los artistas cristianos han recreado el relato del nacimiento de Jesús.

La devoción cristiana a María y su hijo, Jesús, se expresa con frecuencia a través del retrato de María sosteniendo al niño Cristo. A estas obras de arte a veces las llaman "La Madona y el Niño". La palabra italiana *madonna* significa "mi señora".

Dios le pidió a María que fuera la madre de su Hijo, Jesús. María confiaba en Dios y dijo que sí a su voluntad con todo su corazón. María es nuestro modelo de discípulo fiel. Ella nos enseña a amar y a obedecer a Dios, y a confiar en su voluntad a lo largo de nuestra vida.

**Actividad** Mira las obras de arte de la Virgen y el Niño. Comparte lo que te dicen acerca de la fe de las personas en María y su Niño. Marca la que más te guste. Escribe algunas oraciones para explicar qué te dice acerca de María.

_____

_____

_____

_____

# Madonna and Child

From the earliest days of the Church, Christian artists have proclaimed the Nativity. Through painting, sculpture, woodcarvings, and music, Christian artists have retold the story of the birth of Jesus.

The Christian devotion to Mary and her son, Jesus, is often expressed through the portrayal of Mary holding the Christ child. These works of art are called "Madonna and Child." The word *madonna* means "my lady."

God asked Mary to be the mother of his Son, Jesus. Mary trusted in God and said yes to his will with her whole heart. Mary is our model of a faithful disciple. She teaches us to love and obey God and to trust in his will for our lives.

## Disciple Power

**Faithfulness**

Faithfulness is one of the Fruits of the Holy Spirit. The Fruits of the Holy Spirit are twelve signs that we are cooperating with the grace of the Holy Spirit. When we are faithful, we live according to God's will. We put into practice the teachings of Jesus, the Scriptures, and the Catholic Church.

**Activity** Look at the art of the Madonna and Child. Share what they tell you about the faith of people in Mary and her Child. Check the one you like best. Write a few sentences to explain what it tells you about Mary.

_____

_____

_____

_____

**VOCABULARIO DE FE**

**Cristo**
Un título de Jesús que establece que Él es el Mesías, aquel quien Dios prometió enviar para salvar a su pueblo.

**Señor**
Un título de Jesús que establece que Jesús es verdaderamente Dios.

# Hijo de Dios, Hijo de María

En la Biblia, el nombre de una persona describe, frecuentemente, el papel que tiene en el plan de Salvación de Dios. El nombre hebreo de *Jesús* significa "Dios salva". El mismo nombre de Jesús revela que Él es el Salvador del mundo.

Todas las promesas de Dios que aparecen en la Biblia se realizan en Jesús. Jesús es el centro y el corazón del plan amoroso de Dios de creación y Salvación. **Jesucristo** es el Mesías, el Señor y el Salvador del mundo.

## Títulos para Jesús

Hay también varios nombres o títulos importantes para Jesús, que se usan en los Evangelios. Estos expresan la fe de la Iglesia en quién es Jesús y la tarea que el Padre le envió a hacer. Tres de estos títulos son Mesías, Cristo y Señor.

**Mesías.** A lo largo del Antiguo Testamento, Dios prometió enviar un mesías. El título *mesías* significa "el ungido". El mesías sería un rey que salvaría, o liberaría, al pueblo de Dios de sus enemigos.

**Cristo.** La palabra *Cristo* se usa en lugar de la palabra hebrea *mesías* y la palabra griega *kristos*. Jesús es el Cristo: el Mesías o el Ungido.

**Señor.** Los israelitas usaban la palabra *Señor* para Dios, en vez del nombre *YAVÉ*. Las letras *YAVÉ* del alfabeto hebreo son las letras del nombre por el cual Dios se identificó ante Moisés (lee Éxodo 3:11–15). Cuando a Jesús le decimos "Señor", estamos profesando la fe de la Iglesia de que Jesucristo es verdaderamente Dios. Él es el Hijo de Dios, la Segunda Persona Divina de la Santísima Trinidad. Jesús es verdadero Dios y verdadero hombre.

**?** ¿De qué manera los títulos de Jesús te ayudan a conocer quién es Él?

Una ilustración del nacimiento de Jesús desde una perspectiva asiática.

# Son of God, Son of Mary

In the Bible, a person's name often describes the role they play in God's plan of Salvation. The Hebrew name for *Jesus* means "God saves." The very name of Jesus reveals that he is the Savior of the world.

All of God's promises in the Bible come true in Jesus. Jesus is the center and heart of God's loving plan of creation and Salvation. Jesus **Christ** is the Messiah, the **Lord** and the Savior of the world.

## Titles for Jesus

There are also several important names or titles for Jesus used in the Gospels. These express the faith of the Church in who Jesus is and the work the Father sent him to do. Three of these titles are Messiah, Christ, and Lord.

**Messiah.** Throughout the Old Testament God promised to send a messiah. The title *messiah* means "anointed one." The messiah would be a king who would save, or deliver, God's people from their enemies.

**Christ.** The English word *Christ* is used for the Hebrew word *messiah* and for the Greek word *kristos*. Jesus is the Christ—the Messiah or Anointed One.

**Lord.** The Israelites used the word *Lord* for God in place of the name *YHWH*. The letters *YHWH* of the Hebrew alphabet are the letters of the name by which God identified himself to Moses (read Exodus 3:11–15). When we call Jesus "Lord," we are professing the faith of the Church, that Jesus Christ is truly God. He is the Son of God, the Second Divine Person of the Holy Trinity. Jesus is true God and true man.

? How do the titles of Jesus help you come to know who Jesus is?

## FAITH FOCUS
What does it mean that Jesus is both Son of God and Son of Mary?

## FAITH VOCABULARY
**Christ**
A title for Jesus that states that he is the Messiah, the One whom God promised to send to save his people.

**Lord**
A title for Jesus that states that Jesus is truly God.

An illustration of the birth of Jesus from an Asian perspective.

## Personas de fe

### San Mateo y San Lucas, Evangelistas

Mateo era un cobrador de impuestos y uno de los primeros Doce Apóstoles. Lucas era médico y compañero del Apóstol Pablo. Solamente en los Evangelios de Mateo y de Lucas leemos el relato del nacimiento de Jesús.

## La Encarnación

El ángel Gabriel le llevó a María un mensaje que decía que Dios la había elegido para que fuera la madre de su Hijo. Gabriel le dijo a la Virgen María que ella concebiría y daría luz a un niño, y que lo llamaría Jesús. Cuando María le preguntó cómo era posible ya que era virgen, Gabriel respondió:

> "El Espíritu Santo descenderá sobre ti y el poder del Altísimo te cubrirá con su sombra; por eso el niño santo que nacerá de ti será llamado Hijo de Dios." Lucas 1:35

Después del nacimiento de Jesús, el Evangelio de Lucas nos cuenta que un ángel de Dios se apareció a unos pastores, proclamando la Buena Nueva del nacimiento de Jesús. El ángel les dijo:

> "[H]oy, en la ciudad de David, ha nacido para ustedes un Salvador, que es el Mesías y el Señor." Lucas 2:11

La Iglesia llama *Encarnación* al misterio del Hijo de Dios hecho hombre. La palabra encarnación significa "poner en carne". Esta palabra nombra nuestra creencia de que el Hijo de Dios, la Segunda Persona de la Santísima Trinidad, se hizo plenamente humano sin dejar de ser plenamente Dios. Jesucristo es verdadero Dios y verdadero hombre.

**Actividad** Escribe palabras que usarías en cada lugar para expresar tu fe en Jesucristo.

| En mi casa | En la escuela | En mi comunidad |
| --- | --- | --- |
| | | |

## The Incarnation

The angel Gabriel brought Mary a message telling her that God had chosen her to be the mother of his Son. Gabriel said to the Virgin Mary that she would conceive and give birth to a son and name him Jesus. When Mary asked how that was possible since she was a virgin, Gabriel replied,

> "The holy Spirit will come upon you, and the power of the Most High will overshadow you. Therefore the child to be born will be called holy, the Son of God."
>
> LUKE 1:35

After the birth of Jesus, Luke's Gospel tells us that an angel of God appeared to shepherds, proclaiming the Good News of Jesus' birth. The angel said to them,

> "[T]oday in the city of David a savior has been born for you who is Messiah and Lord."
>
> LUKE 2:11

The Church names the mystery of the Son of God becoming man the *Incarnation*. The word incarnation means "putting on flesh." This word names our belief that the Son of God, the Second Person of the Holy Trinity, became fully human without giving up being fully God. Jesus Christ is true God and true man.

**Activity**  Write words that you would use in each setting to express your faith in Jesus Christ.

| At Home | At School | In My Community |
| --- | --- | --- |
| | | |

Los católicos de todo el mundo expresan su fe en la Encarnación de maneras diferentes. En Brasil, las familias crean un *Presépio*, o escena del pesebre. En México, Las Posadas, que empiezan el 16 de diciembre, recrean la búsqueda de María y José de un refugio. Los cristianos de Uganda se saludan unos a otros diciendo *Atuzariiware*, o "Él nació por nosotros".

## Madre de Dios, madre de todos

Los cuatro relatos del Evangelio no nos dicen mucho sobre la vida de Jesús durante su infancia. Su vida fue, probablemente, muy parecida a la vida de otros niños judíos de Nazaret. María y José compartían su fe judía con Jesús. Le enseñaron las costumbres y las prácticas de su religión.

María es verdaderamente la Madre de Dios, porque Jesús es verdadero Dios y verdadero hombre. Recordamos y celebramos esta verdad acerca de María cada año, el 1 de enero, la Solemnidad de María, Madre de Dios. Este día de María es un día de precepto para los católicos de Estados Unidos de América.

María es nuestra Bienaventurada Madre. Es la Madre de la Iglesia. Cuando crucificaron a Jesús, María, muchas otras mujeres discípulas y Juan estuvieron con Él.

Mientras moría en la cruz, Jesús dijo a María: *"Mujer, ahí tienes a tu hijo."* Luego le dijo a Juan: *"Ahí tienes a tu madre"* (Juan, 19:26–27). La Iglesia siempre ha visto en estas palabras que María es nuestra madre, la Madre de la Iglesia. Confiamos en que María nos cuida y quiere que nos acerquemos más a su Hijo, Jesús.

**?** ¿Cómo muestran los católicos su devoción por María? ¿Cómo puedes demostrarle tu amor a María?

María y el Niño Jesús, un ícono que está en la Iglesia de María Magdalena, en Jerusalén, Israel.

## Mother of God, Mother of All

The four accounts of the Gospel do not tell us much about the childhood life of Jesus. His life was probably very much like the life of other Jewish children in Nazareth. Mary and Joseph shared their Jewish faith with Jesus. They taught him the customs and practices of their religion.

Mary is truly the Mother of God because Jesus is true God and true man. We remember and celebrate this truth about Mary each year on January 1, the Solemnity of Mary, the Holy Mother of God. This feast of Mary is a holy day of obligation for Catholics in the United States of America.

Mary is our Blessed Mother. She is the Mother of the Church. When Jesus was crucified, Mary, several other women disciples, and John were there with him.

As he was dying on the cross, Jesus said to Mary, "Woman, behold your son." Then he said to John, "Behold, your mother" (John 19:26–27). The Church has always seen in these words that Mary is our mother, the Mother of the Church. We trust that Mary cares for us and wants us to grow closer to her Son, Jesus.

 How do Catholics show their devotion to Mary? How can you show Mary your love for her?

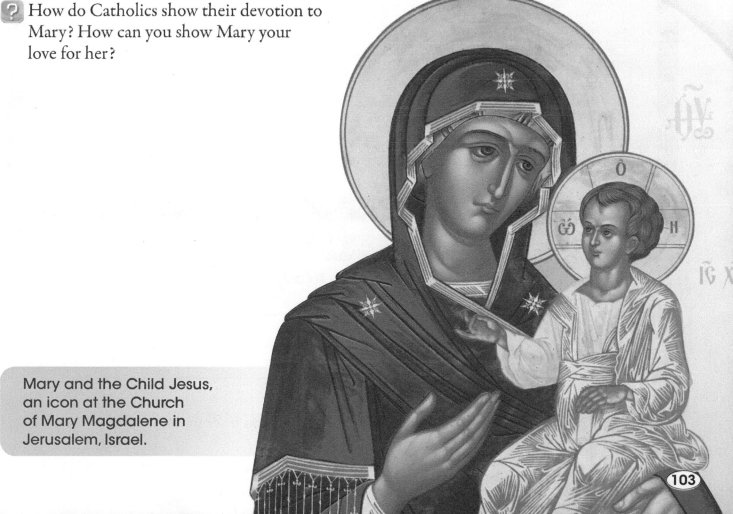

Mary and the Child Jesus, an icon at the Church of Mary Magdalene in Jerusalem, Israel.

# YO SIGO A JESÚS

**Cada año** la Iglesia celebra los acontecimientos de la vida de Jesús. Puedes celebrar el amor de Dios por ti, por tu familia y por todas las personas. El Espíritu Santo te invita a celebrar ese amor a través de una vida de fidelidad y compartiendo tu fe en Jesús con los demás cada día.

## COMPARTIR LA BUENA NUEVA

Crea una página web de inicio. Usa palabras, imágenes o símbolos que cuenten a los demás sobre tu fe en Jesucristo.

## MI ELECCIÓN DE FE

Esta semana, demostraré que soy fiel a Jesús. Yo:

_____

_____

_____

**Reza pidiéndole a Dios que te ayude a ser un seguidor más fiel de Jesús.**

# I FOLLOW JESUS

**Each Year** the Church celebrates the events of Jesus' life. You can celebrate God's love for you, for your family, and for all people. The Holy Spirit invites you to celebrate that love through living a life of faithfulness, and sharing your faith in Jesus with others each and every day.

## SHARING THE GOOD NEWS

Create a Web home page. Use words, pictures, or symbols that tell others about your faith in Jesus Christ.

This week I will show that I am faithful to Jesus. I will:

_____

_____

_____.

## MY FAITH CHOICE

 **Pray, asking God to help you become a more faithful follower of Jesus.**

1. Jesús es el Cristo, el Mesías.

2. Jesucristo es el Señor. Es verdadero Dios, la Segunda Persona de la Santísima Trinidad, que se hizo hombre sin dejar de ser Dios.

3. La Virgen María es la Madre de Dios.

# Repaso del capítulo

*Elige la palabra correcta de la lista para completar cada oración.*

| Madona | Lucas | Anunciación |
|--------|-------|-------------|
| Cristo | Encarnación | Juan |

1. La palabra _____ es un título para María, que significa es "mi señora"

2. El relato del nacimiento de Jesús aparece en el Evangelio de _____.

3. La _____ significa el misterio de Dios que se hace hombre.

4. El título _____ significa que Jesús es el Mesías, el Ungido de Dios.

5. El anuncio del nacimiento de Jesús a María se llama _____.

# El Santo Nombre de Jesús

*Reza esta oración de petición tomada de la Letanía del Santo Nombre de Jesús. En este tipo de oración, pedimos, o peticionamos, a Dios su gracia para vivir una vida de fidelidad a Él.*

**Líder:** Jesús, Hijo de Dios vivo,

**Todos:** **ten piedad de nosotros.**

**Líder:** Jesús, Hijo de la Virgen María,

**Todos:** **ten piedad de nosotros.**

**Líder:** Jesús, pastor bueno,

**Todos:** **ten piedad de nosotros.
Amen.**

# Chapter Review

*Choose the correct word from the word bank to complete each sentence.*

| Madonna | Luke | Annunciation |
|---------|------|--------------|
| Christ | Incarnation | John |

**1.** The word _____ is a title for Mary meaning "my lady."

**2.** The story of Jesus' birth appears in the Gospel of _____.

**3.** The _____ means the mystery of God becoming man.

**4.** The title _____ means that Jesus is the Messiah, the Anointed One of God.

**5.** The announcement of the birth of Jesus to Mary is called the _____.

▶ **TO HELP YOU REMEMBER**

**1.** Jesus is the Christ, the Messiah.

**2.** Jesus Christ is Lord. He is true God, the Second Person of the Holy Trinity, who became true man without giving up being God.

**3.** The Virgin Mary is the Mother of God.

# Jesus' Holy Name

*Pray this prayer of petition from the Litany of the Holy Name of Jesus. In this kind of prayer we ask, or petition, God for his grace to live a life of faithfulness to him.*

**Leader:** Jesus, Son of the living God,

**All:** **have mercy on us.**

**Leader:** Jesus, Son of the Virgin Mary,

**All:** **have mercy on us.**

**Leader:** Jesus, Good Shepherd,

**All:** **have mercy on us.**
**Amen.**

# Con mi familia

## Esta semana...

**En el capítulo 5,** "Jesucristo, Hijo de Dios", su niño aprendió que:

▶ Los títulos de Jesús, como Cristo, Señor y Mesías, nos ayudan a entender quién es Jesús y la misión por la que Dios Padre lo envió.

▶ El misterio del Hijo de Dios que se hace plenamente hombre mientras sigue siendo plenamente Dios se llama Encarnación.

▶ María, la madre de Jesús, es verdaderamente la Madre de Dios porque Jesús es el Hijo de Dios.

▶ La fidelidad es una cualidad que muestra que estamos cooperando con la gracia del Espíritu Santo.

**Para saber más** sobre otras enseñanzas de la Iglesia, consulten el *Catecismo de la Iglesia Católica,* 422–451, 456–478, 484–507; y el *Catecismo Católico de los Estados Unidos para los Adultos,* páginas 77–87.

## ■ Compartir la Palabra de Dios

**Lean juntos** el relato de la Biblia sobre el nacimiento de Jesús, que está al principio del Evangelio según Mateo y el Evangelio según Lucas. Enfaticen que los relatos del Evangelio sobre el nacimiento de Jesús nos dicen quién es Él y la misión que le enviaron a hacer.

## ■ Vivimos como discípulos

**El hogar cristiano** y la familia es una escuela de discipulado. Elijan una o más de las siguientes actividades para hacer en familia, o creen una actividad similar ustedes mismos.

▶ El ángel Gabriel le dijo a María que llamara a su hijo, Jesús. Los nombres son muy importantes. Comenten cómo se eligió el nombre de cada miembro de la familia.

▶ Jesús demostró su amor por su madre. Es muy importante demostrar nuestro amor por los miembros de la familia. Esta semana, asegúrense de hacer cosas especiales para demostrar el amor que sienten los unos por los otros.

## ■ Nuestro viaje espiritual

**Demostrar reverencia** por el nombre de Jesús es una expresión de nuestra fe en Él, el Hijo de Dios y el Hijo de María. Inclinar la cabeza ligeramente cuando decimos u oímos el nombre de Jesús es una larga tradición de la Iglesia. Anímense mutuamente y usen esta expresión de reverencia y de fe cuando dicen u oyen el nombre "Jesús". En este capítulo, su niño rezó una oración de petición. Lean y recen juntos esta oración de la página 106.

Para hallar más ideas sobre las maneras en que su familia puede vivir como discípulos de Jesús, visiten

**seanmisdiscipulos.com**

# With My Family

## This Week...

**In Chapter 5,** "Jesus Christ, Son of God," your child learned:

▶ Titles for Jesus, such as Christ, Lord, and Messiah help us understand who Jesus is and the work God the Father sent him to do.

▶ The mystery of the Son of God becoming fully human while remaining fully God is called the Incarnation.

▶ Mary, the mother of Jesus, is truly the Mother of God because Jesus is the Son of God.

▶ Faithfulness is a quality that shows we are cooperating with the grace of the Holy Spirit.

**For more** about related teachings of the Church, see the *Catechism of the Catholic Church*, 422–451, 456–478, 484–507; and the *United States Catholic Catechism for Adults*, pages 77–87.

## ■ Sharing God's Word

**Read together** the Bible story about the birth of Jesus at the beginning of the Gospel according to Matthew and the Gospel according to Luke. Emphasize what the Gospel accounts of Jesus' birth tell us about who he is and the work he was sent to do.

## ■ We Live as Disciples

**The Christian home** and family is a school of discipleship. Choose one of the following activities to do as a family or design a similar activity of your own.

▶ The angel Gabriel told Mary to name her child Jesus. Names are very important. Talk about how each family member's name was chosen.

▶ Jesus showed his love for his mother. It is very important to show our love for family members. Be sure to do special things this week to show your love for one another.

## ■ Our Spiritual Journey

**Showing reverence** for the name of Jesus is an expression of our faith in him, the Son of God and the Son of Mary. Bowing our heads slightly when we speak or hear the name Jesus spoken is a long tradition of the Church. Encourage one another to use this expression of reverence and faith when you speak or hear the name "Jesus" spoken. In this chapter your child prayed a prayer of petition. Read and pray together this prayer on page 107.

For more ideas on ways your family can live as disciples of Jesus, visit **BeMyDisciples.com**

CAPÍTULO
6

**Lo que vendrá**

En este capítulo el Espíritu Santo te invita a ▶

 **INVESTIGAR** la devoción de las Estaciones de la Cruz.

 **DESCUBRIR** más sobre el Misterio Pascual.

 **DECIDIR** cómo compartir con los demás tu fe en el Cristo Resucitado.

# El Misterio Pascual

**?** ¿Cuáles han sido algunos de los acontecimientos clave en la vida de tu familia?

Al tercer día, después de que los discípulos bajaron el cuerpo de Jesús de la Cruz, lo envolvieron en sábanas de lino y lo colocaron en el sepulcro, el Evangelio de Lucas nos dice:

> El primer día de la semana, muy temprano, fueron las mujeres al sepulcro llevando los perfumes que habían preparado. Pero se encontraron con una novedad: la piedra que cerraba el sepulcro había sido removida, y al entrar no encontraron el cuerpo del Señor Jesús.
>
> LUCAS 24:1–3

**?** ¿Qué detalles conoces acerca de la Pasión, Resurrección y Ascensión de Jesús? ¿Cómo habrías respondido si hubieras descubierto el sepulcro vacío?

## Looking Ahead

In this chapter the Holy Spirit invites you to ▶

**EXPLORE** the devotion of the Stations of the Cross.

**DISCOVER** more about the Paschal Mystery.

**DECIDE** how to share your faith in the Risen Christ with others.

**CHAPTER**

**6**

# The Paschal Mystery

**?** What have been some of the key events in the life of your family?

On the third day after the disciples took Jesus' body down from the Cross, wrapped it in linen cloths, and placed it in the tomb, Luke's Gospel tells us:

> [At] daybreak on the first day of the week (the women who had come from Galilee) took the spices they had prepared and went to the tomb. They found the stone rolled away from the tomb; but when they entered, they did not find the body of the Lord Jesus.
>
> LUKE 24:1–3

**?** What details do you know about the Passion, Resurrection, and Ascension of Jesus? How might you have responded if you had discovered the empty tomb?

# Poder de los discípulos

## Esperanza

La esperanza es la virtud que nos impide desalentarnos, poniendo nuestra confianza en Jesús y en la promesa de vida eterna.

# Estaciones de la Cruz

Desde los primeros siglos de la cristiandad, las personas han hecho peregrinaciones a Tierra Santa para visitar los lugares asociados con la vida, Muerte y Resurrección de Jesucristo. Como no todos pueden visitar Tierra Santa, las iglesias construían santuarios para conmemorar la Pasión y Muerte de Cristo.

El primero de estos santuarios se levantó, probablemente, entre los años 600 y 700 d. de C. en la Iglesia de San Esteban, en Bolonia, Italia. Hacia el siglo xvi, se difundió la costumbre y la tradición de rezar las Estaciones de la Cruz, o seguir el Camino de Jesús. La difusión de esta costumbre se atribuye a los dominicos, los agustinianos y los franciscanos.

Cuando rezamos las Estaciones de la Cruz, profesamos y proclamamos nuestra creencia en la Pasión, sufrimiento y Muerte de Jesús. Anunciamos que el plan de Dios de Salvación y Redención para todas las personas de todos los tiempos se realiza en Cristo. Con su Muerte, Jesús obtuvo la vida eterna para todas las personas.

**Actividad** Ve a las Estaciones de la Cruz, que están en la página 536 de tu libro. Identifica cuál de las Estaciones se muestra aquí y escribe el número debajo de cada ilustración.

## Stations of the Cross

Ever since the early centuries of Christianity, people have made pilgrimages to the Holy Land to visit the places associated with the life, Death, and Resurrection of Jesus Christ. Because everyone cannot visit the Holy Land, churches built shrines to commemorate the Passion and Death of Christ.

The first of these shrines was probably set up between A.D. 600-700 at the Church of Saint Stephen in Bologna, Italy. By the 1600s, the custom and tradition of praying the Stations of the Cross, or following the Way of Jesus, was widespread. The spreading of this custom is attributed to the Dominicans, Augustinians, and Franciscans.

When we pray the Stations of the Cross, we profess and proclaim our belief in the Passion, the suffering and Death of Jesus. We announce that God's plan of Salvation and Redemption for all people of all times is fulfilled in Christ. By his Death, Jesus gained life everlasting for all people.

### Disciple Power

**Hope**

Hope is the virtue that keeps us from discouragement by placing our trust in Jesus and the promise of eternal life.

**Activity** Turn to the Stations of the Cross on page 537 of your book. Identify which of the Stations is shown here and write the number under each picture.

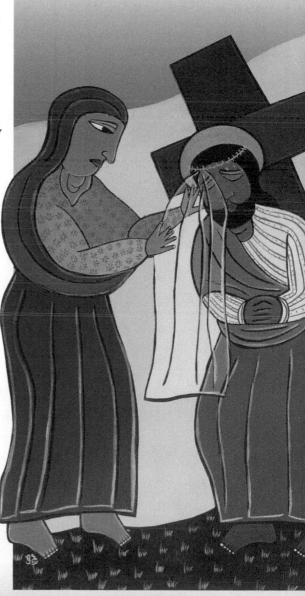

_____

_____

_____

## VOCABULARIO DE FE

**Pascua judía**
La Pascua judía es la fiesta que celebra que Dios salvó de la muerte a los niños hebreos y el paso de su pueblo de la esclavitud a la libertad.

**Misterio Pascual**
El Misterio Pascual es el "paso" de Jesús de la vida, a través de la muerte, a una nueva y gloriosa vida; la Pasión, Resurrección y gloriosa Ascensión de Jesús.

# La Pascua judía del Señor

Dios hizo una alianza con Abrahán y lo eligió para que fuera el padre del pueblo de Dios. Cuando el pueblo de Dios estaba padeciendo una gran hambruna, los descendientes de Abrahán viajaron a Egipto en busca de alimento. José, el bisnieto de Abrahán, ya estaba viviendo allí y era un líder muy respetado en Egipto. Reconoció a su familia, la alimentó y la invitó a quedarse en Egipto.

Uno de los sucesos más importantes en la historia de los israelitas, o hebreos, fue cuando Dios los liberó de la esclavitud en Egipto. Durante un tiempo, los egipcios convirtieron a los hebreos en sus esclavos. El pueblo de Dios rezó, pidiéndole a Dios que lo liberara de la esclavitud. Dios eligió a Moisés y lo envió para que guiara a su pueblo hacia la libertad. Moisés y su hermano Aarón se enfrentaron valerosamente al faraón, el soberano egipcio. Una y otra vez, trataron de persuadir al faraón para que dejara salir a los hebreos de Egipto.

Una y otra vez, el faraón se negó, a pesar de las señales que Dios había enviado. Entonces, pasó algo. Muchos egipcios jóvenes comenzaron a morir en su casa, pero a los hebreos y sus hijos no les pasaba nada. La muerte pasó de largo por los hogares hebreos.

Finalmente, el faraón dejó que el pueblo de Dios se fuera. El pueblo judío se reúne cada año en primavera para recordar y celebrar este acontecimiento, llamado **Pascua judía.**

❓ Mira la Aclamación Memorial que rezamos en Misa y que está en la página 546. ¿Qué relación tiene con el Misterio Pascual?

Una familia hebrea celebra la Pascua judía.

# The Passover of the Lord

God entered into a Covenant with Abraham, choosing him to be the father of God's people. When God's people were suffering from a great famine, Abraham's descendants traveled to Egypt in search of food. Joseph, Abraham's great-grandson, was already living there and was a highly respected leader in Egypt. He recognized his family, fed them, and invited them to stay in Egypt.

One of the most important events in the history of the Israelites, or Hebrews, was God's freeing them from slavery in Egypt. Over a period of time, the Egyptians made the Hebrews their slaves. God's people prayed, asking God to deliver, or free, them from slavery. God chose and sent Moses to lead his people to freedom. Moses and his brother Aaron bravely faced Pharaoh, the Egyptian ruler. Over and over they tried to persuade Pharaoh to let the Hebrews leave Egypt.

Again and again Pharaoh refused, despite the signs that God sent. Then something happened. Many young Egyptians were dying in their homes, but the Hebrews and their children were being spared. Death "passed over" the homes of the Hebrews.

Finally, Pharaoh let God's people go. The Jewish people gather each year in the springtime to remember and celebrate this event called **Passover**.

❓ Look at the Memorial Acclamation we pray at Mass on page 547. What does it have to do with the Paschal Mystery?

**FAITH FOCUS**
How does the Jewish feast of Passover help us to understand the Paschal Mystery of Jesus?

**FAITH VOCABULARY**

▶ **Passover**
Passover is the Jewish feast celebrating God's sparing of the Hebrew children from death and the passage of his people from slavery to freedom.

▶ **Paschal Mystery**
The Paschal Mystery is the "passing over" of Jesus from life through death into new and glorious life; the Passion, Resurrection, and glorious Ascension of Jesus.

A Jewish family celebrates Passover.

### Santa Verónica

La Iglesia nos cuenta que, mientras Jesús llevaba la Cruz, se encontró con Verónica, una de sus discípulos. Verónica extendió la mano y limpió con su velo la sangre y el sudor del rostro de Jesús. Este acto de fe y compasión es recordado en la Sexta Estación de la Cruz. La Iglesia celebra el día de Santa Verónica el 9 de julio.

## La Pasión del Señor

Cuando celebramos la Eucaristía, recordamos el **Misterio Pascual** y participamos de él. El Misterio Pascual consiste en la Pasión (el sufrimiento y Muerte), Resurrección y Ascensión de Jesucristo. Estos acontecimientos clave son el tema principal del Evangelio. La parte acerca del sufrimiento y Muerte de Jesús se llama relato de la Pasión.

La Pasión del Señor incluye estos acontecimientos:

**La Última Cena.** La misma semana en la que Jesús murió, Él fue a Jerusalén y celebró la Pascua judía. En el banquete de la Pascua con sus discípulos, que los cristianos llaman la Última Cena, Jesús dejó la Eucaristía a la Iglesia.

**La traición y el arresto.** Después de la Última Cena, Judas lideró un grupo de enemigos hasta el Huerto de Getsemaní, donde estaba rezando Jesús. Fue allí donde Judas traicionó a Jesús y lo entregó para que lo arrestaran.

**El juicio y la sentencia.** Al acusarlo de blasfemia, los enemigos de Jesús lo entregaron a los romanos para que lo juzgaran. Temiendo al emperador romano y a la multitud, el juez, Poncio Pilatos, entregó a Jesús para que lo crucificaran.

**Sufrimiento, muerte y entierro.** Jesús llevó su Cruz hasta el Calvario, una colina que está en las afueras de Jerusalén, donde crucificaban a los criminales. Allí fue donde Jesús murió. Después de que Jesús murió, José de Arimatea y otros discípulos de Jesús enterraron su cuerpo en un sepulcro nuevo.

**Actividad** Imagina que estás con los discípulos en el arresto y el juicio de Jesús. En esta página de diario, describe lo que piensas y sientes.

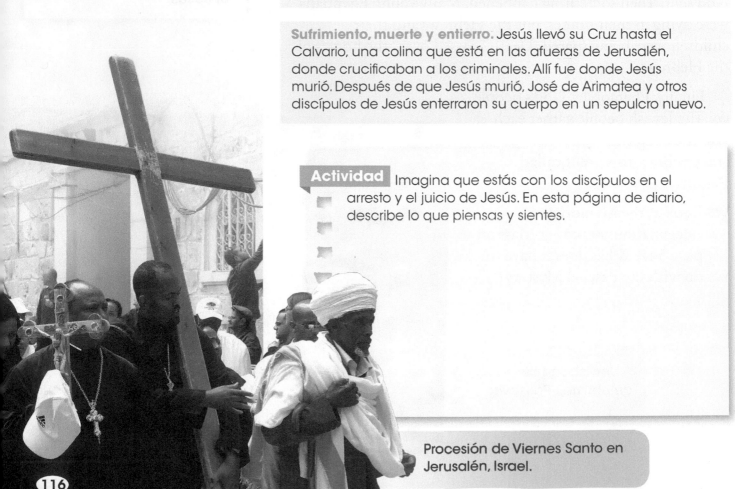

Procesión de Viernes Santo en Jerusalén, Israel.

## The Passion of the Lord

When we celebrate the Eucharist we remember and share in the **Paschal Mystery**. The Paschal Mystery consists of the Passion (the suffering and Death), Resurrection, and Ascension of Jesus Christ. These key events are the central theme of the Gospel. The part that tells about Jesus' suffering and Death is called the Passion narrative.

The Passion of the Lord includes these events:

**The Last Supper.** During the week in which Jesus died, he went to Jerusalem and celebrated Passover. At a Passover meal with his disciples, which Christians have named the Last Supper, Jesus gave the Church the Eucharist.

**The Betrayal and Arrest.** After the Last Supper, Judas led a group of Jesus' enemies to the Garden of Gethsemane where Jesus was praying. It was there that Judas betrayed Jesus and handed him over to be arrested.

**The Trial and Sentencing.** Accusing him of blasphemy, Jesus' enemies handed him over to the Romans to be tried. Fearing the Roman emperor and the crowd, the judge, Pontius Pilate, handed Jesus over to be crucified.

**Suffering, Death, and Burial.** Jesus carried his Cross to Calvary, a hill outside Jerusalem where criminals were crucified. It was there that Jesus died. After Jesus died, Joseph of Arimathea and other disciples of Jesus buried his body in a new tomb.

**Activity** Imagine you are with the disciples at Jesus' arrest and trial. On this journal page describe your thoughts and feelings.

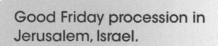

Good Friday procession in Jerusalem, Israel.

### Peregrinación

Una peregrinación es un viaje a un lugar o un santuario sagrado. Cada año, muchos cristianos hacen una peregrinación a Jerusalén para recorrer el viaje final de Jesús por las calles de la ciudad hasta el sitio de la Crucifixión, en el Calvario.

## La Resurrección del Señor

Tres días después de la Muerte y el entierro de Jesús, Él resucitó a una nueva y gloriosa vida. Este hecho poderoso de Dios se llama Resurrección.

La Resurrección es el centro de nuestra fe cristiana. Al escribir a la Iglesia de Corinto, San Pablo enseñó:

Ahora bien, si proclamamos un Mesías resucitado de entre los muertos, ¿cómo dicen algunos ahí que no hay resurrección de los muertos? Si los muertos no resucitan, tampoco Cristo resucitó. Y si Cristo no resucitó, nuestra predicación no tiene contenido, como tampoco la fe de ustedes... Si nuestra esperanza en Cristo se termina con la vida presente, somos los más infelices de todos los hombres.

1.ª CORINTIOS 15:12–14, 19

Cuando profesamos que Jesús resucitó de entre los muertos, no queremos decir que, sencillamente, volvió otra vez a la vida. Cuando el Cristo Resucitado se apareció a los discípulos, al principio no lo reconocieron porque el Espíritu Santo había cambiado gloriosamente su cuerpo. Dios resucitó a Jesús a una nueva y gloriosa vida.

## La Ascensión del Señor

Durante cuarenta días después de la Resurrección, el Jesús Resucitado se encontró con sus discípulos y siguió enseñándoles. En una última reunión en el Monte de los Olivos, que queda cerca de Jerusalén, Él ascendió a su Padre. A esto lo llamamos Ascensión.

Cuando profesamos nuestra fe en la Ascensión, queremos decir que Jesús ha regresado en gloria y majestad a su Padre. Se ha ido para preparar un lugar para nosotros. Tenemos la esperanza de, un día, seguir a Cristo al lugar al que ha ascendido. Somos responsables de continuar la misión de Jesús en la Tierra.

El plan de Dios de Salvación y Redención se realiza en Jesucristo. A través de su Misterio Pascual, Jesús nos libera del pecado. Unidos a Cristo en el Bautismo, podemos "pasar" del pecado y la muerte a una nueva vida con Él, su Padre y el Espíritu Santo. Resucitados a una nueva vida por el poder del Espíritu Santo, se nos hace partícipes de la plenitud de la vida con Dios.

? ¿Por qué la Resurrección es el centro de nuestra fe cristiana?

## The Resurrection of the Lord

Three days after Jesus died and was buried, he was raised to a new and glorified life. We call this mighty deed of God the Resurrection.

The Resurrection is the heart of our Christian faith. Writing to the Church in Corinth, Saint Paul taught:

> But if Christ is preached as raised from the dead, how can some among you say there is no resurrection of the dead? If there is no resurrection of the dead then neither has Christ been raised. And if Christ has not been raised, empty [too] is our preaching; empty, too, your faith . . . If for this life only we have hoped in Christ, we are the most pitiable people of all.
>
> 1 Corinthians 15:12–14, 19

When we profess that Jesus was raised from the dead, we do not mean he simply came back to life again. When the Risen Christ appeared to his disciples, they at first did not recognize him because his body was gloriously changed by the Holy Spirit. God raised Jesus into a new and glorious life.

## The Ascension of the Lord

For forty days after the Resurrection, the Risen Jesus met with his disciples and continued to teach them. During one final meeting on the Mount of Olives, which is near Jerusalem, he ascended to his Father. We call this the Ascension.

When we profess our faith in the Ascension, we mean that Jesus has returned in glory and majesty to his Father. He has gone to prepare a place for us. Where Christ has ascended, we hope one day to follow. We are responsible for continuing the mission of Jesus on Earth.

God's plan of Salvation and Redemption is fulfilled in Jesus Christ. Through his Paschal Mystery, Jesus frees us from sin. Joined to Christ in Baptism, we can "pass over" from sin and death to new life with him, his Father, and the Holy Spirit. Raised to new life by the power of the Holy Spirit, we are made sharers in the fullness of life with God.

? Why is the Resurrection the heart of our Christian faith?

# YO SIGO A JESÚS

**Por medio del Bautismo,** te hicieron partícipe del Misterio Pascual de Jesucristo. Recibiste el don del Espíritu Santo y la promesa y la esperanza de vida eterna. Puedes compartir la alegría y la esperanza con las personas que sufren. Puedes compartir amor donde hay odio.

## VIDA NUEVA EN CRISTO

En este espacio, crea un símbolo o diseña un cartel que anuncie la Buena Nueva de la Resurrección de Jesús.

## MI ELECCIÓN DE FE

Esta semana, proclamaré que soy una persona de esperanza. Compartiré con los demás mi fe en el Misterio Pascual de Jesús. Yo

_____

_____

_____

**Reza al Señor Jesús Resucitado, que siempre está contigo. Pídele ser un faro de esperanza en tu familia, tu escuela y tu comunidad.**

# I FOLLOW JESUS

**Through Baptism** you were made a sharer in the Paschal Mystery of Jesus Christ. You received the gift of the Holy Spirit and the promise and hope of eternal life. You can share joy and hope with people who suffer. You can share love where there is hatred.

## NEW LIFE IN CHRIST

In this space create a symbol or design a banner that announces the Good News of Jesus' Resurrection.

This week I will proclaim that I am a person of hope. I will share my faith in the Paschal Mystery of Jesus with others. I will

_____

_____

_____

**MY FAITH CHOICE**

 **Pray to the Risen Lord Jesus, who is always with you. Ask him to be a beacon of hope in your family, school, and community.**

1. La Pascua judía es la fiesta que recuerda la liberación de la esclavitud en Egipto y a Dios que lleva a los judíos a la tierra prometida.

2. El Misterio Pascual de Jesús es su Pasión, Resurrección y gloriosa Ascensión.

3. A través de su Misterio Pascual, Cristo libró a las personas de la muerte y el pecado, y obtuvo para todos la promesa y la esperanza de la vida eterna.

# Repaso del capítulo

*Usa las pistas para descubrir los acontecimientos y el significado del Misterio Pascual.*

1. Cuarenta días después de la Pascua, celebramos
   **a.** la Ascensión          **b.** Pentecostés

2. El banquete de la Pascua judía que Jesús celebró con sus discípulos se llama
   **a.** la Última Cena          **b.** la Fiesta de la Cosecha

3. Al regreso de Jesús de entre los muertos lo llamamos
   **a.** Ascensión          **b.** Resurrección

4. A Jesús lo crucificaron en una colina llamada
   **a.** Calvario          **b.** Jerusalén

# El Pregón Pascual

*La Iglesia canta el Pregón Pascual durante la vigilia de Pascua, la gran celebración de la Resurrección. Esta proclamación gozosa anuncia al mundo la Resurrección de Jesús y el don de la esperanza. Recen juntos el comienzo de esta oración.*

**Todos:** **¡Por la victoria de un rey tan poderoso!**

**Grupo 1:** Alégrense, por fin, los coros de los ángeles, alégrense las jerarquías del cielo

**Grupo 2:** y, por la victoria de un rey tan poderoso, que las trompetas anuncien la salvación.

**Todos:** **¡Por la victoria de un rey tan poderoso!**

**Grupo 1:** Goce también la tierra, inundada de tanta claridad, y que, radiante con el fulgor del rey eterno,

**Grupo 2:** se sienta libre de la tiniebla que cubría el orbe entero.

**Todos:** **¡Por la victoria de un rey tan poderoso!**

DEL EL PREGÓN PASCUAL *MISAL ROMANO*

# Chapter Review

*Use the clues to discover the events and meaning of the Paschal Mystery.*

**1.** Forty days after Easter we celebrate

    **a.** The Ascension         **b.** Pentecost

**2.** The Passover meal Jesus celebrated with his disciples is called

    **a.** The Last Supper         **b.** The Feast of Harvest

**3.** We call Jesus being raised from the dead the

    **a.** Ascension         **b.** Resurrection

**4.** Jesus was crucified on a hill called

    **a.** Calvary         **b.** Jerusalem

▶ **TO HELP YOU REMEMBER**

**1.** Passover is the Jewish feast remembering freedom from slavery in Egypt, and God's leading them to the Promised Land.

**2.** The Paschal Mystery of Jesus is his Passion, Resurrection, and glorious Ascension.

**3.** By his Paschal Mystery, Christ freed people from death and sin, and gained for all the promise and hope of eternal life.

# The Exsultet

*The Church sings the Exsultet at the Easter Vigil, the great celebration of the Resurrection. This joyful proclamation announces the Resurrection of Jesus and the gift of hope to the world. Pray together the beginning of this prayer.*

**All:** **Sound aloud our mighty King's triumph!**

**Group 1:** Exult, let them exult, the hosts of heaven, exult, let Angel ministers of God exult,

**Group 2:** let the trumpet of salvation sound aloud our mighty King's triumph!

**All:** **Sound aloud our mighty King's triumph!**

**Group 1:** Be glad, let earth be glad, as glory floods her, ablaze with light from her eternal King,

**Group 2:** let all corners of the earth be glad, knowing an end to gloom and darkness.

**All:** **Sound aloud our mighty King's triumph!**

FROM THE EXSULTET *ROMAN MISSAL*

# Con mi familia

## Esta semana...

**En el capítulo 6,** "El Misterio Pascual", su niño aprendió que:

▶ El Misterio Pascual es la obra de Redención de Cristo a través de su Pasión, Resurrección y Ascensión.

▶ En la misma semana en la que murió, Jesús celebró el banquete de la Pascua judía con sus discípulos.

▶ El Misterio Pascual de Jesús es su paso del sufrimiento y la muerte a una nueva y gloriosa vida.

▶ La esperanza es la Virtud Teologal por la cual anhelamos de Dios la vida eterna.

**Para saber más** sobre otras enseñanzas de la Iglesia, consulten el *Catecismo de la Iglesia Católica,* 571–664, y el *Catecismo Católico de lqs Estados Unidos para los Adultos,* páginas 89–100.

## ■ Compartir la Palabra de Dios

**Inviten a la familia** a compartir lo que saben sobre los relatos del Evangelio de la Pasión, Resurrección y Ascensión de Jesús. Enfaticen que cada vez que celebramos la Eucaristía, nos hacemos partícipes del Misterio Pascual.

## ■ Vivimos como discípulos

**El hogar cristiano** con la familia es una escuela de discipulado. Elijan una o más de las siguientes actividades para hacer en familia, o creen una actividad similar ustedes mismos.

▶ Cuando participen en la Misa esta semana, busquen el crucifijo y el cirio pascual. Comenten cómo pueden recordarnos el Misterio Pascual. Después de la Misa, recorran las Estaciones de la Cruz. Deténganse en cada estación y comenten cómo cada una describe la Pasión de Jesús.

▶ Imaginen que estuvieron presentes con los discípulos cuando arrestaron y enjuiciaron a Jesús. Comenten lo que habrían sentido o habrían pensado.

## ■ Nuestro viaje espiritual

**La vida en la Tierra** es una peregrinación. Los cristianos hacen esta peregrinación como personas de esperanza. Cuando nos enfrentamos con la realidad de la muerte, nuestra fe en el Misterio Pascual mueve nuestro corazón a proclamar: "Pues, para quienes creemos en ti, Señor, la vida se transforma, no se acaba" *(Prefacio de difuntos I, Misal Romano).* En este capítulo, su niño rezó el Pregón Pascual para profesar su fe en la Resurrección. Lean y recen juntos esta oración de la página 122.

Para hallar más ideas sobre las maneras en que su familia puede vivir como discípulos de Jesús, visiten **seanmisdiscipulos.com**

# With My Family

## This Week...

**In chapter 6,** "The Paschal Mystery," your child learned:

▶ The Paschal Mystery is Christ's work of Redemption through his Passion, Resurrection and Ascension.

▶ During the week in which he died, Jesus celebrated the Passover meal with his disciples.

▶ The Paschal Mystery of Jesus is his passover from suffering and death to new and glorious life.

▶ Hope is the Theological Virtue by which we long for from God eternal life.

**For more** about related teachings of the Church, see the *Catechism of the Catholic Church*, 571–664; and the *United States Catholic Catechism for Adults*, pages 89–100.

## Sharing God's Word

**Invite the family** to share what they know about the Gospel accounts of Jesus' Passion, Resurrection, and Ascension. Emphasize that each time we celebrate the Eucharist, we are made sharers in the Paschal Mystery.

## We Live as Disciples

**The Christian home** and family is a school of discipleship. Choose one of the following activities to do as a family or design a similar activity of your own.

▶ When you take part in Mass this week, look for the crucifix and the Paschal candle. Talk about how these can remind us of the Paschal Mystery. After Mass walk the Stations of the Cross. Stop at each station, and talk about how each station describes Jesus' Passion.

▶ Imagine that you were present with the disciples when Jesus was arrested and put on trial. Talk about how you would have felt or what you would have thought.

## Our Spiritual Journey

**Life on Earth** is a pilgrimage. Christians make this pilgrimage as a people of hope. When faced with the reality of death, our faith in the Paschal Mystery stirs our heart to proclaim, "Indeed for your faithful, Lord, life is changed and not ended" (Preface I, for the Dead, *Roman Missal*). In this chapter your child prayed the *Exsultet*, professing his or her faith in the Resurrection. Read and pray together this prayer on page 123.

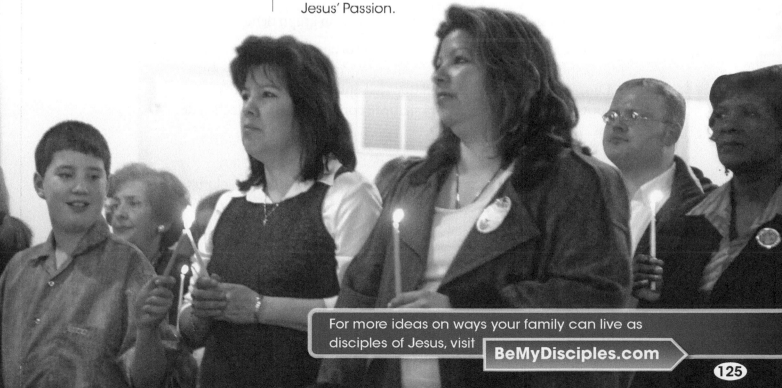

For more ideas on ways your family can live as disciples of Jesus, visit **BeMyDisciples.com**

## Lo que vendrá

En este capítulo el Espíritu Santo te invita a ▶

**INVESTIGAR** a una persona que continuó la misión de Jesús.

**DESCUBRIR** la obra del Espíritu Santo.

**DECIDIR** cómo usarás tus dones para mejorar el mundo.

# Muchos dones, un mismo espíritu

**?** ¿Qué significa decir que una persona o un grupo tiene "espíritu"?

Tener espíritu es una característica importante en una persona. El "espíritu" energiza a las personas para que hagan buenas obras. Dios le ha dado a la Iglesia el don de la presencia del Espíritu Santo. El Espíritu Santo está siempre con la Iglesia. En Hechos de los Apóstoles, leemos:

> Cuando llegó el día de Pentecostés, estaban todos reunidos en el mismo lugar. De repente vino del cielo un ruido, como el de una violenta ráfaga de viento, que llenó toda la casa donde estaban... Todos quedaron llenos del Espíritu Santo...
> Hechos 2:1–2, 4

**?** ¿Qué evidencia ves de que el Espíritu Santo está siempre con la Iglesia?

## Looking Ahead

In this chapter the Holy Spirit invites you to ▶

**EXPLORE** a person who continued the mission of Jesus.

**DISCOVER** the work of the Holy Spirit.

**DECIDE** how you will use your gifts to improve the world.

CHAPTER
**7**

# Many Gifts, One Spirit

**?** What does it mean to say that a person or group has "spirit"?

Having spirit is an important quality in a person. "Spirit" energizes people to do good works. God has given the Church the gift of the presence of the Holy Spirit. The Holy Spirit is always with the Church. In the Acts of the Apostles we read,

> When the time for Pentecost was fulfilled, they were all in one place together. And suddenly there came from the sky a noise like a strong driving wind, and it filled the entire house in which they were . . . And they were all filled with the holy Spirit. Acts 2:1–2, 4

**?** What evidence do you see that the Holy Spirit is always with the Church?

## LA IGLESIA SIGUE A JESÚS

# Santa Catalina Drexel

### Valor

El valor, o fortaleza, es una de las cuatro Virtudes Cardinales y un Don del Espíritu Santo. La fortaleza nos ayuda a defender nuestra fe en Cristo. Nos ayuda a superar los obstáculos que impidan que practiquemos nuestra fe. Nos ayuda a seguir eligiendo lo que está bien.

El Espíritu Santo está siempre obrando en la Iglesia. Desde los tiempos de los Apóstoles, el Espíritu Santo ha ayudado a la Iglesia a continuar la misión de Jesús.

Los misioneros dejan a su familia y viajan para predicar y vivir el Evangelio. A menudo, los misioneros encuentran dificultades. A veces, se necesita un gran valor para ser misionero.

Catalina Drexel (1868–1955) fue una misionera que vivió y trabajó en Estados Unidos. Dejó su hogar para servir a la Iglesia. Usó la riqueza de su familia para ayudar a los indígenas americanos y a los afroamericanos de Estados Unidos.

Catalina fundó la congregación de las Hermanas del Santísimo Sacramento para que trabajaran con ella. Las valerosas hermanas pasaron mucho tiempo viajando por Estados Unidos. Fundaron misiones y escuelas en trece estados, entre ellas, la Universidad Xavier, en Nueva Orleáns. Hoy, las hermanas continúan la obra misionera que empezó Catalina Drexel.

En el 2000, Papa Juan Pablo II nombró santa de la Iglesia a Catalina Drexel. Su día se celebra el 3 de marzo.

**Actividad** ¿Qué tan bien prestaste atención? Completa los siguientes espacios en blanco.

1. El _____ _____ está siempre obrando en la Iglesia.

2. Los misioneros viajan para predicar y vivir el _____.

3. Catalina _____ fue una misionera que trabajó

   con los _____ y los _____.

# Saint Katharine Drexel

The Holy Spirit is always at work in the Church. From the time of the Apostles, the Holy Spirit has helped the Church continue the mission of Jesus.

Missionaries leave their families and travel to preach and live the Gospel. Missionaries often encounter hardships. Sometimes it takes great courage to be a missionary.

Katharine Drexel (1868–1955) was a missionary who lived and worked in the United States. She left her home to serve the Church. She used her family's wealth to help Native Americans and African Americans in the United States.

Katharine founded the Sisters of the Blessed Sacrament to work with her. The courageous sisters spent much of their time traveling across the United States. They founded missions and schools in thirteen states, including Xavier University in New Orleans. Today, the Sisters continue the missionary work Katharine Drexel began.

In 2000, Katharine Drexel was named a saint of the Church by Pope John Paul II. Her feast day is celebrated on March 3.

## Disciple Power

### Courage

Courage, or fortitude, is one of four Cardinal Virtues and a Gift of the Holy Spirit. Fortitude helps us stand up for our faith in Christ. It helps us overcome obstacles that might keep us from practicing our faith. It helps us continue to choose that which is good.

**Activity**  How well did you listen? Fill in the blanks below.

1. The _____ _____ is always at work in the Church.

2. Missionaries travel to preach and live the _____.

3. Katharine _____ was a missionary to _____

   and _____.

## VOCABULARIO DE FE

**carismas**
Los carismas son dones, o gracias, entregados por el Espíritu Santo para edificar la Iglesia en la Tierra, para el bien de todas las personas y las necesidades del mundo.

**Sagrada Tradición**
La Sagrada Tradición es la transmisión de las enseñanzas de Cristo por la Iglesia a través del poder y la guía del Espíritu Santo.

# La obra del Espíritu Santo

En la Última Cena, Jesús habló a sus discípulos sobre muchas cosas. Les dijo que pronto los dejaría y que regresaría a su Padre. Les enseñó a amarse los unos a los otros como Él los había amado. Jesús también hizo esta promesa:

> *"Pero ahora me voy donde Aquel que me envió, y ninguno de ustedes me pregunta adónde voy. Se han llenado de tristeza al oír lo que les dije, pero es verdad lo que les digo: les conviene que yo me vaya, porque mientras yo no me vaya, el Protector no vendrá a ustedes. Yo me voy, y es para enviárselo."*
>
> JUAN 16:5–7

Los discípulos escucharon a Jesús. Pero, en ese momento, no entendieron plenamente lo que Él estaba diciendo. Aunque estaban asustados y confundidos porque Él los dejaría pronto y volvería a su Padre, los discípulos confiaron en Jesús. Después de su Ascensión, regresaron a Jerusalén y esperaron la llegada del Intérprete que Jesús había prometido.

 ¿Cuándo le rezas al Espíritu Santo?

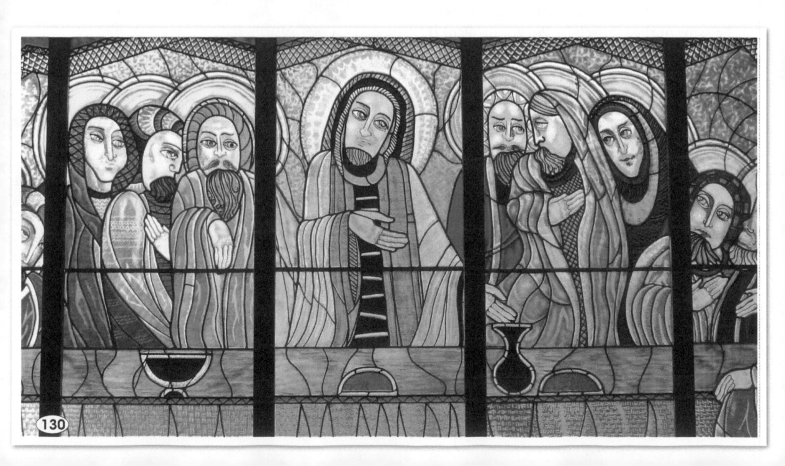

# The Work of the Holy Spirit

At the Last Supper, Jesus spoke to his disciples about many things. He told them he would soon be leaving them and returning to his Father. He taught them to love each other as he had loved them. Jesus also made this promise:

*"But now I am going to the one who sent me, and not one of you asks me, 'Where are you going?' But because I told you this, grief has filled your hearts. But I tell you the truth, it is better for you that I go. For if I do not go, the Advocate will not come to you. But if I go, I will send him to you."*

JOHN 16:5–7

The disciples listened to Jesus. But, at that time, they did not fully understand what he was saying. While they were frightened and confused that he would soon leave them and return to his Father, the disciples trusted Jesus. After his Ascension, they returned to Jerusalem and waited for the coming of the Advocate promised by Jesus.

? When do you pray to the Holy Spirit?

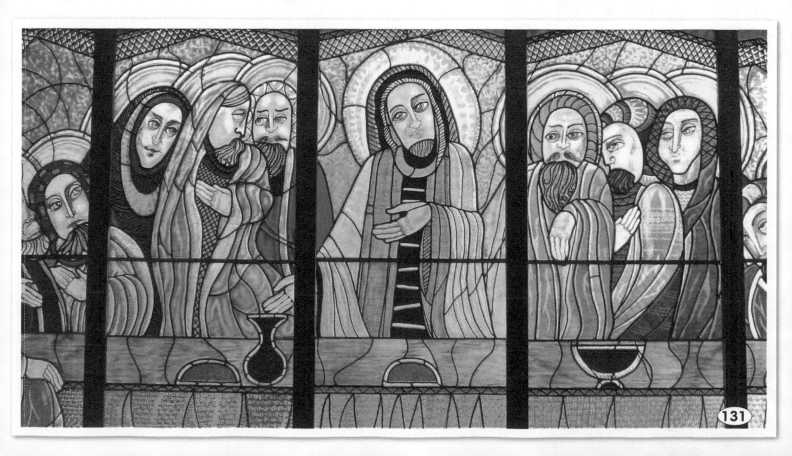

## Santa Isabel Ana Seton

Santa Isabel Ana Seton fundó las Hermanas de la Caridad, la primera comunidad religiosa de mujeres de Estados Unidos. Guiadas por el Espíritu Santo, se dedicaron a trabajar en escuelas, orfanatos y hospitales. Santa Isabel Ana es la primera persona nacida en Estados Unidos que fue nombrada Santa. Su fiesta es el 4 de enero.

## Jesús cumple su promesa

El Espíritu Santo descendió sobre los discípulos como Jesús lo había prometido (lee Hechos 2:1–2, 4). El Espíritu Santo es el Intérprete que Jesús prometió que vendría. Un intérprete es alguien que habla por otra persona. El Espíritu Santo está siempre con nosotros y nos da fuerza y guía para continuar la obra de Jesús. Nos da la gracia para enfrentar todos los momentos difíciles de nuestra vida. Nos da la gracia de vivir con valor y confianza. El Espíritu Santo nunca nos deja solos. Está siempre con la Iglesia y con todos y cada uno de los miembros de la Iglesia.

El Espíritu Santo está siempre obrando en la Iglesia. Es el Maestro que enseña a la Iglesia a entender lo que Jesús enseñó. El Espíritu Santo es el Intérprete que le da a la Iglesia los dones necesarios para cumplir el mandato de Jesús:

"Vayan, pues, y hagan que todos los pueblos sean mis discípulos. Bautícenlos en el nombre del Padre y del Hijo y del Espíritu Santo, y enséñenles a cumplir todo lo que yo les he encomendado a ustedes."

MATEO 28:19–20

El Espíritu Santo está siempre con nosotros, guiándonos y fortaleciéndonos para vivir el mandamiento de Jesús de amarnos los unos a los otros como Él hizo. Nos bendice con los **carismas**, o gracias especiales, que tenemos que usar para ayudar a edificar la Iglesia.

Como cristianos, rezamos para que la gracia nos abra el corazón y la mente al Espíritu Santo. Rezarle al Espíritu Santo establece una gran diferencia en la manera en que vivimos cada día.

**Actividad** Completa esta oración. Hazla tu oración personal. Guarda una copia de tu oración en tu Biblia o en alguna otra parte. Rézala cada día.

Ven, Espíritu Santo _____

_____

_____

## Jesus Keeps His Promise

The Holy Spirit came upon the disciples as Jesus had promised (read Acts 2:1–2, 4). The Holy Spirit is the Advocate whom Jesus promised would come. An advocate is one who speaks up for someone. The Holy Spirit is always with us and gives us strength and direction to continue the work of Jesus. He gives us the grace to deal with all the hard times in our lives. He gives us the grace to live with courage and confidence. The Holy Spirit never leaves us alone. He is always with the Church and with each and every member of the Church.

The Holy Spirit is always at work in the Church. He is the Teacher who helps the Church understand what Jesus taught. The Holy Spirit is the Advocate who gives the Church the gifts necessary to fulfill Jesus' command:

*"Go, therefore, and make disciples of all nations, baptizing them in the name of the Father, and of the Son, and of the holy Spirit, teaching them to observe all that I have commanded you."*

MATTHEW 28:19–20

The Holy Spirit is always with us, guiding and strengthening us to live Jesus' command to love one another as he did. He blesses each of us with **charisms**, or special graces, that we are to use to help build up the Church.

As Christians we pray for the grace to open our hearts and minds to the Holy Spirit. Praying to the Holy Spirit makes all the difference in the way we live each day.

**Activity** Complete this prayer. Make it your own personal prayer. Keep a copy of your prayer in your Bible or some other place. Pray it each day.

Come, Holy Spirit _____

_____

_____.

133

### Frutos del Espíritu Santo

En Gálatas 5:22–23, San Pablo enumera nueve signos que muestran que el Espíritu Santo está presente y obrando en la Iglesia. Se llaman Frutos del Espíritu Santo. Son la caridad, el gozo, la paz, la paciencia, la longanimidad, la benignidad, la fidelidad, la mansedumbre y la continencia. La tradición de la Iglesia también nombra como Frutos del Espíritu Santo la bondad, la modestia y la castidad.

Donaciones de alimentos

# El Espíritu Santo en la actualidad

La Iglesia es el Templo del Espíritu Santo. El Espíritu Santo, nuestro maestro y santificador, obra de muchas maneras para edificar la Iglesia: la Palabra de Dios, los Sacramentos, las virtudes y los carismas, los dones especiales del Espíritu Santo, todos ellos edifican la Iglesia.

## Nuestro maestro

El Espíritu Santo es nuestro maestro que nos guía para comprender y enseñar lo que Dios ha revelado en Jesucristo. El Espíritu Santo ayuda al Papa y a los obispos a enseñar clara y auténticamente lo que Dios ha revelado a través de la Sagrada Escritura y la **Sagrada Tradición**. La Sagrada Tradición es la transmisión de las enseñanzas de Cristo por la Iglesia a través del poder y la guía del Espíritu Santo.

## Nuestro santificador

El Espíritu Santo es nuestro santificador, o el que nos hace santos. A través del Espíritu Santo, recibimos la gracia santificante. Este es el don de la santidad que nos hace partícipes de la vida y el amor de Dios mismo. También recibimos las gracias actuales, que nos ayudan a vivir como Jesús enseñó.

El Espíritu Santo nos hace uno con Cristo y con los demás. El Espíritu Santo continúa ayudando a la Iglesia a prepararse para la venida del Reino de Dios. En ese momento, Cristo regresará en gloria y su obra en la Tierra habrá terminado.

**?** ¿Has experimentado al Espíritu Santo de manera activa en tu vida y en la de tu familia?

## The Holy Spirit Today

The Church is the Temple of the Holy Spirit. The Holy Spirit, our teacher and sanctifier, works in many ways to build up the Church: God's Word, the Sacraments, the virtues, and charisms, special gifts of the Holy Spirit that build up the Church.

### Our Teacher

The Holy Spirit is our teacher who guides us in understanding and teaching what God has revealed in Jesus Christ. The Holy Spirit helps the Pope and the bishops teach clearly and authentically what God has revealed through Scripture and **Sacred Tradition**. Sacred Tradition is the passing on of the teachings of Christ by the Church through the power and guidance of the Holy Spirit.

### Our Sanctifier

The Holy Spirit is our sanctifier or the One who makes us holy. Through the Holy Spirit, we receive sanctifying grace. This is the gift of holiness that makes us sharers in the very life and love of God. We also receive actual graces that help us to live as Jesus taught.

The Holy Spirit makes us one with Christ and each other. The Holy Spirit continues to help the Church prepare for the coming of the Kingdom of God. At that time Christ will come again in glory and his work on Earth will be finished.

? How have you experienced the Holy Spirit active in your life and in your family?

# YO SIGO A JESÚS

**El Espíritu Santo te da** dones, o carismas, para continuar la obra de Jesús dondequiera que estés.

## EL ESPÍRITU SANTO ES MI PROTECTOR

Una revista ha decidido escribir un artículo sobre ti. Se han enterado de lo que estás haciendo para hacer que tu vecindario sea un lugar mejor. Escribe el párrafo de inicio del artículo acerca de ti.

_____

_____

_____

_____

_____

_____

_____

_____

_____

## MI ELECCIÓN DE FE

Esta semana, viviré como seguidor de Jesús trabajando para hacer del mundo un lugar mejor. Usaré el don de _____

para _____

_____

_____

 Reza al Espíritu Santo pidiéndole el don del valor para elegir siempre hacer el bien y defender tu fe.

# I FOLLOW JESUS

**The Holy Spirit gives** you gifts, or charisms, to continue the work of Jesus wherever you are.

## THE HOLY SPIRIT IS MY HELPER

A magazine has decided to write an article about you. They have learned what you are doing to make your neighborhood a better place. Write the opening paragraph of the article about you.

_____

_____

_____

_____

_____

_____

_____

_____

This week I will live as a follower of Jesus by working to make the world a better place. I will use the gift of _____

to _____

_____

## MY FAITH CHOICE

 **Pray to the Holy Spirit, asking for the gift of courage in order to always choose good and speak up for your faith.**

# Repaso del capítulo

*Usa palabras de este capítulo para completar estas oraciones.*

1. El Espíritu Santo es el _____ que Jesús prometió que siempre estaría con los discípulos y la Iglesia.

2. El Espíritu Santo nos bendice con los _____ para continuar la obra de Cristo.

3. El Espíritu Santo habita en la _____ en la actualidad.

4. El Espíritu Santo es el _____ o el que nos hace santos.

5. El Espíritu Santo ayuda al _____ y a los

_____ a enseñar auténticamente lo que Jesús enseñó.

# Difundir el Evangelio

*En el Bautismo, nos unimos a Cristo, recibimos el don del Espíritu Santo y nos hacemos miembros del Cuerpo de Cristo, la Iglesia. Todos los bautizados reciben la gracia y están llamados a difundir el Evangelio y a hacer que las personas sean sus discípulos, como Él pidió.*

**Líder:** Unámonos y recemos para cooperar con el Espíritu Santo y compartir el Evangelio con todos.

**Todos:** **Padre, Tú quieres que tu Iglesia sea el Sacramento de Salvación para todas las personas. Envía al Espíritu Santo para que inspire el corazón de tu pueblo y continúe la obra salvadora de Cristo en todas partes.**

**Líder:** Concédenos esto a través de nuestro Señor Jesucristo, que vive y reina contigo y el Espíritu Santo, un solo Dios, por los siglos de los siglos.

**Todos** **Amén.**

# Chapter Review

*Use words from this chapter to complete these sentences.*

1. The Holy Spirit is the _____ who Jesus promised would always be with the disciples and the Church.

2. The Holy Spirit blesses us with _____ to continue the work of Christ.

3. The Holy Spirit dwells in the _____ today.

4. The Holy Spirit is the _____ , or the One who makes us holy.

5. The Holy Spirit helps the _____ and the

   _____ to authentically teach what Jesus taught.

▶ **TO HELP YOU REMEMBER**

1. Jesus promised that he would not leave his disciples alone after he returned to his Father.

2. Jesus sent the Holy Spirit to guide the Church as her advocate, teacher and sanctifier.

3. The Holy Spirit makes the Church holy.

# Spread the Gospel

*At Baptism we are joined to Christ, receive the gift of the Holy Spirit, and become members of the Body of Christ, the Church. All the baptized receive the grace and call to spread the Gospel and make people his disciples as he commanded.*

**Leader:** Let us join together and pray that we cooperate with the Holy Spirit and share the Gospel with everyone.

**All:** **Father, you will your Church to be the Sacrament of Salvation for all people. Send the Holy Spirit to inspire the hearts of your people to continue the saving work of Christ everywhere.**

**Leader:** Grant us this through our Lord Jesus Christ who lives and reigns with you and the Holy Spirit, one God, for ever and ever.

**All:** **Amen.**

# Con mi familia

## Esta semana...

**En el capítulo 7,** "Muchos dones, un mismo espíritu" su niño aprendió que:

▶ La Iglesia es el Templo del Espíritu Santo, y el Espíritu Santo está siempre obrando en la Iglesia.

▶ El Espíritu Santo es nuestro maestro e intérprete. El Espíritu Santo es nuestro santificador, el que nos hace santos y nos da la gracia de vivir una vida santa.

▶ Cada uno de nosotros está bendecido con los carismas, o gracias especiales, que tenemos que usar para ayudar a edificar la Iglesia.

▶ La virtud del valor es uno de los siete Dones del Espíritu Santo. Nos ayuda a defender nuestra fe y a continuar la misión de Jesús.

**Para saber más** sobre otras enseñanzas de la Iglesia, consulten el *Catecismo de la Iglesia Católica,* 683–741, 797–801, y 1091–1109, y el *Catecismo Católico de los Estados Unidos para los Adultos,* páginas 101–123.

## Compartir la Palabra de Dios

**Lean juntos** 1.ª Corintios 12:4–7. Enfaticen que el Espíritu Santo da gracias especiales, o carismas, a cada uno de los bautizados para que continúen la obra de Jesús.

## Vivimos como discípulos

**El hogar cristiano** con la familia es una escuela de discipulado. Elijan una o más de las siguientes actividades para hacer en familia, o creen una actividad similar ustedes mismos.

▶ Túrnense para decirse unos a otros talentos o dones especiales que ven en el otro. Anímense mutuamente a usar sus dones para difundir el Evangelio.

▶ Para tomar buenas decisiones se necesita práctica y la gracia del Espíritu Santo. Esta semana, elijan hacer una cosa para ayudar a los demás.

▶ Averigüen más sobre Santa Catalina Drexel u otro santo. Comenten cómo este santo usó sus dones para continuar la obra de Jesucristo.

## Nuestro viaje espiritual

**San Francisco de Asís** dijo: "Prediquen el Evangelio y, si es necesario, usen palabras". En los primeros días de la Iglesia, el Espíritu Santo invitó a los no creyentes a la fe en Cristo a través de las acciones amorosas de los miembros de la Iglesia. Proclamamos el Evangelio cuando practicamos constantemente la disciplina de la limosna. Esto sucede cuando compartimos nuestras bendiciones materiales y espirituales con los demás. En este capítulo, su niño rezó por la difusión del Evangelio. Lean y recen juntos esta oración de la página 138.

Para hallar más ideas sobre las maneras en que su familia puede vivir como discípulos de Jesús, visiten **seanmisdiscipulos.com**

# With My Family

## This Week...

**In chapter 7,** "Many Gifts, One Spirit," your child learned:

▶ The Church is the Temple of the Holy Spirit, and the Holy Spirit is always at work in the Church.

▶ The Holy Spirit is our teacher and advocate. The Holy Spirit is our sanctifier, the One who makes us holy and gives us the grace to live holy lives.

▶ Each of us is blessed with charisms, or special graces, that we are to use to help build up the Church.

▶ The virtue of courage is one of the seven Gifts of the Holy Spirit. It helps us speak up for our faith and continue the mission of Jesus.

**For more** about related teachings of the Church, see the *Catechism of the Catholic Church*, 683–741, 797–801, and 1091–1109, and the *United States Catholic Catechism for Adults*, pages 101–123.

## Sharing God's Word

**Read together** 1 Corinthians 12:4–7. Emphasize that the Holy Spirit gives each of the baptized special graces, or charisms, to help them continue the work of Jesus.

## We Live as Disciples

**The Christian home** and family is a school of discipleship. Choose one of the following activities to do as a family or design a similar activity of your own.

▶ Take turns telling one another what special talents, or gifts, you see in each other. Encourage each other to use their gifts to spread the Gospel.

▶ Making good decisions takes practice and the grace of the Holy Spirit. Choose to do one thing this week to help others.

▶ Find out more about Saint Katharine Drexel or another Saint. Talk about how this Saint used his or her gifts to continue the work of Jesus Christ.

## Our Spiritual Journey

**Saint Francis of Assisi** is quoted as saying, "Preach the Gospel and if necessary, use words." In the earliest days of the Church, the Spirit invited non-believers to faith in Christ through the loving actions of the members of the Church. We proclaim the Gospel when we consistently practice the discipline of almsgiving. This is when we share our material and spiritual blessings with others. In this chapter your child prayed for the spreading of the Gospel. Read and pray together this prayer on page 139.

For more ideas on ways your family can live as disciples of Jesus, visit **BeMyDisciples.com**

## Lo que vendrá

En este capítulo el Espíritu Santo te invita a ▶

**INVESTIGAR** una manera en que la Iglesia continúa la obra de Jesús.

**DESCUBRIR** los cuatro Atributos y la misión de la Iglesia.

**DECIDIR** cómo usarás tus dones para continuar la obra de Cristo.

# Venga a nosotros tu reino

**?** ¿Por qué, a veces, es fácil hacer un proyecto cuando las personas trabajan juntas como compañeros, amigos o familia?

Trabajamos juntos, como el Cuerpo de Cristo para continuar la obra de Jesucristo hasta el fin de los tiempos. San Pablo nos recuerda:

> Miren cuántas partes tiene nuestro cuerpo, y es uno, aunque las distintas partes no desempeñan la misma función. Así también nosotros formamos un solo cuerpo en Cristo. Dependemos unos de otros..." ROMANOS 12:4–5

**?** ¿Qué nos dice este pasaje de la Sagrada Escritura acerca de la Iglesia?

## Looking Ahead

In this chapter the Holy Spirit invites you to ▶

**EXPLORE** one way the Church is continuing the work of Jesus.

**DISCOVER** the four Marks and the mission of the Church.

**DECIDE** how you will use your gifts to continue the work of Christ.

CHAPTER
**8**

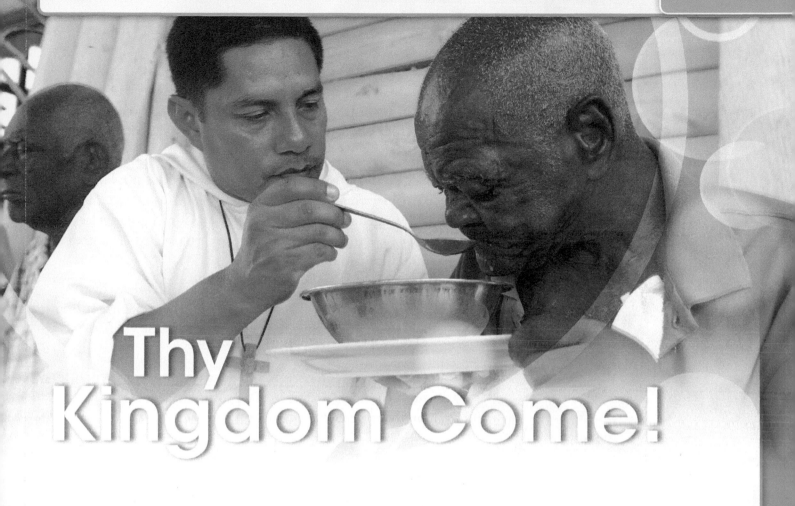

# Thy Kingdom Come!

**?** Why is it sometimes easier to do a project when people work together as classmates, friends, or family?

We work together, as the Body of Christ, to continue the work of Jesus Christ until the end of time. Saint Paul reminds us,

> For as in one body we have many parts, and all the parts do not have the same function, so we, though many, are one body in Christ and individually parts of one another.
>
> ROMANS 12:4–5

**?** What does this Scripture passage tell us about the Church?

## Paz

La paz es uno de los signos o Frutos del Espíritu Santo que aparece en el Nuevo Testamento. Los cristianos son seguidores de Cristo, el Príncipe de la Paz. Como discípulos fieles, cooperamos con la gracia del Espíritu Santo para crear paz por todo el mundo.

## LA IGLESIA SIGUE A JESÚS

# Catholic Relief Services

La paz viene de Dios. La verdadera paz se encuentra cuando vivimos como Cuerpo de Cristo en el mundo. La paz de Dios viene de hacer obras justas como tender la mano a los necesitados. La Iglesia Católica de Estados Unidos trabaja por la paz aquí y en el mundo entero.

En 1943, los obispos católicos de Estados Unidos fundaron *Catholic Relief Services*. Las personas de *Catholic Relief Services* predican el Evangelio mediante sus acciones. Con la gracia y la guía del Espíritu Santo, viven el Evangelio de paz y justicia entre las personas que sufren en muchos lugares.

Cuando las personas sufren pobreza, los miembros de *Catholic Relief Services* están allí. Cuando las personas sufren desastres naturales o guerras, los miembros de *Catholic Relief Services* están allí.

*Catholic Relief Services* invita a las personas, mediante sus palabras y sus acciones, a profundizar su fe y su confianza en Dios.

**Actividad** Escribe o dibuja una manera en que *Catholic Relief Services* trabaja para ayudar a los demás. Incluye una forma en que podrías ayudarlos.

# Catholic Relief Services

Peace comes from God. True peace comes by our living as the Body of Christ in the world. God's peace comes from doing just works, like reaching out to people in need. The Catholic Church in the United States works for peace here and throughout the whole world.

In 1943 the Catholic bishops of the United States founded Catholic Relief Services. The people of Catholic Relief Services preach the Gospel by their actions. With the grace and guidance of the Holy Spirit, they live the Gospel of peace and justice among people who are suffering in many places.

When people are suffering from poverty, the people of Catholic Relief Services are there. When people are suffering from natural disasters or from wars, the people of Catholic Relief Services are there.

Catholic Relief Services invite people by their words and actions to deepen their faith and trust in God.

## Disciple Power

### Peace

Peace is one of the signs, or Fruits of the Holy Spirit, named in the New Testament. Christians are followers of Christ, the Prince of Peace. As faithful disciples, we cooperate with the grace of the Holy Spirit to create peace throughout the world.

**Activity**

Write about or draw a way Catholic Relief Services work to help others. Include a way that you could assist them.

## VOCABULARIO DE FE

**Iglesia**
El Cuerpo de Cristo; el nuevo Pueblo de Dios congregado por Dios en Cristo por el poder del Espíritu Santo.

**Reino de Dios**
El Reino de Dios es la creación y todas las personas que viven en comunión con Dios, al final de los tiempos cuando la obra de Cristo esté completa y Él venga de nuevo en su gloria.

# El Cuerpo de Cristo

El Espíritu Santo nos ha invitado a ser miembros de la Iglesia, el Cuerpo de Cristo. San Pablo Apóstol usó la imagen del cuerpo humano para ayudarnos a entender lo que significa pertenecer a la **Iglesia**. La Iglesia es el Cuerpo de Cristo. Es el nuevo Pueblo de Dios, a quien Dios reúne en Cristo por el poder del Espíritu Santo.

Cristo es la Cabeza de su Cuerpo, la Iglesia. Todos los fieles son sus miembros. Cada miembro de la Iglesia tiene un papel o una responsabilidad diferente dentro de la Iglesia. Los miembros de la Iglesia pertenecen a tres grupos, cada uno con responsabilidades específicas para la obra de la Iglesia. Estos grupos incluyen a los fieles laicos (o laicos), los ordenados y la vida consagrada.

**Fieles laicos.** La mayoría de las personas bautizadas son laicas. Los fieles laicos tienen la responsabilidad de trabajar juntos para servir en el mundo como lo hizo Jesús.

**Ministros ordenados.** El Espíritu Santo llama a algunos miembros masculinos del Cuerpo de Cristo para que sirvan a toda la Iglesia como obispos, sacerdotes y diáconos. Ellos forman el clero. El Papa es el obispo de Roma, el pastor de la Iglesia en la Tierra.

**La vida consagrada.** Algunos de los laicos y de los ordenados consagran su vida a Dios de una manera especial. La mayoría de ellos vive como miembros de comunidades religiosas, que están aprobadas por la Iglesia. Los miembros de las comunidades religiosas se apoyan mutuamente viviendo su Bautismo y sirviendo a la Iglesia de muchas maneras.

❓ ¿De qué otras maneras ves que la Iglesia vive como un signo del amor protector de Dios en el mundo?

# The Body of Christ

The Holy Spirit has invited us to be members of the Church, the Body of Christ. Saint Paul the Apostle used the image of the human body to help us understand what it means to belong to the **Church**. The Church is the Body of Christ. She is the new People of God who God calls together in Christ by the power of the Holy Spirit.

Christ is the Head of his Body, the Church. All the faithful are her members. Each member of the Church has a different role or responsibility within the Church. The members of the Church belong to three groups, each with specific responsibilities for the work of the Church. These groups include the lay faithful (or laity or laypeople), the ordained, and the consecrated life.

**Lay Faithful.** Most baptized people are members of the laity. The lay faithful have the responsibility to work together to serve in the world as Jesus did.

**Ordained Ministers.** The Holy Spirit calls some male members of the Body of Christ to serve the whole Church as bishops, priests, and deacons. They form the clergy. The Pope is the bishop of Rome, the pastor of the Church on Earth.

**The Consecrated Life.** Some of the laity and ordained consecrate their lives to God in a special way. Most of them live as members of religious communities, which are approved by the Church. Members of religious communities support one another in living their Baptism and serving the Church in many ways.

[?] What other ways do you see the Church living as a sign of God's caring love in the world?

**FAITH FOCUS**
How is each person in the Church a part of the Body of Christ?

**FAITH VOCABULARY**

**Church**
The Body of Christ; the new People of God who God calls together in Christ by the power of the Holy Spirit.

**Kingdom of God**
All people and creation living in communion with God at the end of time when the work of Christ will be completed and he will come again in glory.

## Los Atributos de la Iglesia

La Iglesia tiene cuatro características esenciales. Estas características se llaman Atributos de la Iglesia. Los cuatro Atributos de la Iglesia la identifican como la Iglesia que fundó Jesús. Los Atributos de la Iglesia son una, santa, católica y apostólica.

**La Iglesia es una.** Creemos en una fe y en un Señor, y compartimos un Bautismo.

**La Iglesia es santa.** Nuestra participación en la vida de la Santísima Trinidad es la fuente de la santidad de la Iglesia.

**La Iglesia es católica.** La Iglesia tiende la mano a todas las personas y las recibe en la familia de Dios.

**La Iglesia es apostólica.** Nuestra fe se remonta a los Apóstoles. El Papa y otros obispos son los sucesores de los Apóstoles. Participan de la responsabilidad que Jesús les dio a los Apóstoles para enseñar en su nombre y para hacer a todos discípulos de Jesús.

Los miembros de la Iglesia comparten la fe de la Iglesia y creen en lo que ella enseña. Rezan juntos y celebran los Sacramentos junto con Cristo y el Espíritu Santo. Sirven a los demás al compartir la curación, el perdón y la esperanza de Jesús con todas las personas.

**Actividad** En el espacio, crea un marcador de libro para ilustrar uno de los cuatro Atributos.

## The Marks of the Church

The Church has four essential characteristics. These characteristics are called the Marks of the Church. The four Marks of the Church identify her as the Church founded by Jesus. The Marks of the Church are one, holy, catholic, and apostolic.

**The Church is one.** We believe in one faith and one Lord, and we share one Baptism.

**The Church is holy.** Our sharing in the life of the Holy Trinity is the source of the Church's holiness.

**The Church is catholic.** The Church reaches out to all people and welcomes them into the Family of God.

**The Church is apostolic.** We trace our faith back to the Apostles. The Pope and other bishops are the successors of the Apostles. They share in the responsibility Jesus gave to the Apostles to teach in his name and make all people disciples of Jesus.

Members of the Church share the faith of the Church and believe what the Church teaches. They pray together and celebrate the Sacraments together with Christ and the Holy Spirit. They serve others by sharing Jesus' healing, forgiveness, and hope with all people.

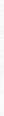

**Activity** Create a bookmark to illustrate one of the four Marks in the space.

*La Ascensión* de Caserta Bazile.

## Vida eterna

Todos los fieles creyentes en Cristo forman la *Comunión de los Santos.* Esto incluye a los que están en el Cielo, en el Purgatorio y a aquellos fieles que viven en la Tierra.

La Iglesia continúa la obra de Cristo y prepara el camino para la venida del **Reino de Dios.** Cristo proclamó:

*"El tiempo se ha cumplido, el Reino de Dios está cerca. Cambien sus caminos y crean en la Buena Nueva."*

MARCOS 1:15

El Reino de Dios vendrá al final de los tiempos cuando Cristo venga de nuevo en gloria. En el reino, todos los fieles vivirán en comunión con Dios.

*Jesús enseñó que el Reino de Dios era un lugar de felicidad eterna. Vendrá plenamente al final de los tiempos y allí habrá "cielos nuevos y una tierra nueva."*

2.ª PEDRO 3:13

Cuando morimos, la vida cambia, pero no termina. La vida después de la muerte incluye el Cielo, el Purgatorio y el infierno.

**Cielo.** El Cielo es la vida eterna con Dios, los ángeles y con María y los otros Santos. Todos aquellos que han sido fieles a Dios vivirán con Dios Padre, Jesús y el Espíritu Santo en felicidad para siempre.

**Purgatorio.** Los fieles que no están listos para recibir el don de la felicidad eterna, cuando mueran, tendrán la oportunidad de purificar su amor por Dios antes de entrar al Cielo. Esto se llama Purgatorio.

**Infierno.** Cuando las personas pecan gravemente y no le piden perdón a Dios, eligen permanecer alejados de Dios ahora y para siempre. La separación eterna de Dios es el infierno.

En el momento de la muerte, Dios juzgará nuestra vida. Esto se llama juicio particular. Al final de los tiempos, se producirá el juicio final de todos. Todos los que hayan sido fieles a Dios serán llamados a vivir en el Cielo.

**?** ¿Cuál es un ejemplo de una manera en que puedas ayudar a preparar el camino para la venida del Reino de Dios?

## Life Everlasting

All the faithful believers in Christ form the *Communion of Saints*. This includes those in Heaven, in Purgatory, and those faithful living on Earth.

The Church continues the work of Christ and prepares the way for the coming of the **Kingdom of God**. Christ proclaimed,

> "This is the time of fulfillment. The kingdom of God is at hand. Repent, and believe in the gospel." Mark 1:15

The Kingdom, or Reign, of God will come about at the end of time when Christ will come again in glory. In the kingdom, all the faithful will live in communion with God.

> Jesus taught that the Kingdom of God was a place of eternal happiness. It would fully come about at the end of time, and there will be "new heavens and a new earth." 2 Peter 3:13

When we die, life is changed yet not ended. Life after death includes Heaven, Purgatory, and hell.

**Heaven.** Heaven is everlasting life with God, the angels, and with Mary and the other Saints. All those who have been faithful to God will live with God the Father, Jesus, and the Holy Spirit in happiness forever.

**Purgatory.** The faithful who are not ready to receive the gift of eternal happiness when they die will have the opportunity to purify their love for God before entering Heaven. This is called Purgatory.

**Hell.** When people sin seriously and do not ask God for forgiveness, they choose to stay separated from God now and forever. Eternal separation from God is hell.

At the moment of death our lives will be judged by God. This is called the particular judgment. At the end of time there will be the final judgment of all. All who have been faithful to God will be called forth to live in Heaven.

**?** What is an example of one way you can help prepare the way for the coming of the Kingdom of God?

## Catholics Believe

### Ichthus

Christians have always created symbols to express their faith in Jesus. The fish is one of these symbols of faith. The Greek word for fish is *ichthus*. The letters of this word are the first letters of the statement "Jesus Christ, Son of God, Savior" in Greek.

*The Ascension*, by Caserta Bazile.

**El Espíritu Santo te ayuda** a usar tus dones para seguir a Jesús, el Príncipe de la Paz. El Espíritu Santo te da la gracia para ser un mediador de paz y preparar para la venida del Reino de Dios.

## VENGA A NOSOTROS TU REINO

Piensa en tus talentos o dones. Enumera a continuación tres de tus dones. Describe cómo puedes usar esos dones con los demás como preparación para el Reino de Dios.

## MI ELECCIÓN DE FE

Esta semana trataré de llegar a conocer mejor a Dios. Yo

_____

_____

_____

 **Haz una pausa ahora y pide al Espíritu Santo que te ayude a vivir como un mediador de paz.**

# I FOLLOW JESUS

**The Holy Spirit helps** you use your gifts to follow Jesus, the Prince of Peace. The Holy Spirit gives you the grace to be a peacemaker and prepare for the coming of the Kingdom of God.

## THY KINGDOM COME

Think about your talents, or gifts. List three of your gifts below. Describe how you can use those gifts with others to prepare for the Kingdom of God.

This week I will try to come to know God better. I will

_____

_____

_____.

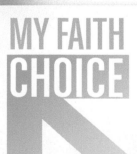

**MY FAITH CHOICE**

Take a moment now and ask the Holy Spirit to help you live as a peacemaker.

1. La Iglesia, el Cuerpo de Cristo, se compone de los fieles laicos, los ordenados y los miembros de la vida consagrada.

2. La Iglesia tiene cuatro Atributos. Ellos son: una, santa, católica y apostólica.

3. Todos los miembros de la Iglesia trabajan juntos para prepararse para la venida del Reino de Dios.

# Repaso del capítulo

*Dos de las tres respuestas que están debajo de cada enunciado son correctas. Encierra en un círculo la letra del enunciado que NO completa correctamente la oración.*

**1.** La Iglesia es
   **a.** el Cuerpo de Cristo.
   **b.** todas las personas del mundo.
   **c.** el nuevo Pueblo de Dios.

**2.** Los grupos principales de personas que forman la Iglesia incluyen a los:
   **a.** fieles laicos.
   **b.** ministros ordenados.
   **c.** maestros y doctores.

**3.** Entre los cuatro Atributos de la Iglesia están
   **a.** católica.
   **b.** santa.
   **c.** discipulado.

# Venga a nosotros tu Reino

*En el Padre Nuestro, rezamos por la venida del Reino de Dios y pedimos por la gracia para preparar el camino. Esta oración es el corazón del Evangelio y se reza todos los días en todo el mundo. Levanta las manos, con las palmas hacia arriba y reza el Padre Nuestro.*

**Líder:** Padre nuestro, que estás en el cielo,

**Grupo 1:** santificado sea tu Nombre;

**Grupo 2:** venga a nosotros tu reino;

**Grupo 1:** hágase tu voluntad en la tierra como en el cielo.

**Grupo 2:** Danos hoy nuestro pan de cada día;

**Grupo 1:** perdona nuestras ofensas,

**Grupo 2:** como también nosotros perdonamos a los que nos ofenden;

**Grupo 1:** no nos dejes caer en la tentación,

**Grupo 2:** y líbranos del mal.

**Todos:** **Amén.**

# Chapter Review

*Two of the three answers under each statement are correct. Circle the letter of the statement that does NOT correctly complete the sentence.*

1. The Church is
   a. the Body of Christ.
   b. all people in the world.
   c. the new People of God.

2. Main groups of people who make up the Church include the:
   a. lay faithful.
   b. ordained ministers.
   c. teachers and doctors.

3. Among the four Marks of the Church are
   a. catholic.
   b. holy.
   c. discipleship.

# Thy Kingdom Come

*In the Our Father, we pray for the coming of the Kingdom of God and for the grace to help prepare the way for it. This prayer is at the center of the Gospel and is prayed every day around the world. Raise your hands, palms up, and pray the Our Father.*

**Leader:** Our Father, who art in heaven,

**Group 1:** hallowed be thy name,

**Group 2:** thy kingdom come,

**Group 1:** thy will be done on earth as it is in heaven.

**Group 2:** Give us this day our daily bread,

**Group 1:** and forgive us our trespasses,

**Group 2:** as we forgive those who trespass against us;

**Group 1:** and lead us not into temptation,

**Group 2:** but deliver us from evil.

**All:** **Amen.**

# Con mi familia

## Esta semana...

**En el capítulo 8,** "Venga a nosotros tu reino", su niño aprendió que:

▶ Todos los miembros de la Iglesia, el Cuerpo de Cristo, tienen papeles y responsabilidades diferentes para continuar la obra de Cristo.

▶ El Espíritu Santo guía a la Iglesia para continuar esa obra hasta el final de los tiempos.

▶ El Reino de Dios será establecido en su plenitud, al final de los tiempos.

▶ Los seguidores de Cristo son mediadores de paz. La gracia del Espíritu Santo nos ayuda a seguir a Jesucristo y a prepararnos para la venida del Reino de Dios.

**Para saber más** sobre otras enseñanzas de la Iglesia, consulten el *Catecismo de la Iglesia Católica,* 668–679, 787–795, 811–972, y el *Catecismo Católico de los Estados Unidos para los Adultos,* páginas 101–113.

## ■ Compartir la Palabra de Dios

**Lean juntos** la enseñanza de San Pablo sobre la Iglesia como Cuerpo de Cristo, en 1.ª Corintios 12:12–31. Enfaticen que Cristo es la Cabeza de su Cuerpo, la Iglesia. Todos los bautizados son sus miembros.

## ■ Vivimos como discípulos

**El hogar cristiano** con la familia es una escuela de discipulado. Elijan una o más de las siguientes actividades para hacer en familia, o creen una actividad similar ustedes mismos.

▶ Esta semana, recen el Padre Nuestro. Alaben a Dios y pídanle gracia para fortalecerlos y preparar el camino para la venida del reino.

▶ Comenten todas las maneras en que su familia continúa la obra de Cristo. Decidan una manera en que pueden trabajar en familia y con otros miembros de la parroquia para continuar la obra de Cristo.

## ■ Nuestro viaje espiritual

**La oración diaria,** la conversación diaria con Dios, es fundamental para la vida cristiana. Rezar el Padre Nuestro nos mantiene en presencia de Dios Padre y en comunión con Él y con su Hijo. Integren la antigua tradición de rezar el Padre Nuestro tres veces por día en su vida como familia. En este capítulo, su niño rezó el Padre Nuestro. Recen el Padre Nuestro en familia.

Para hallar más ideas sobre las maneras en que su familia puede vivir como discípulos de Jesús, visiten

**seanmisdiscipulos.com**

# With My Family

## This Week...

**In chapter 8**, "Thy Kingdom Come!," your child learned:

► All the members of the Church, the Body of Christ, have different roles and responsibilities to continue the work of Christ.

► The Holy Spirit guides the Church to continue that work until the end of time.

► The Kingdom of God will be established in its fullness, at the end of time.

► Followers of Christ are peacemakers. The grace of the Holy Spirit helps us to follow Jesus Christ, and to prepare for the coming of the Kingdom of God.

**For More** about related teachings of the Church, see the *Catechism of the Catholic Church*, 668-679, 787–795, 811–972, and the *United States Catholic Catechism for Adults*, pages 101–113.

## Sharing God's Word

**Read together** Saint Paul's teaching on the Church as the Body of Christ in 1 Corinthians 12:12–31. Emphasize that Christ is the Head of his Body, the Church. All of the baptized are her members.

## We Live as Disciples

**The Christian home** and family is a school of discipleship. Choose one of the following activities to do as a family or design a similar activity of your own.

► Pray the Our Father this week. Praise God and ask him for grace to strengthen you to prepare the way for the coming of the kingdom.

► Talk about all the ways your family continues the work of Christ. Decide one way you can work as a family with other members of your parish to continue the work of Christ.

## Our Spiritual Journey

**Daily prayer,** daily conversation with God, is vital to the Christian life. Praying the Our Father keeps us in the presence of God the Father and in communion with him and his Son. Integrate the ancient tradition of praying the Our Father three times daily in your life as a family. In this chapter your child prayed the Our Father. Pray the Our Father as a family.

For more ideas on ways your family can live as disciples of Jesus, visit **BeMyDisciples.com**

# Unidad 2: **Repaso**

## A. Elije la mejor palabra

*Completa los espacios en blanco con las palabras de la lista.*

| | | |
|---|---|---|
| Atributos | Anunciación | santificador |
| maestro | Resurrección | Iglesia |

**1.** Una, santa, católica y apostólica son los llamados

_____ de la Iglesia.

**2.** El anuncio del nacimiento de Jesús fue un momento especial en la vida de la Virgen María. Llamamos a este momento la _____.

**3.** El Espíritu Santo es nuestro _____ y _____.

**4.** La _____ es el momento en que Jesús resucitó a una nueva y gloriosa vida.

**5.** Cristo es la Cabeza de su Cuerpo, la _____.

## B. Muestra lo que sabes

*Une los elementos de la Columna A con los de la Columna B.*

**Columna A**

_____ **1.** Sagrada Tradición

_____ **2.** infierno

_____ **3.** Misterio Pascual

_____ **4.** María

_____ **5.** la Iglesia

**Columna B**

**a.** el Cuerpo de Cristo, el nuevo Pueblo de Dios

**b.** la transmisión de las enseñanzas de Cristo por la Iglesia

**c.** el "paso" de Jesús de la vida, a través de la muerte, a una nueva y gloriosa vida

**d.** nuestra Bienaventurada Madre; Madre de la Iglesia

**e.** la separación eterna de Dios

# Unit 2 **Review**

## A. Choose the Best Word

*Fill in the blanks, using the words from the word bank.*

| | | |
|---|---|---|
| Marks | Annunciation | sanctifier |
| teacher | Resurrection | Church |

**1.** One, holy, catholic, and apostolic are known as the

_____ of the Church.

**2.** The announcement of the birth of Jesus was a special moment in the life of the Virgin Mary. We call this moment

the _____.

**3.** The Holy Spirit is our _____ and _____.

**4.** The _____ is when Jesus was raised to a new and glorified life.

**5.** Christ is the Head of his Body, the _____.

## B. Show What You Know

*Match the items in Column A with those in Column B.*

**Column A**

____ **1.** Sacred Tradition

____ **2.** hell

____ **3.** Paschal Mystery

____ **4.** Mary

____ **5.** the Church

**Column B**

**a.** the Body of Christ; the new People of God

**b.** the passing on of the teachings of Christ by the Church

**c.** the "passing over" of Jesus from life through death into a new and glorious life

**d.** our Blessed Mother; Mother of the Church

**e.** eternal separation from God

## C. La Escritura y tú

*Vuelve a leer el pasaje de la Sagrada Escritura de la página de Inicio de la unidad.*
*¿Qué relación hay entre lo que ves en esta página y lo que aprendiste en esta unidad?*

_____

_____

_____

## D. Sé un discípulo

**1.** *Repasa las cuatro páginas de esta unidad llamadas La Iglesia sigue a Jesús. ¿Qué persona o ministerio de la Iglesia de estas páginas te inspirará para ser un mejor discípulo de Jesús? Explica tu respuesta.*

_____

_____

_____

**2.** *Trabaja en grupo. Repasa las cuatro virtudes o dones de Poder de los discípulos que has aprendido en esta unidad. Después de anotar tus ideas, comparte con el grupo maneras prácticas en las que vivirás estas virtudes o dones día a día.*

_____

_____

_____

## C. Connect with Scripture

*Reread the Scripture passage on the Unit Opener page. What connection do you see between this passage and what you learned in this unit?*

_____

_____

_____

## D. Be a Disciple

**1.** *Review the four pages in this unit titled The Church Follows Jesus. What person or ministry of the Church on these pages will inspire you to be a better disciple of Jesus? Explain your answer.*

_____

_____

_____

**2.** *Work with a group. Review the four Disciple Power virtues or gifts you have learned about in this unit. After jotting down your own ideas, share with the group practical ways that you will live these virtues or gifts day by day.*

_____

_____

_____

# Chile: La Virgen del Carmen

La Fiesta de La Tirana se celebra entre el 12 y el 18 de julio, cerca del 16 de julio, el día festivo de la Virgen del Carmen.

La devoción a María como la Virgen del Carmen comenzó entre los monjes que originalmente vivieron en el Carmen en Tierra Santa a finales del siglo XII. En Chile, la devoción actual a la Virgen del Carmen es una mezcla de tradiciones católicas y culturales de los pueblos nativos de la Cordillera de los Andes. Las celebraciones se realizan en La Tirana, en las afueras de la ciudad de Iquique, del 12 al 18 de julio.

Los orígenes de la Fiesta de La Tirana se remontan al siglo XVI. El nombre se le atribuye a una princesa inca conocida como La Tirana por su desprecio hacia los españoles a quienes su pueblo combatía. La princesa se enamoró de un soldado del ejército español que fue capturado por los nativos y condenado a muerte. El soldado convirtió y bautizó a la princesa. Los incas sintieron que ella los había traicionado y la mataron junto con el soldado. En el siglo XVII se construyó una iglesia junto a su tumba.

Hoy en día, las tradiciones de la Virgen del Carmen y La Tirana se han unido. Incluye rituales nativos, tales como cantar y danzar con trajes de colores brillantes. Una de las danzas se llama *diablada*. Los bailarines con coloridas máscaras de demonios combaten las fuerzas del bien lideradas por San Miguel Arcángel. El 14 de julio, se permite a los grupos de bailarines, que han ido a La Tirana como peregrinos, que entren en la iglesia a ofrecer sus cánticos a la Virgen María. Luego, el obispo celebra la Misa. Después de la ceremonia, se lleva en procesión la imagen de la Virgen del Carmen acompañada por los bailarines.

**?** ¿Qué crees que significa esta fiesta para el pueblo chileno?

# Chile: Our Lady of Mount Carmel

Devotion to Mary as Our Lady of Mount Carmel began among monks who originally lived on Mount Carmel in the Holy Land in the late twelfth century. In Chile, today's devotion to Our Lady of Mount Carmel is a blend of the Catholicism and the cultural traditions of the native people of the Andes Mountains. The celebrations take place in La Tirana, outside the city of Iquique, between July 12 and 18.

The origins of the La Tirana Festival date back to the sixteenth century. The name is attributed to an Incan princess known as The Tyrant because of her disdain toward the Spaniards whom her people were fighting. The princess fell in love with a soldier in the Spanish army who was captured by the natives and condemned to death. The soldier converted and baptized the princess. The Incas felt she had betrayed them and they killed both her and the soldier. In the seventeenth century a church was built next to her grave.

Today, the tradition of Our Lady of Mount Carmel and La Tirana have come together. It includes native rituals, such as singing and dancing in brightly colored costumes. One of the dances is known as the Devils' Dance. Dancers with colorful devil masks battle the forces of good led by Saint Michael the Archangel. On July 14, the groups of dancers that have come to La Tirana as pilgrims are allowed to come into the church to offer their chants to the Virgin Mary. Then the bishop celebrates Mass. After the ceremony, the image of Our Lady of Mount Carmel is taken in procession accompanied by the dancers.

**?** What do you think this festival symbolizes for the Chilean people?

▶ The Festival of La Tirana is celebrated between the dates of July 12 and July 18, near the feast day on July 16 of Our Lady of Mount Carmel.

# Celebramos
## Parte Uno

# El Pan de Vida

Jesús le explicó a la multitud:

*"En verdad les digo: El que cree tiene vida eterna. Yo soy el pan de vida. Sus antepasados comieron el maná en el desierto, pero murieron: aquí tienen el pan que baja del cielo, para que lo coman y ya no mueran. Yo soy el pan vivo que ha bajado del cielo. El que coma de este pan vivirá para siempre. El pan que yo daré es mi carne, y lo daré para la vida del mundo."*

JUAN 6:47–51

# The Bread of Life

Jesus explained to the crowd of people,

"Amen, amen, I say to you, whoever believes has eternal life. I am the bread of life. Your ancestors ate the manna in the desert but they died; this is the bread that comes down from heaven so that one may eat it and not die. I am the living bread that came down from heaven; whoever eats this bread will live forever; and the bread that I will give is my flesh for the life of the world."

JOHN 6:47–51

# Lo que he aprendido

*¿Qué es lo que ya sabes acerca de estos conceptos de fe?*

**Sacramentos**

_____

_____

_____

**Gracia**

_____

_____

**Eucaristía**

_____

_____

# Vocabulario de fe para aprender

*Escribe X junto a las palabras de fe que sabes. Escribe ? junto a las palabras de fe que necesitas aprender mejor.*

_____ Triduo

_____ liturgia

_____ agua bendita

_____ Pecado Original

_____ ungido

_____ Crisma

_____ Misa

_____ crucificado

## La Biblia

*¿Qué sabes acerca de cómo anunció Jesús el comienzo de su ministerio?*

_____

_____

_____

## La Iglesia

*¿Cómo y cuándo celebra la Iglesia la Resurrección de Jesús?*

_____

_____

_____

## Tengo preguntas

*¿Qué te gustaría preguntar acerca de la Misa?*

_____

_____

_____

# What I Have Learned

*What is something you already know about these faith concepts?*

**Sacraments**

_____

_____

_____

**Grace**

_____

_____

**Eucharist**

_____

_____

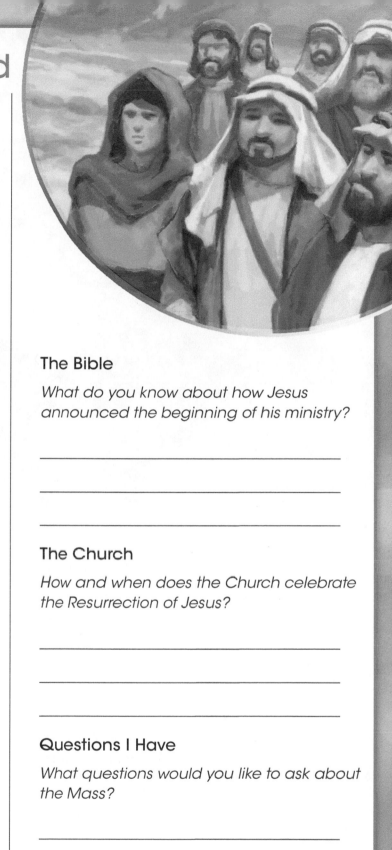

# Faith Terms to Know

*Put an X next to the faith terms you know. Put a ? next to faith terms you need to learn more about.*

_____ Triduum

_____ liturgy

_____ holy water

_____ Original Sin

_____ anointed

_____ Chrism

_____ Mass

_____ crucified

## The Bible

*What do you know about how Jesus announced the beginning of his ministry?*

_____

_____

_____

## The Church

*How and when does the Church celebrate the Resurrection of Jesus?*

_____

_____

_____

## Questions I Have

*What questions would you like to ask about the Mass?*

_____

_____

_____

## Lo que vendrá

En este capítulo el Espíritu Santo te invita a ▶

**INVESTIGAR** cómo la Iglesia agradece a Dios por sus obras.

**DESCUBRIR** la importancia de la liturgia.

**DECIDIR** cómo adorarás a Dios en todo lo que hagas y en todo lo que digas.

# Celebra la Liturgia

[?] ¿Cómo muestras tu agradecimiento a los demás?

*Merci. Thank you. Asante. Cám ón.* Todas estas palabras significan "gracias". Escucha estas palabras de agradecimiento que provienen de la Sagrada Escritura.

> Te damos gracias, oh Dios, te damos gracias,
> cuenten tus prodigios
> los que invocan tu nombre.   SALMO 75:2

[?] ¿Cuáles son algunos de los "prodigios" de Dios por los que estás agradecido?
¿Por qué crees que es importante mostrarle gratitud a Dios?

# Looking Ahead

In this chapter the Holy Spirit invites you to ▶

**EXPLORE** how the Church thanks God for his works.

**DISCOVER** the importance of the liturgy.

**DECIDE** how you will worship God in all that you do and say.

CHAPTER

**9**

# Celebrating the Liturgy

❓ How do you show your thanks to others?

*Merci. Gracias. Asante. Cám ón.* All of these words mean "thank you." Listen to these words of thanks from Scripture.

> We thank you, God, we give thanks;
> · we call upon your name,
>   declare your wonderful deeds.     PSALM 75:2

❓ What are some of the "wonderful deeds" of God for which you are thankful?
Why do you think it is important to show our gratitude to God?

**Perseverancia**

Esta es la virtud por medio de la cual nos aferramos a nuestra fe, incluso en casos o circunstancias adversas. Para perseverar en la fe, continuamente debemos nutrir nuestra fe con la Palabra de Dios y la celebración de los Sacramentos.

## LA IGLESIA SIGUE A JESÚS

# Bendecidos por Dios

La vida no es justa con todas las personas. Cuando eso ocurre, la persona puede entristecerse y amargarse. Aun así, algunos son capaces de hacer grandes obras por el Reino de Dios. Carlos Manuel Rodríguez Santiago fue una de esas personas.

Carlos Manuel nació en 1918 en Puerto Rico. Era un niño muy brillante, pero tenía muchos problemas de salud. Soñaba con ser profesor universitario, pero su salud no le permitió terminar sus estudios. Como tenía una fe muy profunda, perseveró a pesar de su débil salud. Decidió que pasaría la vida hablando a los demás acerca de Jesús.

Carlos Manuel quería especialmente que la gente entendiera la importancia del Misterio Pascual de Jesucristo. Dado que eso se expresa de manera más completa en la Misa y en los Sacramentos, dedicó su vida a ayudar a los demás a entender la celebración de nuestra fe.

Carlos Manuel murió en 1963, el mismo año en que el Concilio Vaticano II emitió su documento sobre la Liturgia. En 1999, Papa Juan Pablo II lo declaró Beato Carlos Manuel.

**?** ¿Qué elecciones en la vida del Beato Carlos Manuel nos enseñan cómo ser discípulos de Jesús?

# Blessed by God

Not all people are treated fairly by life. Those who are not can become bitter and sad. However, some still are able to do great works for the Kingdom of God. Carlos Manuel Rodriguez Santiago was such a person.

Carlos Manuel was born in 1918 in Puerto Rico. He was a very bright boy, but had many health problems. He dreamed of becoming a college professor, but his health did not permit him to finish his education. He was a person of very deep faith, and he persevered in spite of his poor health. He decided that he would spend his life telling others about Jesus.

Carlos Manuel especially wanted people to understand the importance of the Paschal Mystery of Jesus Christ. Since that is most fully expressed in the Mass and Sacraments, he devoted his life to helping others understand the celebration of our faith.

Carlos Manuel died in 1963, the same year that the Second Vatican Council issued its document on the Liturgy. He was declared Blessed Carlos Manuel by Pope John Paul II in 1999.

**?** What do Blessed Carlos Manuel's choices in life teach us about how to be disciples of Jesus?

## Disciple Power

**Perseverance**

This is the virtue by which we hold to our faith, even through trying events or circumstances. To persevere in faith, we must continually nourish it with the Word of God and the celebration of the Sacraments.

## VOCABULARIO DE FE

**liturgia**
La liturgia es la obra de la Iglesia, el Pueblo de Dios, de adorar a Dios. Por medio de la liturgia, Cristo continúa la obra de Redención en, con y a través de su Iglesia.

**Sacramentos**
Los Sacramentos son los siete signos litúrgicos principales de la Iglesia, dados a la Iglesia por Jesucristo. Ellos hacen presente su obra de salvación y nos hacen partícipes en la vida de Dios, la Santísima Trinidad.

# Adoramos a Dios

Cuando la Iglesia se reúne para adorar a Dios, celebramos la **liturgia**. La palabra *liturgia* significa "obra de la gente". Nos reunimos para rezar, honrar, agradecer y glorificar a Dios por todo lo que ha hecho y lo que continúa haciendo por nosotros. La Liturgia incluye la celebración de los Siete **Sacramentos**, la Liturgia de las Horas y la Bendición del Santísimo Sacramento.

La Santísima Trinidad está presente con la Iglesia cuando nos reunimos para celebrar la liturgia. Adoramos a un solo Dios en Tres Personas Divinas, la Santísima Trinidad. Le rezamos al Padre, a través del Hijo y en el Espíritu Santo.

Cada vez que la Iglesia celebra la liturgia, participamos más plenamente en la nueva vida que Jesús obtuvo para nosotros. Cambiamos y nos hacemos más parecidos a Jesús. Encontramos fortaleza al vivir como Jesús y al llevar su vida y su amor al mundo.

Cuando la Iglesia celebra la liturgia, toda la Iglesia participa. Recordamos el Misterio Pascual, lo celebramos y nos hacemos partícipes de él.

Ilustra una manera en que la liturgia de la Iglesia **Actividad** te haya fortalecido para llevar la vida y el amor de Jesús al mundo.

# We Worship God

When the Church comes together to worship God, we celebrate the **liturgy**. The word *liturgy* means "work of the people." We gather to pray, honor, thank, and give glory to God for all he has done and continues to do for us. Liturgy includes the celebration of the Seven **Sacraments**, the Liturgy of the Hours, and Benediction of the Most Blessed Sacrament.

The Holy Trinity is present with the Church when we come together to celebrate the liturgy. We worship One God in Three Divine Persons, the Holy Trinity. We pray to the Father, through the Son, and in the Holy Spirit.

Each time the Church celebrates the liturgy, we share more fully in the new life Jesus gained for us. We are changed, and become more like Jesus. We find strength to live as Jesus did and to bring his life and love to the world.

When the Church celebrates the liturgy, the whole Church takes part. We remember, celebrate, and are made sharers in the Paschal Mystery.

**FAITH FOCUS**
Why do we celebrate the liturgy as a community?

**FAITH VOCABULARY**

**liturgy**
The liturgy is the work of the Church, the People of God, of worshiping God. Through the liturgy, Christ continues the work of Redemption in, with, and through his Church.

**Sacraments**
Sacraments are the seven main liturgical signs of the Church, given to the Church by Jesus Christ. They make his saving work present and make us sharers in the life of God, the Holy Trinity.

**Activity** Illustrate one way you have been strengthened by the Church's liturgy to bring Jesus' life and love to the world.

Ya has aprendido que el Papa Juan XXIII convocó a todos los obispos en 1962. Él y los obispos decidieron hacer varios cambios en la manera en que la Iglesia celebraba la Liturgia. Uno de los cambios más importantes fue celebrar los Sacramentos en el idioma materno de las personas.

## El año de la gracia del Señor

La Iglesia celebra la liturgia todos los días y todo el año. Este ciclo anual de celebraciones de la liturgia por parte de la Iglesia se llama año litúrgico. Durante todo el año, celebramos y participamos en el plan de amor salvador que Dios tiene para nosotros.

El año litúrgico es un año de la gracia del Señor, para celebrar los misterios de la vida de Jesús. Incluye las celebraciones semanales de los domingos y los días para honrar al Señor, a María y a los otros Santos dentro del ciclo de los tiempos litúrgicos.

 **Tiempo de Adviento.** La Iglesia celebra la venida de Dios a nosotros. Nos preparamos para recordar el nacimiento de Jesús el Día de Navidad. Recordamos la promesa de Jesús de que regresará en la gloria al final de los tiempos.

 **Tiempo de Navidad.** Recordamos y celebramos que el Hijo de Dios, Jesús, el Salvador, vino y vivió entre nosotros.

 **Tiempo de Cuaresma.** Con la ayuda del Espíritu Santo, nos esforzamos para crecer en nuestra vida en Cristo. Apoyamos a los que se preparan para ser bautizados en la Pascua. Nos preparamos para renovar nuestras promesas bautismales.

 **Triduo** Esta celebración de tres días, Jueves Santo, Viernes Santo y Vigilia Pascual o Domingo de Pascua, es el corazón y el centro del año litúrgico.

 **Tiempo de Pascua.** Durante cincuenta días reflexionamos gozosos sobre la Resurrección y sobre nuestra nueva vida en Cristo. En el día cuarenta, celebramos la Ascensión del Señor. En el día cincuenta, celebramos Pentecostés.

 **Tiempo Ordinario** Las demás semanas del año se llaman Tiempo Ordinario. Escuchamos las enseñanzas de Jesús y aprendemos a vivir como sus seguidores.

Describe algunas de las maneras en que ves cómo celebran en tu parroquia los tiempos del año litúrgico.

## The Year of the Lord's Grace

The Church celebrates the liturgy every day and all year long. This yearly cycle of the Church's celebration of the liturgy is called the liturgical year. Throughout the year, we celebrate and take part in God's plan of saving love for us.

The liturgical year is a year of the Lord's grace, celebrating the mysteries of Jesus' life. It includes weekly Sunday celebrations and feasts of the Lord, of Mary, and other Saints within seasonal cycles.

 **Advent Season.** The Church celebrates God's coming among us. We get ready to remember Jesus' birth on Christmas Day. We remember Jesus' promise to come again in glory at the end of time.

 **Christmas Season.** We remember and celebrate that the Son of God, Jesus the Savior, came and lived among us.

 **Lenten Season.** We strive with the help of the Holy Spirit to grow in our life in Christ. We support those preparing to be baptized at Easter. We prepare to renew our own baptismal promises.

 **Triduum.** This three-day celebration of Holy Thursday, Good Friday, and Easter Vigil/Easter Sunday is the heart and center of the liturgical year.

 **Easter Season.** For fifty days we joyfully reflect on the Resurrection and our new life in Christ. On the fortieth day, we celebrate the Ascension of the Lord. On the fiftieth day, we celebrate Pentecost.

 **Ordinary Time.** Other weeks of the year are called Ordinary Time. We listen to Jesus' teachings and learn ways to live as his followers.

? Describe some of the ways you see your parish celebrating the seasons of the liturgical year.

La Iglesia usa diferentes colores para celebrar el año litúrgico. Para el Adviento y la Cuaresma se usa el morado o violeta. Para el Jueves Santo y para los tiempos de Navidad y Pascua se usa el blanco. El Domingo de Ramos de la Pasión del Señor, el Viernes Santo y en Pentecostés se usa el rojo. Durante el Tiempo Ordinario se usa el verde.

## Los Siete Sacramentos

Antes de regresar con su Padre, Jesús dijo:

*"Yo estoy con ustedes todos los días hasta el fin de la historia".* Mateo 28:20

Jesús está especialmente presente con su Iglesia cuando celebramos los Siete Sacramentos que Él nos dio. Son nuestras siete celebraciones litúrgicas principales y nuestros signos de la obra de Dios. Nos ponen en contacto con la obra salvadora de Jesucristo. Por medio de los Sacramentos, Él nos transforma. Todos los Sacramentos conforman el Cuerpo de Cristo. A través de ellos se fortalece nuestra vida con la Santísima Trinidad. Los Siete Sacramentos se dividen en tres grupos principales:

**Sacramentos de la Iniciación Cristiana.** Mediante el Bautismo, la Confirmación y la Eucaristía nos unimos a Cristo y nos hacemos miembros plenos de la Iglesia. Nos hacemos partícipes de la vida de Dios y recibimos ayuda para vivir como sus hijos.

**Sacramentos de Curación.** Por medio de la Penitencia y la Reconciliación y de la Unción de los Enfermos, celebramos y participamos del amor curador de Dios.

**Sacramentos al Servicio de la Comunidad.** Mediante el Orden Sagrado y el Matrimonio, algunos miembros de la Iglesia se consagran a servir a todo el Cuerpo de Cristo, la Iglesia.

**Actividad** Para cada letra de la palabra *Sacramento,* escribe una palabra relacionada con algo que ocurre en los Sacramentos.

S
A
C
R
A
M
E
N
T
O

## The Seven Sacraments

Before Jesus returned to his Father, he said,

*"I am with you always, until the end of the age."*

Jesus is especially present with his Church when we celebrate the Seven Sacraments he gave us. They are our seven main liturgical celebrations and signs of God's work. They put us in contact with the saving work of Jesus Christ. Through the Sacraments he transforms us. All of the Sacraments build up the Body of Christ. Through them our life with the Holy Trinity is strengthened. The Seven Sacraments have three main groups:

**Sacraments of Christian Initiation**. Through Baptism, Confirmation, and Eucharist we are joined to Christ and become full members of the Church. We are made sharers in God's life and receive help to live as his children.

**Sacraments of Healing**. Through Penance and Reconciliation and Anointing of the Sick, we celebrate and share in God's healing love.

**Sacraments at the Service of Communion**. Through Holy Orders and Matrimony, some members of the Church are consecrated to serve the whole Body of Christ, the Church.

**Liturgical Colors**

The Church uses different colors to celebrate the liturgical year. Purple or violet is used for Advent and Lent. White is used for Holy Thursday and for the Christmas and Easter seasons. Red is used on Palm Sunday of the Passion of the Lord, Good Friday, and Pentecost Sunday. Green is used during Ordinary Time.

---

**Activity** For each of the letters in the word Sacrament, write a word that tells something that happens in the Sacraments.

S _____

A _____

C _____

R _____

A _____

M _____

E _____

N _____

T _____

# YO SIGO A JESÚS

**Te unes** con Cristo y los otros miembros de la Iglesia durante el año para celebrar la liturgia y dar gracias a Dios. Cada tiempo del año litúrgico de la Iglesia te ayuda a vivir, a crecer y a perseverar en la fe.

## CELEBRAR NUESTRA VIDA EN CRISTO

Elige un tiempo litúrgico. Crea y diseña este cartel para que te ayude a celebrarlo. Coloca un mensaje acerca de vivir el tiempo. Asegúrate de usar el color litúrgico de ese tiempo.

## MI ELECCIÓN DE FE

Esta semana celebraré mi fe en Jesús, el Salvador. Voy a

_____

_____

_____

**Reza:** "Querido Jesús, ayúdame a ser fuerte en mi fe siempre y a nutrirme a través de la Eucaristía. Amén".

# I FOLLOW JESUS

**You join** with Christ and other members of the Church throughout the year to celebrate the liturgy and give thanks to God. Each season of the Church's liturgical year helps you live, grow, and persevere in faith.

## CELEBRATING OUR LIFE IN CHRIST

Choose a liturgical season. Create and design this banner to help you celebrate it. Include a message about living the season. Be sure to use the liturgical color for that season.

This week I will celebrate my faith in Jesus, the Savior. I will

_____

_____

_____.

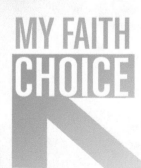

## MY FAITH CHOICE

 Pray, "Dear Jesus, help me to always be strong in my faith, and nourish me through the Eucharist. Amen."

> PARA RECORDAR

1. La liturgia es la obra de la Iglesia de adorar a Dios.

2. El año litúrgico es el ciclo del culto de la Iglesia que celebra el gran plan de amor salvador de Dios para nosotros y para todas las personas.

3. Los Sacramentos hacen la obra salvadora de Jesucristo presente ante nosotros, y nos hacen partícipes de la vida de Dios, la Santísima Trinidad.

# Repaso del capítulo

*Escribe en la línea junto a cada término de fe, la letra que corresponde a la descripción correcta de la columna derecha.*

**Términos de fe**

_____ **1.** Sacramentos

_____ **2.** Misterio Pascual

_____ **3.** Cuaresma

_____ **4.** Pascua

_____ **5.** Sacramentos de la Iniciación Cristiana

_____ **6.** liturgia

**Descripciones**

**a.** la Pasión y Muerte, Resurrección y gloriosa Ascensión de Jesús

**b.** el tiempo del año eclesiástico que nos prepara para la Pascua

**c.** los Sacramentos por los que nos unimos a Cristo y nos hacemos miembros plenos de la Iglesia

**d.** la obra del Pueblo de Dios

**e.** las siete celebraciones litúrgicas de la Iglesia que nos dio Cristo

**f.** el tiempo de la Iglesia durante el cual nos llenamos de alegría por la Resurrección de Cristo

# Levanten el corazón

Aprende a rezar esta sencilla oración de alabanza y honor a Dios. Rezamos o cantamos estas palabras en la Misa. Rézala con tu clase y rézala a menudo en silencio en tu corazón.

**Líder:** Levantemos el corazón y demos gracias y alabanza a Dios.

**Grupo 1:** Santo, Santo, Santo es el Señor, Dios del universo.

**Grupo 2:** Llenos están el cielo y la tierra de tu gloria.

**Todos: Hosanna en el cielo.**

**Grupo 1:** Bendito el que viene en nombre del Señor.

**Grupo 2:** Bendito el que viene en nombre del Señor.

**Todos: Hosanna en el cielo.**

BASADA EN LA ACLAMACIÓN DEL PREFACIO,
*MISAL ROMANO*

# Chapter Review

*Write the letter of the correct description in the right column on the line next to each faith term.*

## Faith Terms

_____ **1.** Sacraments

_____ **2.** Paschal Mystery

_____ **3.** Lent

_____ **4.** Easter

_____ **5.** Sacraments of Christian Initiation

_____ **6.** liturgy

## Descriptions

**a.** Jesus' suffering and Death, Resurrection, and glorious Ascension

**b.** a season of the Church's year that prepares us for Easter

**c.** Sacraments by which we are joined to Christ and become full members of the Church

**d.** work of the People of God

**e.** seven liturgical celebrations of the Church given to us by Christ

**f.** a season of the Church during which we rejoice in Christ's Resurrection

> **TO HELP YOU REMEMBER**
>
> 1. The liturgy is the Church's work of worshiping God.
>
> 2. The liturgical year is the Church's cycle of worship that celebrates God's great plan of saving love for us and for all people.
>
> 3. The Sacraments make the saving work of Jesus Christ present to us and make us sharers in the life of God, the Holy Trinity.

# Lift Up Your Hearts

*Learn to pray this simple prayer of praise and honor to God. We pray or sing these words at Mass. Pray it together with your class and pray it often quietly in your heart.*

**Leader:** Let us lift up our hearts and give thanks and praise to God.

**Group 1:** Holy, Holy, Holy Lord God of hosts.

**Group 2:** Heaven and Earth are full of your glory.

**All: Hosanna in the highest.**

**Group 1:** Blessed is he who comes in the name of the Lord.

**Group 2:** Blessed is he who comes in the name of the Lord.

**All: Hosanna in the highest.**

BASED ON PREFACE ACCLAMATION, *ROMAN MISSAL*

# Con mi familia

## Esta semana...

**En el capítulo 9,** "Celebrar la Liturgia", su niño aprendió que:

▶ La liturgia es la obra de la Iglesia de adorar a Dios.

▶ En la liturgia se celebran los Siete Sacramentos, la Liturgia de las Horas y la Bendición del Santísimo Sacramento.

▶ Los Sacramentos son los signos de la obra de Dios entre nosotros, que Jesús dio a la Iglesia.

▶ Igual que el año calendario, el año litúrgico del culto de la Iglesia se compone de un ciclo de tiempos y días de fiesta.

▶ La perseverancia es la virtud por la que nos aferramos a nuestra fe, incluso en casos o circunstancias adversas.

**Para saber más** sobre otras enseñanzas de la Iglesia, consulten el *Catecismo de la Iglesia Católica*, 1135–1186, y el *Catecismo Católico de los Estados Unidos para los Adultos*, páginas 165–179.

## ■ Compartir la Palabra de Dios

**Lean juntos** el Salmo 75:2. Comenten cómo está expresada en este verso la actitud de agradecimiento del salmista. Enfaticen que toda la vida de su familia debe dar honor y gloria, alabanza y gracias a Dios.

## ■ Vivimos como discípulos

**El hogar cristiano** con la familia es una escuela de discipulado. Elijan una o más de las siguientes actividades para hacer en familia, o creen una actividad similar ustedes mismos.

▶ Identifiquen y hablen del tiempo del año litúrgico que están celebrando ahora con la Iglesia. Inviten a los miembros de la familia a contar cuál es el tiempo litúrgico que más les gusta. Comenten cómo los ayuda este tiempo a dar alabanza y gracias a Dios.

▶ Cuando su familia participe en la celebración de la Misa este fin de semana, presten mucha atención a los colores litúrgicos y las decoraciones. Comenten cómo los ayuda el tiempo litúrgico a recordar y participar en el gran plan de Dios de amor salvador para el mundo.

## ■ Nuestro viaje espiritual

**Los cristianos** son "personas agradecidas" y la Eucaristía es la oración de acción de gracias más importante de la Iglesia. La participación regular en la celebración de la Misa y la recepción frecuente de la Sagrada Comunión son esenciales para nuestro viaje espiritual como cristianos.

Para hallar más ideas sobre las maneras en que su familia puede vivir como discípulos de Jesús, visiten

**seanmisdiscipulos.com**

# With My Family

## This Week...

**In Chapter 9,** "Celebrating the Liturgy," your child learned:

▶ The liturgy is the Church's work of worshiping God.

▶ The liturgy includes the celebration of the Sacraments, the Liturgy of the Hours, and Benediction of the Most Blessed Sacrament.

▶ The Sacraments are the signs of God's work among us that Jesus gave to the Church.

▶ Like the calendar year, the Church's liturgical year of worship is made up of a cycle of seasons and feast days.

▶ Perseverance is the virtue by which we hold to our faith, even through trying events or circumstances.

**For more** about related teachings of the Church, see the *Catechism of the Catholic Church*, 1135–1186, and the *United States Catholic Catechism for Adults*, pages 165–179.

## ■ Sharing God's Word

**Read together** Psalm 75:2 Share how the psalmist's attitude of thankfulness is expressed in this Psalm verse. Emphasize that the whole life of your family should give honor and glory, praise and thanks to God.

## ■ We Live as Disciples

**The Christian home** and family is a school of discipleship. Choose one of the following activities to do as a family or design a similar activity of your own.

▶ Identify and talk about the season of the liturgical year you are now celebrating with the Church. Invite family members to share which of the liturgical seasons they like best. Talk about how this season helps them give praise and thanks to God.

▶ When your family takes part in the celebration of Mass this weekend, pay close attention to the liturgical colors and decorations. Talk about how the liturgical season helps you remember and share in God's great plan of saving love for the world.

## ■ Our Spiritual Journey

**Christians** are a "thankful people" and the Eucharist is the Church's great prayer of thanksgiving. Regular participation in the celebration of the Mass and frequent reception of Holy Communion is vital for our spiritual journey as Christians.

For more ideas on ways your family can live as disciples of Jesus, visit **BeMyDisciples.com**

CAPÍTULO
10

**Lo que vendrá**

En este capítulo el Espíritu Santo te invita a ▶

**INVESTIGAR** cómo vivió su Bautismo San Maximiliano Kolbe.

**DESCUBRIR** la celebración y los efectos del Bautismo.

**DECIDIR** cómo vivirás tu Bautismo.

# Unidos a Cristo

**?** ¿Cómo crees que sería tu vida sin agua?

Jesús habló de la importancia del agua. En el Evangelio de Juan, el fariseo Nicodemo le preguntó a Jesús qué tenía que hacer para entrar en el Reino de Dios. Jesús le contestó:

*"En verdad te digo: El que no renace del agua y del Espíritu no puede entrar en el Reino de Dios".* JUAN 3:5

**?** ¿Cómo crees que el agua nos ayuda a entender el significado del Sacramento del Bautismo?

**CHAPTER**

**10**

## Looking Ahead

In this chapter the Holy Spirit invites you to ▶

**EXPLORE** how Saint Maximilian Kolbe lived his Baptism.

**DISCOVER** the celebration and effects of Baptism.

**DECIDE** how you will live your Baptism.

# Joined to Christ

[?] What do you think your life would be like without water?

Jesus spoke of the importance of water. In John's account of the Gospel, the Pharisee Nicodemus asked Jesus what he had to do to enter the Kingdom of God. Jesus answered,

> "Amen, amen, I say to you, no one can enter the kingdom of God without being born of water and Spirit."
>
> JOHN 3:5

[?] How do you think water helps us understand the meaning of the Sacrament of Baptism?

## Poder de los discípulos

### Benignidad

La benignidad es un Fruto del Espíritu Santo. Practicar la benignidad nos ayuda a servir a la Iglesia y al mundo. Con benignidad, compartimos nuestros dones y talentos con los demás. Compartimos nuestras bendiciones materiales y espirituales.

# Un modelo de benignidad

Raimundo Kolbe vivió lo que significa haber "renacido del agua y el Espíritu". Nació en Polonia, en 1894. Cuando tenía doce años, se le apareció la Santísima Virgen María. A partir de ese momento, Raimundo desarrolló un enorme amor y devoción por María.

Ya adulto, Raimundo se hizo sacerdote franciscano y adoptó el nombre de Maximiliano María. Varios años después, estalló la Segunda Guerra Mundial y al Padre Maximiliano lo arrestaron y lo enviaron a un campo de concentración nazi.

A pesar de que padecía muchos malos tratos, el Padre Maximiliano daba ayuda espiritual a los otros prisioneros. Juntos rezaban el Rosario y cantaban himnos a María. El Padre Maximiliano les decía a los otros prisioneros que los nazis podían matarles el cuerpo, pero jamás podrían matarles el alma.

Finalmente, el Padre Maximiliano hizo el mayor sacrificio: dio su vida. Se ofreció voluntariamente a tomar el lugar de otro prisionero que había sido condenado a muerte.

Papa Juan Pablo II nombró a Maximiliano Kolbe Santo patrono del difícil siglo xx. Durante una época de guerra, llevó a muchas personas a una fe en Dios más profunda cuando todo lo demás estaba perdido. Fue nombrado Santo de la Iglesia. Es un modelo del tipo de benignidad del que Cristo llama a los bautizados a vivir.

**Actividad**   Crea un título para una biografía de San Maximiliano Kolbe, que describa su importancia.

## A Model of Generosity

**Generosity**

Generosity is a Fruit of the Holy Spirit. Practicing generosity helps us serve the Church and the world. With generosity, we share our gifts and our talents with others. We share our material and spiritual blessings.

Raymond Kolbe lived what it means to be "born of water and the Spirit." He was born in Poland in 1894. When he was twelve years old, the Blessed Virgin Mary appeared to him. From then on, Raymond developed a great love and devotion for Mary.

When he grew up, Raymond became a Franciscan priest and took the name Maximilian Mary. Several years later, World War II broke out, and Father Maximilian was arrested and sent to a Nazi concentration camp.

Although he suffered great abuse, Father Maximilian gave spiritual help to the other prisoners. Together, they prayed the Rosary and sang hymns to Mary. Father Maximilian told the other prisoners that the Nazis might kill their bodies, but they could never kill their souls.

Ultimately, Father Maximilian made the greatest sacrifice—his life. He volunteered to take the place of another prisoner who was condemned to death.

Pope John Paul II called Maximilian Kolbe the patron Saint of the difficult 20th century. During a time of war, he brought many people to a deeper faith in God when everything else was lost. He was named a Saint of the Church. He is a model of the type of generosity that Christ calls the baptized to live.

**Activity** Create a title for a biography of Saint Maximilian Kolbe that describes his importance.

ENFOQUE EN LA FE
¿Cuál es el significado
del Sacramento del
Bautismo?

## VOCABULARIO DE FE

**Bautismo**
El Bautismo es el
Sacramento de la
Iniciación Cristiana en el
que por primera vez nos
unimos a Jesucristo, nos
hacemos miembros de la
Iglesia, volvemos a nacer
como hijos adoptivos de
Dios, recibimos el don
del Espíritu Santo y por
el cual se nos perdonan
nuestros pecados
personales y el Pecado
Original.

**Crisma**
El Crisma es uno de los
tres óleos que la Iglesia
usa en la celebración
de la liturgia. Se lo usa
en los Sacramentos
del Bautismo, de la
Confirmación y del Orden
Sagrado. El Crisma
también se usa en la
consagración de iglesias
y altares.

# Seguidores de Cristo

El **Bautismo** es uno de los tres Sacramentos de la Iniciación Cristiana. Este es un resumen del Rito del Bautismo, o manera de celebrarlo. Cada parte del Rito del Bautismo muestra que la persona a la que se bautiza está recibiendo el don de la nueva vida de Dios.

## El Rito del Bautismo

**Bendición del agua.** Luego de la celebración de la Liturgia de la Palabra, el sacerdote o el diácono dice una oración y unge el pecho de los que van a bautizarse. Saluda a las personas que están junto a la pila o la piscina bautismal. Mientras bendice el agua, cuenta el relato de la creación y la Salvación.

**Renuncia a los pecados y la profesión de fe.** Todos los presentes se unen a los que van a bautizarse y rechazan el pecado. Todos prometen vivir como hijos de Dios. Todos profesan la fe en Dios, la Santísima Trinidad.

**Bautismo en el agua.** Ahora la persona que va a bautizarse entra, o la sumergen, en el agua o le derraman agua en la cabeza tres veces mientras el celebrante dice estas palabras: "(Nombre), yo te bautizo en el nombre del Padre, y del Hijo, y del Espíritu Santo".

**Unción con el Crisma.** El celebrante unge la coronilla de cada nuevo bautizado con el óleo consagrado del **Crisma.** Esto indica que el Espíritu Santo está con ellos fortaleciéndolos para que vivan como miembros del Cuerpo de Cristo, la Iglesia, y participen en la obra de Cristo, Sacerdote, Profeta y Rey.

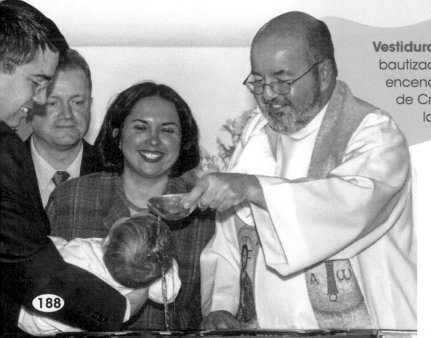

**Vestidura blanca y vela encendida.** Los recién bautizados reciben una vestidura blanca y una vela encendida con el cirio pascual. Revestidos de Cristo, los bautizados deben mantener viva la llama de la fe en su corazón.

❓ ¿Cómo los símbolos que se usan en el Rito del Bautismo indican que la persona a la que se bautiza está recibiendo el don de la nueva vida de Dios? Trabaja con un compañero para preparar tu respuesta.

# Followers of Christ

Baptism is one of the three Sacraments of Christian Initiation. Here is a summary of the rite of, or way of celebrating Baptism. Each part of the Rite of Baptism shows that the people being baptized are receiving the gift of new life from God.

## The Rite of Baptism

**Blessing of the water.** After the celebration of the Liturgy of the Word, the priest or deacon says a prayer and anoints the chest of those to be baptized. He greets everyone at the baptismal font or pool. Blessing the water, he retells the story of creation and Salvation.

**Renunciation of sin and profession of faith.** All present join with those to be baptized and reject sin. All promise to live as God's children. All profess faith in God, the Holy Trinity.

**Baptism in water.** The person to be baptized now enters, or is immersed in, the water or has water poured on his or her head three times, as the celebrant says the words, "(Name), I baptize you in the name of the Father, and of the Son, and of the Holy Spirit."

**Anointing with Chrism.** The celebrant anoints the top of the head of each of the newly baptized with the holy oil of **Chrism**. This shows that the Holy Spirit is with the baptized to strengthen them to live as members of the Body of Christ, the Church and take part in the work of Christ the Priest, Prophet, and King.

**White garment and lighted candle.** The newly baptized receive a white garment and a candle lit from the Easter candle. Clothed in Christ, the baptized are to keep the flame of faith alive in their hearts.

? How do the symbols used in the Rite of Baptism show that the people being baptized are receiving the gift of new life from God? Work with a partner to prepare your response.

## FAITH FOCUS
What is the meaning of the Sacrament of Baptism?

## FAITH VOCABULARY

**Baptism**
Baptism is the Sacrament of Christian Initiation in which we are first joined to Jesus Christ, become members of the Church, are reborn as God's adopted children, receive the gift of the Holy Spirit, and by which Original Sin and personal sins are forgiven.

**Chrism**
Chrism is one of the three oils the Church uses in the celebration of the liturgy. It is used in the Sacraments of Baptism, Confirmation, and Holy Orders. Chrism is also used in the consecration of churches and altars.

El Evangelio de Juan nos cuenta el relato sobre el fariseo Nicodemo. Primero fue a ver a Jesús, le hizo muchas preguntas y terminó creyendo en Jesús. La fe de Nicodemo en Jesús creció. Él defendía a Jesús cuando la gente lo criticaba. Cuando Jesús murió, Nicodemo y José de Arimatea enterraron su cuerpo en un sepulcro cavado en la ladera de una montaña.

## Las gracias especiales del Bautismo

Todas las palabras, las acciones y los objetos que se usan en el Rito del Bautismo señalan el significado más profundo de lo que estamos viendo y oyendo. Llamamos a lo que sucede en el Bautismo, efectos o gracias especiales del Bautismo. La palabra *gracia* nos dice que todo lo que sucede en el Bautismo es un don de Dios.

**Hijos del Padre.** A través del Bautismo recibimos la nueva vida de Jesucristo. Volvemos a nacer como hijos adoptivos de Dios Padre. San Juan nos recuerda:

> Miren qué amor tan singular nos ha tenido el Padre: que no sólo nos llamamos hijos de Dios, sino que lo somos.
>
> 1.ª Juan 3:1

**Miembros de la Iglesia, el Cuerpo de Cristo.** Por medio del Bautismo, nos unimos a Cristo. Nos hacemos miembros del Cuerpo de Cristo, la Iglesia. Formamos parte de la familia grande de fe, la Iglesia.

**Templos del Espíritu Santo.** San Pablo nos recuerda:

> ¿No saben que son templo de Dios y que el Espíritu de Dios habita en ustedes?
>
> 1.ª Corintios 3:16

A través del Bautismo recibimos el don del Espíritu Santo. El Espíritu Santo nos ayuda a vivir como miembros del Cuerpo de Cristo. Durante toda nuestra vida, el Espíritu Santo nos invita y nos ayuda a vivir como hijos de Dios y seguidores de Jesucristo.

**Perdón de los pecados.** El Bautismo nos libera del Pecado Original que heredamos de los primeros humanos. El Bautismo nos quita también todos los pecados personales que pudimos haber cometido. Se limpia todo lo que nos separe de Dios. Recibimos el don de la gracia santificante. Nos hacemos partícipes en la vida de Dios, la Santísima Trinidad.

**Actividad** En esta vela, describe algo que podrías hacer para vivir tu Bautismo.

## The Special Graces of Baptism

All the words, actions, and objects used in the Rite of Baptism point to the deeper meaning of what we are seeing and hearing. We call what happens at Baptism the effects, or special *graces*, of Baptism. The word *graces* tells us that all that happens in Baptism is a gift from God.

**Children of the Father.** Through Baptism we receive new life in Jesus Christ. We are born again as adopted children of God the Father. Saint John reminds us,

> See what love the Father has bestowed on us that we may be called the children of God.     1 John 3:1

**Members of the Church, the Body of Christ.** We are joined to Christ through Baptism. We become members of the Body of Christ, the Church. We become part of a larger family of faith, the Church.

**Temples of the Holy Spirit.** Saint Paul reminds us,

> Do you not know that you are the temple of God, and that the Spirit of God dwells in you?
>
> 1 Corinthians 3:16

Through Baptism we receive the gift of the Holy Spirit. The Holy Spirit helps us to live as members of the Body of Christ. Throughout our lives the Holy Spirit invites and helps us live as children of God and followers of Jesus Christ.

**Forgiveness of sin.** Baptism frees us from Original Sin that we inherited from the first humans. Baptism also takes away all personal sins that we may have committed. Everything that separates us from God is washed away. We receive the gift of sanctifying grace. We are made sharers in the life of God, the Holy Trinity.

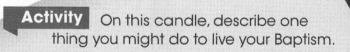

**Activity** On this candle, describe one thing you might do to live your Baptism.

## Vestidura bautismal

En el Bautismo, a los recién bautizados se les pone una vestidura blanca. La vestidura blanca es un símbolo del don de la nueva vida en Cristo que los recién bautizados han recibido. El sacerdote o el diácono reza: "(Nombre), has sido transformado(a) en nueva creatura. [...] Esta vestidura blanca sea para ti el símbolo de tu nueva dignidad de cristiano(a). [...] consérvala sin mancha hasta la vida eterna" (*Ritual del Bautismo*).

## La vida de gracia

El Sacramento del Bautismo recibe a los miembros nuevos de la Iglesia. Es el primer Sacramento que recibimos. Es el "pórtico" a la vida cristiana. No solo *inicia* a los creyentes en la Iglesia. Hace mucho más. Mediante el Bautismo, los cristianos "renacen del agua y el Espíritu". Entran en una vida completamente nueva, que les da una relación nueva y más profunda con Dios.

Todos somos hijos de Dios, pero el Bautismo hace a esa unión más especial todavía. El Bautismo hace que una persona sea coheredera del Reino de Dios junto con Cristo. El bautizado es un hijo adoptivo de Dios. La persona recién bautizada recibe la gracia santificante, el don del Espíritu Santo y los dones del amor, la santidad y la vida de Dios.

En el Bautismo, tú o tus padres (que hablaron por ti) tomaron la decisión de responder a la invitación de Dios de vivir una vida de fe. Prometiste seguir el camino de Jesucristo. Todos los días de tu vida, continuarás tomando decisiones concientes de vivir tu vida en Cristo.

❓ ¿De qué manera estás tratando de vivir una vida en Cristo?

## The Life of Grace

The Sacrament of Baptism welcomes new members into the Church. It is the first Sacrament we receive. It is the "doorway" to the Christian life. It not only *initiates* the believer into the Church. It does much more. Through Baptism, Christians "are reborn of water and the Spirit." They enter into a completely new life, which gives them a new and deeper relationship with God.

All people are God's children, but Baptism makes that connection even more special. Baptism makes a person a co-heir with Christ in God's kingdom. The baptized person is an adopted son or daughter of God. The newly baptized person receives sanctifying grace, the gift of the Holy Spirit, and the gifts of God's love, holiness, and life.

In Baptism, you, or your parents speaking for you, made a decision to respond to God's invitation to live a life of faith. You promised to follow the way of Jesus Christ. Every day of your life you will continue to make conscious decisions to live your life in Christ.

❓ What are some ways you are trying to live a life in Christ?

# YO SIGO A JESÚS

**El Espíritu Santo** vive dentro de ti. Te enseña y te da la ayuda o gracia para vivir el Evangelio. El Espíritu Santo te enseña y te ayuda a ser generoso y a transformarte en una luz en el mundo.

## SER UNA LUZ EN EL MUNDO

Ilustra una escena que muestre lo que tú y los demás estudiantes de quinto grado podrían hacer para vivir el Evangelio.

## MI ELECCIÓN DE FE

Esta semana trataré de conocer mejor a Dios. Esta semana trataré de vivir mi Bautismo. Voy a _____

_____

_____

_____ .

 **Reza:** "Espíritu Santo, dame la gracia para ser más generoso con mi tiempo y mis talentos, aun cuando sea inconveniente. Amén".

# I FOLLOW JESUS

**The Holy Spirit** lives within you. He teaches you and gives you the help, or graces, to live the Gospel. The Holy Spirit teaches and helps you to be generous and to become a light in the world.

## BEING A LIGHT IN THE WORLD

Illustrate a scene that shows what you and other fifth graders might do to live the Gospel.

This week I will try to come to know God better. This week I will try to live my Baptism. I will _____

_____

_____

_____.

## MY FAITH CHOICE

 Pray, "Holy Spirit, give me the grace to become more generous with my time and talents, even when it is inconvenient. Amen."

1. El Bautismo, la Confirmación y la Eucaristía son los tres Sacramentos de la Iniciación Cristiana.

2. El Bautismo nos une a Cristo. Volvemos a nacer como hijos de Dios. Recibimos el don del Espíritu Santo y nos hacemos miembros de la Iglesia.

3. En el Bautismo, se perdonan el Pecado Original y todos los pecados personales.

# Repaso del capítulo

Encierra las palabras sacramentales ocultas en la sopa de letras. Usa las palabras en una o más oraciones que describan lo que sucede en el Bautismo.

```
E R T Y Y A U N C I Ó N I G H K E
W M Q F B B A U T I S M O E R V I
X N P E R D Ó N E N E S S L Q L S
N H J O P S K A G U A E R D F S Z
```

_____

_____

_____

# ¿Creen?

Renovamos nuestras promesas bautismales en la Misa del Domingo de Pascua y siempre que participemos en una liturgia bautismal. También podemos hacerlo en clase.

**Líder:** ¿Creen en Dios, Padre todopoderoso, creador del cielo y de la tierra?

**Todos: Sí, creo.**

**Líder:** ¿Creen en Jesucristo, su único Hijo, nuestro Señor, que nació de María Virgen, padeció, fue sepultado, resucitó de entre los muertos y está sentado a la derecha del Padre?

**Todos: Sí, creo.**

**Líder:** ¿Creen en el Espíritu Santo, en la santa Iglesia católica, en la comunión de los santos, en el perdón de los pecados, en la resurrección de los muertos, y en la vida eterna?

**Todos: Sí, creo.**

**Líder:** Esta es nuestra fe. Esta es la fe de la Iglesia, que nos gloriamos de profesar, en Jesucristo, nuestro Señor.

**Todos: Amén.**

BASADO EN EL *RITUAL PARA EL BAUTISMO DE LOS NIÑOS*

# Chapter Review

*Circle the Sacrament words hidden in the puzzle. Use the words in one or more sentences that describe what happens in Baptism.*

```
E R T Y Y A N O I N T I N G H K E
W M Q F B B A P T I S M Q E R V I
X N F O R G I V E N E S S L Q L S
N H J O P S K A W A T E R D F S Z
```

_____

_____

_____

# Do You Believe?

*We renew our baptismal promises at Mass on Easter Sunday and whenever we take part in a Baptism liturgy. We can also do this as a class.*

**Leader:** Do you believe in God, the Father almighty, creator of Heaven and Earth?

**All:** **I do.**

**Leader:** Do you believe in Jesus Christ, his only Son, our Lord, who was born of the Virgin Mary, was crucified, died, and was buried, rose from the dead, and is now seated at the right hand of the Father?

**All:** **I do.**

**Leader:** Do you believe in the Holy Spirit, the holy catholic Church, the communion of saints, the forgiveness of sins, the resurrection of the body, and life everlasting?

**All:** **I do.**

**Leader:** This is our faith. This is the faith of the Church. We are proud to profess it, in Christ Jesus our Lord.

**All:** **Amen.**

BASED ON THE

# Con mi familia

## Esta semana...

**En el capítulo 10,** "Unidos a Cristo", su niño aprendió que:

▶ El Sacramento del Bautismo es uno de los tres Sacramentos de la Iniciación Cristiana y el primer Sacramento que recibimos.

▶ El Bautismo nos introduce en la nueva vida de Cristo y nos hace miembros del Cuerpo de Cristo, la Iglesia.

▶ A través del Bautismo recibimos la gracia santificante y el don del Espíritu Santo.

▶ Por el don de Dios, a través del agua y el Espíritu Santo, se lavan el Pecado Original y todo lo que nos separe de Dios.

▶ La benignidad nos ayuda a vivir nuestro Bautismo sirviendo a la Iglesia y al mundo.

**Para saber más** sobre otras enseñanzas de la Iglesia, consulten el *Catecismo de la Iglesia Católica,* 1210–1284, y el *Catecismo Católico de los Estados Unidos para los Adultos,* páginas 181–199.

## ■ Compartir la Palabra de Dios

**Lean juntos** Mateo 3:13–17. Enfaticen que por el Bautismo recibimos el don del Espíritu Santo y la gracia, o ayuda, del Espíritu Santo para prepararnos para el Reino de Dios.

## ■ Vivimos como discípulos

**El hogar cristiano** con la familia es una escuela de discipulado. Elijan una o más de las siguientes actividades para hacer en familia, o creen una actividad similar ustedes mismos.

▶ Cuando su familia termine de participar de la Misa esta semana, vayan a la caja de los santos óleos. La caja de los santos óleos es el lugar donde se guardan el Crisma y otros santos óleos. Señalen el Santo Crisma con el que nos ungen en el Bautismo y en la Confirmación.

▶ Busquen fotografías de bautismos en los álbumes de familia. Compartan relatos sobre el Bautismo de cada uno. Comenten quiénes estaban allí y por qué el Bautismo es un día familiar importante. Compartan todas las maneras en las que su familia vive el Bautismo.

## ■ Nuestro viaje espiritual

**Dios nos habla** a través de los dones de su creación. Usamos agua todo el día. Beber agua y lavar con ella son "momentos de gracia". Son momentos que pueden ayudarnos a unir lo visible y lo invisible. Usen estos momentos para recordar que, en verdad, ustedes han renacido. Son una nueva creación.

Para hallar más ideas sobre las maneras en que su familia puede vivir como discípulos de Jesús, visiten **seanmisdiscipulos.com** ▶

# With My Family

## This Week...

**In chapter 10,** "Joined to Christ," your child learned:

▶ The Sacrament of Baptism is one of the three Sacraments of Christian Initiation and the first Sacrament we receive.

▶ Baptism brings us into new life in Christ and makes us members of the Body of Christ, the Church.

▶ Through Baptism we receive sanctifying grace and the gift of the Holy Spirit.

▶ By God's gift, through water and the Holy Spirit, Original Sin and everything that separates us from God is washed away.

▶ Generosity helps us live our Baptism by serving the Church and the world.

**For more** about related teachings of the Church, see the *Catechism of the Catholic Church*, 1210–1284, and the *United States Catholic Catechism for Adults*, pages 181–199.

## ■ Sharing God's Word

**Read Matthew 3:13–17** together. Emphasize that through Baptism we receive the gift of the Holy Spirit and the graces, or help, of the Holy Spirit to prepare for the Kingdom of God.

## ■ We Live as Disciples

**The Christian home** and family is a school of discipleship. Choose one of the following activities to do as a family or design a similar activity of your own.

▶ When your family participates in Mass this week, go to the ambry after Mass. The ambry is the place where the Chrism and other holy oils used in the celebration of the liturgy are kept. Point out the Sacred Chrism with which we are anointed at Baptism and Confirmation.

▶ Look at your family photo albums and find Baptism pictures. Share stories about each person's Baptism. Talk about who was there and why Baptism is an important family day. Talk about all the ways your family lives Baptism.

## ■ Our Spiritual Journey

**God speaks to us** through his gifts of creation. We use water throughout the day. Drinking and washing with water are "graced moments." They are moments that can help us make the connection between the visible and invisible. Use these moments to recall that you indeed have been reborn. You are a new creation.

For more ideas on ways your family can live as disciples of Jesus, visit **BeMyDisciples.com**

## Lo que vendrá

En este capítulo el Espíritu Santo te invita a ▶

**INVESTIGAR** la obra que Dorothy Day realizó para vivir su fe en Cristo.

**DESCUBRIR** los efectos del Sacramento de la Confirmación.

**DECIDIR** cómo vas a llevar a cabo la misión de Cristo.

# Celebramos al Espíritu Santo

**?** ¿Qué significa tener un objetivo o una misión?

Un día Jesús fue a la sinagoga, en Nazaret. El rabino le dio un pergamino donde estaba lo que el profeta Isaías había escrito. Jesús desenrolló el pergamino y anunció a la gente su misión. Jesús leyó en voz alta:

> El Espíritu del Señor está sobre mí. Él me ha ungido para llevar buenas noticias a los pobres, para anunciar la libertad a los cautivos y a los ciegos que pronto van a ver, para poner en libertad a los oprimidos y proclamar el año de gracia del Señor.
>
> LUCAS 4:18–19

**?** ¿Cómo continúa hoy la misión de Jesús?

## Looking Ahead

In this chapter the Holy Spirit invites you to ▶

 **EXPLORE** the work that Dorothy Day did to live her faith in Christ.

 **DISCOVER** the effects of the Sacrament of Confirmation.

 **DECIDE** how you will carry on the mission of Christ.

 **CHAPTER 11**

# We Celebrate the Holy Spirit

> What does it mean to have a goal or a mission?

One day Jesus went to the synagogue in Nazareth. The rabbi gave him a scroll on which the writings of Isaiah the prophet were written. Jesus rolled the scroll open and announced to the people his mission. Jesus read aloud,

> "'The Spirit of the Lord is upon me,
>    because he has anointed me
>       to bring glad tidings to the poor.
> He has sent me to proclaim liberty to captives
>    and recovery of sight to the blind,
>       to let the oppressed go free,
> and to proclaim a year acceptable to the Lord'."

LUKE 4:18–19

> How does the mission of Jesus continue today?

### Entendimiento

El entendimiento es un Don del Espíritu Santo que nos ayuda a saber el significado de las enseñanzas de la Iglesia. También nos ayuda a ser comprensivos con los demás y sentir cuando alguien sufre o necesita compasión.

## LA IGLESIA SIGUE A JESÚS

# Buenas nuevas para los pobres

Dorothy Day trabajó mucho para vivir su Bautismo. Trabajó mucho en su misión de ser una "luz en el mundo". Trabajó mucho para llevar "buenas noticias a los pobres".

Cuando Dorothy Day tenía ocho años, su padre perdió su trabajo y la familia se mudó a un vecindario pobre de Chicago. Enseguida el padre encontró otro trabajo y la familia volvió a mudarse. Gracias a esta experiencia, Dorothy jamás olvidó las necesidades de los pobres. Ella realmente entendió lo que significaba ser pobre.

Cuando terminó la universidad, Dorothy empezó a trabajar de periodista en un periódico de la ciudad de Nueva York. No tenía ninguna creencia, pero por una hermana religiosa se interesó en la fe católica. Un tiempo después, se unió a la Iglesia Católica.

Dorothy quería encontrar la manera de mejorar la vida de los pobres. Entonces conoció a Peter Maurin, que tenía la misma idea. Juntos abrieron una casa de hospitalidad donde los pobres podían quedarse y recibir alimentos y ropa.

Peter animó a Dorothy para que usara los dones que Dios le había dado para crear un periódico que describiera lo que ella estaba haciendo. Pronto Dorothy se dio cuenta de que los artículos de su periódico estaban haciendo que las personas tomaran conciencia de las necesidades de los pobres. Su periódico, *El trabajador católico,* costaba solo un centavo, igual que hoy.

Dorothy y Peter fundaron el Movimiento del Trabajador Católico, que inauguró muchas casas de hospitalidad en todo Estados Unidos. Durante 50 años, Dorothy compartió la preocupación de Jesús por los pobres y vivió verdaderamente la misión que se le había dado en el Bautismo.

¿Cómo te ayuda la historia de Dorothy Day a entender tu papel de difundir la misión de Jesucristo?

# Good News for the Poor

Dorothy Day worked hard at living her Baptism. She worked hard at her mission of being a "light in the world." She worked hard at bringing "glad tidings to the poor."

When Dorothy Day was eight years old, her father lost his job, and the family moved to a poor neighborhood in Chicago. Soon her father found another job, and the family moved again. Because of this experience, Dorothy never forgot about the needs of people who were poor. Dorothy really understood what it means to be poor.

After Dorothy went to college, she began working as a newspaper reporter in New York City. She had no religious beliefs but became interested in the Catholic faith through a religious sister. After some time she joined the Catholic Church.

Dorothy wanted to find ways to improve the lives of people who were poor. She met Peter Maurin, who had the same idea. Together they opened a house of hospitality where people who were poor could stay and get food and clothing.

Peter encouraged Dorothy to use her God-given gifts to start a newspaper that would describe what she was doing. Soon Dorothy realized that the articles in her paper were making people aware of the needs of the poor. Her newspaper, The Catholic Worker, cost only a penny, just as it does today.

Dorothy and Peter started the Catholic Worker Movement, which opened many houses of hospitality across the United States. For 50 years, Dorothy shared Jesus' concern for the poor and truly lived out the mission given to her in Baptism.

? How does the story of Dorothy Day help you understand your own role in spreading the mission of Jesus Christ?

## Disciple Power

### Understanding

Understanding is a Gift of the Holy Spirit that helps us know the meaning of the teachings of the Church. It also helps us be sympathetic to others and sense when someone is hurting or in need of compassion.

# Confirmados en el Espíritu

Dorothy Day mostró el don del entendimiento que le había dado el Espíritu Santo. En el Bautismo recibimos los siete dones del Espíritu Santo. Estos dones se fortalecen en nosotros en la **Confirmación**. Nos ayudan a vivir una vida santa.

## Los dones del Espíritu Santo

**La Sabiduría** nos ayuda a saber lo que Dios quiere para nuestra vida.

**El Entendimiento** nos permite saber el significado de las enseñanzas de nuestra fe católica. Además, nos ayuda a notar la necesidad de compasión.

**El Consejo, o Buen juicio,** nos ayuda a saber lo que es correcto y a tomar buenas decisiones.

**La Fortaleza, o Valor,** nos hace fuertes para que demos testimonio de Jesucristo y defendamos nuestra fe católica.

**La Ciencia** nos ayuda a saber que Dios es más importante que ninguna otra cosa en la vida.

**La Piedad, o Reverencia,** nos ayuda a amar y a respetar a Dios.

**El Temor de Dios, o Admiración y veneración** nos inspira para que nos colmemos de amor y reverencia por Dios.

**Actividad** ¿Cuál de los Dones del Espíritu Santo necesitan más los jóvenes de hoy para vivir su fe? Escribe el nombre de un don. En el espacio, cuenta por qué.

_____

_____

_____

_____

_____

# Confirmed in the Spirit

Dorothy Day exhibited the Holy Spirit's gift of understanding. At Baptism we receive the seven Gifts of the Holy Spirit. These gifts are strengthened in us at **Confirmation**. They help us live holy lives.

## FAITH FOCUS
What takes place at the Sacrament of Confirmation?

## FAITH VOCABULARY
**Confirmation**
Confirmation is the Sacrament of Christian Initiation that strengthens the graces of Baptism and in which our new life in Christ is sealed by the gift of the Holy Spirit.

## The Gifts of the Holy Spirit

**Wisdom** helps us know God's will for our lives.

**Understanding** enables us to know the meaning of the teachings of our Catholic faith. It also helps us sense the need for compassion.

**Counsel, or Right Judgment,** helps us know what is right and to make good choices.

**Fortitude, or Courage,** strengthens us to be witnesses of Jesus Christ and to defend our Catholic faith.

**Knowledge** helps us know that God is more important than anything else in life.

**Piety, or Reverence,** helps us love and respect God.

**Fear of the Lord, or Wonder and Awe,** inspires us to be filled with love and reverence for God.

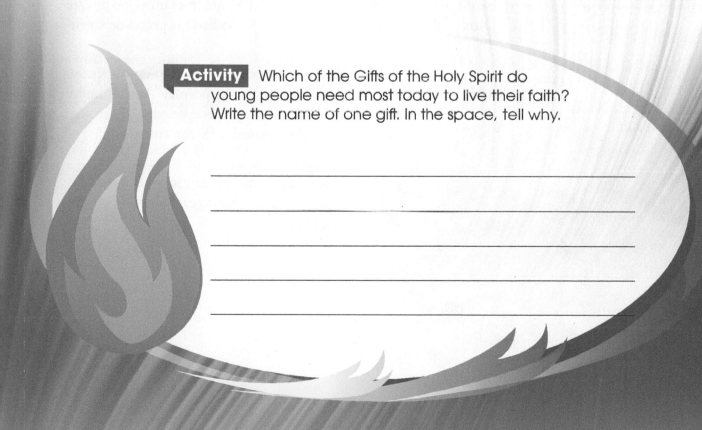

**Activity** Which of the Gifts of the Holy Spirit do young people need most today to live their faith? Write the name of one gift. In the space, tell why.

_____

_____

_____

_____

_____

### Misioneros

Los misioneros de la Iglesia proclaman el Evangelio en todas partes del mundo. Las Misioneras Médicas de María van a pueblos de culturas diferentes en los que haya mucho sufrimiento y dolor. Los Misioneros del Verbo Divino trabajan con los pobres y los marginados. Brindan atención en hospitales y cárceles. Educan a jóvenes, líderes laicos, sacerdotes, hermanos y hermanas. Transmiten la Palabra de Dios por los medios de comunicación.

## Celebrar la Confirmación

Generalmente el ministro del Sacramento de la Confirmación es el obispo. Pero, a veces, el obispo nombra a un sacerdote para que celebre la Confirmación. Esto sucede por lo general cuando las personas se confirman en la Vigilia Pascual en su parroquia.

En el Rito de la Confirmación, hay palabras, acciones y objetos clave que muestran cómo el Espíritu Santo sella, o completa, nuestro Bautismo. Una de la imágenes que usa la Biblia para enseñarnos acerca del Espíritu Santo es el fuego. Lleno con el Espíritu Santo, nuestro corazón "arde" por vivir nuestro Bautismo. Sellados con el don del Espíritu Santo, estamos fortalecidos para continuar la obra de Cristo.

### El Rito de la Confirmación

**Imposición de las manos.** El obispo levanta las manos y las extiende sobre los confirmandos. Reza pidiéndole a Dios, Padre de nuestro Señor Jesucristo, que derrame el Espíritu Santo sobre ellos para que sea su ayudante y su guía.

**Unción con el Crisma.** Uno por uno los confirmandos con su padrino se acercan al obispo. El padrino o madrina coloca su mano derecha sobre el hombro del confirmando y se lo presenta por su nombre al obispo. El obispo coloca su mano derecha sobre la coronilla del confirmando y le hace la señal de la cruz en la frente con el Crisma. Mientras hace esto, reza: "(Nombre), recibe por esta señal el Don del Espíritu Santo". La unción es un signo de que Dios ha llamado a los confirmados y les ha dado la gracia de servir a su pueblo.

Para decir que cree lo que está sucediendo, el recién confirmado responde: "Amén". Luego el obispo dice: "La paz esté contigo". El recién confirmado responde: "Y con tu espíritu".

❓ ¿Qué estás haciendo tú en casa, en la escuela o en tu vecindario, que muestre que el Espíritu Santo está obrando en tu vida?

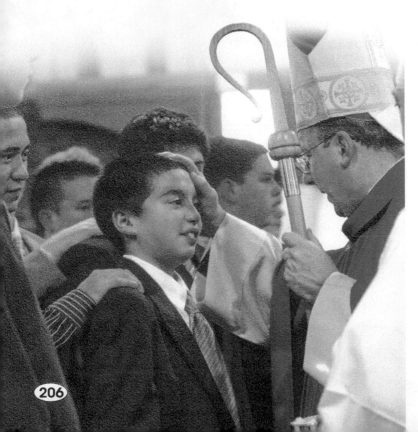

## Celebrating Confirmation

The bishop is the usual minister of the Sacrament of Confirmation. But sometimes the bishop names a priest to celebrate Confirmation. This usually happens when people are confirmed at the Easter Vigil in their parish church.

There are key words, actions, and objects used in the Rite of Confirmation that show how the Holy Spirit seals, or completes our Baptism. One of the images that the Bible uses to teach us about the Holy Spirit is fire. Filled with the Holy Spirit, our hearts are "on fire" to live our Baptism. Sealed with the gift of the Holy Spirit, we are strengthened to continue the work of Christ.

### The Rite of Confirmation

**Laying on of hands.** The bishop holds out his hands and extends them over the candidates for Confirmation. He prays, asking God, the Father of our Lord Jesus Christ, to pour out the Holy Spirit upon them to be their helper and guide.

**Anointing with Chrism.** One by one the candidates with their sponsors go to the bishop. The sponsor places his or her right hand on the shoulder of the candidate and presents the candidate by name to the bishop. The bishop places his right hand on top of the head of the candidate and makes a sign of the cross on the candidate's forehead with Chrism. As he does this, he prays, "(Name), be sealed with the Gift of the Holy Spirit." Anointing is a sign that God has called the confirmed and has given them the grace to serve his people.

The newly confirmed says he or she believes what is happening by responding, "Amen." The bishop then says, "Peace be with you." The newly confirmed responds, "And with your Spirit."

❓ What are you doing at home, in school, or in your neighborhood that shows the Holy Spirit is working in your life?

# Los católicos creen

## Gracia sacramental

Cada vez que nos predisponemos adecuadamente y recibimos uno de los Sacramentos, recibimos la gracia de Dios a través del Espíritu Santo. La gracia, el don que Dios libremente nos da de su vida, nos fortalece para vivir como cristianos. Las gracias que recibimos en los Sacramentos se llaman gracias sacramentales.

## Los ungidos

En las Sagradas Escrituras, ungir con aceite aromático es un signo del favor especial de Dios. En el Antiguo Testamento, leemos el relato de cuando Samuel unge a David. Esta unción muestra que Dios había elegido a David para que fuera Rey de los israelitas y que el Espíritu Santo estaba con él para que cumpliera esa misión. Leemos:

> Yavé dijo entonces: "Levántate y conságralo, es él". Samuel tomó su cuerno con aceite y lo consagró en medio de sus hermanos. Desde entonces y en adelante el espíritu de Yavé se apoderó de David.
>
> 1.º Samuel 16:12–13

Ser ungido es ser elegido y bendecido para hacer la obra de Dios. Se ungía a sacerdotes, profetas y reyes para mostrar la importancia de la obra que iban a realizar. El nombre *Cristo* significa "el ungido". En hebreo, la misma palabra es *Mesías*. Dios ungió a Jesús por la obra que hizo, y a nosotros también. Como seguidores de Cristo, nosotros somos también los ungidos. Nos ungen en el Bautismo y en la Confirmación para que continuemos la obra de Cristo, Sacerdote, Profeta y Rey.

En el Bautismo, nos ungen con el Santo Crisma. Cuando celebramos el Sacramento de la Confirmación, nos vuelven a ungir con el Santo Crisma. Mientras nos unge, el obispo dice: "Recibe por esta señal el Don del Espíritu Santo". Este sello de la Confirmación es un signo de que el Espíritu Santo está presente. Nos han marcado para siempre porque pertenecemos a Cristo.

**Actividad**

Diseña tu propio sello que muestre que perteneces a Cristo. Comparte tu diseño con tus otros compañeros de grupo.

## Anointed Ones

In the Scriptures, anointing with fragrant oil is a sign of God's special favor. In the Old Testament, we read the account of the anointing of David by Samuel. This anointing showed that David was chosen by God to be King of the Israelites and that the Holy Spirit was with him to fulfill that mission. We read,

> The LORD said, 'There—anoint him, for this is he!' Then Samuel, with the horn of oil in hand, anointed him in the midst of his brothers; and from that day on, the spirit of the LORD rushed upon David.
>
> 1 SAMUEL 16:12–13

To be anointed is to be chosen and blessed to do God's work. Priests, prophets, and kings were anointed to show the importance of the work they were to do. The name *Christ* means "the anointed one." In Hebrew, the same word is *Messiah*. Jesus was anointed by God for the work he did, and so are we. As followers of Christ, we are also anointed ones. We are anointed in Baptism and Confirmation to continue the work of Christ, the Priest and Prophet and King.

At Baptism, we are anointed with Sacred Chrism. When we celebrate the Sacrament of Confirmation, we are again anointed with Sacred Chrism. As the bishop anoints us, he says, "Be sealed with the Gift of the Holy Spirit." This seal of Confirmation is a sign that the Holy Spirit is present. We have been marked forever as belonging to Christ.

**Activity** Design your own seal to show that you belong to Christ. Share your design with others in the group.

# YO SIGO A JESÚS

**En el Bautismo y en la Confirmación,** recibimos los Dones del Espíritu Santo. Estos siete dones nos ayudan a vivir una vida santa, a defender la fe católica y a llevar a cabo la misión que recibimos en el Bautismo.

## LOS DONES DEL ESPÍRITU SANTO EN ACCIÓN

Elige uno de los siete Dones del Espíritu Santo. Haz un dibujo, o escribe un relato corto o la letra de una canción sobre una manera en que podrías usar ese don en la vida diaria.

## MI ELECCIÓN DE FE

Esta semana llevaré a cabo la misión de Cristo ayudando a los demás a entender su mensaje. Voy a

_____

_____

 **Reza:** "Ven, Espíritu Santo, aumenta el don del entendimiento en mi vida. Amén".

# I FOLLOW JESUS

**In Baptism and Confirmation,** we receive the Gifts of the Holy Spirit. These seven gifts help us live holy lives, defend the Catholic faith, and carry out the mission that we received at Baptism.

## THE GIFTS OF THE HOLY SPIRIT IN ACTION

Choose one of the seven Gifts of the Holy Spirit. Draw a picture or write a brief story, or lyrics to a verse of a song of one way you might use that gift in daily life.

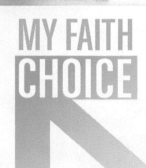

This week I will carry on the mission of Christ by helping others to understand his message. I will

_____

_____.

## MY FAITH CHOICE

Pray, "Come Holy Spirit, increase the gift of understanding in my life. Amen."

## PARA RECORDAR

1. El nombre Cristo significa "el ungido". Ser ungido es haber sido elegido y haber recibido la gracia para hacer la obra de Dios.

2. En la Confirmación, recibimos el sello del Don del Espíritu Santo y se fortalecen las gracias del Bautismo.

3. Con los Dones del Espíritu Santo, se nos habilita para continuar la misión de Cristo.

# Repaso del capítulo

*Decodifica el mensaje de fe.*

| | | | |
|---|---|---|---|
| A •− | H •••• | O −−− | V •••− |
| B −••• | I •• | P •−−• | W •−− |
| C −•−• | J •−−− | Q −−•− | X −••− |
| D −•• | K −•− | R •−• | Y −•−− |
| E • | L •−•• | S ••• | Z −−•• |
| F ••−• | M −− | T − | |
| G −−• | N −•• | U ••− | |

——— ——— —— ——— ———
••• −−− −− −−− •••

——— ——— ———
•−•• −−− •••

——— ——— ——— ——— ——— ——— ———
•−• −−− •−• •• −•• −−− •••

# Envíanos tu Espíritu

**Líder:** Recordemos que el Espíritu Santo mora dentro de cada uno de nosotros. Él es nuestro ayudante y nuestro maestro. Recemos:

Dios, Padre nuestro, envíanos el espíritu de la sabiduría y el entendimiento.

**Todos: Envía tu Espíritu, Señor.**

**Líder:** Envíanos el espíritu del buen juicio.

**Todos: Envía tu Espíritu, Señor.**

**Líder** Envíanos el espíritu de la ciencia y la reverencia.

**Todos: Envía tu Espíritu, Señor.**

**Líder:** Envíanos el espíritu de admiración y veneración.

**Todos: Envía tu Espíritu, Señor.**

# Chapter Review

*Decode the faith message.*

| | | | |
|---|---|---|---|
| A •– | H •••• | O – – – | V •••– |
| B –••• | I •• | P •––• | W •– – |
| C –•–• | J •– – – | Q – –•– | X –•••– |
| D –•• | K –•– | R •–• | Y –•– – |
| E • | L •–•• | S ••• | Z – –•• |
| F ••–• | M – – | T – | |
| G – –• | N – – –• | U ••– | |

\_\_\_ \_\_\_  
•– – •

\_\_\_ \_\_\_ \_\_\_ \_\_\_  
•– •–•• •

\_\_\_ \_\_\_ \_\_\_ \_\_\_ \_\_\_ \_\_\_ \_\_\_ \_\_\_  
•– – – –• – – – •• – – –• – • –••

\_\_\_ \_\_\_ \_\_\_ \_\_\_  
– – – – – –• • •••

> ## TO HELP YOU REMEMBER
>
> 1. The name Christ means "the anointed one." To be anointed is to be chosen and given the grace to do God's work.
>
> 2. In Confirmation we are sealed with the Gift of the Holy Spirit, and the graces of Baptism are strengthened.
>
> 3. With the Gifts of the Holy Spirit, we are empowered to continue the mission of Christ.

# Send Us Your Spirit

**Leader:** Let us remember that the Holy Spirit dwells within each one of us. He is our helper and teacher. Let us pray:

God, our Father, send us the spirit of wisdom and understanding.

**All: Send us your Spirit, Lord.**

**Leader:** Send us the spirit of right judgment and counsel.

**All: Send us your Spirit, Lord.**

**Leader:** Send us the spirit of knowledge and reverence.

**All: Send us your Spirit, Lord.**

**Leader:** Send us the spirit of wonder and awe.

**All: Send us your Spirit, Lord.**

# Con mi familia

## Esta semana...

**En el capítulo 11,** "Celebramos al Espíritu Santo", su niño aprendió que:

▶ El Sacramento de la Confirmación confirma, o sella, nuestro Bautismo.

▶ El Espíritu Santo nos fortalece con sus siete dones para vivir el Evangelio.

▶ En el Rito de la Confirmación, se unge a los confirmandos con el Santo Crisma. El nombre Cristo significa "el ungido". Como seguidores de Cristo, nosotros también somos los ungidos.

▶ El entendimiento es uno de los siete Dones del Espíritu Santo. Nos ayuda a saber el significado de las enseñanzas de la Iglesia y a ser comprensivos ante las necesidades de los demás.

**Para saber más** sobre otras enseñanzas de la Iglesia, consulten el *Catecismo de la Iglesia Católica*, 1285–1321, y el *Catecismo Católico de los Estados Unidos para los Adultos*, páginas 201–211.

## ■ Compartir la Palabra de Dios

**Lean juntos** Lucas 4:16–22. Enfaticen que, a través de la Confirmación, recibimos el sello del don del Espíritu Santo. Nos ungen para que continuemos la obra de Cristo en el mundo. Hablen de cómo la familia de ustedes está continuando la obra de Cristo.

## ■ Vivimos como discípulos

**El hogar cristiano** con la familia es una escuela de discipulado. Elijan una o más de las siguientes actividades para hacer en familia, o creen una actividad similar ustedes mismos.

▶ Hagan una lista de los años en que los miembros de la familia recibieron los Sacramentos de la Iniciación Cristiana, concretamente el Bautismo, la Confirmación y la Eucaristía. Luego hagan una línea cronológica de otras fechas importantes de la historia espiritual de la familia. Exhiban la línea cronológica en un lugar importante de la casa.

▶ Dediquen un tiempo para repasar con sus niños los conceptos de fe que se enseñan en los capítulos. Aumenten su propio entendimiento visitando el sitio de referencias Para hallar más ideas dado en esta página. A medida que aumentamos nuestro entendimiento, nuestra fe se profundiza.

## ■ Nuestro viaje espiritual

**Jesús proclamó** en la sinagoga de Nazaret que el Espíritu de Dios estaba sobre Él. Ese mismo Espíritu se posó sobre los discípulos en la habitación del piso superior en Jerusalén. El Espíritu Santo se posó sobre ustedes cuando los bautizaron, continúa con ustedes dondequiera que estén y seguirá con ustedes adondequiera que vayan. Podemos buscar al Espíritu Santo en la oración, para que nos dé los dones que necesitamos para seguir a Cristo.

213

Para hallar más ideas sobre las maneras en que su familia puede vivir como discípulos de Jesús, visiten **seanmisdiscipulos.com**

# With My Family

## This Week...

**In chapter 11**, "We Celebrate the Holy Spirit," your child learned:

▶ The Sacrament of Confirmation confirms, or seals, our Baptism.

▶ The Holy Spirit strengthens us with his seven gifts to live the Gospel.

▶ In the Rite of Confirmation, the candidates are anointed with Sacred Chrism. The name Christ means "the anointed one." As followers of Christ, we are also anointed ones.

▶ Understanding is one of the seven Gifts of the Holy Spirit. It helps us know the meaning of Church teaching and helps us be sympathetic to the needs of others.

**For more** about related teachings of the Church, see the *Catechism of the Catholic Church*, 1285–1321, and the *United States Catholic Catechism for Adults*, pages 201–211.

## ▮ Sharing God's Word

**Read Luke 4:16–22** together. Emphasize that through Confirmation, we are sealed with the gift of the Holy Spirit. We are anointed to continue the work of Christ in the world. Talk about some of the ways that your family is continuing the work of Christ.

## ▮ We Live as Disciples

**The Christian home** and family is a school of discipleship. Choose one of the following activities to do as a family or design a similar activity of your own.

▶ List the years in which family members received the Sacraments of Christian Initiation, namely Baptism, Confirmation, and Eucharist. Then make a time line of other important dates in your family's spiritual history. Display the time line prominently in your home.

▶ Take time to review the faith concepts taught in each chapter with your children. Increase your own understanding by checking the For More references given on this page. Our faith deepens as we increase our understanding.

## ▮ Our Spiritual Journey

**Jesus proclaimed** in the synagogue in Nazareth that the Spirit of God was upon him. That same Spirit came upon the disciples in the upper room in Jerusalem. The Spirit came upon you when you were baptized and continues with you wherever you are and will be with you wherever you go. We can look to the Holy Spirit in prayer to give us the gifts we need to follow Christ.

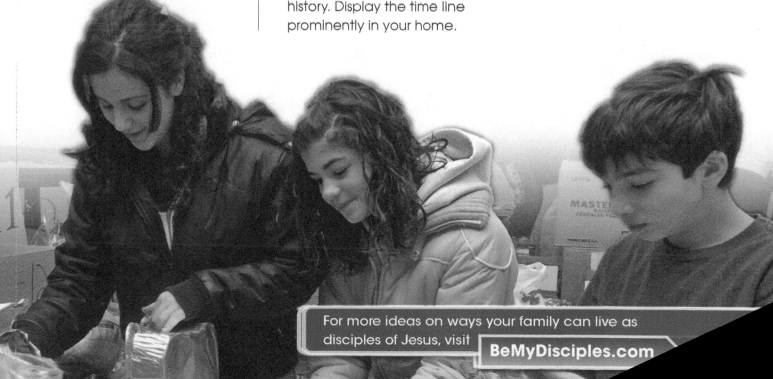

For more ideas on ways your family can live as disciples of Jesus, visit **BeMyDisciples.com**

## Lo que vendrá

En este capítulo el Espíritu Santo te invita a ▶

**INVESTIGAR** la vida de la Beata Madre Teresa.

**DESCUBRIR** los efectos del Sacramento de la Eucaristía.

**DECIDIR** cómo anunciarás el Evangelio en palabras y en acciones.

# Un pan, un cáliz

**?** ¿Qué elementos componen una comida memorable compartida con otras personas?

Esto es lo que Jesús dijo e hizo durante su última comida con sus Apóstoles.

> Después tomó pan y, dando gracias, lo partió y se lo dio diciendo: "Esto es mi cuerpo, que es entregado por ustedes. Hagan esto en memoria mía." Hizo lo mismo con la copa después de cenar, diciendo: "Esta copa es la alianza nueva sellada con mi sangre, que es derramada por ustedes".
>
> Lucas 22:19–20

**?** ¿Qué quiso Jesús que entendieran sus discípulos?

## Looking Ahead

In this chapter the Holy Spirit invites you to ▶

**EXPLORE** the life of Blessed Mother Teresa.

**DISCOVER** the effects of the Sacrament of the Eucharist.

**DECIDE** how you will announce the Gospel in words and actions.

**CHAPTER 12**

# One Bread, One Cup

❓ What elements make up a memorable meal shared with others?

Here is what Jeusus said and did during his last meal with his Apostles.

> [He] took the bread, said the blessing, broke it, and gave it to them saying, "This is my body, which will be given for you; do this in memory of me." And likewise the cup after they had eaten, saying, "This cup is the new covenant in my blood, which will be shed for you."
>
> LUKE 22:19–20

❓ What did Jesus want his disciples to understand?

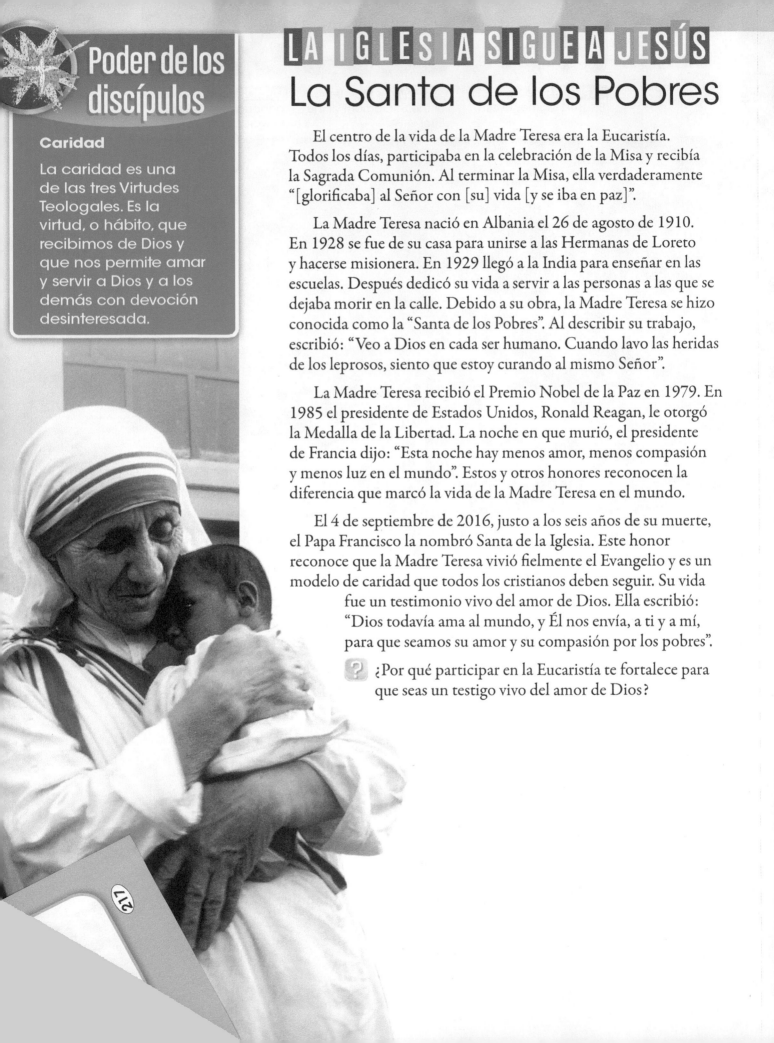

### Caridad

La caridad es una de las tres Virtudes Teologales. Es la virtud, o hábito, que recibimos de Dios y que nos permite amar y servir a Dios y a los demás con devoción desinteresada.

## LA IGLESIA SIGUE A JESÚS
# La Santa de los Pobres

El centro de la vida de la Madre Teresa era la Eucaristía. Todos los días, participaba en la celebración de la Misa y recibía la Sagrada Comunión. Al terminar la Misa, ella verdaderamente "[glorificaba] al Señor con [su] vida [y se iba en paz]".

La Madre Teresa nació en Albania el 26 de agosto de 1910. En 1928 se fue de su casa para unirse a las Hermanas de Loreto y hacerse misionera. En 1929 llegó a la India para enseñar en las escuelas. Después dedicó su vida a servir a las personas a las que se dejaba morir en la calle. Debido a su obra, la Madre Teresa se hizo conocida como la "Santa de los Pobres". Al describir su trabajo, escribió: "Veo a Dios en cada ser humano. Cuando lavo las heridas de los leprosos, siento que estoy curando al mismo Señor".

La Madre Teresa recibió el Premio Nobel de la Paz en 1979. En 1985 el presidente de Estados Unidos, Ronald Reagan, le otorgó la Medalla de la Libertad. La noche en que murió, el presidente de Francia dijo: "Esta noche hay menos amor, menos compasión y menos luz en el mundo". Estos y otros honores reconocen la diferencia que marcó la vida de la Madre Teresa en el mundo.

El 4 de septiembre de 2016, justo a los seis años de su muerte, el Papa Francisco la nombró Santa de la Iglesia. Este honor reconoce que la Madre Teresa vivió fielmente el Evangelio y es un modelo de caridad que todos los cristianos deben seguir. Su vida fue un testimonio vivo del amor de Dios. Ella escribió: "Dios todavía ama al mundo, y Él nos envía, a ti y a mí, para que seamos su amor y su compasión por los pobres".

❓ ¿Por qué participar en la Eucaristía te fortalece para que seas un testigo vivo del amor de Dios?

# THE CHURCH FOLLOWS JESUS
## The Saint of the Gutter

The Eucharist was the center of Mother Teresa's life. Every day she took part in the celebration of Mass and received Holy Communion. At the conclusion of Mass, she truly went out "in peace, glorifying the Lord by [her] life."

Mother Teresa was born in Albania on August 26, 1910. She left her home in 1928 to join the Sisters of Loreto to become a missionary. In 1929 she arrived in India to teach school. Later, she dedicated her life to serving people who were left to die on the streets. Because of this work, Mother Teresa became known as the "Saint of the Gutter." Describing her work, she wrote, "I see God in every human being. When I wash the leper's wounds, I feel that I am nursing the Lord himself."

Mother Teresa received the Nobel Peace Prize in 1979. In 1985 she was awarded the Medal of Freedom by the President of the United States, Ronald Reagan. On the night she died, the president of France said, "This evening, there is less love, less compassion, less light in the world." These and other honors recognized the difference Mother Teresa's life made in the world.

On September 4, 2016, just six years after she died, Pope Francis named Mother Teresa a Saint of the Church. This honor recognizes that Mother Teresa faithfully lived the Gospel and is a model of charity for all Christians to follow. Her life was a living witness to the love of God. "God still loves the world," she wrote, "and he sends you and me to be his love and his compassion to the poor."

? Why could sharing in the Eucharist strengthen you to be a living witness of God's love?

## Disciple Power

**Charity**

Charity is one of the three Theological Virtues. It is the virtue, or habit, we receive from God that enables us to love and serve God and others with unselfish devotion.

**VOCABULARIO DE FE**

**Eucaristía**
La Eucaristía es el Sacramento de la Iniciación Cristiana en el que participamos del Misterio Pascual de Cristo, recibimos el Cuerpo y la Sangre de Cristo y nos unimos plenamente a Cristo y a la Iglesia, el Cuerpo de Cristo.

**Misa**
La Misa es la principal celebración sacramental de la Iglesia en la cual nos reunimos para escuchar la Palabra de Dios y participar de la Eucaristía.

# En memoria de Cristo

Los Sacramentos nos nutren y nos fortalecen para que vivamos como seguidores de Jesús. En la Última Cena, Jesús nos dio el Sacramento de la **Eucaristía**. Nos dio el don de su Cuerpo y su Sangre. Jesús les dijo a sus discípulos: "Hagan esto en memoria mía" (Lucas 22:19). Cada vez que celebramos la Eucaristía, hacemos lo que hizo Jesús en la Última Cena.

## El sacrificio de la cruz

Jesús libremente renunció a su vida en la Cruz para salvarnos del pecado. Libremente se ofrendó, o sacrificó su vida, a su Padre. A través de la Eucaristía nos unimos al sacrificio de Jesús, que dio su vida por nosotros. San Pablo nos recuerda:

*Fíjense bien: cada vez que comen de este pan y beben de esta copa están proclamando la muerte del Señor hasta que venga.*

1.ª CORINTIOS 11:26

Cuando celebramos la Eucaristía, recordamos el sacrificio único de Cristo y participamos de él. Nos ofrendamos con Jesús a Dios Padre por el poder del Espíritu Santo.

**Actividad** Con un compañero, crea una escena de ustedes dos usando libre y generosamente sus dones y talentos para servir a Dios y a los demás como hizo Jesús. Anota tus ideas aquí.

*Kruzifix* (Crucifijo), de J. P. Hinz, Alemania.

# In Memory of Christ

The Sacraments nourish and strengthen us to live as Jesus' followers. At the Last Supper, Jesus gave us the Sacrament of the **Eucharist**. He gave us the gift of his Body and Blood. Jesus said to his disciples, "Do this in memory of me" (Luke 22:19). Each time we celebrate the Eucharist, we do what Jesus did at the Last Supper.

## The Sacrifice of the Cross

Jesus freely gave up his life on the Cross to save us from sin. He freely offered himself, or sacrificed his life, to his Father. Through the Eucharist we join in Jesus' sacrifice of his life for us. Saint Paul reminds us:

> For as often as you eat this bread and drink the cup, you proclaim the death of the Lord until he comes.
>
> 1 CORINTHIANS 11:26

When we celebrate the Eucharist, we remember and share in the one sacrifice of Christ. We offer ourselves with Jesus through the power of the Holy Spirit to God the Father.

**Activity**  With a partner, create a skit showing yourselves freely and generously using your gifts and talents to serve God and others as Jesus did. Jot your ideas here.

### FAITH FOCUS
Why do we call the Mass a sacrifice?

### FAITH VOCABULARY
**Eucharist**
Eucharist is the Sacrament of Christian Initiation in which we are made sharers in the Paschal Mystery of Christ, we receive the Body and Blood of Christ, and we are joined most fully to Christ and to the Church, the Body of Christ.

**Mass**
Mass is the main sacramental celebration of the Church at which we gather to listen to God's Word and share in the Eucharist.

*Kruzifix* (Crucifix), by J. P. Hinz, Germany.

221

## Beato Óscar Romero

Óscar Romero fue arzobispo de San Salvador, El Salvador, país que está en América Central. El 24 de marzo de 1980, al Arzobispo Romero le dispararon en el corazón mientras celebraba la Misa. Lo asesinaron por haber denunciado una y otra vez a las personas que eran injustas con los pobres de su país.

**Beato Óscar Romero dando la Sagrada Comunión en Misa, en El Salvador.**

## El misterio de la Eucaristía

La Eucaristía es un gran misterio de nuestra fe. Al participar en la Eucaristía, nos hacemos partícipes en la plenitud de la vida de Jesús. Nos unimos a Jesús y entre nosotros más plenamente. Participamos en el Misterio Pascual de Jesucristo y en la vida de la Santísima Trinidad. Para ayudarnos a entender el significado de este gran misterio del amor de Dios, la Iglesia da muchos nombres a la Eucaristía.

## Los nombres de la Eucaristía

**La Cena del Señor.** A la Eucaristía se la llama la Cena del Señor. Nos unimos al Señor, la Cabeza de la Iglesia. Le damos gracias y alabanza al Padre como lo hizo Jesús con sus discípulos en la Última Cena.

**Fracción del Pan.** La Eucaristía es la comida sagrada y el banquete que Jesús le dio a la Iglesia. Mediante las palabras del sacerdote y el poder del Espíritu Santo, el pan ácimo y el vino hecho de uvas se convierten en el Cuerpo y la Sangre de Cristo. En la Sagrada Comunión, recibimos el don de Jesús mismo, el Pan de Vida. El pan y el vino consagrados son real y verdaderamente Jesús.

**El Santo Sacrificio.** En la Eucaristía vuelve a hacerse presente el Sacrificio único de Jesucristo. La Eucaristía no solamente recuerda y celebra un suceso que ya ha ocurrido. Unidos a Cristo, nos ofrendamos a Dios Padre por el poder del Espíritu Santo.

**La Misa.** La palabra *misa* proviene de la palabra latina *missio*, que significa "misión" o "enviar". Al concluir la **Misa,** nos envían a una misión. Nos despiden con el pedido "Vayan por todo el mundo y anuncien el Evangelio".

**Actividad** Trabaja con un compañero. Diseña un cartel que aliente una mayor asistencia a Misa. Anota aquí tus puntos principales.

## The Mystery of the Eucharist

The Eucharist is a great mystery of our faith. By sharing in the Eucharist we are made sharers in the fullness of life in Jesus. We are more fully joined to Jesus and to one another. We share in the Paschal Mystery of Jesus Christ and the life of the Holy Trinity. The Church uses many names for the Eucharist to help us understand the meaning of this great mystery of God's love.

## Names for the Eucharist

**The Lord's Supper.** The Eucharist is called the Lord's Supper. We join with the Lord, the Head of the Church. We give thanks and praise to the Father as Jesus did with his disciples at the Last Supper.

**Breaking of Bread.** The Eucharist is the holy meal and banquet Jesus gave to the Church. Through the words of the priest and the power of the Holy Spirit, the unleavened bread and wine made from grapes are changed into the Body and Blood of Christ. In Holy Communion we receive the gift of Jesus himself, the Bread of Life. The consecrated bread and wine are really and truly Jesus.

**The Holy Sacrifice.** In the Eucharist the one Sacrifice of Jesus Christ is made present again. The Eucharist does not just remember and celebrate an event that has already taken place. Joined to Christ, we offer ourselves through the power of the Holy Spirit to God the Father.

**The Mass.** The word *mass* comes from the Latin word *missio*, which means "mission" or "sending." At the conclusion of **Mass** we are sent forth on a mission. We are sent forth with the command "Go and announce the Gospel of the Lord."

**Activity** Work with a partner. Plan a poster that would encourage better attendance at Mass. List your main points here.

Blessed Óscar Romero distributing Holy Communion at Mass in El Salvador.

### Santísimo Sacramento

El pan consagrado, que es el Cuerpo de Cristo, se llama Santísimo Sacramento. Reservamos el Santísimo Sacramento en el tabernáculo para los enfermos y para la devoción de las personas.

## La celebración de la Misa

La Iglesia celebra la Eucaristía en la Misa. La Misa es la reunión central de la Iglesia. Nos reunimos para adorar a Dios. Nos unimos a Jesús en el poder del Espíritu Santo para dar gracias y alabanza a Dios Padre. Nos comprometemos a trabajar con los pobres. Esperamos con ilusión vivir eternamente con Dios y con María y todos los Santos en el Cielo. Todos los miembros de la asamblea que practica el culto tienen una participación activa en la celebración de la Misa.

### La Misa

**Los Ritos Iniciales.** Recordamos y celebramos que Dios nos haya llamado a unirnos para ser su pueblo. Nos reunimos y formamos una comunidad de adoración.

**La Liturgia de la Palabra.** La celebración de la Misa dominical contiene tres lecturas de la Sagrada Escritura. Escuchamos la Palabra de Dios y respondemos a ella. La proclamación del Evangelio, que es la tercera lectura, es el centro de la Liturgia de la Palabra. Después de la proclamación del Evangelio, el sacerdote o el diácono da una homilía. Esto nos ayuda a entender y a vivir la Palabra de Dios. Luego rezamos la Profesión de Fe, o Credo, y la Oración de los Fieles.

**El Liturgia Eucarística.** La Eucaristía es el centro de la vida cristiana. En la Plegaria Eucarística, nos unimos con Cristo y le damos gracias y alabanza a Dios Padre. Por el poder del Espíritu Santo y las palabras del sacerdote, el pan y el vino se convierten en el Cuerpo y la Sangre de Cristo.

Rezamos en voz alta o cantamos el Padre Nuestro y compartimos una señal de la paz mientras nos preparamos para la Sagrada Comunión. Profesamos nuestra fe en Jesucristo, el Cordero de Dios. Caminamos en procesión para recibir el Cuerpo y la Sangre de Cristo.

**Los Ritos de Conclusión.** El sacerdote le pide a Dios que bendiga la asamblea y nos envían a llevar a cabo la obra, o misión, de Jesucristo.

? Cuando reces la Oración de los Fieles esta semana, ¿por qué necesidades del mundo pedirás?

## The Celebration of Mass

The Church celebrates the Eucharist at Mass. The Mass is the central gathering of the Church. We come together to worship God. We join with Jesus in the power of the Holy Spirit to give thanks and praise to God the Father. We commit ourselves to work with the poor. We look forward to living forever with God and with Mary and all the Saints in Heaven. Every member of the worshiping assembly has an active part in the celebration of Mass.

## The Mass

**The Introductory Rites.** We remember and celebrate that God has called us together to be his people. We gather and form a worshiping community.

**The Liturgy of the Word.** The Sunday celebration of Mass includes three Scripture readings. We listen and respond to God's Word. The Gospel proclamation, which is the third reading, is the center of the Liturgy of the Word. After the proclamation of the Gospel, the priest or deacon preaches a homily. This helps us understand and live the Word of God. We then pray the Profession of Faith, or Creed, and the Prayer of the Faithful.

**The Liturgy of the Eucharist.** The Eucharist is the center of the Christian life. In the Eucharistic Prayer we join with Christ and give thanks and praise to God the Father. By the power of the Holy Spirit and the words of the priest, the bread and wine become the Body and Blood of Christ.

We pray aloud or sing the Our Father and share a sign of peace as we prepare for Holy Communion. We profess our faith in Jesus Christ, the Lamb of God. We walk in procession to receive the Body and Blood of Christ.

**The Concluding Rites.** The priest asks God's blessing on the assembly. We are sent forth to carry on the work, or mission, of Jesus Christ.

? When you pray the Prayer of the Faithful this week, which needs of the world will you pray for?

## Catholics Believe

**Blessed Sacrament**

The consecrated bread, which is the Body of Christ, is called the Blessed Sacrament. We reserve the Blessed Sacrament in the tabernacle for those who are sick and for the devotion of the people.

# YO SIGO A JESÚS

**La Eucaristía** es el centro de tu vida cristiana. Recibir la Eucaristía te fortalece para que vayas y anuncies el Evangelio y le des gloria a Dios por tu vida.

## ANUNCIAR EL EVANGELIO

Describe cómo puedes amar y servir al Señor. Elige una acción que no estés haciendo ya.

**En casa:** _____

_____

_____

_____

**En la escuela:** _____

_____

_____

_____

**En tu vecindario:** _____

_____

_____

_____

## MI ELECCIÓN DE FE

Esta semana anunciaré el Evangelio y glorificaré a Dios a través de mis acciones y de mis palabras. Voy a _____

_____

_____

**Rézale a Jesús para pedirle que puedas seguir su ejemplo y el ejemplo de la Beata Madre Teresa y del Arzobispo Romeró, que amaron y sirvieron a Dios y a los demás con sus actos de caridad.**

# I FOLLOW JESUS

**The Eucharist** is the center of your Christian life. Receiving the Eucharist strengthens you to go and announce the Gospel and give glory to God by your life.

## ANNOUNCING THE GOSPEL

Describe how you can love and serve the Lord. Choose an action you are not already doing.

**At home:** _____
_____
_____
_____

**At school:** _____
_____
_____
_____

**In your neighborhood:** _____
_____
_____

This week I will announce the Gospel and glorify God through my actions and words. I will _____
_____
_____.

**MY FAITH CHOICE**

**Pray to Jesus, asking that you may follow his example and the example of Blessed Mother Teresa and Archbishop Romero, who loved and served God and others through acts of charity.**

1. Jesús nos dio la Eucaristía en la Última Cena.

2. La celebración de la Eucaristía renueva y hace presente el sacrificio único de Cristo.

3. Por la Eucaristía, participamos en la Muerte y Resurrección de Cristo.

# Repaso del capítulo

*Completa este crucigrama. Cada clave indica algo del misterio de la Eucaristía.*

## HORIZONTALES

3. El pan _____ , que es el Cuerpo de Cristo, se llama Santísimo Sacramento.

4. Cuando celebramos la Eucaristía, nos unimos a la _____ que hizo Jesús de su vida por nosotros.

## VERTICALES

1. Al participar en la _____ , participamos en la plenitud de la vida en Cristo.

2. En la Sagrada Comunión, recibimos el Cuerpo y la Sangre de _____ .

# ¡Alabemos a Dios!

*Esta oración está basada en un himno que se canta el día del Cuerpo y la Sangre de Cristo, el segundo domingo después de Pentecostés.*

**Líder:** Demos gracias y alabanzas a Dios por el don de la Eucaristía.

**Grupo 1:** La copa de bendición que bendecimos es la Sangre de Cristo.

**Todos:** **Den a Dios cuantas alabanzas puedan.**

**Grupo 2:** El pan que partimos es el Cuerpo de Cristo.

**Todos:** **Den a Dios cuantas alabanzas puedan.**

**Grupo 3:** Quien coma del pan y beba de la copa vivirá para siempre.

**Todos:** **Den a Dios cuantas alabanzas puedan.**

BASADO EN 1.ª CORINTIOS 10:16–17, JUAN 6:51, Y EL *LAUDA SION*

# Chapter Review

*Complete this crossword puzzle. Each clue for the puzzle points to the mystery of the Eucharist.*

## ACROSS

**3.** The _____ bread, which is the Body of Christ, is called the Blessed Sacrament.

**4.** When we celebrate the Eucharist we join in Jesus' _____ of his life for us.

## DOWN

**1.** By sharing in the _____ we share in the fullness of life in Christ.

**2.** In Holy Communion we receive the Body and Blood of _____.

# Praise God!

*This prayer is based on a hymn for the feast of the Body and Blood of Christ, on the Second Sunday after Pentecost.*

**Leader:** Let us give thanks and praise to God for the gift of the Eucharist.

**Group 1:** The cup of blessing that we bless is the Blood of Christ.

**All: Bring God all the praise you know.**

**Group 2:** The bread we break is the Body of Christ.

**All: Bring God all the praise you know.**

**Group 3:** Whoever eats the bread and drinks from the cup will live forever.

**All: Bring God all the praise you know.**

BASED ON 1 CORINTHIANS 10:16–17, JOHN 6:51, AND *LAUDA SION*

# Con mi familia

## Esta semana...

**En el capítulo 12,** "Un pan, un cáliz", su niño aprendió que:

▶ El Sacramento de la Eucaristía está en el centro de la vida cristiana. La Eucaristía es el Sacramento del Cuerpo y la Sangre del Señor Jesucristo.

▶ En la Eucaristía, el pan y el vino se convierten verdaderamente en el Cuerpo y la Sangre de Cristo por el poder del Espíritu Santo y las palabras del sacerdote.

▶ Cuando celebramos la Eucaristía, se hace presente el sacrificio único de Jesucristo. Nos hacemos partícipes en el Misterio Pascual y recibimos la promesa de la vida eterna.

▶ La virtud teologal de la caridad es un don de Dios. Nos da la capacidad de amar y servir a Dios por sobre todas las cosas y a los demás debido a nuestro amor por Dios.

**Para saber más** sobre otras enseñanzas de la Iglesia, consulten el *Catecismo de la Iglesia Católica*, 1322–1405, y el *Catecismo Católico de los Estados Unidos para los Adultos*, páginas 213–232.

## ■ Compartir la Palabra de Dios

**Lean juntos** 1.ª Corintios 11:23–26, el relato de San Pablo sobre la institución de la Eucaristía. Comenten con su niño las conductas adecuadas para la Misa. Nuestros gestos de respeto muestran nuestra creencia de que el Señor está real y verdaderamente presente en la Eucaristía.

## ■ Vivimos como discípulos

**El hogar cristiano** con la familia es una escuela de discipulado. Elijan una o más de las siguientes actividades para hacer en familia, o creen una actividad similar ustedes mismos.

▶ Dediquen algo de tiempo este fin de semana a rezar ante el Tabernáculo. Observarán que hay una vela encendida junto a él. Esta vela se llama lámpara del santuario. Hagan una genuflexión frente al Tabernáculo para profesar su fe en Jesús, presente en el Santísimo Sacramento.

▶ Al final de la Misa, se despide a la asamblea con estas palabras u otras parecidas: "Vayan a anunciar el Evangelio". Todos responden: "Amén". De camino a casa, elijan algo que cada uno de ustedes pueda hacer esta semana para vivir el Evangelio y anunciárselo mutuamente.

## ■ Nuestro viaje espiritual

**El ayuno** es una de las disciplinas espirituales centrales y tradicionales de la Iglesia. En el ayuno eucarístico, los católicos que gozan de buena salud se abstienen de ingerir alimentos y bebidas (excepto los medicamentos y agua necesarios) durante por lo menos una hora antes de recibir la Sagrada Comunión. Este ayuno profundiza nuestro apetito espiritual por el alimento que es esencial para vivir nuestra vida en Cristo. En una cena familiar de esta semana, recen la oración "¡Alabemos a Dios!" de la página 228.

Para hallar más ideas sobre las maneras en que su familia puede vivir como discípulos de Jesús, visiten **seanmisdiscipulos.com**

# With My Family

## This Week...

**In chapter 12**, "One Bread, One Cup," your child learned:

▶ The Sacrament of the Eucharist is at the center of the Christian life. The Eucharist is the Sacrament of the Body and Blood of the Lord Jesus Christ.

▶ At the Eucharist, the bread and wine truly become the Body and Blood of Christ through the power of the Holy Spirit and the words of the priest.

▶ When we celebrate the Eucharist, the one Sacrifice of Jesus Christ is made present. We are made sharers in the Paschal Mystery, and receive the promise of eternal life.

▶ The Theological Virtue of charity is a gift from God. It gives us the ability to love and serve God above all else and others because of our love for God.

**For more** about related teachings of the Church, see the *Catechism of the Catholic Church*, 1322–1405, and the *United States Catholic Catechism for Adults*, pages 213–232.

## ■ Sharing God's Word

**Read together** 1 Corinthians 11:23–26, Saint Paul's account of the institution of the Eucharist. Discuss with your child proper behaviors at Mass. Our gestures of respect show our belief that the Lord is really and truly present in the Eucharist.

## ■ We Live as Disciples

**The Christian family** and home is a school of discipleship. Choose one of the following activities to do as a family or design a similar activity of your own.

▶ Spend some time this weekend praying before the Tabernacle. You will notice a candle burning next to it. This candle is called a sanctuary lamp. Genuflect before the tabernacle to profess your faith in Jesus, present in the Blessed Sacrament.

▶ At the end of Mass, the assembly is sent forth with these or similar words: "Go and announce the Gospel of the Lord." All respond, "Amen." On the way home, choose one thing each of you can do this week to live and announce the Gospel to one another.

## ■ Our Spiritual Journey

**Fasting** is one of the central and traditional spiritual disciplines of the Church. In eucharistic fast Catholics in good health abstain from food or drink (except necessary medicine and water) for at least one hour before receiving Holy Communion. This fasting deepens our spiritual hunger for the food that is vital to living our life in Christ. Pray the "Praise God" prayer on page 229 this week at a family dinner.

For more ideas on ways your family can live as disciples of Jesus, visit **BeMyDisciples.com**

# Unidad 3: **Repaso**

## A. Elije la mejor palabra

*Completa los espacios en blanco con las palabras de la lista.*

| | | | |
|---|---|---|---|
| Santísimo Sacramento | Adviento | Bautismo | Cuaresma |
| Confirmación | Navidad | Misa | Pascua |

**1.** La _____, la _____, el _____, y la

_____, son tiempos litúrgicos.

**2.** El Sacramento de la _____ sella o

completa nuestro Bautismo.

**3.** La _____ es la reunión central de la Iglesia.

**4.** El _____ recibe a los miembros nuevos de la Iglesia.
Es el "pórtico a la vida cristiana".

**5.** El pan consagrado, que es el Cuerpo de Cristo,

se llama _____.

## B. Muestra lo que sabes

*Une los elementos de la columna A con los de la columna B.*

**Columna A**

**1.** ciencia

**2.** santificante

**3.** el año litúrgico

**4.** Sacramentos de la Iniciación
Cristiana

**5.** la Última Cena

**Columna B**

_____ **a.** cuando Jesús nos dio la Eucaristía,
el don de su Cuerpo y su Sangre

_____ **b.** nos ayuda a saber que Dios es más
importante que ninguna otra cosa
en la vida

_____ **c.** gracia recibida en el Bautismo

_____ **d.** el ciclo anual de la Iglesia para la
celebración de la liturgia

_____ **e.** Bautismo, Confirmación y Eucaristía

# Unit 3 **Review**

## A. Choose the Best Word

*Fill in the blanks, using the words from the word bank.*

| | | | |
|---|---|---|---|
| Blessed Sacrament | Advent | Baptism | Lent |
| Confirmation | Christmas | Mass | Easter |

1. _____, _____, _____, and

   _____, are liturgical seasons.

2. The Sacrament of _____ seals or
   completes our Baptism.

3. The _____ is the central gathering of the Church.

4. _____ welcomes new members into the Church.
   It is the "doorway to the Christian life."

5. The consecrated bread, which is the Body of Christ, is

   called the _____.

## B. Show What You Know

*Match the items in Column A with those in Column B.*

**Column A**

1. knowledge

2. sanctifying

3. the liturgical year

4. Sacraments of Christian
   Initiation

5. the Last Supper

**Column B**

____ **a.** when Jesus gave us the Eucharist,
   the gift of his Body and Blood

____ **b.** helps us know that God is more
   important than anything else in life

____ **c.** grace received at Baptism

____ **d.** the yearly cycle of the Church's
   celebration for the liturgy

____ **e.** Baptism, Confirmation, and Eucharist

## C. La Escritura y tú

*Vuelve a leer el pasaje de la Sagrada Escritura de la página de Inicio de la unidad.*
*¿Qué relación hay entre lo que ves en esta página y lo que aprendiste en esta unidad?*

_____

_____

_____

## D. Sé un discípulo

**1.** *Repasa las cuatro páginas de esta unidad llamadas La Iglesia sigue a Jesús. ¿Qué persona o ministerio de la Iglesia de estas páginas te inspirará para ser un mejor discípulo de Jesús? Explica tu respuesta.*

_____

_____

_____

**2.** *Trabaja en grupo. Repasa las cuatro virtudes o dones de Poder de los discípulos que has aprendido en esta unidad. Después de anotar tus ideas, comparte con el grupo maneras prácticas en las que vivirás estas virtudes o dones día a día.*

_____

_____

_____

## C. Connect with Scripture

*Reread the Scripture passage on the Unit Opener page.
What connection do you see between this passage and
what you learned in this unit?*

_____

_____

_____

## D. Be a Disciple

1. *Review the four pages in this unit titled The Church Follows
   Jesus. What person or ministry of the Church on these
   pages will inspire you to be a better disciple of Jesus?
   Explain your answer.*

_____

_____

_____

2. *Work with a group. Review the four Disciple Power virtues
   or gifts you have learned about in this unit. After jotting
   down your own ideas, share with the group practical
   ways that you will live these virtues or gifts day by day.*

_____

_____

_____

# Perú: El Señor de los Milagros

La celebración del Señor de los Milagros se realiza el 18 y 19 de octubre.

Hace más de trescientos años, un esclavo africano liberto pintó un mural del Jesús crucificado en las paredes de arcilla de una capilla en Lima, Perú. Pocos años después, un terrible terremoto sacudió Lima y la capilla fue destruida. Al pueblo le pareció un milagro que solo la pared con el mural quedara en pie.

En poco tiempo creció la devoción por el mural. La imagen se hizo conocida como El Señor de los Milagros. Con los años, la devoción creció y hoy día es la devoción más popular en todo Perú. Miles de personas creen que se les han concedido favores, e incluso milagros, por el Señor de los Milagros.

Los días 18 y 19 de octubre, cientos de miles de personas participan en una procesión de veinticuatro horas por las calles de Lima. Se ha formado una hermandad de hombres negros, como los esclavos libertos, para proteger y transportar la imagen en la procesión. Treinta y seis hombres vestidos de morado llevan sobre sus hombros una copia del mural original, sobre una plataforma de plata. Como la imagen y la plataforma son tan pesadas, otros treinta y seis hombres toman su lugar cada quince minutos y la procesión continúa. Visten hábitos morados para mostrar su devoción, como la mayoría de los demás fieles en la procesión.

La multitud avanza por las calles entonando cánticos religiosos y bailando. Músicos y vendedores también acompañan a la procesión. Los vendedores ofrecen artículos religiosos, y platos y postres típicos peruanos. Hoy, la procesión es la devoción más grande en Perú

**?** ¿Qué piensas que quieren expresarle los participantes en esta procesión al Señor de los Milagros?

# Peru: El Señor de los Milagros

The celebration of the Lord of Miracles is on October 18 and 19.

More than three hundred years ago, a freed African slave painted a mural of the crucified Jesus on the clay walls of a chapel in Lima, Peru. Only a few years later, a terrible earthquake struck Lima and the chapel was destroyed. To the people, it seemed to be a miracle that only the wall with the mural was left standing.

Soon a devotion developed around the mural. The image became known as El Señor de los Milagros, or the Lord of Miracles. Over the years the devotion grew, and today it is the most popular devotion in all of Peru. Thousands of people believe that favors and even miracles have been granted to them by the Lord of Miracles.

On October 18 and 19, hundreds of thousands of people participate in a twenty-four hour procession through the streets of Lima. A brotherhood of men who are Black, like the freed slave, has been formed for protecting and carrying the image in the procession. Thirty-six men dressed in purple carry a copy of the original mural on a silver platform on their shoulders. Because the image and the platform are so heavy, thirty-six more men take their place every fifteen minutes and the procession continues. They wear purple clothing to show their devotion, as do most of the other faithful participants in the procession.

The crowd moves through the streets singing sacred songs and dancing. Musicians and vendors also accompany the procession. Vendors sell religious items and typical Peruvian dishes and sweets. Today the procession is the largest religious devotion in Peru.

**?** What do you think the participants in this procession want to express to the Lord of Miracles?

# El hijo pródigo

Jesús contó la historia de un hombre que tenía dos hijos. El hijo menor tomó su herencia y la gastó toda. Sin dinero, tomó un trabajo para cuidar cerdos. Tenía hambre, entonces volvió y se disculpó con su padre, quien corrió a abrazarlo y besarlo. El padre planeó una fiesta.

El hermano mayor se puso celoso y se enojó. Le dijo a su padre: "Mira, todos estos años te serví y no desobedecí ni una sola de tus órdenes; sin embargo, tú nunca me diste ni siquiera un cabrito para hacer una fiesta con mis amigos".

El padre dijo: "Hijo mío, tú estás aquí conmigo siempre; todo lo que tengo es tuyo. Pero ahora tenemos que alegrarnos, porque tu hermano estaba muerto y ha vuelto a la vida; estaba perdido y ha sido encontrado".

BASADO EN LUCAS 15:11-32

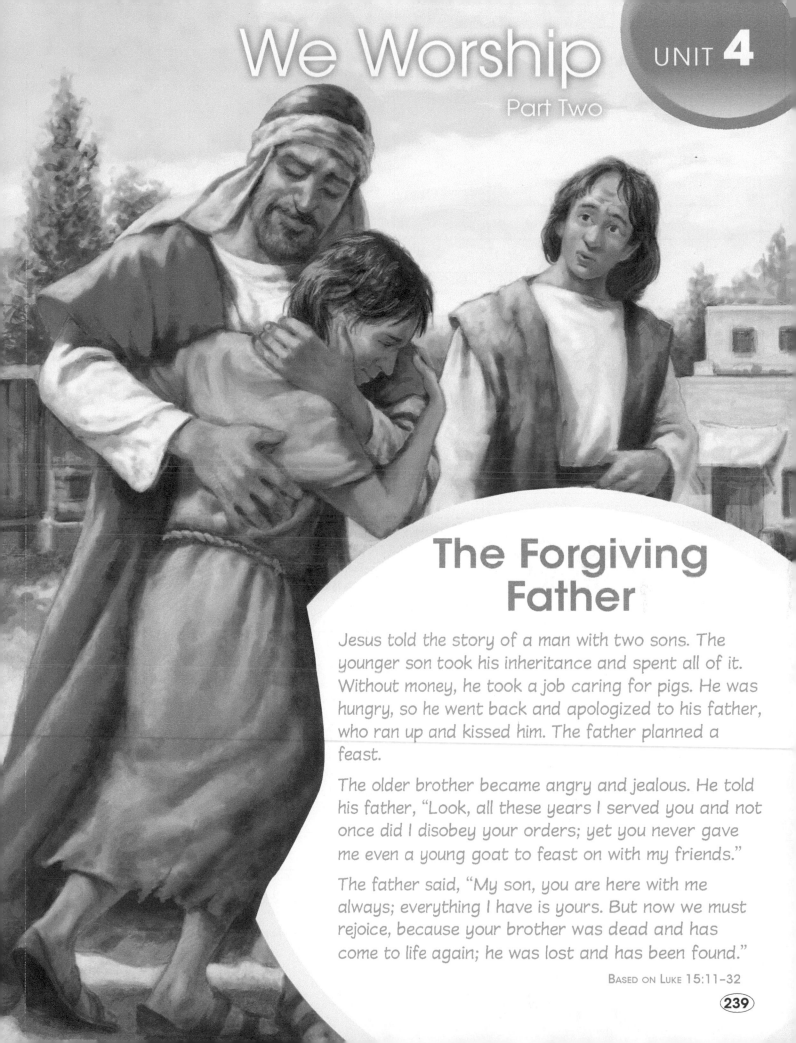

# We Worship

### Part Two

## The Forgiving Father

Jesus told the story of a man with two sons. The younger son took his inheritance and spent all of it. Without money, he took a job caring for pigs. He was hungry, so he went back and apologized to his father, who ran up and kissed him. The father planned a feast.

The older brother became angry and jealous. He told his father, "Look, all these years I served you and not once did I disobey your orders; yet you never gave me even a young goat to feast on with my friends."

The father said, "My son, you are here with me always; everything I have is yours. But now we must rejoice, because your brother was dead and has come to life again; he was lost and has been found."

BASED ON LUKE 15:11–32

# Lo que he aprendido

*¿Qué es lo que ya sabes acerca de estos conceptos de fe?*

**Sacerdocio**

_____

_____

_____

**Unción de los Enfermos**

_____

_____

**Reconciliación**

_____

_____

# Vocabulario de fe para aprender

*Escribe X junto a las palabras de fe que sabes. Escribe ? junto a las palabras de fe que necesitas aprender mejor.*

_____ perdón

_____ pecado

_____ curación

_____ ordenación

_____ orden Sagrado

_____ obispo

_____ consentir

## La Biblia

*¿Qué sabes acerca de las curaciones de Jesús?*

_____

_____

_____

## La Iglesia

*¿Sobre qué Santo u organización de la Iglesia te gustaría aprender más?*

_____

_____

_____

## Tengo preguntas

*¿Qué te gustaría preguntar acerca de los Sacramentos de Curación o los Sacramentos al Servicio de la Comunidad?*

_____

_____

_____

# What I Have Learned

*What is something you already know about these faith concepts?*

**Priesthood**

_____

_____

_____

**Anointing of the Sick**

_____

_____

**Reconciliation**

_____

_____

# Faith Terms to Know

*Put an X next to the faith terms you know. Put a ? next to faith terms you need to learn more about.*

_____ forgiveness

_____ sin

_____ healing

_____ ordination

_____ holy Orders

_____ bishop

_____ consent

## The Bible

*What do you know about Jesus' healings?*

_____

_____

_____

## The Church

*What Saint or organization of the Church would you like to learn more about?*

_____

_____

_____

## Questions I Have

*What questions would you like to ask about the Sacraments of Healing or the Sacraments at the Service of Communion?*

_____

_____

_____

CAPÍTULO

**13**

## Lo que vendrá

En este capítulo el Espíritu Santo te invita a ▶

 **INVESTIGAR** cómo una joven Santa ofrecía el perdón.

 **DESCUBRIR** la gracia de la Penitencia y la Reconciliación.

 **DECIDIR** de qué manera serás una persona de perdón.

# Jesús cura al pecador

[?] ¿Cuándo has perdonado a alguien o has pedido perdón? ¿Cómo te sentiste?

Imagina que estás sentado con Jesús y sus discípulos en la ladera de una montaña cerca de un gran lago. Estás escuchando atentamente a Jesús. Él está explicando lo que significa ser uno de sus discípulos. Te enseña el Padre Nuestro y luego dice:

*"Porque si ustedes perdonan a los hombres sus ofensas, también el Padre celestial les perdonará a ustedes. Pero si ustedes no perdonan a los demás, tampoco el Padre les perdonará a ustedes".*
Mateo 6:14–15

[?] ¿A qué te está invitando Jesús?

# Jesus Heals the Sinner

❓ When have you forgiven someone or asked for forgiveness? How did it feel?

Imagine you are sitting with Jesus and his disciples on the side of a mountain near a large lake. You are listening carefully to Jesus. He is explaining what it means to be one of his disciples. He teaches you the Our Father and then says,

*"If you forgive others their transgressions, your heavenly Father will forgive you. But if you do not forgive others, neither will your Father forgive your transgressions."* MATTHEW 6:14–15

❓ What is Jesus inviting you to do?

### Misericordia

La misericordia es uno de los Frutos del Espíritu Santo. Una persona que actúa con misericordia tiene un corazón que comprende y perdona. "Felices los compasivos, porque obtendrán misericordia" (Mateo 5:7).

## LA IGLESIA SIGUE A JESÚS

# Santa María Goretti

Los discípulos de Jesús entendieron el pedido de perdonar que hace Jesús en el Padre Nuestro, a la luz del amor misericordioso de Dios por todos. Así como Dios nos trata, debemos nosotros tratarnos unos a otros.

El 5 de julio de 1902, María Goretti, una niña italiana de once años de edad, estaba sentada tranquilamente remendando una camisa. No había nadie más en la casa. Alessandro, un vecino de diecinueve años, pasó por allí. Hacía mucho que venía fastidiando a María, así que ella no se alegró de verlo. Un rato después, Alessandro agredió a María con un cuchillo, la hirió gravemente y huyó.

María fue llevada a un hospital, pero poco pudo hacerse por ella. Después de veinte horas de sufrir por sus heridas, murió. Antes de morir, María perdonó a Alessandro y rezó por él.

Alessandro pasó treinta años en prisión. Mientras estaba en la cárcel, dijo que María se le había aparecido en un sueño. Después de esta experiencia, Alessandro se arrepintió completamente de su pecado. Tuvo una conversión y pasó el resto de su vida haciendo penitencia.

María Goretti no solamente escuchó las palabras de Jesús, sino que las vivió. La Iglesia la ha nombrado Santa, porque es un modelo del mandado de Jesús a perdonar. La Iglesia celebra el día de esta joven Santa el 6 de julio.

¿Cómo podría el acto de perdón de Santa María Goretti retarte a ser una persona más indulgente?

# Saint Maria Goretti

The disciples of Jesus understood Jesus' command to forgive in the Our Father in light of God's merciful love for all. As God treats us, we are to treat one another.

On July 5, 1902, Maria Goretti, an eleven-year-old Italian girl, was sitting quietly mending a shirt. No one else was home. Alessandro, a nineteen-year-old neighbor, stopped by. He had been bothering Maria for a long time, so she was not glad to see him. A while later, Alessandro attacked Maria with a knife, seriously wounding her and then ran away.

Maria was taken to a hospital, but little could be done for her. After twenty hours of suffering from her wounds, she died. Before her death, Maria forgave Alessandro and prayed for him.

Alessandro was sent to prison for thirty years. While he was in prison, he said that Maria had appeared to him in a dream. After this experience, Alessandro fully repented for his sin. He had a conversion and spent the rest of his life doing penance.

Maria Goretti not only listened to Jesus' words, but she lived them. The Church has named her a Saint and she is a model of Jesus' command to forgive. The Church celebrates the feast of this young Saint on July 6.

**?** How might Saint Maria Goretti's act of forgiveness challenge you to become a more forgiving person?

### Disciple Power

**Mercy**

Mercy is one of the Fruits of the Holy Spirit. A person who acts with mercy has a forgiving and understanding heart. "Blessed are the merciful, for they will be shown mercy" (Matthew 5:7).

ENFOQUE EN LA FE
¿Qué celebramos
en el Sacramento de
la Penitencia y de la
Reconciliación?

**VOCABULARIO DE FE**

**Sacramento de la
Penitencia y de la
Reconciliación**
En el Sacramento de
la Penitencia y de la
Reconciliación, recibimos
el perdón de Dios por los
pecados que cometimos
después del Bautismo a
través del ministerio del
sacerdote.

**Sacramentos de
Curación**
Hay dos Sacramentos
de Curación. Ellos son
el Sacramento de la
Penitencia y de la
Reconciliación y el
Sacramento de la Unción
de los Enfermos.

# El Sacramento del Perdón

Todo el mundo necesita perdón. Todo el mundo necesita perdonar. Jesús nos recordó y claramente reveló que Dios perdona. La obra de Jesús, el Hijo de Dios, fue y es una obra de perdón. Recuerda las palabras de Jesús cuando ya estaba cerca de la Muerte en la Cruz. Lo habían golpeado, azotado, coronado con espinas, clavado a la Cruz y levantado para sufrir una muerte muy dolorosa. En su agonía, rezó en voz alta para que todos lo oyeran:

*"Padre, perdónalos, porque no saben lo que hacen".*

LUCAS 23:34

Dios está siempre dispuesto a perdonarnos cuando pecamos. El pecado es la elección libre de hacer o decir algo que sabemos que está en contra de la voluntad de Dios. Es además la elección libre de hacer o decir aquello que sabemos que tenemos la responsabilidad de hacer o decir para vivir como un hijo de Dios. El pecado muestra la falta de respeto hacia Dios.

## Pecado y perdón

Cuando pecamos, dañamos a la persona que Dios creó en nosotros. Herimos nuestra dignidad humana. Ofendemos a Dios y dañamos nuestra relación con la Iglesia y con las otras personas.

El Espíritu Santo nos invita a pedir el perdón de Dios y a aceptarlo, y a aceptar el perdón de Dios por nuestros pecados. El Espíritu Santo nos ayuda a perdonar a los demás.

Necesitamos la ayuda, o gracia, de Dios para no volver a pecar. Dios nos ayuda a cambiar y a vivir más como hijos de Dios y discípulos de Jesús. También necesitamos la gracia de Dios para evitar la tentación. La tentación es todo lo que nos aparta de Dios y de su amor.

? ¿Cuál es la diferencia entre cometer un pecado y cometer un error?

# The Sacrament of Forgiveness

Everyone needs forgiveness. Everyone needs to forgive. Jesus reminded us and clearly revealed that God forgives. The work of Jesus, the Son of God, was and is a work of forgiveness. Remember Jesus' words as he was near death on the Cross. He had been beaten, scourged, crowned with thorns, nailed to the Cross, and raised up to die a very painful death. As he nears death, he prays aloud for all to hear,

> "Father, forgive them, they know not what they do."
> LUKE 23:34

God is always ready to forgive us when we sin. Sin is freely choosing to do or say what we know is against God's will. It is also freely choosing to do or say what we know we have the responsibility to do or say to live as a child of God. Sin shows disrespect for God.

## Sin and Forgiveness

When we sin, we harm the person God created us to be. We wound our human dignity. We offend God and damage our relationship with the Church and other people.

The Holy Spirit invites us to ask for and accept God's forgiveness and to accept God's forgiveness for our sins. The Holy Spirit helps us to forgive others.

We need God's help, or grace, not to sin again. God helps us change our ways and live more like children of God and disciples of Jesus. We also need God's grace to avoid temptation. Temptation is all that leads us away from God and his love.

**?** What is the difference between committing a sin and making a mistake?

**FAITH FOCUS**
What do we celebrate in the Sacrament of Penance and Reconciliation?

**FAITH VOCABULARY**
**Sacrament of Penance and Reconciliation**
In the Sacrament of Penance and Reconciliation, we receive God's forgiveness for the sins we commit after Baptism through the ministry of the priest.

**Sacraments of Healing**
There are two Sacraments of Healing. They are the Sacrament of Penance and Reconciliation and the Sacrament of Anointing of the Sick.

## Personas de fe

**Beato Carlos de Foucauld**

Carlos vivió y proclamó el Evangelio llevando una vida de pobreza y simpleza entre los musulmanes de Marruecos. A Carlos se lo recuerda en todo Marruecos como un hombre de paz. Su día es el 1 de diciembre.

## Sacramento de Curación

Jesús le dio a la Iglesia dos **Sacramentos de Curación**. Ellos son el **Sacramento de la Penitencia y de la Reconciliación** y el Sacramento de la Unción de los Enfermos.

Al Sacramento de la Penitencia y de la Reconciliación a veces también se lo llama Sacramento de la Penitencia, Sacramento de la Reconciliación, Sacramento del Perdón, Sacramento de la Confesión y Sacramento de la Conversión. A través de este Sacramento, recibimos el perdón de Dios por los pecados que cometimos después del Bautismo y además su gracia para no volver a pecar.

## Sacramento de la Paz

En el Evangelio de Juan, leemos sobre cuando Jesús fue a ver a sus Apóstoles después de haber resucitado de entre los muertos. El Jesús Resucitado les dijo:

*"¡La paz esté con ustedes! Como el Padre me envió a mí, así los envío yo también." Dicho esto, sopló sobre ellos y les dijo: "Reciban el Espíritu Santo; a quienes descarguen de sus pecados, serán liberados, y a quienes se los retengan, les serán retenidos".*

JUAN 20:21–23

Jesús le dio a la Iglesia la autoridad para perdonar los pecados. Hoy, continúan esta obra los obispos y los sacerdotes. Cuando ellos hablan en el nombre de Jesús, ofrecen el perdón de Dios. A través de las palabras del obispo o del sacerdote y del poder del Espíritu Santo, nuestros pecados son perdonados. Recibimos el don de la paz de Dios y nos reconciliamos, o volvemos a amigarnos, con Dios y con la Iglesia.

**Actividad** En el espacio, crea un símbolo del perdón. Comparte tu idea con un compañero.

## Sacrament of Healing

Jesus gave the Church two **Sacraments of Healing**. They are the **Sacrament of Penance and Reconciliation** and the Sacrament of Anointing of the Sick.

The Sacrament of Penance and Reconciliation is also sometimes called the Sacrament of Penance, the Sacrament of Reconciliation, the Sacrament of Forgiveness, the Sacrament of Confession, and the Sacrament of Conversion. Through this Sacrament, we receive both God's forgiveness for the sins we commit after Baptism and his grace not to sin.

## Sacrament of Peace

In the Gospel according to John we read about the time that Jesus came to his Apostles after he rose from the dead. The Risen Jesus said to them:

*"Peace be with you. As the Father has sent me, so I send you." And when he had said this, he breathed on them and said to them, "Receive the holy Spirit. Whose sins you forgive are forgiven them, and whose sins you retain are retained."*

JOHN 20:21–23

Jesus gave the Church the authority to forgive sins. Today, bishops and priests continue this work. When they speak in the name of Jesus, they offer God's forgiveness. Through the words of the bishop or priest and the power of the Holy Spirit, our sins are forgiven. We receive the gift of God's peace and are reconciled, or made friends again, with God and the Church.

**Activity**

Create a symbol for forgiveness in the space. Share your idea with a partner.

## Los católicos creen

### Gracia sanadora

El Sacramento de la Penitencia y de la Reconciliación le devuelve a la persona la gracia y la amistad de Dios.

La gracia de este sacramento ayuda también a curar la relación rota del pecador con los demás.

## Celebrar el sacramento

Podemos celebrar el Sacramento de la Penitencia y de la Reconciliación solos con el sacerdote o podemos reunirnos como comunidad y celebrarlo. Cuando celebramos este Sacramento de manera individual, siempre nos encontramos a solas con el sacerdote para confesarle nuestros pecados y recibir la absolución. La celebración de este Sacramento consiste siempre en estas cuatro partes.

### Confesión

Después de hacer un examen de conciencia, nos encontramos con un sacerdote y le confesamos, o contamos, nuestros pecados. Debemos confesar siempre todos los pecados graves.

### Penitencia

El sacerdote nos da una penitencia. Puede pedirnos que recemos una oración o que hagamos un acto de bondad. Aceptar y cumplir nuestra penitencia muestra que estamos verdaderamente arrepentidos de nuestros pecados y que queremos compensar el daño que causamos con ellos.

### Contrición

Rezamos una oración del penitente. En esta oración, admitimos que hemos pecado. Expresamos nuestro pesar por haber ofendido a Dios. Arrepentirnos verdaderamente por nuestros pecados significa que no queremos pecar otra vez. Queremos realmente cooperar con el Espíritu Santo para cambiar nuestra manera de vivir.

### Absolución

La absolución es el perdón que el sacerdote pronuncia en el nombre de Dios. Cuando el sacerdote dice: "Yo te absuelvo", Dios habla a través de él. Yo te absuelvo significa "Te perdono. Quedas libre de tus pecados".

Cuando celebramos el Sacramento de la Reconciliación, recibimos el perdón y el amor sanador de Dios. Nos reconciliamos con Dios y con la Iglesia. Se nos perdonan el castigo eterno debido a los pecados mortales y el castigo temporal, al menos parcialmente, por nuestros otros pecados. Recibimos el don de la paz de conciencia. Y recibimos la gracia de vivir como fieles hijos adoptivos de Dios y discípulos de Jesús.

¿Cómo le describirías a un amigo que no es católico los beneficios de este Sacramento?

## Celebrating the Sacrament

We can celebrate the Sacrament of Penance and Reconciliation alone with the priest, or we can gather as a community and celebrate it. When we celebrate this Sacrament as an individual, we always meet alone with the priest to confess our sins and receive absolution. These four parts are always part of the celebration of this Sacrament.

### Confession

After we examine our conscience, we meet individually with a priest and confess, or tell, our sins to him. We are to always confess any serious sins.

### Penance

The priest gives us a penance. He may ask us to say a prayer or do an act of kindness. Accepting and doing our penance shows that we are truly sorry for our sins and that we want to make up for the harm caused by our sins.

### Contrition

We pray an act of contrition. In this prayer we admit we have sinned. We express our sorrow for having offended God. Being truly sorry for our sins means we do not want to sin again. We really want to cooperate with the Holy Spirit to change the way we live.

### Absolution

Absolution is the forgiveness that the priest speaks in the name of God. When the priest says, "I absolve you," God speaks through him. I absolve you means "I forgive you. You are free from your sins."

When we celebrate the Sacrament of Reconciliation, we receive God's forgiveness and healing love. We are reconciled with God and the Church. We are pardoned eternal punishment due to mortal sins, and from temporary punishment, at least in part, due to our sins. We receive the gift of peace of conscience. And we receive the grace to live as faithful adopted sons and daughters of God and disciples of Jesus.

? How would you describe the benefits of this Sacrament to a friend who is not Catholic?

251

# YO SIGO A JESÚS

**El Espíritu Santo** te ayuda a continuar la obra de curación de Jesús. Perdonas a quienes hayan podido ofenderte. Y pides el perdón de Dios cuando pecas.

## EL AMOR SANADOR DE DIOS

Diseña una carátula de música sobre el perdón de Dios. Elige un título para la colección de música, que le recuerde a las personas el amor sanador de Dios.

## MI ELECCIÓN
# DE FE

Esta semana trataré de mostrar misericordia perdonando a alguien o pediré perdón. Voy a

_____

_____

**Agradece al Espíritu Santo por ayudarte a perdonar a quienes te hieran y por ayudarte a pedirle perdón a quien tú hieras.**

# I FOLLOW JESUS

**The Holy Spirit** helps you continue the healing work of Jesus. You forgive those who may have offended you. You ask for God's forgiveness when you sin.

## GOD'S HEALING LOVE

Design cover art for music about God's forgiveness. Choose a title for the music collection that reminds people of God's healing love.

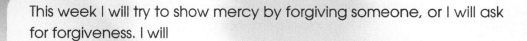

This week I will try to show mercy by forgiving someone, or I will ask for forgiveness. I will

_____

_____

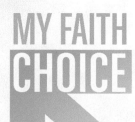

MY FAITH CHOICE

**Thank the Holy Spirit for helping you forgive those who hurt you and helping you ask for forgiveness from someone you hurt.**

# Repaso del capítulo

*Completa cada oración correctamente.*

1. El pecado es _____

_____.

2. La confesión es _____

_____.

3. La absolución es _____

_____.

4. Algo importante que aprendí esta semana es _____

_____.

5. Es importante porque _____

_____.

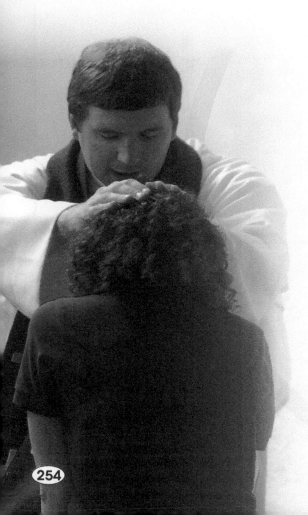

# Señor, ten piedad

**Líder:** Estamos aquí para pedir la misericordia de Dios por el mal que hayamos hecho.

**Lector 1:** Señor, ha habido veces en las que no hemos estado en paz con un familiar.

**Todos: Señor, ten piedad.**

**Lector 2:** Señor, ha habido veces en las que hemos herido a los demás con nuestras palabras y nuestras acciones.

**Todos: Señor, ten piedad.**

**Lector 3:** Señor, ha habido veces en las que nos hemos negado a perdonar a alguien.

**Todos: Señor, ten piedad.**

**Líder:** Recemos juntos.

**Todos: Señor, ayúdanos a cambiar y a acercarnos cada vez más a ti. Amén.**

# Chapter Review

*Complete each sentence correctly.*

**1.** Sin is _____

_____.

**2.** Confession is _____

_____.

**3.** Absolution is _____

_____.

**4.** One important thing I learned this week is _____

_____.

**5.** It is important because _____

_____.

# Lord, Have Mercy

**Leader:** We are here to ask for God's mercy for the wrong we have done.

**Reader 1:** Lord, there have been times when we have not been at peace with a family member.

**All: Lord, have mercy.**

**Reader 2:** Lord, there have been times when we have hurt others by our words and actions.

**All: Lord, have mercy.**

**Reader 3:** Lord, there have been times when we have refused to forgive someone.

**All: Lord, have mercy.**

**Leader:** Let us prayer together.

**All: Lord, help us change and grow ever closer to you. Amen.**

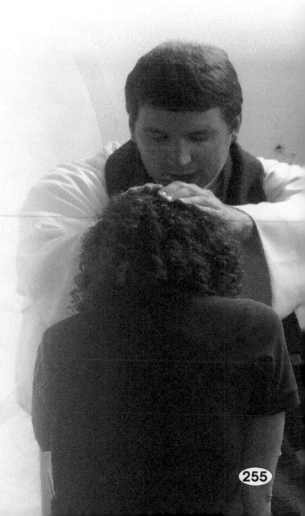

# Con mi familia

## Esta semana...

**En el capítulo 13,** "Jesús cura al pecador", su niño aprendió que:

▶ El Sacramento de la Penitencia y de la Reconciliación continúa el ministerio de curación de Jesús.

▶ Por medio de la Reconciliación recibimos el perdón por los pecados que cometemos después del Bautismo.

▶ La confesión de los pecados, la contrición (pesar), la penitencia y la absolución siempre forman parte del Rito de la Reconciliación.

▶ La virtud de la misericordia nos ayuda a buscar y a dar el perdón. Esto refleja el don del perdón que Dios nos ofrece.

**Para saber más** sobre otras enseñanzas de la Iglesia, consulten el *Catecismo de la Iglesia Católica*, 1420–1498, y el *Catecismo Católico de los Estados Unidos para los Adultos*, páginas 233–247.

## ■ Compartir la Palabra de Dios

**Lean juntos** Juan 20:22–23. Enfaticen que hoy los obispos y los sacerdotes hablan en el nombre de Jesús cuando ofrecen el perdón de Dios en el Sacramento de la Penitencia y de la Reconciliación

## ■ Vivimos como discípulos

**El hogar cristiano** con la familia es una escuela de discipulado. Elijan una o más de las siguientes actividades para hacer en familia, o creen una actividad similar ustedes mismos.

▶ Inviten a los miembros de la familia a compartir cuentos, películas o programas de televisión que traten sobre perdonar a los demás y ser perdonado. Enfaticen que, cuando perdonamos, llevamos curación a los demás.

Y cuando nos perdonan, recibimos el don de la curación.

▶ Practiquen la virtud de la misericordia en el seno familiar. Hagan un esfuerzo conciente para pedir el perdón de sus niños cuando sea necesario y afirmen los esfuerzos de ellos para practicar esta virtud entre sí.

## ■ Nuestro viaje espiritual

**La paz de Dios** es el fruto de vivir en la relación correcta con Dios, con las personas y con toda la creación. Este es el objetivo de nuestro viaje espiritual. Observen cómo están viviendo como mediadores de paz. Enséñenles a sus niños esta parte de la Oración de San Francisco: "Señor, hazme un instrumento de tu paz".

Para hallar más ideas sobre las maneras en que su familia puede vivir como discípulos de Jesús, visiten

**seanmisdiscipulos.com**

# With My Family

## This Week...

**In Chapter 13,** "Jesus Heals the Sinner," your child learned:

▶ The Sacrament of Penance and Reconciliation continues the healing ministry of Jesus.

▶ Through Reconciliation we receive forgiveness for sins we commit after Baptism.

▶ Confession of sins, contrition (sorrow), penance, and absolution are always a part of the Rite of Reconciliation.

▶ The virtue of mercy helps us seek and give forgiveness. This mirrors the gift of forgiveness that God offers us.

**For more** about related teachings of the Church, see the *Catechism of the Catholic Church*, 1420–1498; and the *United States Catholic Catechism for Adults*, pages 233–247.

## ■ Sharing God's Word

**Read John 20:22–23** together. Emphasize that bishops and priests today speak in the name of Jesus when they offer God's forgiveness in the Sacrament of Penance and Reconciliation.

## ■ We Live as Disciples

**The Christian family** and home is a school of discipleship. Choose one of the following activities to do as a family or design a similar activity of your own.

▶ Invite family members to share stories, movies or TV shows about forgiving others and being forgiven. Emphasize that when we forgive, we bring healing to others. When we are forgiven, we receive the gift of healing.

▶ Practice the virtue of mercy within your family. Make a conscious effort to ask forgiveness of your children when necessary and affirm their own efforts to practice this virtue with one another.

## ■ Our Spiritual Journey

**God's peace** is the fruit of living in right relationship with God, with people, and with all creation. This is a goal of our spiritual journey. Discern how you are living as a peacemaker. Teach your children this part of the Prayer of Saint Francis: "Lord, make me an instrument of your peace."

For more ideas on ways your family can live as disciples of Jesus, visit **BeMyDisciples.com**

CAPÍTULO
**14**

**Lo que vendrá**

En este capítulo el Espíritu Santo te invita a ▶

**INVESTIGAR** cómo continúan los capellanes la obra de curación de Jesús.

**DESCUBRIR** cómo celebramos el Sacramento de la Unción de los Enfermos.

**DECIDIR** cómo serás una persona de curación para los demás.

# Jesús cura a los enfermos

**?** ¿Cuando estuviste enfermo, ¿quién te cuidó?

Imagina que has estado viajando con Jesús desde que Él empezó su ministerio público. Un día estás viajando con Él por Galilea. Esto es lo que ves:

> Le llevaron a Jesús a un paralítico tendido en una camilla. Cuando Jesús vio la fe de la gente, dijo al paralítico: "Ánimo, tus pecados quedan perdonados". Y después le dijo: "Levántate, toma tu camilla y vete a casa". El paralítico se levantó y se fue a su casa. La gente quedó muy impresionada.
>
> BASADO EN MATEO 9:2, 6–8

**?** ¿Cómo te parece que se sintió el hombre después de haberse curado?

## Looking Ahead

In this chapter the Holy Spirit invites you to ▶

**EXPLORE** how chaplains continue the healing work of Jesus.

**DISCOVER** how we celebrate the Sacrament of Anointing of the Sick.

**DECIDE** how you will be a person of healing for others.

CHAPTER

# 14

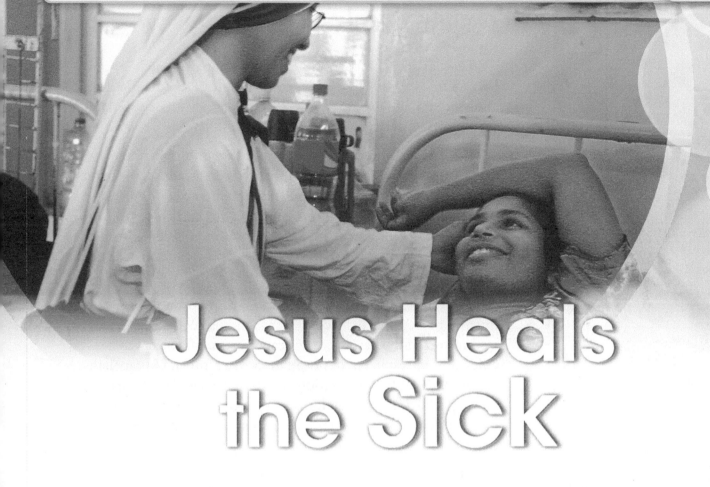

# Jesus Heals the Sick

**?** When you have been sick, who has taken care of you?

Imagine you have been traveling with Jesus since he began his public ministry. One day you are traveling with him through Galilee. This is what you see:

> People brought to Jesus a paralytic lying on a stretcher. When he saw their faith, Jesus said to the paralytic, "Courage, your sins are forgiven." Then Jesus said to the paralytic, "Stand up, pick up your stretcher, and go home." He rose and went home. The crowds were amazed.
>
> BASED ON MATTHEW 9:2, 6–8

**?** How do you think the man felt after being healed?

# Capellanes de hospital

### Longanimidad

La palabra *longanimidad* se usa a veces para traducir la palabra bíblica que significa *misericordia*. Vivimos la virtud de la longanimidad cuando tratamos generosamente a los demás, como queremos que nos traten. Se nos llama a ser bondadosos con los demás tal como Dios lo es con nosotros.

La Iglesia ha compartido siempre la compasión de Jesús por los enfermos. Desde los comienzos de la Iglesia, el cuidado de los enfermos ha sido una de sus tareas centrales. Hoy los hospitales católicos continúan esta tradición.

Cada año, millones de pacientes son atendidos en más de mil hospitales y centros de salud católicos de Estados Unidos de América. Estos hospitales llevan frecuentemente el nombre de un Santo, como Santa Francisca Cabrini, que dedicó su vida al cuidado de los enfermos. Otras veces los nombres de los hospitales reflejan los relatos de curación de Jesús, como Hospital del Buen Samaritano y Hospital de la Misericordia.

Los católicos sirven a los enfermos de los hospitales de muchas maneras. Hay médicos y enfermeros, técnicos, dietistas y administradores católicos. Los capellanes también sirven a los enfermos que están en los hospitales y a su familia. Un capellán de hospital puede ser un sacerdote, un diácono o un laico que recibe una capacitación especial. Ellos no ejercen su ministerio solamente con el enfermo, sino que también dan apoyo espiritual a los trabajadores del hospital.

El trabajo de los capellanes y los demás trabajadores de los hospitales católicos nos recuerda que todos los bautizados participan en la obra de curación de Cristo. Los capellanes y los demás trabajadores de los hospitales católicos son símbolos de que la Iglesia continúa la obra de Cristo Médico, en pueblos, ciudades y países de todo el mundo.

**?** ¿De qué manera continúa tu parroquia la obra de curación de Jesús con los enfermos?

ST. JOSEPH'S HOSPITAL

# Hospital Chaplains

The Church has always shared the compassion of Jesus with the sick. From the very beginning of the Church, caring for the sick has been one of her central works. Catholic hospitals continue this tradition today.

Each year millions of patients are cared for in over a thousand Catholic hospitals and health-care centers in the United States of America. The hospitals are often named after Saints, such as Saint Frances Cabrini, who dedicated their lives to caring for the sick. The names of hospitals sometime reflect the healing stories of Jesus, such as Good Samaritan Hospital and Mercy Hospital.

Catholics serve the sick in hospitals in many ways. There are Catholic doctors and nurses, technicians and dieticians, and administrators. Chaplains also serve the sick people cared for in hospitals and their families. A hospital chaplain can be a priest, deacon, or layperson who receives special training. They not only minister to the sick, but also spiritually support hospital workers.

The work of chaplains and other workers in Catholic hospitals reminds us that all the baptized share in the healing work of Christ. Chaplains and other workers in Catholic hospitals are symbols that the Church continues the work of Christ the Healer in towns, cities, and countries all over the world.

? What are some of the ways your parish continues Jesus' work of healing with people who are sick?

## Disciple Power

**Kindness**

The English word *kindness* is sometimes used to translate the biblical word for *mercy*. We live the virtue of kindness by generously treating others as we want to be treated. We are called to be as kind to others as God is to us.

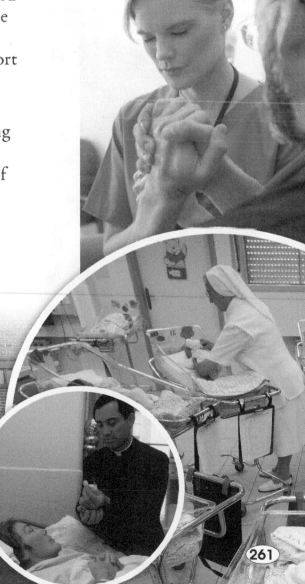

ST. JOSEPH'S HOSPITAL

## VOCABULARIO DE FE
**Sacramento de la Unción de los Enfermos**
El Sacramento de la Unción de los Enfermos es el Sacramento de Curación que fortalece la fe, la esperanza y el amor por Dios de quienes están gravemente enfermos, debilitados por su edad avanzada o de los moribundos.

# Unción de los Enfermos

La curación de personas que padecieran enfermedades formó parte de la obra de Salvación que el Padre había encomendado a Jesús. En los Evangelios hay muchas referencias de Jesús curando a la gente. (Ver Juan 9:1–12; Marcos 2:5–11). Las curaciones de Jesús eran signos de la presencia salvadora de Dios entre su pueblo.

Cuando Jesús curaba a los enfermos, los curaba física y espiritualmente. Jesús no curaba solamente el cuerpo de las personas, sino que, incluso aún más importante, los ayudaba a crecer en su fe y su amor por Dios.

## La obra de curación de Jesús hoy

Por el poder del Espíritu Santo, la obra de curación de Jesús continúa en nuestros días. Jesús le dio a la Iglesia el **Sacramento de la Unción de los Enfermos** para que continuara su obra entre los enfermos del mundo. La Iglesia celebra este Sacramento con los miembros de la Iglesia que tienen enfermedades graves o que están debilitados por su edad avanzada. A través de la unión con Jesús, el enfermo encuentra fortaleza, paz y valor. Una persona puede recibir este Sacramento más de una vez.

Solo los obispos y los sacerdotes pueden administrar la Unción de los Enfermos. Con el Óleo de los Enfermos, el obispo o el sacerdote unge la frente y las manos del enfermo mientras reza pidiendo que la persona reciba la gracia sanadora de Dios.

**Actividad**

Anota distintas maneras en que podrías continuar la obra de Cristo entre los enfermos.

_____

_____

_____

_____

_____

_____

_____

# Anointing of the Sick

Jesus' healing of people who were suffering from illnesses was part of the work of Salvation his Father sent him to do. In the Gospels there are many accounts of Jesus healing people. (see John 9:1–12; Mark 2:5–11). Jesus' healings were signs of the saving presence of God among his people.

When Jesus healed people who were sick, he healed them physically and spiritually. Jesus not only healed people's bodies but, more importantly, he helped them grow in their faith and love for God.

## The Healing Work of Jesus Today

Through the power of the Holy Spirit, Jesus' healing continues today. He gave the Church the **Sacrament of the Anointing of the Sick** to continue his work among the sick in the world. The Church celebrates this Sacrament with members of the Church who are seriously ill or weak because of old age. Through union with Jesus, the sick find strength, peace, and courage. A person may receive this Sacrament more than once.

Only bishops and priests may administer the Anointing of the Sick. Using the Oil of the Sick, the bishop or priest anoints the sick person's forehead and hands as he prays that the sick person receive God's healing grace.

**FAITH FOCUS**
What does the Church celebrate in the Sacrament of Anointing of the Sick?

**FAITH VOCABULARY**
**Sacrament of the Anointing of the Sick**
The Sacrament of Anointing of the Sick is the Sacrament of Healing that strengthens our faith, hope, and love for God when we are seriously ill, weakened by old age, or dying.

**Activity** List ways you might continue Christ's work among the sick.

_____

_____

_____

_____

_____

_____

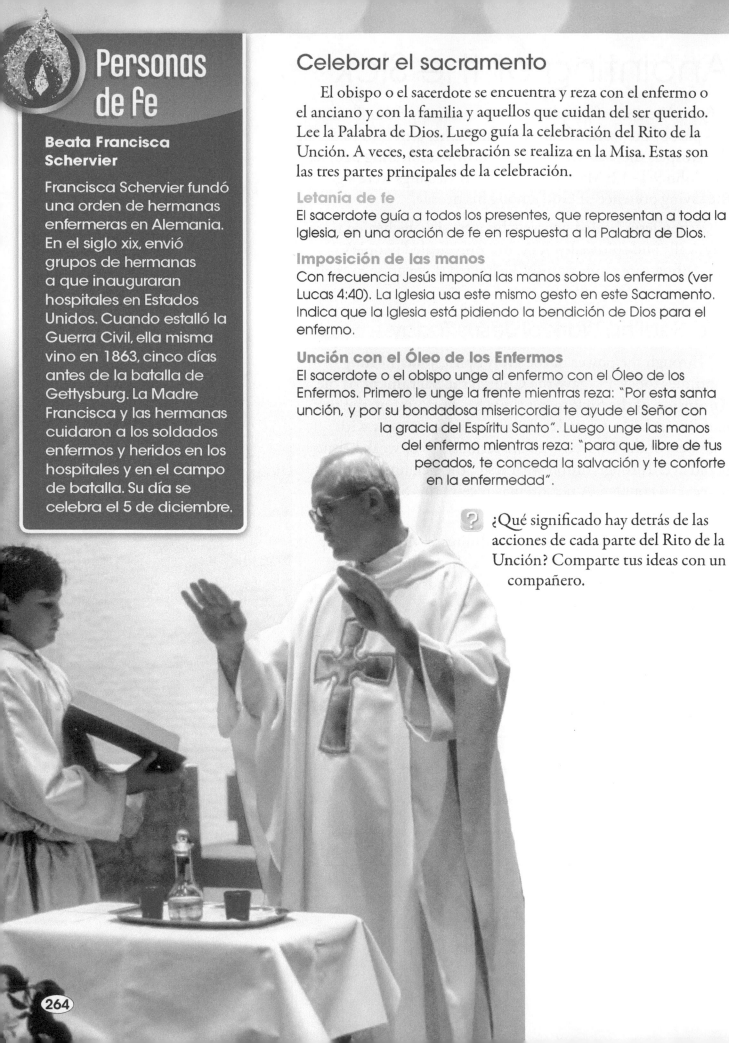

### Beata Francisca Schervier

Francisca Schervier fundó una orden de hermanas enfermeras en Alemania. En el siglo xix, envió grupos de hermanas a que inauguraran hospitales en Estados Unidos. Cuando estalló la Guerra Civil, ella misma vino en 1863, cinco días antes de la batalla de Gettysburg. La Madre Francisca y las hermanas cuidaron a los soldados enfermos y heridos en los hospitales y en el campo de batalla. Su día se celebra el 5 de diciembre.

## Celebrar el sacramento

El obispo o el sacerdote se encuentra y reza con el enfermo o el anciano y con la familia y aquellos que cuidan del ser querido. Lee la Palabra de Dios. Luego guía la celebración del Rito de la Unción. A veces, esta celebración se realiza en la Misa. Estas son las tres partes principales de la celebración.

### Letanía de fe

El sacerdote guía a todos los presentes, que representan a toda la Iglesia, en una oración de fe en respuesta a la Palabra de Dios.

### Imposición de las manos

Con frecuencia Jesús imponía las manos sobre los enfermos (ver Lucas 4:40). La Iglesia usa este mismo gesto en este Sacramento. Indica que la Iglesia está pidiendo la bendición de Dios para el enfermo.

### Unción con el Óleo de los Enfermos

El sacerdote o el obispo unge al enfermo con el Óleo de los Enfermos. Primero le unge la frente mientras reza: "Por esta santa unción, y por su bondadosa misericordia te ayude el Señor con la gracia del Espíritu Santo". Luego unge las manos del enfermo mientras reza: "para que, libre de tus pecados, te conceda la salvación y te conforte en la enfermedad".

**?** ¿Qué significado hay detrás de las acciones de cada parte del Rito de la Unción? Comparte tus ideas con un compañero.

## Celebrating the Sacrament

The bishop or priest meets and prays with the sick or elderly person and with the family and those caring for the loved one. He reads the Word of God. Then he leads the celebration of the Rite of Anointing. Sometimes this celebration takes place at Mass. These are the three main parts of the celebration.

### Litany of Faith

The priest leads all present, who represent the whole Church, in a prayer of faith in response to God's Word.

### Laying on of Hands

Jesus often laid his hands on sick people (see Luke 4:40). The Church uses this same gesture in this Sacrament. It shows that the Church is asking God's blessing on the sick person.

### Anointing with the Oil of the Sick

The priest or bishop anoints the sick person with the Oil of the Sick. First he anoints the ailing person's forehead, as he prays, "Through this holy anointing may the Lord in his love and mercy help you with the grace of the Holy Spirit." Then he anoints the person's hands as he prays, "May the Lord who frees you from sin save you and raise you up."

❓ What is the meaning behind the actions in each part of the Rite of Anointing? Share your ideas with a partner.

Entre la Edad Media y el Vaticano II (1962–1965), a la Unción de los Enfermos la Iglesia la llamaba "Extremaunción", o "Última Unción". La Iglesia celebraba este Sacramento solo con personas que estuvieran en peligro de morir. A partir del Vaticano II, la Iglesia anima a los fieles a no esperar hasta estar en riesgo de muerte para recibir este Sacramento.

## Las gracias especiales del Sacramento

El Sacramento de la Unción de los Enfermos celebra el amor y el poder de curación de Dios. Puede recibirlo cualquier miembro de la Iglesia que esté moribundo, gravemente enfermo o sufriendo debido a la edad avanzada.

Estas son las gracias especiales que se reciben en este Sacramento:

► La persona se une al sufrimiento de Cristo en la Cruz por su propio bien y por el bien de la Iglesia.

► La persona recibe fortaleza, paz y valor para soportar los sufrimiento s de la edad avanzada o de la enfermedad.

► La persona recibe el perdón de sus pecados en caso de que no pueda recibir el Sacramento de la Penitencia y de la Reconciliación.

► La salud de la persona se restablece si es la voluntad de Dios.

► Si la persona está en riesgo de muerte, se la prepara para morir con la esperanza de la vida eterna con Dios en el Cielo.

**Actividad**

En el espacio dado, escribe el nombre de las personas que conozcas que estén enfermas o sufriendo. Inclúyelas en tus oraciones diarias.

_____

_____

_____

_____

## The Special Graces of the Sacrament

The Sacrament of the Anointing of the Sick celebrates God's love and healing power. Any members of the Church who are dying, seriously ill, or suffering because of old age may receive this Sacrament.

These are the special graces a person receives in this Sacrament:

▶ The person is united to Christ's suffering on the Cross for his or her own good and the good of the Church.

▶ The person receives the strength, peace, and courage to endure the sufferings of old age or illness.

▶ The person receives forgiveness for sins if unable to receive the Sacrament of Penance and Reconciliation.

▶ The person's health is restored if it is God's will.

▶ If the person is in danger of dying, he or she is prepared for death and the hope of eternal life with God in Heaven.

## Catholics Believe

### Extreme Unction

Between the Middle Ages and Vatican II (1962–1965), the Church called Anointing of the Sick "Extreme Unction," or the "Last Anointing." The Church celebrated this Sacrament only with people in danger of death. Since Vatican II, the Church encourages the faithful not to wait until they are in danger of death before receiving this Sacrament.

**Activity** In the space below, write the names of anyone you know who is ill or is suffering. Include them in your daily prayers.

_____

_____

_____

_____

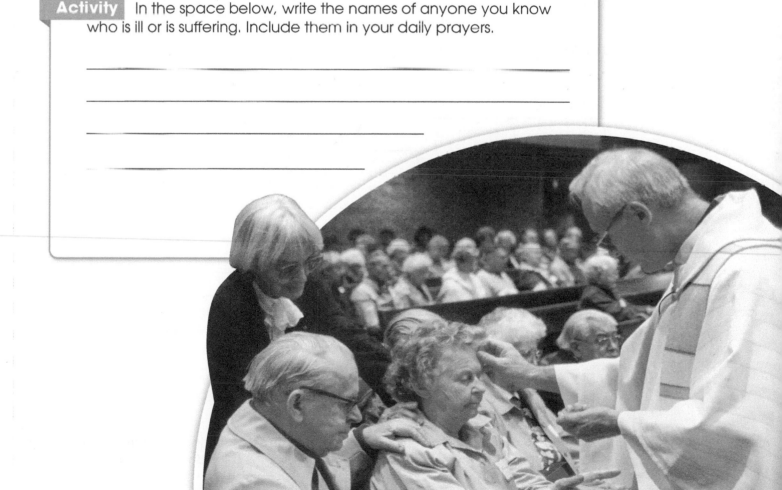

# YO SIGO A JESÚS

**Jesús está presente** con toda la asamblea durante la celebración de la Unción de los Enfermos. Está presente, además, de muchas otras maneras. El Espíritu Santo te ayuda a continuar la obra de curación de Jesús. Cuando le tiendes una mano a tu familia, amigos y vecinos, y los cuidas cuando están enfermos, Jesús está ahí contigo.

## LA OBRA DE CURACIÓN DE JESÚS

Lee los siguientes pasajes de la Sagrada Escritura en la Biblia. En los renglones, cuenta cómo trató Jesús a cada una de las personas que fueron a verlo para que las curara.

**Mateo 9:27–31**

_____

_____

_____

**Lucas 7:11–17**

_____

_____

_____

**Mateo 8:14–15**

_____

_____

_____

## MI ELECCIÓN DE FE

Esta semana tenderé una mano a quienes estén enfermos o sufriendo. Voy a

_____

_____

**Rézale a Jesús para pedirle que te ayude a continuar creciendo en longanimidad y a difundir el amor de Dios a los demás, especialmente a los enfermos y a los que sufren.**

# I FOLLOW JESUS

**Jesus is present** with the whole assembly during the celebration of Anointing of the Sick. He is present in many other ways, too. The Holy Spirit helps you continue the healing work of Jesus. When you reach out to family, friends, and neighbors and care for them when they are sick, Jesus is there with you.

## JESUS' WORK OF HEALING

Read the following Scripture passages in a Bible. On the lines, tell how Jesus treated each of the people who came to him for healing.

**Matthew 9:27–31**

_____

_____

_____

**Luke 7:11–17**

_____

_____

_____

**Matthew 8:14–15**

_____

_____

_____

This week I will reach out to others who are sick or suffering. I will

_____

_____.

## MY FAITH CHOICE

 Pray to Jesus, asking him to help you continue to grow in kindness, spreading God's love to others, especially to those who are sick or suffering.

# Repaso del capítulo

*Encierra la V si el enunciado es verdadero. Encierra la F si el enunciado es falso. Cuéntale a un compañero qué haría que los enunciados falsos sean verdaderos.*

                                                         **V     F**

**1.** La Reconciliación y la Unción de los Enfermos son Sacramentos de Servicio.

                                                         **V     F**

**2.** La Iglesia celebra la Unción de los Enfermos con los jóvenes, los adultos y los ancianos.

**3.** Todos los bautizados pueden administrar      **V     F**
el Sacramento de la Unción de los Enfermos.

**4.** El sufrimiento de Cristo puede darle otro      **V     F**
significado a nuestro propio sufrimiento.

¿Qué es lo más importante que aprendiste en esta lección? ¿Por qué te parece que eso es lo más importante?

_____

_____

_____

# Oración por los enfermos

*Cuando rezamos por otras personas, rezamos una oración de intercesión. Reza esta oración de intercesión por los enfermos.*

**Líder:** Jesús nos mostró el amor de Dios por los enfermos. Recemos a Dios por todos los miembros de nuestra familia, por nuestros amigos y por todos los que estén enfermos. (Pausa.) Bendice a los enfermos y llénalos de esperanza nueva y fortaleza.

**Todos:** **Señor, ten piedad.**

**Líder:** Apoya a todos los que cuidan a los enfermos.

**Todos:** **Señor, ten piedad.**

**Líder:** En silencio, den gracias a Dios, que está colmado de misericordia y longanimidad.

**Todos:** **Amén.**

# Chapter Review

Circle T if the statement is true. Circle F if the statement is false. Tell a partner what will make the false statements true.

1. Reconciliation and Anointing of the Sick are Sacraments of Service.    **T**    **F**

2. The Church celebrates Anointing of the Sick with young people, grown-ups, and elderly people.    **T**    **F**

3. All the baptized can administer the Sacrament of Anointing of the Sick.    **T**    **F**

4. Christ's sufferings can give new meaning to our own suffering.    **T**    **F**

What is the most important thing you learned in this lesson? Why do you think is it the most important?

_____

_____

_____

▶ **TO HELP YOU REMEMBER**

1. Jesus continues his ministry of healing through the Sacrament of Anointing of the Sick and the Sacrament of Penance and Reconciliation.

2. Through the Anointing of the Sick, those who are seriously ill, weakened because of old age, or dying are joined to the suffering of Christ and receive strength and courage.

3. A person may receive the Sacrament of Anointing of the Sick more than once.

# A Prayer for the Sick

*When we pray for other people we pray a prayer of intercession. Pray this prayer of intercession for people who are sick.*

**Leader:** Jesus showed us God's love for people who are sick. Let us pray to God for all the members of our families, for our friends, and for all who are sick. (Pause.) Bless those who are sick and fill them with new hope and strength.

**All: Lord, have mercy.**

**Leader:** Support all those who care for the sick.

**All: Lord, have mercy.**

**Leader:** Quietly give thanks to God who is full of mercy and kindness.

**All: Amen.**

# Con mi familia

## Esta semana...

**En el capítulo 14,** "Jesús cura a los enfermos", su niño aprendió que:

► Durante su vida en la Tierra, Jesús curó a las personas física y espiritualmente.

► Cuando Jesús curaba a las personas, también las estaba invitando a crecer en la fe y la confianza en Dios y en el amor por Él.

► Mediante la Unción de los Enfermos, Cristo continúa hoy su ministerio de curación entre los enfermos del mundo.

► La virtud de la longanimidad nos ayuda a tender la mano a los demás y a tratarlos como nos gustaría ser tratados.

**Para saber más** sobre otras enseñanzas de la Iglesia, consulten el *Catecismo de la Iglesia Católica,* 1499–1532, y el *Catecismo Católico de los Estados Unidos para los Adultos,* páginas 249–259.

## ■ Compartir la Palabra de Dios

**Lean juntos** Mateo 8:1–4, Mateo 9:18–26, Marcos 2:1–12, Lucas 7:1–10 y Hechos de los Apóstoles 3:1–10. Luego comenten cómo su familia tiende una mano a los enfermos y a los que sufren.

## ■ Vivimos como discípulos

**El hogar cristiano** con la familia es una escuela de discipulado. Elijan una o más de las siguientes actividades para hacer en familia, o creen una actividad similar ustedes mismos.

► Lleven un "libro de los enfermos" en su casa escribiendo el nombre de los enfermos en un diario especial. Recen juntos en familia por estas personas.

► Cuando esté enfermo un miembro de la familia u otra persona, háganle entre todos una tarjeta de apoyo. Asegúrense de que cada uno de ustedes contribuya de alguna manera.

## ■ Nuestro viaje espiritual

**Una de las primeras oraciones** de la tradición cristiana es esta: "Señor Jesucristo, Hijo de Dios, ten piedad de mí pecador". Animen a todos los miembros de la familia a memorizar esta oración y a rezarla regularmente a la hora de acostarse o juntos cuando comparten una oración.

Para hallar más ideas sobre las maneras en que su familia puede vivir como discípulos de Jesús, visiten **seanmisdiscipulos.com**

# With My Family

## This Week...

**In Chapter 14,** "Jesus Heals the Sick," your child learned:

▶ Throughout his life on Earth, Jesus cured people physically and spiritually.

▶ When Jesus cured people, he was also inviting them to grow in faith, trust, and love for God.

▶ Through the Anointing of the Sick, Christ continues his healing ministry among the sick in the world today.

▶ The virtue of kindness helps us reach out to others and treat them as we would want to be treated.

**For more** about related teachings of the Church, see the *Catechism of the Catholic Church*, 1499–1532; and the *United States Catholic Catechism for Adults*, pages 249–259.

## ■ Sharing God's Word

**Read together** Matthew 8:1–4, Matthew 9:18–26, Mark 2:1–12, Luke 7:1–10, and Acts of the Apostles 3:1–10. Then discuss how your family reaches out to those who are sick and suffering.

## ■ We Live as Disciples

**The Christian home** and family is a school of discipleship. Choose one of the following activities to do as a family or design a similar activity of your own.

▶ Keep a "book of the sick" in your home by writing the names of the ill in a special journal. Pray for these people together as a family.

▶ When family members or others are ill, create a card of support made by the whole family. Make sure each family member has contributed in some way.

## ■ Our Spiritual Journey

**One of the earliest prayers** in the Christian tradition is this: "Lord Jesus Christ, Son of God, have mercy on me, a sinner." Encourage all members of your family to memorize this prayer and pray it regularly at bedtime or together at times of shared prayer.

For more ideas on ways your family can live as disciples of Jesus, visit **BeMyDisciples.com**

CAPÍTULO
15

Lo que vendrá

En este capítulo el Espíritu Santo te invita a ▶

**INVESTIGAR** por qué el Padre Felipe Neri fue un líder de la Iglesia.

**DESCUBRIR** el significado del Sacramento del Orden Sagrado.

**DECIDIR** cómo trabajarás con los demás para servir a la Iglesia.

# El Sacramento del Orden Sagrado

❓ ¿Quiénes son los que sirven a los demás en tu familia, en tu escuela y en tu parroquia?

Imagina que eres un líder de la Iglesia y vives en Éfeso, una ciudad en donde hoy está Turquía. Pablo te recuerda tu llamado a servir a Jesús, cuando dice:

> Cuiden de sí mismos y de todo el rebaño en el que el Espíritu Santo les ha puesto como obispos (o sea, supervisores); pastoreen la Iglesia del Señor, que él adquirió con su propia sangre.
>
> HECHOS DE LOS APÓSTOLES 20:28

❓ ¿A qué te parece que se refiere Pablo cuando habla de ser un líder de la Iglesia?

## Looking Ahead

In this chapter the Holy Spirit invites you to ▶

**EXPLORE** how Father Philip Neri was a leader in the Church.

**DISCOVER** the meaning of the Sacrament of Holy Orders.

**DECIDE** how you will work with others to serve the Church.

CHAPTER

# 15

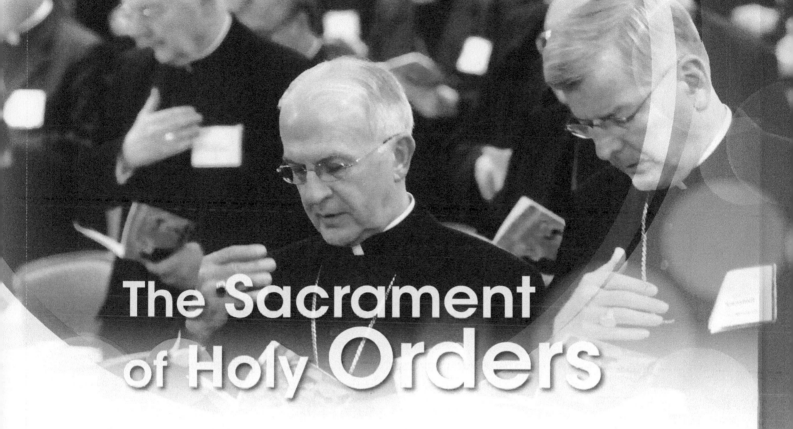

# The Sacrament of Holy Orders

[?] Who are some people who serve others in your family, in your school, and in your parish?

Imagine that you are a leader of the Church and you live in Ephesus, a city in what is today the country of Turkey. Paul reminds you of your calling to serve Jesus, saying:

> Keep watch over yourselves and over the whole flock of which the holy Spirit has appointed you overseers, in which you tend the church of God.
>
> ACTS OF THE APOSTLES 20:28

[?] What do you think Paul is telling you about being a leader in the Church?

## Poder de los discípulos

### Fe

La fe es una de las tres Virtudes Teologales. Es un don de Dios, que nos ayuda a responder a su invitación a conocerlo y a creer en Él.

# Un hombre de fe, santidad y humor

Los líderes a quienes se dirigía San Pablo en Éfeso eran obispos y sacerdotes. El consejo que Pablo les daba se basaba en las enseñanzas de Jesús que le habían transmitido a él. Sus palabras eran un resumen del mandato que Jesús le había dado a Pedro y a los otros Apóstoles. Desde la época de los Apóstoles, los obispos y los sacerdotes han seguido esas palabras y han vivido de acuerdo con ellas.

Felipe Neri vivió en Roma en el siglo xvi. Creía que Dios lo había llamado para que usara su profundo amor por Dios y su extravagante sentido del humor para hacer que la gente regresara a Dios. Sus dos libros preferidos eran el Nuevo Testamento y un libro de chistes y adivinanzas. Algunos días, Felipe iba a los mercados y le preguntaba a la gente cuándo tenían planeado hacer algo bueno para el mundo.

Enseguida las personas empezaron a encontrarse con él para rezar, conversar y hacer música. Les parecía que Felipe era un hombre santo y alguien que podía hacerlas reír.

A los 35 años, Felipe se ordenó sacerdote. Aunque la gente disfrutaba con su personalidad jocosa, muchos hablaban de su santidad y decían que era un Santo viviente. Sin embargo, Felipe no quería que lo tomaran tan en serio. ¡Cuando se enteró de que se decía que era un santo, se afeitó la mitad de la barba! ¿Quién podría ver esa imagen y pensar en un Santo?

Cuando murió, a los 80 años, mucha gente de Roma había cambiado gracias a la obra y al espíritu de San Felipe Neri.

**?** ¿Cómo ayuda tu manera de vivir a que los demás conozcan el amor de Dios?

# A Man of Faith, Holiness, and Humor

The leaders whom Saint Paul was addressing in Ephesus were bishops and priests. The advice that Paul gave them was based on the teachings of Jesus that were passed on to him. His words were a summary of the command that Jesus gave to Peter and the other Apostles. Bishops and priests since the time of the Apostles have followed and lived by those words.

Philip Neri lived in Rome in the sixteenth century. He believed God was calling him to use his serious love of God and his quirky sense of humor to bring people back to God. His two favorite books were the New Testament and a book of jokes and riddles. Some days, Philip would go to the marketplaces and ask people when they planned to do some good in the world.

Soon people met with him for prayer, discussion, and music. They found Philip to be a holy man and one who could make them laugh.

At age 35, Philip was ordained a priest. Though people enjoyed his joking personality, many spoke of his holiness, saying he was a living Saint. But Philip did not want to be taken too seriously. When he heard talk of his being a saint, Father Neri shaved off half of his beard! Who could look at that sight and think of a Saint?

By the time he died at age 80, many people in Rome had been changed by the work and spirit of Saint Philip Neri.

? How does the way you live your life help others know of God's love?

## Disciple Power

**Faith**

Faith is one of the three Theological Virtues. It is a gift from God that helps us respond to his invitation to know and believe in him.

**VOCABULARIO DE FE**

**Sacramentos al Servicio de la Comunidad**
Los Sacramentos al Servicio de la Comunidad son dos Sacramentos que apartan a miembros de la Iglesia para servir a toda la Iglesia, ellos son, el Ordetn Sagrado y el Matrimonio.

**Sacramento del Orden Sagrado**
El Sacramento del Orden Sagrado es el Sacramento a través del cual un hombre bautizado es consagrado para servir a toda la Iglesia como obispo, sacerdote o diácono.

# Un Sacramento de Servicio

Todos los cristianos están llamados a ser líderes entre las personas con quienes viven. Estamos llamados a ser luces en el mundo. Todos los bautizados —laicos, religiosos y ministros ordenados— son miembros del Cuerpo de Cristo. San Pablo nos recuerda que cada miembro de la Iglesia tiene un papel importante en ella (ver 1.ª Corintios 12:12–30).

Todos los cristianos reciben este llamado y la gracia de vivirlo en el Sacramento del Bautismo. El Bautismo nos une a Cristo y a todos los miembros de la Iglesia. Recibimos el llamado, o vocación, y la gracia para continuar la obra de Cristo, edificar la Iglesia y preparar el camino para la venida del Reino de Dios. En la Confirmación, esta gracia se fortalece. En la Eucaristía, nos nutrimos constantemente para ser luces en el mundo.

## Sacramentos al Servicio de la Comunidad

Dos Sacramentos, el Orden Sagrado y el Matrimonio, apartan a algunos bautizados con el propósito santo de servir a toda la Iglesia. Por eso se llaman **Sacramentos al Servicio de la Comunidad.** El **Sacramento del Orden Sagrado** consagra, o aparta para un propósito santo, a miembros de la Iglesia para que sirvan a toda la Iglesia como obispos, sacerdotes y diáconos.

Escribe sobre cómo has visto a los obispos, sacerdotes y diáconos servir a la Iglesia.  **Actividad**

_____

_____

# A Sacrament of Service

All Christians are called to be leaders among the people with whom they live. We are called to be lights in the world. All the baptized—laypeople, religious, and ordained ministers—are members of the Body of Christ. Saint Paul reminds us that each member has an important role in the Church (see 1 Corinthians 12:12–30).

All Christians receive this calling and the graces to live it in the Sacrament of Baptism. Baptism joins us to Christ and to all members of the Church. We receive the call, or vocation, and the graces to continue the work of Christ, to build up the Church, and to prepare the way for the coming of the Kingdom of God. In Confirmation these graces are strengthened. In the Eucharist we are continually nourished to be lights in the world.

## Sacraments at the Service of Communion

Two Sacraments, Holy Orders and Matrimony, set aside some of the baptized for the holy purpose to serve the whole Church. For this reason they are called **Sacraments at the Service of Communion**. The **Sacrament of Holy Orders** consecrates, or sets aside for a holy purpose, members of the Church to serve the whole Church as bishops, priests, and deacons.

**FAITH FOCUS**
What does the Sacrament of Holy Orders celebrate?

**FAITH VOCABULARY**
**Sacraments at the Service of Communion**
The Sacraments at the Service of Communion are the two Sacraments that set aside members of the Church to serve the whole Church, namely, Holy Orders and Matrimony.

**Sacrament of Holy Orders**
The Sacrament of Holy Orders is the Sacrament through which a baptized man is consecrated to serve the whole Church as a bishop, priest, or deacon.

**Activity** Write how you have seen bishops, priests, and deacons serving the Church.

_____

_____

## Orden Sagrado

En el Sacramento del Orden Sagrado, un obispo ordena a los hombres que van a servir a la Iglesia como obispos, sacerdotes y diáconos. Solo aquellos hombres que estén bautizados y que la Iglesia considere que tienen vocación para el Orden Sagrado pueden recibir este Sacramento.

### Obispos

Los obispos reciben la plenitud del Sacramento del Orden Sagrado. Ellos son los sucesores de los Apóstoles y maestros principales de la Iglesia. Bajo la autoridad del Papa, un obispo generalmente conduce una diócesis. Una diócesis se compone de parroquias y escuelas católicas y puede incluir universidades y hospitales católicos.

### Sacerdotes

Los sacerdotes son colaboradores de su obispo. Los ordena su obispo para celebrar los Sacramentos, especialmente la Eucaristía, y para proclamar la Palabra de Dios. Hay dos clases de sacerdotes. Los sacerdotes diocesanos se ordenan para servir en una diócesis, generalmente como pastores o vicarios de las parroquias.

Los sacerdotes religiosos pertenecen a una orden religiosa, como los benedictinos, franciscanos, dominicos o jesuitas. Ellos sirven dondequiera que el obispo de una diócesis los haya invitado y aprobado para trabajar entre la gente.

### Diáconos

Los diáconos son ayudantes de los obispos y de los sacerdotes. Los ordena su obispo para que ayuden a los sacerdotes con el trabajo de la parroquia. Los diáconos pueden oficiar en los Sacramentos del Bautismo y del Matrimonio. También pueden leer el Evangelio y dar la homilía en la Misa dominical.

Hay dos clases de diáconos. Los diáconos transitorios son hombres que están preparándose para el sacerdocio. Los diáconos permanentes no llegan a ser sacerdotes y pueden ser solteros o casados. Un diácono no puede volver a casarse si su esposa fallece después de que él se haya ordenado.

**?** ¿En qué se parecen y en qué se diferencian las funciones de un diácono y las de un sacerdote?

## Holy Orders

In the Sacrament of Holy Orders, men are ordained by a bishop to serve the Church as bishops, priests, and deacons. Only men who have been baptized and who are considered by the Church to have a vocation to Holy Orders may receive this Sacrament.

### Bishops

Bishops receive the fullness of the Sacrament of Holy Orders. They are the successors of the Apostles and the chief teachers of the Church. Under the authority of the Pope, a bishop usually leads a diocese. A diocese is made up of Catholic parishes and schools and may include Catholic universities and hospitals.

### Priests

Priests are coworkers with their bishop. They are ordained by their bishops to celebrate the Sacraments, especially the Eucharist, and to proclaim the Word of God.

There are two kinds of priests. Diocesan priests are ordained to serve in a diocese, usually as pastors or vicars of parishes. Religious priests belong to a religious order, such as the Benedictines, Franciscans, Dominicans, or Jesuits. They serve wherever the bishop of a diocese has invited and approved them to work among the people.

### Deacons

Deacons are helpers of bishops and priests. They are ordained by their bishops to help priests with the work of the parish. Deacons can officiate at the Sacraments of Baptism and Matrimony. They can also read the Gospel and give the homily at Sunday Mass.

There are two kinds of deacons. Transitional deacons are men who are preparing for the priesthood. Permanent deacons do not become priests, and they may be single or married. A deacon may not remarry if his wife dies after he has been ordained.

**?** How are the roles of the deacon and the priest different and alike?

## Los católicos creen

### Administradores pastorales

A veces, no es posible que un sacerdote sirva en una parroquia a tiempo completo. Cuando esto ocurre, el obispo puede designar un diácono, o un laico o un miembro de una comunidad religiosa para que dirija la parroquia como administrador pastoral. Esta persona se encarga del ministerio educativo, financiero y social de la parroquia. Pueden conducir servicios de comunión.

## El Rito de la Ordenación

El Rito de la Ordenación inicia a los hombres bautizados en el Orden de los Obispos, el Orden de los Sacerdotes o el Orden de los Diáconos. Los obispos, los sacerdotes y los diáconos participan en el ministerio que Jesús compartió con los Apóstoles. El Espíritu Santo guía a estos hombres y les otorga la gracia que necesitan para cumplir sus responsabilidades y servir a la Iglesia durante toda su vida. La ordenación de un sacerdote se compone de estas partes:

### Imposición de las manos

En silencio, el obispo ordenante impone las manos sobre la cabeza de los candidatos a ordenarse. Luego, todos los sacerdotes que estén presentes hacen lo mismo. Esto indica que una persona ha sido elegida para un cargo especial, o que está recibiendo una responsabilidad especial.

### Oración de consagración

El obispo ordenante reza la oración de consagración. Esta es la parte esencial del Rito de la Ordenación Sacerdotal. El obispo reza, en parte: "Te rogamos omnipotente Dios, que invistas a tu siervo con la dignidad del sacerdocio".

### Investidura con estola y casulla

Cada uno de los sacerdotes recién ordenados recibe una estola y una casulla y se las pone. La estola es el símbolo del cargo y la autoridad del sacerdote. Se usa para las celebraciones sacramentales. La casulla es la vestidura externa que el sacerdote usa para la celebración de la Misa.

### Unción de las manos

Las palmas de las manos del recién ordenado se ungen con el Santo Crisma mientras el obispo dice: "Jesucristo, el Señor, a quien el Padre ungió con la fuerza del Espíritu Santo, te auxilie para santificar al pueblo cristiano y para ofrecer a Dios el sacrificio".

**Actividad** Haz una lista de las tres cualidades necesarias para servir como sacerdote.

_____

_____

_____

_____

El Papa Francisco ordena sacerdote en Roma.

## The Rite of Ordination

The Rite of Ordination initiates baptized men into the Order of Bishops, the Order of Priests, or the Order of Deacons. Bishops, priests, and deacons share in the ministry of Jesus that he shared with the Apostles. The Holy Spirit guides these men and gives them the graces they need to fulfill their responsibilities and to serve the Church throughout their lives. The ordination of a priest contains these parts:

### Laying on of Hands

In silence, the ordaining bishop lays his hands on the heads of the candidates to be ordained. Next, all the priests who are present do the same. This shows that a person has been chosen for a special office, or is receiving a special responsibility.

### Prayer of Consecration

The ordaining bishop prays the prayer of consecration. This is the essential part of the Rite of Ordination of a priest. The bishop prays, in part, "Almighty Father, grant to these servants of yours the dignity of the priesthood."

### Investiture with Stole and Chasuble

Each of the newly ordained priests receives a stole and a chasuble and puts them on. The stole is the symbol of the priest's office and authority. It is worn for sacramental celebrations. The chasuble is the outside vestment the priest wears for the celebration of Mass.

### Anointing of Hands

The palms of the hands of the newly ordained are anointed with Sacred Chrism as the bishop prays, "The Father anointed our Lord Jesus Christ through the power of the Holy Spirit. May Jesus preserve you to sanctify the Christian people to offer sacrifice to God."

**Activity** Make a list of the three qualities needed to serve as a priest.

_____

_____

_____

_____

Pope Francis ordains a priest in Rome.

# YO SIGO A JESÚS

**Todos los bautizados** están llamados a ser luces en el mundo. Una manera en que podemos ser luces en el mundo es servir a los demás como hizo Jesús. Dios te llama a servir a los demás. Las cosas que estás haciendo ahora para ayudar a los demás están preparándote para continuar sirviendo a la Iglesia cuando seas adulto.

## SERVIR A LA IGLESIA

Elige un talento con el que Dios te haya bendecido. Escríbelo en el centro del círculo. Luego escribe alrededor del círculo, en la parte exterior, las maneras en que puedes usar este talento para servir a la Iglesia.

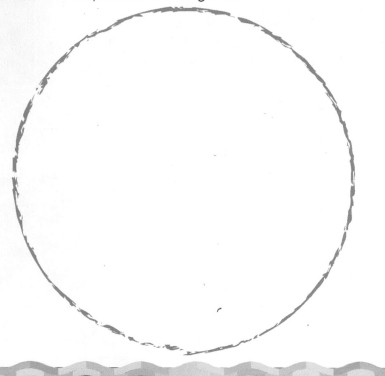

## MI ELECCIÓN DE FE

Esta semana trabajaré con los demás para realizar la obra de la Iglesia. Voy a

_____

_____

 **Reza:** "Señor Dios, yo vivo el don de la fe no solo en palabras, sino también en hechos. Ayúdame a vivir mi Bautismo viviendo mi fe. Amén".

# I FOLLOW JESUS

**All the baptized** are called to be lights in the world. One way we can be lights in the world is to serve others as Jesus did. God calls you to serve others. The things you are doing now to help others are preparing you to continue serving the Church as an adult.

## SERVING THE CHURCH

Choose one talent God has blessed you with. Write it in the center of the circle. Then around the outside of the circle name ways you can use this talent to serve the Church.

Kindness
Art

Kindness
Kindness

This week I will work with others to do the work of the Church. I will

_____

_____

MY FAITH CHOICE

 Pray, "Lord God, I live the gift of faith not only in words but also in deeds. Help me live my Baptism by living my faith. Amen."

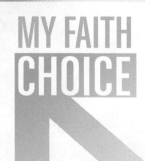

## PARA RECORDAR

1. Todos los bautizados recibimos el llamado para continuar la obra de Cristo, edificar la Iglesia y preparar el camino para la venida del Reino de Dios.

2. El Orden Sagrado consagra, o aparta para un propósito santo, a algunos hombres de la Iglesia para que sirvan a toda la Iglesia. Es uno de los dos Sacramentos al Servicio de la Comunidad.

3. En el Orden Sagrado, un hombre bautizado es consagrado para servir a toda la Iglesia como obispo, sacerdote o diácono.

# Repaso del capítulo

*Llena los espacios en blanco de cada oración de modo que la oración sea correcta.*

1. Por medio del Bautismo, recibimos el llamado, o la

   _____, y la gracia para continuar la obra de Cristo.

2. El Sacramento del Orden Sagrado consagra a ciertos hombres para que sirvan a toda la Iglesia como obispos,

   sacerdotes y _____.

3. En el Rito de la Ordenación, la _____ indica que la persona ha sido elegida para un cargo o una responsabilidad especial.

# Ámense unos a otros

*Rezar la Sagrada Escritura nos proporciona un tiempo para escuchar la Palabra de Dios y discernir cómo debemos vivir nuestra fe.*

**Líder:** Recordemos que Jesús dijo que siempre que se reúnan dos o más en su nombre, Él está entre ellos. Jesús está hoy con nosotros.

Jesús nos enseñó lo que significa servir a las personas. Debemos amar al prójimo como Él nos ama.

**Lector:** Lectura de la Carta a los Colosenses.

(Lee Colosenses 3:12–15.)

Palabra de Dios.

**Todos:** **Te alabamos, Señor.**

**Líder:** Roguemos al Espíritu Santo que nos enseñe a servir a los demás como nos enseñó Jesús.
(Pausa.) Ahora compartamos una señal de la paz entre nosotros.

# Chapter Review

*Fill in the blanks in each sentence so that the sentence is correct.*

1. Through Baptism we receive the call, or _____, and the graces to continue the work of Christ.

2. The Sacrament of Holy Orders consecrates certain men to serve the whole Church as bishops, priests, and __deacon__.

3. In the Rite of Ordination, the _____ shows that the person has been chosen for a special office or responsibility.

# Love One Another

*Praying the Scriptures provides us the time to listen to God's Word and discern how we are to live our faith.*

**Leader:** Let us remember that Jesus said that whenever two or more gather in his name, he is there among them. Jesus is with us today.

Jesus taught us what it means to serve people. We are to love others as he loves us.

**Reader:** A reading from the Letter to the Colossians.

(Read Colossians 3:12–15.)

The word of the Lord.

**All: Thanks be to God.**

**Leader:** Let us ask the Holy Spirit to teach us ways to serve others as Jesus taught us to do. (Pause.) Now let us share a sign of peace with one another.

## TO HELP YOU REMEMBER

1. All the baptized are called to continue the work of Christ, to build up the Church, and to prepare the way for the coming of the Kingdom of God.

2. Holy Orders consecrates, or sets aside for a holy purpose, some men of the Church to serve the whole Church. It is one of the two Sacraments at the Service of Communion.

3. In Holy Orders, a baptized man is consecrated to serve the whole Church as a bishop, priest, or deacon.

# Con mi familia

## Esta semana...

**En el capítulo 15,** "El Sacramento del Orden Sagrado", su niño aprendió que:

▶ Dios llama a algunos miembros de la Iglesia a servir a toda la Iglesia.

▶ El Sacramento del Orden Sagrado y el Sacramento del Matrimonio se llaman Sacramentos al Servicio de la Comunidad.

▶ A través del Orden Sagrado, se ordenan hombres bautizados para servir a toda la Iglesia continuando la obra única de Jesús confiada a los Apóstoles.

▶ La Virtud Teologal de la fe es un don de Dios, que nos ayuda a responder a su invitación de conocerlo y de creer en Él.

**Para saber más** sobre otras enseñanzas de la Iglesia, consulten el *Catecismo de la Iglesia Católica,* 1536–1600, y el *Catecismo Católico de los Estados Unidos para los Adultos,* páginas 261–275.

## ▪ Compartir la Palabra de Dios

**Lean juntos** 1.ª Corintios 12:12–30. Enfaticen que cada miembro de la Iglesia tiene un papel importante como miembro del Cuerpo de Cristo.

## ▪ Vivimos como discípulos

**El hogar cristiano** con la familia es una escuela de discipulado. Elijan una o más de las siguientes actividades para hacer en familia, o creen una actividad similar ustedes mismos.

▶ Coloquen en el refrigerador un trozo pequeño de cartulina con el título "Nosotros servimos al Señor". Coloquen debajo a la izquierda en forma vertical el nombre o una foto de cada miembro de la familia. Todos los días, inviten a cada uno a que agregue por lo menos una manera en la que haya servido a los demás.

▶ La fe implica responder al llamado de Dios. Cuando participen en la Misa esta semana, miren el boletín de la parroquia. Identifiquen un grupo de servicio de la parroquia con el que trabajarán para vivir de acuerdo con el llamado de su Bautismo.

## ▪ Nuestro viaje espiritual

**A veces, los niños** de las escuelas católicas escriben en la parte superior de su tarea las palabras: "Todo para honor y gloria de Dios". Enséñenles a sus niños a usar estas palabras como una oración matutina corta para rezarla antes de empezar el día. Si se reúnen para desayunar, récenla juntos.

Para hallar más ideas sobre las maneras en que su familia puede vivir como discípulos de Jesús, visiten **seanmisdiscipulos.com**

# With My Family

## This Week...

**In Chapter 15,** "The Sacrament of Holy Orders," your child learned:

▶ God calls some members of the Church to serve the whole Church.

▶ The Sacrament of Holy Orders and the Sacrament of Matrimony are called Sacraments at the Service of Communion.

▶ Through Holy Orders, baptized men are ordained to serve the whole Church by continuing the unique work Jesus entrusted to the Apostles.

▶ The Theological Virtue of faith is a gift from God that helps us respond to his invitation to know and believe in him.

**For more** about related teachings of the Church, see the *Catechism of the Catholic Church*, 1536–1600, and the *United States Catholic Catechism for Adults*, pages 261–275.

## ▢ Sharing God's Word

**Read together** 1 Corinthians 12:12–30. Emphasize that each member of the Church has an important role as a member of the Body of Christ.

## ▢ We Live as Disciples

**The Christian home** and family is a school of discipleship. Choose one of the following activities to do as a family or design a similar activity of your own.

▶ Place a small piece of posterboard on your refrigerator with the heading "We Serve the Lord." Place the name or a photo of each family member down the left side. Each day invite each family member to add at least one way they have served others.

▶ Faith involves a response to God's call. When you take part in Mass this week, look in the parish bulletin. Identify a service group within the parish with whom you will work to live out your Baptismal calling.

## ▢ Our Spiritual Journey

**Sometimes children** in Catholic schools would write at the top of their schoolwork the words: "All for the honor and glory of God." Teach your children to use these words as a brief morning prayer before starting their day. If you gather for breakfast, pray it together.

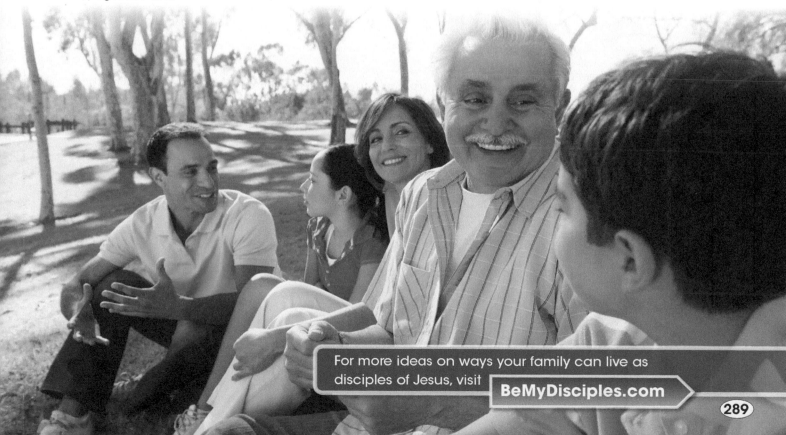

For more ideas on ways your family can live as disciples of Jesus, visit **BeMyDisciples.com**

CAPÍTULO
**16**

## Lo que vendrá

En este capítulo
el Espíritu Santo
te invita a ▶

 **INVESTIGAR** cómo una
familia católica fue un signo
vivo del amor de Cristo.

 **DESCUBRIR** cómo
celebramos el Matrimonio.

 **DECIDIR** cómo honrarás
a tus padres y a tu familia.

# El Sacramento del Matrimonio

**?** Si has ido a una boda, ¿qué te acuerdas de ella?

Imagina que tú y tu familia están en una boda católica.
Alguien se acerca al ambón y lee:

> *El amor es paciente y muestra comprensión. El amor
> no tiene celos, [...] No se alegra de lo injusto, sino que
> se goza en la verdad. Perdura a pesar de todo, lo cree
> todo, lo espera todo y lo soporta todo.* 1.ª CORINTIOS 13:4–7

**?** ¿Por qué te parece que esta lectura es tan popular para las bodas?

## Looking Ahead

In this chapter the Holy Spirit invites you to ▶

 **EXPLORE** how a Catholic family was a living sign of Christ's love.

 **DISCOVER** how we celebrate Matrimony.

 **DECIDE** how you will honor your parents and your family.

CHAPTER **16**

# The Sacrament of Matrimony

❓ If you have attended a wedding, what do you remember about it?

Imagine you and your family are at a Catholic wedding. Someone comes up to the ambo and reads:

> Love is patient, love is kind. It is not jealous, ... it does not rejoice over wrongdoing but rejoices with the truth. It bears all things, believes all things, hopes all things, endures all things.
> 1 CORINTHIANS 13:4–7

❓ Why do you think this reading is so popular for weddings?

## Humildad

La humildad es la capacidad de reconocer que todas nuestras bendiciones vienen de Dios. Esta virtud nos permite vernos y valorarnos a nosotros mismos y a los demás como hijos de Dios. Nos permite bendecir a Dios por todo lo bueno en nuestra vida.

## LA IGLESIA SIGUE A JESÚS

# En las buenas y en las malas

Jesús les dijo a sus discípulos que ellos iban a tener que llevar su cruz como Él lo había hecho. La vida de casados se compone de buenos y malos momentos. Cuando un hombre y una mujer se casan, se prometen fidelidad en los buenos y en los malos momentos hasta la muerte. La vida de Tomás Moro y su familia nos muestran lo que significa ser fiel a esas promesas.

Sir Tomás Moro y Jane, su esposa, son un ejemplo de matrimonio, ya que supieron cuidarse muchísimo uno al otro y a su familia en los buenos y en los malos momentos. Más de 500 años atrás, Tomás Moro era abogado y miembro del Parlamento de Inglaterra. Tomás y Jane eran padres de cuatro niños. Jane murió cuando los niños eran pequeños y Tomás se casó con una viuda, Alice Middleton.

Los Moro eran una familia inteligente y les gustaba divertirse. Tomás y Alice se aseguraron de que sus hijas mujeres recibieran la misma educación que su hijo varón. En la cena, la familia leía y comentaba el Nuevo Testamento. Después de comer, sacaban un laúd y un arpa. Tomás y Alice tocaban y cantaban mientras sus hijos bailaban.

Los Moro vivían en Inglaterra cuando el Rey Enrique VIII se nombró a sí mismo cabeza de la Iglesia de Inglaterra. Esto hizo que los católicos de Inglaterra tuvieran que decidir si seguir al rey o al Papa. Tomás y Alice conversaban a menudo sobre qué debían hacer. Tomás sabía claramente lo que iba a hacer. Él era un hombre importante en Inglaterra, pero también era humilde. Sería un "buen siervo del rey, pero primero de Dios".

Tomás decidió no compartir su punto de vista con su esposa para protegerla. De modo que el rey no pudo castigarla a ella ni a los hijos. Finalmente, Tomás fue llevado prisionero y condenado a muerte. Hoy la Iglesia lo honra como Santo Tomás Moro.

**?** ¿Qué valores importantes te ha enseñado tu familia?

Detalle de *La despedida de Tomás Moro a su hija,* de Edward Matthew Ward.

# THE CHURCH FOLLOWS JESUS

## In Good Times and in Bad Times

Jesus told his disciples that they would have to take up their cross as he did. Married life is made up of good times and bad times. When they marry, a man and a woman promise to remain faithful in good times and in bad times until their death. The life of Thomas More and his family show us what it means to be faithful to those promises.

Sir Thomas More and his wife, Jane, are an example of a married couple who cared deeply for each other and their family in good times and in bad times. More than 500 years ago, Thomas More was a lawyer and a member of the Parliament in England. Thomas and Jane were the parents of four children. Jane died when the children were young, and Thomas married a widow, Alice Middleton.

The Mores were an intelligent and fun-loving family. Thomas and Alice made sure that their daughters received an education equal to that of their son. At dinner, the family read and discussed the New Testament. After dinner, a lute and harp would be brought out. Thomas and Alice played and sang while the children danced.

The Mores lived in England when King Henry VIII named himself the head of the Church in England. This caused Catholics in England to make a decision to follow either the king or the Pope. Thomas and Alice often discussed what to do. Thomas clearly knew what he would do. Thomas was an important man in England, but he was also humble. He would be the "king's good servant, but God's first."

Thomas decided not to share his views with his wife to protect her. Then the king could not punish her and the children. Thomas was eventually put in prison and put to death. Today the Church honors Thomas More as Saint Thomas More.

? What important values has your family taught you?

Detail from *Sir Thomas More's Farewell to His Daughter*, by Edward Matthew Ward.

**VOCABULARIO DE FE**

**Sacramento del Matrimonio**
El Sacramento del Matrimonio es el Sacramento al Servicio de la Comunidad que une a un hombre bautizado y una mujer bautizada en un acuerdo, o alianza, durante toda la vida para amarse fielmente y servirse mutuamente y a toda la Iglesia como un signo del amor de Cristo por la Iglesia.

# Una alianza sagrada

El matrimonio es un signo del amor fiel de Dios por todas las personas. Todas las personas casadas participan en el amor de Dios y tienen la vocación de compartir ese amor uno con el otro y con los demás.

Dios creó al hombre y a la mujer para que estuvieran juntos y les dio el don sagrado del matrimonio. En el matrimonio, deben compartir el amor de Dios entre sí y deben estar dispuestos a traer niños al mundo.

> Dios los bendijo, diciéndoles: "Sean fecundos y multiplíquense". [...] Por eso el hombre (y la mujer) deja a su padre y a su madre. Y el hombre y la mujer pasan a ser uno solo. BASADO EN GÉNESIS 1:28 Y 2:24

Marido y mujer comparten el don del amor con los hijos que Dios pueda darles. Crían a sus niños para que amen a Dios y a los demás.

## Matrimonio cristiano

Los matrimonios cristianos están llamados a ser signos vivos del amor de Cristo por la Iglesia. El **Sacramento del Matrimonio** une a un hombre bautizado y a una mujer bautizada en matrimonio y hace de la pareja un signo del amor de Cristo por la Iglesia.

En el Sacramento del Matrimonio, el hombre y la mujer reciben la gracia de vivir su vocación de ser un signo del amor de Dios por todas las personas y del amor de Cristo por la Iglesia. El marido y la mujer cristianos "pasan a ser uno" (Génesis 2:24). Están más unidos el uno con el otro que con nadie más. Deben compartir ese amor dentro de su familia y con los demás.

Crea un titular para un aviso publicitario de los dos Sacramentos al Servicio de la Comunidad. Tu titular debe decir qué tienen en común estos dos Sacramentos.

**Actividad**

_____

_____

_____

# A Sacred Covenant

Marriage is a sign of God's faithful love for all people. Every married person shares in God's love and has the vocation to share that love with one another and with others.

God created man and woman to be together and gave them the sacred gift of marriage. In marriage they are to share God's love with each other and to be willing to bring children into the world.

> God blessed them, saying to them, "Be fertile and multiply. . . . This is why a man [and a woman] leave their father and mother. And the man and woman become one." BASED ON GENESIS 1:28 AND 2:24

Married couples share the gift of love with the children God may give them. They raise their children to love God and others.

## Christian Marriage

Christian married couples are called to be living signs of Christ's love for the Church. The **Sacrament of Matrimony** unites a baptized man and a baptized woman in marriage and makes the couple a sign of Christ's love for the Church.

Matrimony is another name for marriage. In the Sacrament of Matrimony, the man and woman receive the grace to live their vocation to be a sign of God's love for all people and of Christ's love for the Church. The Christian married couple "become one" (Genesis 2: 24). They are closer to each other than to anyone else. They are to share that love within their families and with others.

**Activity** Create a headline for a poster advertising the two Sacraments at the Service of Communion. Your headline should say what these two Sacraments have in common.

_____

_____

_____

Según la leyenda, Ana y su esposo, Joaquín, rezaron a Dios durante muchos años pidiéndole un hijo. Un ángel se le apareció a Ana y le dijo que tendría un niño a quien el mundo bendeciría. Ana dio a luz a la Santísima Virgen María. La Iglesia celebra su día el 26 de julio.

# El Rito del Matrimonio

La celebración del Sacramento del Matrimonio tiene lugar generalmente dentro de la celebración de la Misa. Los ministros de este Sacramento son la pareja que se casa. El sacerdote o el diácono es el testigo oficial del matrimonio.

El Matrimonio se celebra inmediatamente después de la Liturgia de la Palabra. Esto es lo que ocurre:

La novia y el novio le dicen en forma individual al sacerdote o al diácono y a todos los presentes que se están casando libremente.

Prometen aceptar los hijos que Dios pueda darles y criarlos de acuerdo con la Ley de Dios.

Dan su consentimiento de que se amarán y se honrarán uno al otro y que serán fieles entre sí como marido y mujer hasta el día de su muerte.

Se da la bendición y el intercambio de los anillos. Generalmente, los recién casados se dan un anillo uno al otro como signo de su amor eterno y de su compromiso mutuo.

El sacerdote conduce a todos los presentes en la Oración de los Fieles y a eso le sigue la Bendición Nupcial. El sacerdote le pide a Dios que bendiga a los recién casados.

El Rito del Matrimonio concluye con el rezo del Padre Nuestro y la bendición final.

La Iglesia tiene la obligación de apoyar a los matrimonios y a sus familias y de ayudarlos dondequiera que les sea necesario para cumplir con sus mutuas responsabilidades. La Iglesia se expresa en apoyo a las familias para ayudarlas a mantenerse fuertes.

**?** Los miembros de una familia dependen unos de otros para cuidarse y apoyarse. ¿De qué maneras apoyas tú a tus padres?

## The Rite of Marriage

The celebration of the Sacrament of Matrimony usually takes place within the celebration of Mass. The ministers of this Sacrament are the couple being married. The priest or deacon is the official witness of the marriage.

The celebration of Matrimony takes place right after the Liturgy of the Word. This is what happens:

The bride and groom individually tell the priest or deacon and everyone present they are marrying freely.

They promise to accept the children God may give them and to raise their children according to God's Law.

They give their consent that they will love and honor each other and will be faithful to each other as husband and wife until they die.

There is the blessing and exchange of rings. The newly married couple usually gives each other a ring to wear as a sign of their never-ending love and commitment to each other.

The priest leads everyone present in the Prayer of the Faithful, which is followed by the Nuptial Blessing. The priest asks God to bless the newly married couple.

The Rite of Marriage concludes with the praying of the Our Father and the final blessing.

The Church has the duty to support married couples and their families and to help them wherever necessary to meet their responsibilities to one another. The Church speaks out in support of families to help them remain strong.

? Families depend on each other for care and support. What are some of the ways you support your parents?

### Anillos de boda

Cuando un hombre y una mujer se casan, pueden intercambiarse anillos. El intercambio de anillos es un signo del amor duradero y una promesa de ser fieles el uno al otro en los buenos y en los malos momentos para toda la vida.

## La familia cristiana

Un hombre y una mujer unidos en el Sacramento del Matrimonio son un signo de amor y de servicio. En su vida diaria, tanto en las cosas importantes como en las simples, marido y mujer se sirven uno al otro con amor.

El matrimonio forma una familia nueva en la Iglesia. Las familias se transmiten la fe. Algunas familias tienen hijos, otras, no. A través del trabajo cotidiano de la vida familiar, marido y mujer se sirven uno al otro, a sus niños, a sus amigos y a los necesitados. Por la manera en que se cuidan entre sí y a su familia, los matrimonios son un ejemplo del amor bondadoso de Dios por todas las personas.

## La Iglesia doméstica

La Iglesia llama "Iglesia doméstica" a la familia y reconoce que los padres son los primeros educadores de sus niños. Los padres les enseñan a sus niños a distinguir entre lo bueno y lo malo y a tomar decisiones buenas y sabias en la vida. Los padres trabajan para proveerles alimento y vivienda a sus niños y los cuidan cuando están enfermos. También los guían para que lleguen a conocer su vocación.

**Actividad**

Algunas parejas hacen gravar unas palabras en la parte interna de sus anillos de bodas para expresar su compromiso. Diseña dos anillos de bodas. Debajo de ellos, escribe las palabras que la pareja podría haber elegido.

## The Christian Family

A man and a woman united in the Sacrament of Matrimony are a sign of love and service. In their daily lives, in both big and little ways, a married couple serves each other with love.

The married couple forms a new family in the Church. Families pass on faith. Some families have children; some do not. Through the everyday work of family life, the married couple serves each other, their children, their friends, and those in need. By the way they care for each other and their families, married couples are an example of God's caring love for all people.

## The Domestic Church

The Church calls the family the "domestic Church" and recognizes that parents are the primary educators of their children. Parents teach their children right from wrong, and how to make good and wise choices in life. Parents work to provide food and shelter for their children and care for them when they are sick. They guide their children in coming to know their vocation.

 **Activity** Some married couples have words engraved inside their wedding rings to express their commitment. Design two wedding rings. Write the words they might choose underneath the rings.

# YO SIGO A JESÚS

**La vida matrimonial cristiana** implica muchas elecciones. Marido y mujer eligen ser amorosos, generosos, fieles y abiertos para tener niños. Las decisiones amorosas no son solamente para los matrimonios. Dios te llama para que tú también tomes decisiones amorosas. Las decisiones buenas y sabias que estás tomando ahora te ayudan a apoyar a tus padres y a tu familia. Además te fortalecen para que sigas tomando decisiones buenas y sabias en el futuro.

## DECISIONES BUENAS Y SABIAS

Completa la siguiente actividad escribiendo tus respuestas en los renglones dados.

**1.** Con tus palabras, describe algunas de las cualidades de un niño fiel y responsable.

_____

_____

_____

_____

**2.** Cuenta una manera en que hayas sido fiel a tu familia.

_____

_____

_____

_____

## MI ELECCIÓN DE FE

Esta semana respetaré a mis padres y honraré a mi familia. Voy a

_____

_____

_____

Pídele al Espíritu Santo que te ayude a seguir siendo un miembro responsable de tu familia. Reza por que aumente en ti la vírtud de la humildad.

# I FOLLOW JESUS

**Christian married life** involves many choices. A husband and wife choose to be loving, generous, faithful, and open to having children. Loving choices are not just for married couples. God calls you to make loving choices, too. The good and wise choices you are now making help you support your parents and family. They also strengthen you to make good and wise choices in the future.

## GOOD AND WISE CHOICES

Complete the activity below by writing your responses on the lines provided.

**1.** In your own words, describe some of the qualities of a faithful and responsible child.

_____

_____

_____

_____

**2.** Share one way you have been faithful to your family.

_____

_____

_____

_____

This week I will respect my parents and honor my family. I will

_____

_____

_____

## MY FAITH CHOICE

Ask the Holy Spirit to help you continue to be a responsible member of your family. Pray for an increase in the virtue of humility.

1. El Matrimonio une a un hombre bautizado y a una mujer bautizada en un acuerdo durante toda la vida para amarse fielmente y servir a la Iglesia.

2. La pareja que se casa son los ministros de este Sacramento.

3. En su vida diaria, marido y mujer se sirven con amor uno al otro, a su familia y a los demás.

# Repaso del capítulo

*Encierra la palabra o la frase que completa correctamente cada oración.*

1. El Sacramento del Matrimonio se relaciona más con _____.

   **a.** la curación    **b.** el agua    **c.** el servicio

2. El testigo oficial del Sacramento del Matrimonio es el _____.

   **a.** sacerdote    **b.** diácono    **c.** sacerdote o el diácono

3. El Sacramento del Matrimonio se celebra generalmente _____.

   **a.** durante el invierno    **b.** en la Misa    **c.** en un día de semana

¿Qué es lo más importante que aprendiste en esta lección? ¿Por qué es eso lo más importante?

_____

_____

# Bendición para la familia

*Juntos, pídanle una bendición a Dios para su familia. Pídanle a Dios que ayude a su familia a seguir el ejemplo de servicio amoroso que dio Jesús.*

**Líder:** Dios Generoso, Tú nos creaste por amor. Alegrémonos siempre por tu bendición y tus dones de amor.

**Todos:** **Bendice a nuestra familia para que te glorifiquemos en todo lo que digamos y hagamos.**

**Líder:** Enséñanos a estar al servicio de tu Iglesia y del mundo.

**Todos:** **Bendice a nuestra familia para que te glorifiquemos en todo lo que digamos y hagamos.**

**Líder:** Ayúdanos a ver lo que quieres que hagamos. Danos visión, valor y amigos que nos alienten a realizar tu obra.

**Todos:** **Bendice a nuestra familia para que te glorifiquemos en todo lo que digamos y hagamos. Amén.**

# Chapter Review

*Circle the word or phrase that completes each sentence correctly.*

1. The Sacrament of Matrimony is most related to _____.

   **a.** healing      **b.** water      **c.** service

2. The official witness of the Sacrament of Matrimony is the _____.

   **a.** priest      **b.** deacon      **c.** priest or deacon

3. The Sacrament of Matrimony is usually celebrated _____.

   **a.** during Winter   **b.** at Mass   **c.** on a weekday

What is the most important thing you learned in this lesson? Why is it the most important?

_____

_____

# A Family Blessing

*Together, ask God's blessing on your families. Ask God to help your family follow Jesus' example of loving service.*

**Leader:** Generous God, you have made us for love. Let us rejoice always in your blessing and gifts of love.

**All:** **Bless our families that we might glorify you in all we say and do.**

**Leader:** Show us how to be of service in your Church and in the world.

**All:** **Bless our families that we might glorify you in all we say and do.**

**Leader:** Help us to see what you want us to do. Give us vision, courage, and friends who encourage us to do your work.

**All:** **Bless our families that we might glorify you in all we say and do. Amen.**

# Con mi familia

## Esta semana...

**En el capítulo 16,** "El Sacramento del Matrimonio", su niño aprendió que:

▶ Dios llama a algunos miembros de la Iglesia a servir a toda la Iglesia a través del Sacramento del Matrimonio.

▶ En el Matrimonio, un hombre bautizado y a una mujer bautizada se unen en un acuerdo durante toda la vida para amarse fielmente y ser un signo del amor de Cristo por la Iglesia.

▶ La virtud de la humildad ayuda a la pareja y a su familia a vivir su vocación.

**Para saber más** sobre otras enseñanzas de la Iglesia, consulten el Catecismo de la Iglesia Católica, 1601–1666, y el Catecismo Católico de los Estados Unidos para los Adultos, páginas 277–292.

## ■ Compartir la Palabra de Dios

**Lean juntos** Colosenses 3:12–17. Comenten por qué las cualidades mencionadas en esta lectura son importantes para un matrimonio sólido y una familia sólida.

## ■ Vivimos como discípulos

**El hogar cristiano** con la familia es una escuela de discipulado. Elijan una o más de las siguientes actividades para hacer en familia, o creen una actividad similar ustedes mismos.

▶ Recuerden alguna boda en que hayan asistido como familia. Comenten los diferentes aspectos de una boda católica e inviten a su niño a describir lo que presenciaron.

▶ Compartan que la vida familiar es un llamado, o vocación, a vivir nuestro Bautismo. Comenten con su niño la manera en que la familia de ustedes está continuando la obra de Cristo, para edificar la Iglesia y preparar el camino para la venida del Reino de Dios.

## ■ Nuestro viaje espiritual

**Hay un adagio** que dice: "La familia que reza junta permanece junta". Integren la disciplina espiritual de la oración diaria en su vida matrimonial y en la vida de su familia. Usen en su oración el estribillo de la oración de la página 302.

Para hallar más ideas sobre las maneras en que su familia puede vivir como discípulos de Jesús, visiten **seanmisdiscipulos.com**

# With My Family

## This Week...

**In chapter 16**, "The Sacrament of Matrimony," your child learned:

▶ God calls some members of the Church to serve the whole Church through the Sacrament of Matrimony.

▶ In Matrimony, a baptized man and a baptized woman are united in a lifelong bond of faithful love and become a sign of Christ's love for the Church.

▶ The virtue of humility helps a married couple and their family live its vocation.

**For more** about related teachings of the Church, see the *Catechism of the Catholic Church*, 1601–1666, and the *United States Catholic Catechism for Adults*, pages 277–292.

## Sharing God's Word

**Read Colossians 3:12–17** together. Discuss together how the qualities named in this reading are important for a strong marriage and a strong family.

## We Live as Disciples

**The Christian home** and family is a school of discipleship. Choose one of the following activities to do as a family or design a similar activity of your own.

▶ Recall any weddings you have been to as a family. Discuss the different aspects of a Catholic wedding, and invite your child to describe what they witnessed.

▶ Share that family life is a call, or vocation, to live our Baptism. Discuss with your child the ways that your family is continuing the work of Christ, to build up the Church and to prepare for the coming of the Kingdom of God.

## Our Spiritual Journey

**There is an adage** that reads, "The family that prays together stays together." Integrate the spiritual discipline of daily prayer into the life of your marriage and into the life of your family. Use the prayer refrain on page 303 in your prayer.

For more ideas on ways your family can live as disciples of Jesus, visit **BeMyDisciples.com**

# Unidad 4: **Repaso**

Nombre _____

## A. Elije la mejor palabra

*Escribe en los espacios en blanco para completar las oraciones.*
*Usa las palabras de la lista.*

| | | |
|---|---|---|
| hombre | pecado | diáconos |
| perdón | mujer | Enfermos |

**1.** No hay mal mayor que el _____.

**2.** Los _____ son ayudantes de los obispos y de los sacerdotes.

**3.** Todo el mundo necesita _____.

**4.** El Óleo de los _____ se bendice durante la Semana Santa.

**5.** Un _____ bautizado y una _____
bautizada se unen en el Sacramento del Matrimonio.

## B. Muestra lo que sabes

*Une los elementos de la columna A con los de la columna B.*

**Columna A**

**1.** Sacramento del Matrimonio

**2.** Sacramento del Orden Sagrado

**3.** Sacramento de la Unción de los Enfermos

**4.** los padres

**5.** Sacramento de la Penitencia y de la Reconciliación

**Columna B**

_____ **a.** les enseñan a sus niños a distinguir entre lo bueno y lo malo y les proveen alimento y vivienda

_____ **b.** une a un hombre bautizado y a una mujer bautizada en un acuerdo durante toda la vida

_____ **c.** Recibimos el perdón de Dios por los pecados que cometimos después del Bautismo y su gracia para no pecar.

_____ **d.** Un hombre bautizado es consagrado para servir a toda la Iglesia como obispo, sacerdote o diácono.

_____ **e.** fortalece la fe, la esperanza y el amor por Dios de quienes están gravemente enfermos, debilitados por edad avanzada o de los moribundos

# Unit 4 **Review**

## A. Choose the Best Word

*Fill in the blanks to complete each of the sentences.*
*Use the words from the word bank.*

| | | |
|---|---|---|
| man | sin | Deacons |
| forgiveness | woman | Sick |

**1.** There is no greater evil than _____.

**2.** _____ are helpers of bishops and priests.

**3.** Everyone needs _____.

**4.** The Oil of the _____ is blessed during Holy Week.

**5.** A baptized _____ and a baptized _____
unite in the Sacrament of Matrimony.

## B. Show What You Know

*Match the items in Column A with those in Column B.*

**Column A**

**1.** Sacrament of Matrimony

**2.** Sacrament of Holy Orders

**3.** Sacrament of Anointing
of the Sick

**4.** parents

**5.** Sacrament of Penance
and Reconciliation

**Column B**

____ **a.** teach their children right from wrong
and provide them with food and
shelter

____ **b.** unites a baptized man and a
baptized woman in a lifelong bond

____ **c.** We receive both God's forgiveness
for the sins we commit after Baptism
and his grace not to sin.

____ **d.** A baptized man is consecrated to
serve the whole Church as a bishop,
priest, or deacon.

____ **e.** strengthens our faith, hope, and love
for God when we are seriously ill,
weakened by old age, or dying

## C. La Escritura y tú

*Vuelve a leer el pasaje de la Sagrada Escritura de la página de Inicio de la unidad.*
*¿Qué relación hay entre lo que ves en esta página y lo que aprendiste en esta unidad?*

_____

_____

_____

## D. Sé un discípulo

**1.** *Repasa las cuatro páginas de esta unidad llamadas La Iglesia sigue a Jesús. ¿Qué persona o ministerio de la Iglesia de estas páginas te inspirará para ser un mejor discípulo de Jesús? Explica tu respuesta.*

_____

_____

_____

**2.** *Trabaja en grupo. Repasa las cuatro virtudes o dones de Poder de los discípulos que has aprendido en esta unidad. Después de anotar tus ideas, comparte con el grupo maneras prácticas en las que vivirás estas virtudes o dones día a día.*

_____

_____

_____

## C. Connect with Scripture

*Reread the Scripture passage on the Unit Opener page.
What connection do you see between this passage and
what you learned in this unit?*

_____

_____

_____

## D. Be a Disciple

**1.** *Review the four pages in this unit titled The Church Follows
Jesus. What person or ministry of the Church on these
pages will inspire you to be a better disciple of Jesus?
Explain your answer.*

_____

_____

_____

**2.** *Work with a group. Review the four Disciple Power virtues
or gifts you have learned about in this unit. After jotting
down your own ideas, share with the group practical
ways that you will live these virtues or gifts day by day.*

_____

_____

_____

# Venezuela: Venerable Dr. José Gregorio Hernández

José Gregorio Hernández fue un médico venezolano que vivió a principios del siglo XX. José Gregorio Hernández quería ser sacerdote y viajó a Italia para estudiar. Sin embargo, su salud no era buena, por lo que regresó a Venezuela y nunca se hizo sacerdote. Como médico, trataba a los pobres gratis y les compraba medicamentos con su propio dinero. Fue atropellado por un carro el 29 de junio de 1919. Después de su muerte, fue conocido como sanador y guía espiritual. Los venezolanos y otros sudamericanos siempre han sentido una gran devoción por él. Los médicos le rezan para que ayude a curar a los enfermos.

El pueblo de Venezuela desea que José Gregorio Hernández sea declarado Santo. En 1985, ascendió un paso más para ser declarado Santo de la Iglesia Católica. Su título oficial ahora es Venerable. Si fuera canonizado, es muy probable que se convierta en el Santo patrono de Venezuela y de los estudiantes de medicina. Muchos venezolanos rezan por su intercesión pidiendo por ayuda y por la salud de su familia. Numerosas novenas y oraciones especiales se ofrecen en su nombre.

 ¿A quién conoces o de quién sabes que haya servido a los demás con humildad, como el Venerable Dr. José Gregorio Hernández?

# Venezuela: Venerable Dr. José Gregorio Hernández

José Gregorio Hernández was a Venezuelan doctor who lived in the early part of the twentieth century. José Gregorio Hernández wanted to be a priest and traveled to Italy to study. However, his health was not strong enough, so he returned to Venezuela and never became a priest. As a doctor, he treated the poor for free and bought medicine for them with his own money. He was killed by a car on June 29, 1919. After his death, he became known as a healer and a spiritual helper. Venezuelans and other South Americans have always had a devotion to him. Doctors pray to him for help in healing the sick.

The people of Venezuela would like for José Gregorio Hernández to be named a Saint. In 1985, he moved one step closer to being declared a Saint of the Catholic Church. His official title now is Venerable. If he is canonized, he will most likely become a patron Saint, both of Venezuela and of medical students. Many Venezuelans pray through his intercession for help and for health for their families. There are dozens of novenas and special prayers offered in his name.

? Who have you known or known about who has served others humbly, as Venerable Dr. José Gregorio Hernández did?

# Amen a sus enemigos

Un día Jesús le estaba enseñando a una multitud. Dijo:

"Yo les digo a ustedes que me escuchan: amen a sus enemigos, hagan el bien a los que los odian, bendigan a los que los maldicen, rueguen por los que los maltratan. Al que te golpea en una mejilla, preséntale también la otra. Al que te arrebata el manto, entrégale también el vestido. Da al que te pide, y al que te quita lo tuyo, no se lo reclames".

BASADO EN LUCAS 6:27–30

# We Live

## Love Your Enemies

One day Jesus was teaching a great crowd. He said,

"But to you who hear I say, love your enemies, do good to those who hate you, bless those who curse you, pray for those who mistreat you. To the person who strikes you on one cheek, offer the other one as well, and from the person who takes your cloak, do not withhold even your tunic. Give to everyone who asks of you, and from the one who takes what is yours do not demand it back."

BASED ON LUKE 6:27–30

# Lo que he aprendido

*¿Qué es lo que ya sabes acerca de estos conceptos de fe?*

**Las Bienaventuranzas**

_____

_____

_____

**Alianza**

_____

_____

**Santidad**

_____

_____

# Vocabulario de fe para aprender

*Escribe X junto a las palabras de fe que sabes. Escribe ? junto a las palabras de fe que necesitas aprender mejor.*

_____ conciencia

_____ Virtudes Cardinales

_____ Decálogo

_____ Gran Mandamiento

_____ obediencia

_____ Reino de Dios

_____ pecado venial

_____ pecado mortal

**La Biblia**

*¿Qué sabes acerca de las Bienaventuranzas?*

_____

_____

_____

**La Iglesia**

*¿Qué enseña la Iglesia acerca de cómo tomar buenas decisiones?*

_____

_____

_____

**Tengo preguntas**

*¿Qué te gustaría preguntar acerca de hacer buenas elecciones para vivir una vida santa?*

_____

_____

_____

# What I Have Learned

*What is something you already know about these faith concepts?*

## The Beatitudes

_____

_____

_____

## Covenant

_____

_____

## Holiness

_____

_____

# Faith Terms to Know

*Put an X next to the faith terms you know. Put a ? next to faith terms you need to learn more about.*

_____ conscience

_____ Cardinal Virtues

_____ Decalogue

_____ Great Commandment

_____ obedience

_____ Kingdom of God

_____ venial Sin

_____ mortal Sin

## The Bible

*What do you know about the Beatitudes?*

_____

_____

_____

## The Church

*What does the Church teach about how to make good decisions?*

_____

_____

_____

## Questions I Have

*What questions would you like to ask about making good choices to live a holy life?*

_____

_____

_____

## Lo que vendrá

En este capítulo el Espíritu Santo te invita a ▶

**INVESTIGAR** cómo vivió el Padre Solanus Casey una vida de santidad.

**DESCUBRIR** el camino hacia la santidad.

**DECIDIR** cómo puedes crecer en santidad.

# Llamado a la santidad

**?** ¿Qué hace a todas las personas especiales?

Dios nos creó para que seamos santos. Cuando piensas en una persona santa, ¿en quién piensas? Vivimos una vida santa cuando vivimos nuestra fe católica y seguimos el ejemplo de Jesús.

> . . . Si es santo el que los llamó, también ustedes han de ser santos en toda su conducta, según dice la Escritura: Serán santos, porque yo soy santo.
>
> 1.ª PEDRO 1:15–16

**?** ¿Cuáles son las cualidades de una persona santa?

## Looking Ahead

In this chapter the Holy Spirit invites you to ▶

**EXPLORE** how Father Solanus Casey lived a life of holiness.

**DISCOVER** the path to holiness.

**DECIDE** how you will grow in holiness.

CHAPTER

**17**

# Called to Holiness

**?** What makes every person special?

God created us to be holy. When you think of a holy person, who do you think of? We live holy lives when we live our Catholic faith and follow the example of Jesus.

> . . . but, as he who called you is holy, be holy yourselves in every aspect of your conduct, for it is written, "Be holy because I [am] holy."
>
> 1 Peter 1:15–16

**?** What are the qualities of a holy person?

## Poder de los discípulos

### Bondad

La bondad es un Fruto del Espíritu Santo. Mostramos bondad cuando honramos a Dios evitando el pecado y tratando siempre de hacer lo que sabemos que es correcto.

# Venerable Solanus Casey

Dios invita a todos a compartir su vida y su amor. Invita a todos a vivir una vida santa. Algunas personas que viven una vida santa son nombradas Santas o son canonizadas por la Iglesia. La Iglesia ha nombrado Venerable a Bernard Casey. Este es el primer paso para nombrarlo Santo de la Iglesia.

Bernard Casey era el sexto hijo de una familia de diez niños y seis niñas. Vivía en una granja en Wiscosin, cerca del río Misisipi. A los veintiún años entró en el Seminario de San Francisco, en Milwaukee. Cinco años después, recibió el nombre Solanus cuando entró en la Orden de los Franciscanos Capuchinos.

Después de ser ordenado sacerdote, el Padre Solanus dedicó su vida a servir a los enfermos y a los pobres en muchas partes de Estados Unidos. En 1929, durante la Depresión, cuando la mayoría de las familias estaban hambrientas y no tenían dinero, trabajó con sus Hermanos Franciscanos para abrir el Comedor de Beneficencia de Detroit. El comedor todavía sigue funcionando.

El Padre Solanus Casey amaba verdaderamente al prójimo como Jesús lo amaba a él. Un día, antes de morir, dijo: "Considero que toda mi vida fue de entrega, y quiero seguir dando hasta que no quede nada".

? Piensa en una persona que conozcas que viva una vida santa. ¿De qué manera esa persona influye en la vida de los demás?

# Venerable Solanus Casey

## Disciple Power

**Goodness**

Goodness is a Fruit of the Holy Spirit. We exhibit goodness when we honor God by avoiding sin and always trying to do what we know is right.

God invites everyone to share his life and love. He invites everyone to live a holy life. Sometimes people who live holy lives are named Saints, or canonized by the Church. The Church has named Bernard Casey a Venerable of the Church. This is the first step in naming him a Saint of the Church.

Bernard Casey was the sixth child of a family of ten boys and six girls. They lived on a farm in Wisconsin near the Mississippi River. At the age of twenty-one he entered St. Francis Seminary in Milwaukee. Five years later he received the name Solanus when he entered the Franciscan Capuchin Order.

After he was ordained a priest, Father Solanus devoted his life to serving the sick and the poor in many places in the United States. In 1929, during the Depression, when most families were hungry and without money, he worked with his brother Franciscans to set up the Detroit Soup Kitchen. The work of this soup kitchen still continues today.

Father Solanus Casey truly loved others as Jesus loved him. One day before he died, he said, "I looked on my whole life as giving, and I want to give until there is nothing left."

**?** Think of a person you know who is living a holy life. How is that person making a difference in the lives of other people?

**VOCABULARIO DE FE**

▶ **gracia santificante**
La gracia santificante es un don de la vida y el amor de Dios que recibimos en el Bautismo, nos hace santos y nos ayuda a vivir vidas santas.

▶ **gracia actual**
La gracia actual es un don adicional de la presencia de Dios con nosotros para ayudarnos a vivir como hijos de Dios y seguidores de Jesucristo.

# Nuestro llamado a la santidad

Dios creó a todas las personas para que sean santas. Dios nos creó a su imagen y semejanza. Las Sagradas Escrituras nos dicen que todos estamos llamados a la santidad. La santidad es el participar de la verdadera vida y del amor de Dios. Jesús vivió y enseñó el camino de la santidad. Después de enseñarles a sus discípulos las Bienaventuranzas, les dijo que debían ser la luz del mundo (lee Mateo 5:14–16). En la Última Cena les explicó cómo serlo. Dijo:

*"Como el Padre me amó, así también los he amado yo... Ámense los unos a los otros: esto es lo que les mando".*

JUAN 15:9, 17

Nuestras elecciones, tanto en palabras como en acciones, deben mostrar nuestro amor por Dios y por los demás. Cada día le pedimos al Espíritu Santo que nos ayude a hacer todo lo posible para amar, perdonar y cuidar al prójimo como Jesús nos enseñó.

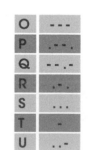
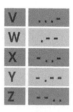

Dios Padre nos envía un don para ayudarnos a vivir una vida santa. Usa este código para descubrir el don.

**Actividad**

| | | | | | | | | |
|---|---|---|---|---|---|---|---|
| A | .- | H | .... | O | --- | V | ...- |
| B | -... | I | .. | P | .--. | W | .-- |
| C | -.-. | J | .--- | Q | --.- | X | -..- |
| D | -.. | K | -.- | R | .-. | Y | -.-- |
| E | . | L | .-.. | S | ... | Z | --.. |
| F | ..-. | M | -- | T | - | | |
| G | --. | N | -. | U | ..- | | |

\_\_\_ \_\_\_
. .-..

\_\_\_ \_\_\_ \_\_\_ \_\_\_ \_\_\_ \_\_\_ \_\_\_ \_\_\_ \_\_\_
. ... .-- .. .-. .. - ..-

\_\_\_ \_\_\_ \_\_\_ \_\_\_ \_\_\_
.. .- -. - ...

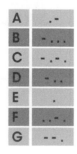

# Our Call to Holiness

God created every person to be holy. God created us in his image and likeness. The Scriptures tell us that we are all called to holiness. Holiness is sharing in the very life and love of God. Jesus lived and taught the way of holiness. After he taught his disciples the Beatitudes, Jesus told his disciples they were to be lights in the world (see Matthew 5:14–16). At the Last Supper he told them how to do this. He said:

*"As the Father loves me, so I also love you. . . .*
*This I command you: love one another."*

JOHN 15:9, 17

Our choices, both words and actions, are to show our love for God and for one another. Each day we ask the Holy Spirit to help us try our best to love, forgive, and care for others as Jesus showed us.

**FAITH VOCABULARY**

**sanctifying grace**
Sanctifying grace is the gift of God's life and love given in Baptism that makes us holy and helps us live holy lives.

**actual grace**
Actual grace is the additional gift of God's presence with us to help us live as children of God and followers of Jesus Christ.

**Activity** God the Father sends us a gift to help us live holy lives. Use this code to discover the gift.

| | | | | | | | | | | |
|---|---|---|---|---|---|---|---|---|---|---|
| A | .- | H | .... | O | --- | V | ...- |
| B | -... | I | .. | P | .--. | W | .-- |
| C | -.-. | J | .--- | Q | --.- | X | -..- |
| D | -.. | K | -.- | R | .-. | Y | -.-- |
| E | . | L | .-.. | S | ... | Z | --.. |
| F | ..-. | M | -- | T | - | | |
| G | --. | N | -. | U | ..- | | |

\_\_ \_\_ \_\_
-   ....   .

\_\_ \_\_ \_\_ \_\_
....   --   .-.   -..

\_\_ \_\_ \_\_ \_\_ \_\_
..   .--.   ..   .-.   -

## Vivir por la gracia de Dios

Nuestros padres comparten con nosotros el don de la vida, el amor y la fe de Jesús. A través del Bautismo, Dios comparte con nosotros el don de su vida y amor. Llamamos a este don **gracia santificante**. La palabra *santificante* significa "que hace santo". Esta gracia se lleva todo lo que nos aparta de Dios. Los pecados son perdonados. Nos hacemos santos.

Dios también interviene y nos da el don adicional de su ayuda para que vivamos una vida santa. Llamamos a esta ayuda de Dios **gracia actual**. El Espíritu Santo nos enseña y nos ayuda a vivir como seguidores de Jesucristo. Sin la gracia del Espíritu Santo, nunca podríamos vivir como hijos de Dios.

Fortalecemos nuestro amor por Dios y recibimos su gracia para vivir una vida santa cuando participamos de la celebración de los Sacramentos, especialmente la Eucaristía. Leer la Biblia y rezar también nos ayuda a decir sí a la invitación de Dios a vivir como sus hijos.

**?** ¿Cómo puedes mostrar que dices sí al don de la gracia de Dios?

## Living by God's Grace

Our parents share the gift of life, love, and faith in Jesus with us. Through Baptism, God shares the gift of his life and love with us. We call this gift **sanctifying grace**. The word sanctifying means "making holy." Through this grace all that separates us from God is taken away. Sin is forgiven. We are made holy.

God also intervenes and gives us the additional gift of his help to live holy lives. We call this help from God **actual grace**. The Holy Spirit teaches us and helps us live as followers of Jesus Christ. Without the grace of the Holy Spirit, we could never live as children of God.

We strengthen our love for God and receive his grace to live holy lives when we take part in the celebration of the Sacraments, especially the Eucharist. Reading the Bible and praying also help us say yes to God's invitation to live as his children.

How can you show that you are saying yes to God's gift of grace?

### Canonización

Cuando la Iglesia nombra Santa a una persona, declara que esa persona ha vivido una vida santa y que está ahora en el Cielo. El proceso que la Iglesia sigue para hacer esto se llama canonización.

## Elegir el camino de la santidad

Podemos elegir vivir el mandamiento de Jesús "Ámense los unos a los otros" o podemos elegir no vivirlo. Podemos elegir tomar decisiones que signifiquen no vivir el camino de la santidad. Cuando elegimos libremente no vivir como Dios quiere que vivamos, pecamos. La decisión de pecar comienza con una tentación. Todos los pecados ofenden a Dios y nos hieren, pero no todos son iguales.

**Pecado mortal.** Los pecados serios o graves que nos apartan de Dios se llaman pecados mortales. Para cometer un pecado mortal se necesitan tres cosas: Estas son:

1. Lo que elijamos hacer o dejar de hacer debe ser muy malo.

2. Debemos saber que es muy malo lo que estamos eligiendo hacer o dejar de hacer.

3. Debemos elegir libremente hacer lo que sabemos que es muy malo.

**Pecados veniales.** Los pecados menos graves se llaman pecados veniales. Un pecado es venial cuando una, dos o tres de las condiciones mencionadas para los pecados mortales no se cumplen completamente. Los pecados veniales dañan y debilitan nuestro amor por Dios y por los demás. No destruyen Nuestra relación con Dios. Ignorar nuestros pecados veniales o no arrepentirnos de ellos puede llevarnos a pecar gravemente.

**Actividad**

1. Describe una oportunidad en que resististe la tentación y elegiste hacer lo correcto aunque fuera difícil.

_____

_____

_____

2. Escribe dos maneras en que tu fe católica te ayuda a mantener los ojos fijos en Dios.

_____

_____

_____

## Choosing the Way of Holiness

We can choose to live Jesus' command, "Love one another," or we can choose not to live it. We can choose to make decisions not to live the way of holiness. When we freely choose not to live as God wants us to live, we sin. The decision to sin can begin with a temptation. All sin offends God and hurts us, but all sins are not the same.

**Mortal sin.** Serious, or grave, sins that separate us from God are called mortal sins. Three things are necessary to commit a mortal sin. They are:

1. The thing that we choose to do or not to do must be very seriously wrong.

2. We must know that what we are choosing to do or not to do is seriously wrong.

3. We must freely choose to do what we know is seriously wrong.

**Venial sins.** Less serious sins are called venial sins. A sin is venial when one, two, or three of the conditions named above for a mortal sin are not fully present. Venial sins damage and weaken our love for God and for others. They do not break our relationship with God. Ignoring our venial sins or failing to be sorry for them can lead us to sin seriously.

### Activity

1. Describe a time when you resisted a temptation and chose to do the right thing even though it was difficult.

_____

_____

_____

2. Write two ways your Catholic faith helps you keep your eyes focused on God.

_____

_____

_____

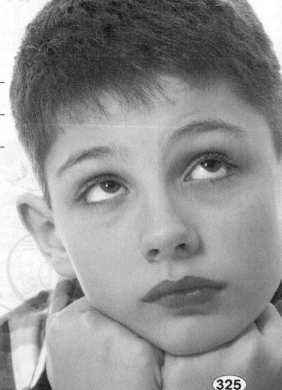

# YO SIGO A JESÚS

**Tú eres** santo y estás llamado a vivir una vida santa. Dios te dará la gracia que necesitas si se lo pides y te esfuerzas todo lo posible para hacer buenas elecciones.

## CRECER EN SANTIDAD

Frente a estas situaciones, ¿qué buenas elecciones te ayudarían a crecer en santidad y en bondad?

Un amigo tuyo logra entrar en el equipo, pero tú no. ¿Cómo reaccionarías?

Yo podría

_____

_____

Tus padres realmente quieren que vayas a un lugar importante con tu familia, pero tú quieres ir a otro sitio con tus amigos. ¿Cómo te sentirías? ¿Qué harías?

Me sentiría

_____

_____

Yo podría

_____

_____

## MI ELECCIÓN DE FE

Esta semana buscaré maneras de hacer elecciones que me ayuden a crecer en santidad. Yo voy a _____

_____

_____.

 **Reza a Dios y pídele que te ayude a vivir una vida santa llena de bondad.**

# I FOLLOW JESUS

**You are** holy and are called to live a holy life. God will give you the grace you need if you ask him and do your best to make good choices.

## GROWING IN HOLINESS

Faced with these situations, what are some good choices that would help you grow in holiness and goodness?

A friend of yours makes the team but you do not. How might you react?

I might

_____

_____

Your parents really want you to go someplace important with the family, but you want to go somewhere with your friends. How would you feel? What would you do?

I would feel

_____

_____

I would

_____

_____

This week I will look for ways to make choices that will help me grow in holiness. I will _____

_____

_____

## MY FAITH CHOICE

 **Pray to God, asking that you may live a holy life filled with goodness.**

# Repaso del capítulo

*Resuelve este crucigrama.*

## Horizontales

3. Pecado que debilita nuestro amor por Dios y por los demás.

4. Gracia que nos ayuda a vivir como hijos de Dios y seguidores de Jesús.

5. Cualidad de quienes viven como hijos de Dios.

## Verticales

1. Pecado grave por el cual elegimos apartarnos del amor de Dios.

2. Gracia que es el don de la vida y el amor de Dios que nos hace santos.

# Oración de bendición

*La Iglesia reza los salmos todos los días. Reza los versículos de este salmo. Pídele a Dios que te ayude a recorrer el camino de santidad que Jesús enseñó.*

**Grupo 1:** Haz, Señor, que conozca tus caminos, muéstrame tus senderos.

**Grupo 2:** En tu verdad guía mis pasos, instrúyeme, tú que eres mi Dios y mi Salvador.

**Grupo 1:** Te estuve esperando todo el día, sé bueno conmigo y acuérdate de mí.

**Grupo 2:** Integridad y rectitud me guardarán; en ti, Señor, he puesto mi confianza.

SALMO 25:4–5, 21

# Chapter Review

*Solve this crossword puzzle.*

## Across

**3.** Sins that weaken our love for God and for others

**4.** Grace that helps us live as children of God and followers of Jesus

**5.** Living as children of God

## Down

**1.** Serious sin by which we choose to separate ourselves from God's love

**2.** Grace that is the gift of God's life and love that makes us holy

# A Prayer of Blessing

*The Church prays the psalms every day. Pray these psalm verses. Ask God to help you walk the way of holiness that Jesus taught.*

**Group 1:** Make known to me your ways, LORD; teach me your paths.

**Group 2:** Guide me in your truth and teach me, for you are God my savior.

**Group 1:** For you I wait all the long day, because of your goodness, LORD.

**Group 2:** Let honesty and virtue preserve me; I wait for you, O LORD.

PSALM 25:4–5, 21

# Con mi familia

## Esta semana...

**En el capítulo 17,** ""Llamado a la santidad", su niño aprendió que:

Los cristianos están llamados a vivir el camino de santidad que vivió y enseñó Jesús a sus discípulos.

▶ A través del Bautismo, recibimos el don de la gracia santificante. Participamos de la vida y el amor de Dios Padre, Hijo y Espíritu Santo.

▶ Podemos aceptar o rechazar la invitación de Dios y su ayuda para vivir una vida santa. Cuando elegimos libremente no vivir como sabemos que Dios quiere que vivamos, pecamos.

▶ Su niño también aprendió que la bondad es un Fruto del Espíritu Santo que nos ayuda a honrar a Dios tratando siempre de hacer lo que sabemos que es correcto.

**Para saber más** sobre otras enseñanzas de la Iglesia, consulten el *Catecismo de la Iglesia Católica,* 1846–1869 y 1987–2016, y el *Catecismo Católico de los Estados Unidos para los Adultos,* páginas 307–338.

## ■ Compartir la Palabra de Dios

**Lean juntos** 1.ª Pedro 1:15–16. Enfaticen que Dios creó a todas las personas para que fueran santas. Hablen de qué puede hacer su familia para ser más santa.

## ■ Vivimos como discípulos

**El hogar cristiano** con la familia es una escuela de discipulado. Elijan una o más de las siguientes actividades para hacer en familia, o creen una actividad similar ustedes mismos.

▶ Pidan a los miembros de la familia que piensen en un amigo o un pariente que crean que vive una vida santa. Luego pídanles que cuenten cómo influyen esas personas en la vida de los demás.

▶ Digan a cada uno que prepare una tarjeta en la que le agradezcan a esa persona por el don que le ha dado a su familia.

▶ Investiguen juntos en un libro o un sitio web católico la vida de los Santos patronos de su familia. Hablen de por qué esa persona fue nombrada Santa, modelo de santidad.

## ■ Nuestro viaje espiritual

**Una vida rica en oración** es un paso importante para crecer en santidad. Dediquen un tiempo en familia para determinar de qué manera la oración es una parte importante de su vida diaria. En este capítulo, su niño rezó una oración basada en el Salmo 25. Lean y recen juntos esta oración de la página 328.

Para hallar más ideas sobre las maneras en que su familia puede vivir como discípulos de Jesús, visiten

**seanmisdiscipulos.com**

# With My Family

## This Week...

**In chapter 17**, "Called to Holiness," your child learned:

▶ Christians are called to live the way of holiness Jesus lived and taught his disciples to live.

▶ Through Baptism, we receive the gift of sanctifying grace. We are made sharers in the life and love of God the Father, the Son, and the Holy Spirit.

▶ We can accept or reject God's invitation and his help to live a holy life. When we freely choose not to live as we know God wants us to live, we sin.

▶ Your child also learned that goodness is a Fruit of the Holy Spirit that helps us honor God by always trying to do what we know is right.

**For more** about related teachings of the Church, see the *Catechism of the Catholic Church*, 1846–1869 and 1987–2016; and the *United States Catholic Catechism for Adults*, pages 307–338.

## Sharing God's Word

**Read together** 1 Peter 1:15–16. Emphasize that God created every person to be holy. Talk about what your family can do to become more holy.

## We Live as Disciples

**The Christian home** is a school of discipleship. Choose one of the following activities to do as a family or design a similar activity of your own.

▶ Ask family members to think of a friend or relative they believe lives a holy life. Then have family members share how those people are making a difference in the lives of others. Have each family member prepare a card thanking the person for the gift they have been to your family.

▶ Together research the lives of your family's patron Saints in a book or on a Catholic Web site. Talk about why that person was named a Saint, a model of holiness.

## Our Spiritual Journey

**A rich prayer life** is an important step in growing in holiness. Take time as a family to determine how prayer can become an important part of your daily life. In this chapter, your child prayed a prayer based on Psalm 25. Read and pray together this prayer on page 329.

For more ideas on ways your family can live as disciples of Jesus, visit **BeMyDisciples.com**

## Lo que vendrá

En este capítulo
el Espíritu Santo
te invita a ▶

**INVESTIGAR** cómo San
Juan Bosco tomó buenas
decisiones.

**DESCUBRIR** los hábitos
que nos ayudan a tomar
buenas decisiones.

**DECIDIR** cómo tomarás
buenas decisiones
morales.

# Tomar decisiones morales

**?** ¿Qué decisiones tomas todos los días?

Todos los días haces elecciones y tomas decisiones. Tus
elecciones muestran a las personas muchas cosas acerca de ti. Usa
el siguiente versículo del salmo como oración todas las veces que te
veas en la necesidad de tomar una decisión importante.

*Haz, Señor, que conozca tus caminos,
muéstrame tus senderos.*

SALMO 25:4

**?** ¿Cómo sabes si tu decisión es buena?

## Looking Ahead

In this chapter the Holy Spirit invites you to ▶

**EXPLORE** how Saint John Bosco made good decisions.

**DISCOVER** habits that can help us make good decisions.

**DECIDE** how you will make good moral decisions.

CHAPTER

18

# Making Moral Decisions

**?** What are some decisions you make every day?

Every day you make choices and decisions. Your choices tell people a lot about you. Use the following psalm verse as a prayer every time you are being called to make an important decision.

> Make known to me your ways, LORD;
>    teach me your paths.
>
> PSALM 25:4

**?** How do you know if your decision is a good one?

## Poder de los discípulos

### Prudencia

La prudencia es la virtud que ayuda a una persona a saber qué está bien y a elegir hacerlo. Es una virtud importante al tomar decisiones cristianas.

# San Juan Bosco

Los santos son personas que toman decisiones cristianas y eligen lo que es bueno y correcto. En el siglo XIX, vivió en Italia un Santo llamado Padre Juan Bosco. Dios llamó a Juan a trabajar con los niños que no tenían a nadie que los guiara. Como eran pobres, cientos de ellos habían dejado a su familia para trabajar en las ciudades. Juan los ayudaba a encontrar vivienda y empleo. Les proporcionaba alimentos y educación. Jugaba y cantaba con ellos y hasta los hacía reír con malabares.

Juan también les enseñaba acerca de Jesús y de la manera de vivir una vida cristiana. Como era sacerdote, oficiaba siempre la Misa para los niños. Sabía que, amándolos y enseñándoles las Sagradas Escrituras, ellos aprenderían a hacer elecciones buenas y prudentes. Muchos de estos niños se convirtieron en personas santas.

? ¿Qué personas de tu vida te enseñaron a hacer buenas elecciones y a ser discípulo de Jesús? Cuéntale sobre ellas a un compañero.

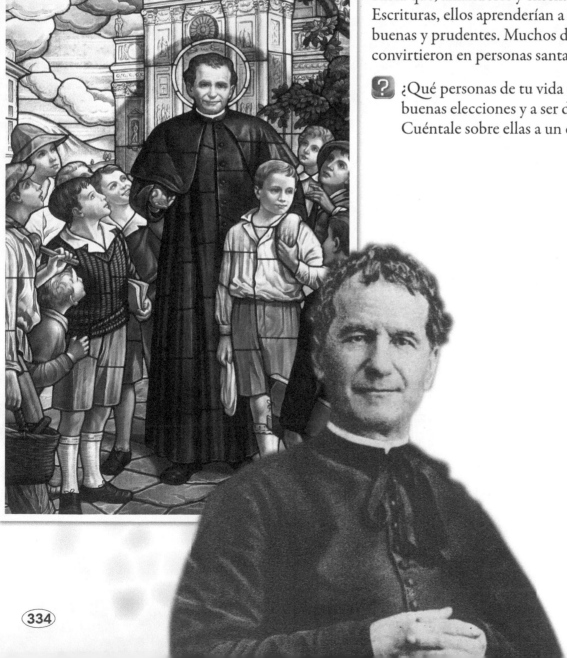

# Saint John Bosco

Saints are people who make Christian decisions and choose what is good and right. In the 1800s, a Saint named Father John Bosco lived in Italy. God called John to work with children who had no one to guide them. Because they were poor, hundreds of children had left their families to work in the cities. John helped the children find shelter and work. He provided them with food and an education. He played games with them, sang songs with them, and even juggled to make them laugh.

John also taught the children about Jesus and about how to live a Christian life. Because he was a priest, John always said Mass for the children. John knew that by loving the children and teaching them the Scriptures, the children would learn to make good and prudent choices. Many of these children grew up to be holy people.

**?** Who are some people in your life who have shown you how to make good choices and be a disciple of Jesus? Tell a partner about them.

**VOCABULARIO DE FE**

▶ **decisiones morales**
Las decisiones morales son las buenas elecciones que hacemos para vivir como hijos de Dios y seguidores de Jesucristo.

▶ **conciencia**
La conciencia es el don de Dios que forma parte de cada persona y que nos guía para saber y juzgar lo que está bien o está mal.

# Elegir el bien

Dios nos creó para que lo conozcamos, lo amemos y lo sirvamos. Las **decisiones morales** son las buenas elecciones que hacemos para vivir como hijos de Dios y seguidores de Cristo. Nos acercan a la vida que Dios creó para nosotros. Contribuyen a nuestra relación con Dios, con la Iglesia y con los demás. Fortalecen nuestro carácter y nos guían hacia la felicidad que Dios creó para nosotros. Nuestro intelecto, el libre albedrío y los sentimientos nos ayudan a tomar buenas decisiones.

**Intelecto.** Nuestro intelecto nos da la capacidad de aprender más y más acerca de Dios, de nosotros mismos, de los demás y del mundo donde vivimos.

**Libre albedrío.** Nuestro libre albedrío es el poder que Dios nos da de tomar nuestras propias decisiones y amarlo a Él y a los demás. Podemos elegir entre lo que sabemos que está bien o lo que está mal.

**Sentimientos.** Nuestros sentimientos o emociones no son buenos ni malos. Pueden ayudarnos a hacer el bien o pueden debilitarnos para hacer el mal.

Lamentablemente, vivimos en un mundo donde el Pecado Original ha debilitado nuestro intelecto y nuestra voluntad. No siempre usamos los sentimientos para que nos ayuden a elegir lo que sabemos que es bueno. Luchamos para vencer la tentación. La tentación es todo lo que nos lleva a tomar decisiones que nos apartan de vivir como hijos de Dios.

El Espíritu Santo nos ayuda y nos guía siempre para que tomemos buenas decisiones y para que superemos la tentación. Solo necesitamos recordar que tenemos que pedir ayuda.

**Actividad**

En una hoja de papel aparte o una tarjeta, escribe y decora una frase que te recuerde tomar decisiones morales a ti y a los demás. Coloca la tarjeta donde la veas con frecuencia.

# Choosing Good

God created us to know him, to love him, and to serve him. **Moral decisions** are the good choices we make to live as children of God and followers of Christ. They bring us closer to living the life that God created us to live. They build up our relationship with God, the Church, and others. Good decisions strengthen our character and lead us toward the happiness God created us to have. Our intellect, free will, and feelings can help us make good moral decisions.

**Intellect.** Our intellect gives us the ability to learn more and more about God, ourselves, others, and the world in which we live.

**Free will.** Our free will is the power God gives us to make our own decisions and to love him and others. We can choose to do what we know is good or evil.

**Feelings.** Our feelings, or emotions, are neither good nor bad. They can help us do good or they can weaken us to do evil.

Sadly, we live in a world in which Original Sin has weakened our intellect and will. We do not always use our feelings to help us choose what we know is good. We struggle to overcome temptation. Temptation is everything that moves us to make decisions that lead us away from living as children of God.

The Holy Spirit always helps and guides us to make good decisions and to overcome temptation. We just need to remember to ask for help.

**FAITH FOCUS**
Why is it important to make good moral decisions?

**FAITH VOCABULARY**

**moral decisions**
Moral decisions are the good choices we make to live as children of God and followers of Jesus Christ.

**conscience**
Conscience is the gift of God that is part of every person and that guides us to know and judge what is right and wrong.

**Activity** On a separate piece of paper or card, write and decorate a phrase that can help you and others remember to make moral decisions. Keep your card where you will see it often.

## Santa Catalina de Siena

Catalina de Siena trabajaba con los líderes de la Iglesia y del gobierno local para ayudarlos a vencer la tentación de resolver sus problemas peleando. Por su obra, Santa Catalina de Siena es honrada como Doctora, o gran maestra, de la Iglesia y mediadora de paz. La Iglesia celebra su día el 29 de abril.

## El don de la conciencia

Todas las personas nacen con un don que las ayuda a tomar decisiones morales. Este don es nuestra **conciencia**. La conciencia nos guía para saber y juzgar lo que es correcto o incorrecto. Del mismo modo en que desarrollamos nuestros dones para jugar un deporte, aprender matemáticas, usar computadoras, tocar un instrumento musical o bailar o cantar, necesitamos desarrollar nuestra capacidad para tomar decisiones morales. Estas son algunas maneras en que podemos desarrollar o entrenar nuestra conciencia.

▶ Rezarle al Espíritu Santo.

▶ Participar de la celebración de los Sacramentos, especialmente de la Eucaristía y de la Penitencia y la Reconciliación.

▶ Leer, estudiar y rezar la Biblia, en especial los Evangelios.

▶ Estudiar lo que nos enseña la Iglesia acerca de cómo debemos vivir.

▶ Aprender de la vida de personas, como los Santos, que han vivido una vida santa.

▶ Pedir el consejo de nuestros padres y de otros adultos que nos enseñan sobre nuestra fe.

Nuestra capacidad de usar y seguir nuestra conciencia también puede debilitarse. Podemos desarrollar una mala conciencia. Es muy importante que nos esforcemos por formar una buena conciencia. Tenemos la responsabilidad de hacer esto a lo largo de nuestra vida.

**Actividad** Has leído seis maneras de entrenar tu conciencia. Elige una de ellas y escribe cómo la usarás para entrenar tu conciencia.

_____

_____

_____

_____

_____

## The Gift of Conscience

Every person is born with a gift that helps us make moral decisions. This gift is our **conscience**. Our conscience guides us to know and judge what is right and what is wrong. Just as we develop our gifts to play a sport, do math, use computers, play a musical instrument, or dance or sing, we also need to develop our ability to make moral decisions. Here are some ways we can develop or train our conscience.

▶ Pray to the Holy Spirit.

▶ Take part in the celebration of the Sacraments, especially the Eucharist and Penance and Reconciliation.

▶ Read, study, and pray the Bible, especially the Gospels.

▶ Study what the Church teaches about how we should live.

▶ Learn from the lives of others, such as the Saints, who have lived holy lives.

▶ Ask the advice of our parents and other adults who teach us about our faith.

Our ability to use and follow our conscience can also become weakened. We can develop a bad conscience. It is very important that we work hard at forming a good conscience. This is something we have the responsibility to do all of our lives.

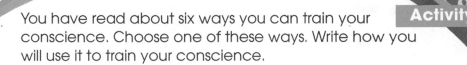

**Activity**

You have read about six ways you can train your conscience. Choose one of these ways. Write how you will use it to train your conscience.

_____

_____

_____

_____

_____

## Los católicos creen

### Examen de conciencia

Los cristianos han dedicado siempre un tiempo a pensar en sus decisiones. Llamamos a esta práctica examen de conciencia. Cada día examinamos nuestra conciencia, por lo general a la hora de acostarnos. Examinar nuestra conciencia nos ayuda a fortalecer la relación con Dios y con los demás.

## Las cuatro Virtudes Cardinales

Cuanto más entrenamos la voz para cantar o practicamos el saque cuando jugamos al tenis, más mejoramos. Desarrollamos buenos hábitos, o maneras de hacer las cosas con aparente naturalidad. Lo mismo sucede cuando seguimos una conciencia bien entrenada y tomamos decisiones morales. Cuanto más cooperamos con la gracia del Espíritu Santo y trabajamos en tomar decisiones morales, mejoran nuestras destrezas. Desarrollamos virtudes morales.

Las Virtudes Morales son poderes espirituales o hábitos que nos dan la fuerza de hacer lo correcto y de vivir una vida santa. Las cuatro Virtudes Morales se llaman también Virtudes Cardinales. La palabra *cardinal* proviene de un término que significa "quicio o eje". Las cuatro Virtudes Cardinales son:

**Prudencia.** La prudencia nos ayuda a evaluar las situaciones y a juzgar si nos conducen a hacer el bien o el mal.

**Justicia.** La justicia nos lleva a dar a Dios lo que le corresponde y a nuestro prójimo lo que le es debido.

**Fortaleza.** La fortaleza nos mantiene firmes para hacer lo que está bien, en especial cuando surgen dificultades.

**Templanza.** La templanza nos ayuda a usar y a disfrutar de las cosas sin hacernos daño a nosotros mismos ni a los demás.

Las Virtudes Morales son el eje de nuestra vida moral y de nuestra toma de decisiones morales. Estas nos ayudan a vivir como hijos de Dios y seguidores de Cristo.

**Actividad**

Lee estas dos situaciones. Nombra una Virtud Moral que ayude a cada persona a tomar una buena decisión y a ponerla en práctica.

**1.** Roberto disfruta de los juegos electrónicos. Ha estado jugando durante cuarenta y cinco minutos. Su mamá le dice: "Roberto, son las siete. ¿Cómo va la tarea?".

_____

**2.** Elena está con un grupo de amigas en el centro comercial. Sus amigas deciden ir a ver una película que ella sabe que su madre no quiere que vea. De cualquier manera, la animan para que vaya con ellas.

_____

## The Four Cardinal Virtues

The more we train our voice to sing or practice our serve in tennis, the more improvement we see. We develop good habits, or ways of doing things that seem natural. The same is true in following a well-trained conscience and making moral decisions. The more we cooperate with the grace of the Holy Spirit and work at making moral decisions, the better we become at it. We develop moral virtues.

The Moral Virtues are spiritual powers, or habits, that give us the strength to do what is right and live holy lives. The four Moral Virtues are also called Cardinal Virtues. The word *cardinal* comes from a word meaning "to hinge on." The four Cardinal Virtues are:

**Prudence.** Prudence helps us evaluate situations and judge whether they will lead us to do good or evil.

**Justice.** Justice directs us to give to God what rightfully belongs to him and to give to our neighbors what rightfully belongs to them.

**Fortitude.** Fortitude keeps us steady in doing what is good, especially when difficulties arise.

**Temperance.** Temperance helps us use and enjoy things in a way that is not harmful to us or others.

Our moral life and moral decision-making hinge on the Moral Virtues. They help us live as children of God and followers of Christ.

### Catholics Believe

**Examination of Conscience**

Christians have always set aside time to think about their decisions. We call this practice an examination of conscience. Each day we examine our conscience, usually at bedtime. Examining our conscience helps us build up our relationship with God and others.

**Activity** Read these two situations. Name a Moral Virtue that will help each person make a good decision and put it into practice.

1. Robert enjoys playing electronic games. He has been playing a game for forty-five minutes. His mom says, "Robert, it's seven o'clock. How's the homework coming?"

_____

2. Elena is with a group of her friends at the mall. Her friends decide to go into a movie that she knows her mother does not want her to see. They encourage her to go with them anyway.

_____

# YO SIGO A JESÚS

**Cada día** tratas de crecer como cristiano y de tomar decisiones para vivir la vida que Dios te pide que vivas. Tu conciencia y la guía del Espíritu Santo te ayudarán.

## ¡DECISIONES, DECISIONES!

Eres el anfitrión de un programa estudiantil de entrevistas, "¡Decisiones, Decisiones!". El tema de hoy es "Decisiones útiles tomadas por estudiantes de quinto grado". Crea un diálogo que podrías mantener con un estudiante sobre una buena decisión que él o ella pudiera tomar y las buenas consecuencias que esta le traería.

## MI ELECCIÓN DE FE

Esta semana trataré de ser más consciente de qué hago cuando tomo buenas decisiones. Antes de tomar una decisión importante, yo

_____

_____

**Pide al Espíritu Santo que te ayude a vivir una vida prudente y que te guíe siempre para que tomes buenas decisiones.**

# I FOLLOW JESUS

**Each day** you try to grow as a Christian and make decisions to live the life that God asks you to live. Your conscience and the guidance of the Holy Spirit will assist you.

## DECISIONS, DECISIONS!

You are the host of a student talk show, "Decisions! Decisions!" Today the topic is "Helpful Decisions Made by Fifth Graders." Create a dialogue you might have with a student about a good decision he or she made and the good consequences that come from that decision.

This week I will try to be more aware of how I go about making good decisions. Before I make an important decision I will

_____

_____.

MY FAITH CHOICE

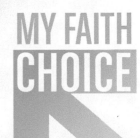

Ask the Holy Spirit to help you live a prudent life, guiding you always to make good decisions.

1. Las decisiones morales nos ayudan a crecer como hijos de Dios y a vivir como seguidores de Jesucristo.

2. La conciencia es nuestra capacidad de saber y juzgar lo que es correcto o incorrecto.

3. Las Virtudes Cardinales de la prudencia, la justicia, la fortaleza y la templanza son buenos hábitos que nos ayudan a vivir una vida santa.

# Repaso del capítulo

*Rellena el círculo junto a cada respuesta correcta.*

1. Una _____ es un hábito o poder espiritual que nos ayuda a hacer lo que es correcto o a evitar lo que es incorrecto.

   ○ tentación   ○ conciencia   ○ virtud

2. Nuestro _____ es nuestra capacidad de conocer a Dios, a nosotros mismos y a los demás más claramente.

   ○ intelecto   ○ libre albedrío   ○ alma

3. La _____ es el don de Dios que forma parte de cada persona y que nos ayuda a saber y a juzgar lo que es correcto o incorrecto.

   ○ virtud   ○ libre albedrío   ○ conciencia

4. La _____ es la Virtud Cardinal que nos mantiene firmes cuando surgen problemas en nuestra vida santa.

   ○ justicia   ○ fortaleza   ○ longanimidad

# Examen de Conciencia

*El examen de conciencia es como un pequeño retiro espiritual. Toma un momento cada día para reflexionar sobre tus acciones. Usa este examen de conciencia.*

1. Siéntate en un lugar cómodo. Recuerda que Dios está contigo.

2. Dedica un tiempo a pensar acerca del día.

3. Responde estas preguntas:

   a. ¿Cómo he mostrado o no he mostrado amor y respeto por Dios?

   b. ¿Cómo he mostrado o no he mostrado amor y respeto por mí mismo?

   c. ¿Cómo he mostrado o no he mostrado amor y respeto por los demás?

   d. ¿Cómo he usado bien o mal los dones de la creación de Dios?

4. Dedica un tiempo a hablar con Dios. Pídele que te ayude a tomar mejores decisiones.

5. Promete que tratarás de hacer lo mejor posible.

6. Termina con la Oración del Penitente.

# Chapter Review

*Fill in the circle next to each correct answer.*

1. A _____ is a habit or spiritual power that helps us do what is right and avoid what is wrong.

   ○ temptation  ○ conscience  ○ virtue

2. Our _____ is our ability to know God, ourselves, and other people more clearly.

   ○ intellect  ○ free will  ○ soul

3. _____ is the gift of God that is part of every person and helps us know and judge what is right and wrong.

   ○ Virtue  ○ Free will  ○ Conscience

4. _____ is the Cardinal Virtue that keeps us steady when problems arise in living holy lives.

   ○ Justice  ○ Fortitude  ○ Kindness

# An Examination of Conscience

*An examination of conscience is like a mini-retreat. Set aside time each day to reflect on your actions. Use this examination of conscience.*

1. Sit in a comfortable place. Remember that God is with you.

2. Spend some time thinking about the day.

3. Answer these questions:

   a. How have I shown or not shown love and respect for God?

   b. How have I shown or not shown love and respect for myself?

   c. How have I shown or not shown love and respect for other people?

   d. How have I used or misused the gifts of God's creation?

4. Spend some time talking to God. Ask him to help you make better decisions.

5. Promise that you will try to do your best.

6. Close by praying the Act of Contrition.

# Con mi familia

## Esta semana...

**En el capítulo 18,** "Tomar decisiones morales", su niño aprendió que:

▶ Tomar decisiones morales es una parte importante de la vida cristiana. Estas decisiones nos guían para vivir como hijos de Dios y seguidores de Cristo.

▶ A cada uno de nosotros se le ha dado conciencia, intelecto o inteligencia, libre albedrío y sentimientos o emociones. Todos estos dones naturales nos brindan la capacidad de tomar decisiones que nos guían para vivir una vida santa.

▶ Las cuatro virtudes de la prudencia, la justicia, la fortaleza y la templanza se llaman Virtudes Cardinales. Estas virtudes fortalecen nuestro deseo y nuestra capacidad de elegir lo que es bueno, de vencer la tentación de hacer el mal y de evitar hacer lo que no es bueno.

▶ Su niño se centró también en la Virtud Cardinal de la prudencia y en cómo esta virtud nos ayuda a tomar buenas decisiones.

**Para saber más** sobre otras enseñanzas de la Iglesia, consulten el *Catecismo de la Iglesia Católica*, 1699–1709, 1716–1724, 1730–1742, 1762–1770, 1776–1794 y 1803–1811, y el *Catecismo Católico de los Estados Unidos para los Adultos*, páginas 307–321.

## ■ Compartir la Palabra de Dios

**Lean juntos** Sabiduría 8:7. Enfaticen que las cuatro Virtudes Cardinales desempeñan un papel fundamental en ayudarnos a tomar buenas decisiones para vivir una vida santa.

## ■ Vivimos como discípulos

**El hogar cristiano** con la familia es una escuela de discipulado. Elijan una o más de las siguientes actividades para hacer en familia, o creen una actividad similar ustedes mismos.

▶ Inviten a los miembros de la familia a compartir las cosas que los han ayudado a desarrollar una conciencia buena. Anímense unos a otros a tomar decisiones para vivir una vida santa.

▶ Identifiquen las maneras en que los miembros de su familia pueden ayudarse al tomar decisiones para vivir una vida santa. Elijan una cosa que harán esta semana para ayudarse mutuamente a tomar decisiones prudentes.

## ■ Nuestro viaje espiritual

**El examen de conciencia** nos ayuda a reflexionar sobre nuestras decisiones morales. Cuenten por qué es importante pensar en nuestras decisiones morales antes, durante y después de tomarlas. Animen a los niños a analizar sus acciones todas las noches antes de acostarse, usando los pasos de la página 344.

Para hallar más ideas sobre las maneras en que su familia puede vivir como discípulos de Jesús, visiten

**seanmisdiscipulos.com**

# With My Family

## This Week...

**In chapter 18**, "Making Moral Decisions," your child learned:

▶ Making moral decisions is an important part of the Christian life. Such decisions guide us in living as children of God and followers of Christ.

▶ Each of us has been given a conscience, an intellect, a free will, and feelings, or emotions. All these natural gifts give us the ability to make decisions that guide us in living holy lives.

▶ The four virtues of prudence, justice, fortitude, and temperance are called the Cardinal Virtues. These virtues strengthen our desire and ability to choose what is good, to overcome the temptation to do evil, and avoid doing what is not good.

▶ Your child also focused on the Cardinal Virtue of prudence and how this virtue helps us make good decisions.

**For more** about related teachings of the Church, see the *Catechism of the Catholic Church*, 1699–1709, 1716–1724, 1730–1742, 1762–1770, 1776–1794, and 1803–1811; and the *United States Catholic Catechism for Adults*, pages 307–321.

## ■ Sharing God's Word

**Read together** Wisdom 8:7. Emphasize that the four Cardinal Virtues play a pivotal role in helping us make good decisions to live holy lives.

## ■ We Live as Disciples

**The Christian home** and family is a school of discipleship. Choose one of the following activities to do as a family or design a similar activity of your own.

▶ Invite family members to share the things that have helped them develop a good conscience. Encourage each other to make decisions to live holy lives.

▶ Identify ways your family can help one another make decisions to live a holy life. Choose one thing you will do this week to help each other make prudent decisions.

## ■ Our Spiritual Journey

**An examination** of conscience helps us reflect on our moral decisions. Talk about why it is important to think about our moral decisions before, during, and after we make them. Encourage the children to review their actions before going to bed each night, using the form on page 345.

For more ideas on ways your family can live as disciples of Jesus, visit **BeMyDisciples.com**

CAPÍTULO
**19**

**Lo que vendrá**

En este capítulo el Espíritu Santo te invita a ▶

**INVESTIGAR** la Alianza de Dios con su pueblo.

**DESCUBRIR** la fidelidad de Dios a la Alianza.

**DECIDIR** cómo responderás a la Alianza de Dios contigo.

# Vivir la Alianza

**?** ¿Por qué a veces es difícil cumplir nuestras promesas?

Dios cumple siempre sus promesas. Aunque sintamos que Dios no está con nosotros a veces, la verdad es que estamos tan conectados con Dios que Él siempre está presente para nosotros. Escucha de qué manera el autor del Salmo 117:2 comparte su fe en la presencia de Dios.

*Pues su amor hacia nosotros es muy grande,*
*y la lealtad del Señor es para siempre.*

*¡Aleluya!*

SALMO 117:2

**?** ¿Qué piensas cuando lees que Dios es siempre fiel, incluso cuando nos apartamos de Él?

## Looking Ahead

In this chapter the Holy Spirit invites you to ▶

**EXPLORE** God's Covenant with his people.

**DISCOVER** God's faithfulness to the Covenant.

**DECIDE** how you will respond to God's Covenant with you.

CHAPTER
# 19

# Living the Covenant

❓ Why is it hard sometimes to keep our promises?

God always keeps his promises. Even though we feel God is not with us at times, the truth is that we are so connected with God that he is always present to us. Listen to how the writer of Psalm 117:2 shares his faith in God's presence.

> The Lord's love for us is strong;
>    the Lord is faithful forever.
> Hallelujah!
>
> PSALM 117:2

❓ What do you think when you read that God is always faithful, even when we turn away from him?

# Poder de los discípulos

## Obediencia

La obediencia es elegir libremente seguir la voluntad de Dios por nuestro amor a Dios y nuestra confianza en su fidelidad a la Alianza. Sabemos que Dios solo desea lo que es bueno para nosotros.

# Pactos solemnes

Dios ha hecho pactos solemnes o alianzas con ciertos pueblos y personas, como Noé, Abrahán y Moisés. Estos pactos fueron mayormente verbales, o de palabra. No fueron pactos legales escritos.

Después de llegar a un acuerdo, el pacto era sellado o finalizado con rituales simbólicos, como un sacrificio, una bendición especial o hasta una comida ritual. Por ejemplo, después del Diluvio, Dios hizo una Alianza con Noé. Dios le dijo que lo bendeciría a él y a sus descendientes, y que nunca volvería a destruir el mundo con agua. Lo selló con un arco iris, por lo que todas las veces que se ve un arco iris, se nos recuerda la Alianza hecha mucho tiempo atrás. En otros lugares de la Biblia, los pactos entre Dios y el pueblo eran sellados con el sacrificio de un animal, por lo general un cordero.

Jesús es la Alianza nueva y eterna. En Él Dios promete la Salvación a todo el mundo. En el Bautismo participamos de esa promesa. En ese momento establecemos una Alianza con Dios. Es sellada con el agua que se derrama sobre nuestra cabeza. Luego nos ponen una vestidura blanca. Se les da a nuestros padres una vela encendida para simbolizar que somos hijos de la luz y que pertenecemos a Dios. Somos cristianos.

Dios será siempre fiel a la Alianza que hizo con nosotros. Es nuestra responsabilidad ser fieles a la Alianza que hicimos con Dios.

**?** ¿Qué sabes sobre la Alianza que hiciste con Dios en tu Bautismo?

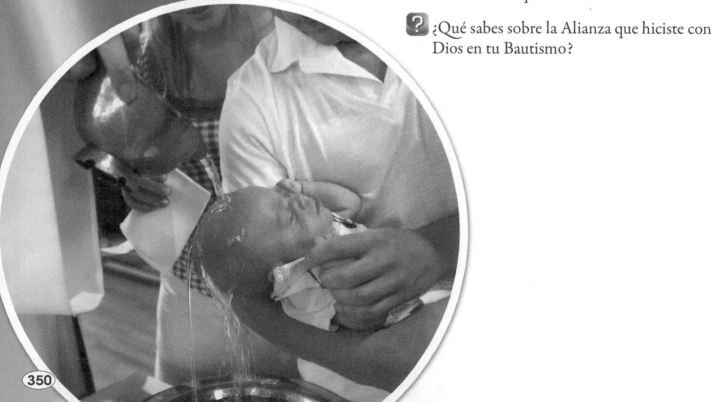

## Solemn Agreements

God has made solemn agreements, or covenants, with certain persons and people like Noah, Abraham, and Moses. These agreements were mostly verbal, or spoken. They were not written legal agreements.

After an agreement was reached, it was sealed, or made final, with symbolic rituals, a sacrifice, a special blessing, or even a ritual meal. For example, after the Great Flood, God made a Covenant with Noah. He told Noah that he would bless him and his descendents and that the world would not be destroyed by water ever again. It was sealed by a rainbow, so that every time a rainbow is seen we are reminded of that Covenant made long ago. In other places in the Bible, agreements between God and people were sealed with the sacrifice of an animal, usually a lamb.

Jesus is the new and everlasting Covenant. In him God promises Salvation for everyone. In Baptism we are made sharers of that promise. At that moment we enter into a Covenant with God. It is sealed by water being poured on our head. We are then dressed in a white garment. A lighted candle is given to our parents to symbolize that we are children of light and belong to God. We are Christians.

God will always be faithful to the Covenant he made with us. It is up to us to be faithful to the Covenant we made with God.

**?** What do you know of the Covenant you made with God at your Baptism?

## Disciple Power

### Obedience

Obedience is to freely choose to follow God's ways because of our love for God and our trust in his faithfulness to the Covenant. We know that God only desires what is best for us.

# Un pueblo de Alianza

Dios dio comienzo a la **Alianza** eterna con todas las personas cuando prometió a Noé que nunca volvería a destruir la Tierra con un diluvio. Esta expresión de la Alianza fue una relación amorosa y sagrada entre Dios y su pueblo. Noé, y después Abrahán, honraron la Alianza que habían hecho con Dios siendo fieles a Él.

Jacob era el hijo de Isaac, quien era hijo de Abrahán y Sara. Tendría doce hijos cuyos hijos se convertirían en las Doce Tribus, o grandes grupos familiares, de Israel. Esto reflejó la Alianza y la promesa original que Dios hizo a Abrahán, principalmente la promesa de que tendría tantos descendientes como estrellas había en el cielo (lee Génesis 15:5–6).

En la Misa proclamamos que Abrahán es nuestro padre en la fe. Todos los bautizados se han hecho partícipes de la Alianza que une a Dios con Abrahán. San Pablo nos recuerda esta conexión de la Alianza con Abrahán. Él enseña:

Y si ustedes son de Cristo, también son descendencia de Abrahán y herederos de la promesa.

GÁLATAS 3:29

**Actividad**

Busca y lee Génesis 15:1–16, el relato de la Alianza que hicieron Dios y Abrahán. En este espacio, escribe tres promesas que Dios hizo a Abrahán.

_____

_____

_____

# A Covenant People

God began the everlasting **Covenant** with all people when he promised Noah that he would never again destroy the Earth by flood. This expression of the Covenant was a loving and sacred relationship between God and his people. Noah, and later Abraham, honored the Covenant they and God made by being faithful to him.

Jacob was the son of Isaac, who was the son of Abraham and Sarah. He would have twelve sons whose children would become the Twelve Tribes, or large family groups, of Israel. This reflected the Covenant and original promise God made to Abraham, namely, the promise that he would have as many descendants as stars in the sky (see Genesis 15:5-6).

At Mass we proclaim that Abraham is our father in faith. All the baptized have been made sharers in the Covenant that binds God and Abraham. Saint Paul reminds us of this Covenant connection with Abraham. He teaches,

*If you belong to Christ, then you are Abraham's descendant, heirs according to the promise.*

GALATIANS 3:29

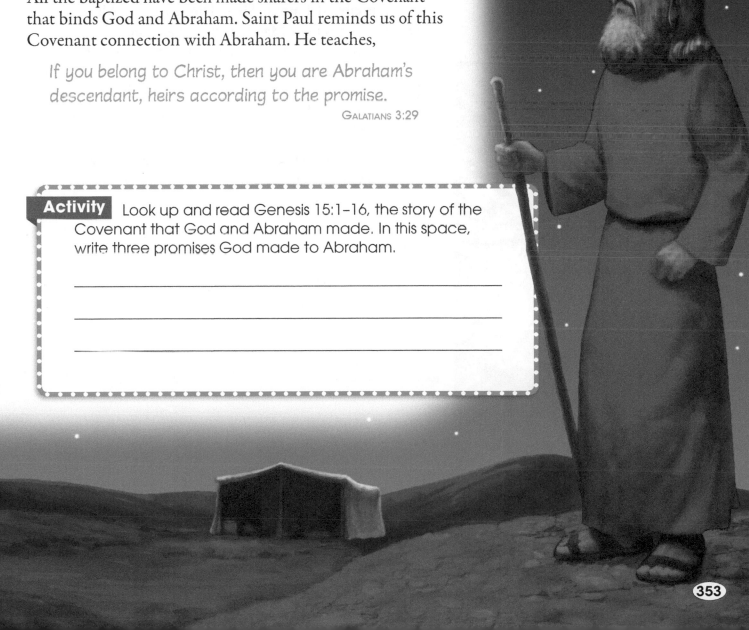

**Activity**  Look up and read Genesis 15:1–16, the story of the Covenant that God and Abraham made. In this space, write three promises God made to Abraham.

_____

_____

_____

### Abrahán

Los cristianos honramos a Abrahán como nuestro "Padre en la Fe". Su nombre era Abram y Dios se lo cambió por Abrahán después de hacer la Alianza con él. Únicamente por la promesa de Dios a ellos, Abrahán, Sara y su familia recogieron todas sus pertenencias e hicieron lo que Dios pedía.

## La Alianza con Moisés

Dios nunca ha dejado de amar su creación. Siempre ofrece a las personas la oportunidad de que regresen y vivan en armonía con Él. Sin embargo, los descendientes de Isaac y de Jacob, los israelitas, no cumplieron su parte de la Alianza.

No obstante, Dios permaneció fiel a ellos y a la Alianza. Nunca le dio la espalda a su pueblo. Dios es más confiable que la salida del sol por la mañana. Dios es siempre fiel.

Dios envió a Moisés para que sacara a los israelitas —o hebreos, como también se los conocía—, de la esclavitud en Egipto. Durante el Éxodo de los israelitas de Egipto y su marcha por el desierto, Dios los invitó a hacer una Alianza especial con Él.

Dios pidió a Moisés que subiera al monte Sinaí. Renovó su Alianza con los israelitas a través de Moisés. En este momento, Dios fue específico sobre la manera en que su pueblo debería mostrar fidelidad a la Alianza.

En la cima del monte Sinaí, Dios entregó a Moisés el Decálogo o los Diez Mandamientos para que se los diera a los israelitas. Los Mandamientos, escritos en piedra, les proporcionaban maneras concretas de vivir en armonía con Dios, con los demás, con ellos mismos y con la naturaleza. Vivir según los Mandamientos sería una señal de su fidelidad a Dios y a la Alianza.

 ¿De qué manera los Diez Mandamientos nos ayudan a ser mejores personas?

## The Covenant with Moses

God has never stopped loving his creation. God always offers people the chance to come back and live in harmony with him. However, the descendants of Isaac and Jacob, the Israelites, broke their side of the Covenant.

God nevertheless remained faithful to them and to the Covenant. He never turned away from his people. God is more dependable than the sun rising in the morning. God is always faithful.

God sent Moses to bring the Israelites, or Hebrews as they were also known, out of slavery in Egypt. During the Israelites' Exodus from Egypt and their journey through the desert, God invited them to enter a special Covenant with him.

At Mount Sinai, God called Moses up a mountain. God renewed the Covenant with Israelites thorough Moses. This time God was specific about how his people should show their faithfulness to the Covenant.

At the top of Mount Sinai, God gave Moses the Decalogue or the Ten Commandments to give the Israelites. The Commandments, written on stone, gave the people concrete ways to live in harmony with God, with others, with themselves, and with nature. Living by the Commandments would be a sign of their fidelity to God and to the Covenant.

❓ How do the Ten Commandments help us to be better people?

**Marca indeleble**

Marca espiritual que recibimos cuando nos bautizan y confirman, o cuando alguien es ordenado para el sacerdocio ministerial; el signo de que pertenecemos a Cristo para siempre.

## La Nueva Alianza

Aunque los Diez Mandamientos son el centro de la Alianza, no son la declaración final de nuestras responsabilidades para vivir la Alianza. Con el tiempo, Dios Padre envió a su Hijo, Jesucristo, Palabra de Dios y Salvador del mundo, a vivir entre nosotros. Jesús es la Alianza nueva y eterna. Al unirnos a Él en el Bautismo, se nos ha hecho participar de la nueva Alianza.

Jesús vino a nosotros para reconciliar a todas las personas con Dios, con los demás y con toda la Creación. Como parte de su misión, Jesús enseñó:

"No crean que he venido a suprimir la Ley o los Profetas. He venido, no para deshacer cosa alguna, sino para llevarla a la forma perfecta".

MATEO 5:17

Jesús, Palabra de Dios, revela claramente lo que debemos hacer para ser fieles a Dios y participar de la promesa de Salvación.

"En cambio el que los cumpla y los enseñe [los Mandamientos], será grande en el Reino de los Cielos".

MATEO 5:19

Esta nueva Alianza ya no estaba grabada simplemente en piedra. Está escrita en nuestro corazón como Dios mismo reveló a través del profeta Jeremías.

"... pondré mi ley en su interior, la escribiré en sus corazones, y yo seré su Dios y ellos serán mi pueblo.".

JEREMÍAS 31:33

**Actividad**

Dios dice que sus Mandamientos están escritos en nuestro corazón. Eso significa que son parte de quienes somos y de lo que sabemos que es cierto. Piensa en una regla que esté escrita en tu corazón.

Escríbela en este espacio.

## The New Covenant

As central to the Covenant the Ten Commandments are, they are not the final statement of our responsibilities for living the Covenant. In the fullness of time, God the Father sent his Son, Jesus Christ, the Word of God and the Savior of the world, to live among us. Jesus is the new and everlasting Covenant. Joined to him in Baptism, we have been made sharers in the new Covenant.

Jesus came to reconcile all people with God, with one another, and with all of Creation. As part of his mission, Jesus taught:

*"Do not think that I have come to abolish the law or the prophets. I have come not to abolish but to fulfill."*

MATTHEW 5:17

Jesus, the Word of God, clearly reveals what we must do to be faithful to God and to share in the promise of Salvation.

*"Whoever obeys and teaches these commandments will be called the greatest in the kingdom of heaven."*

MATTHEW 5:19

This new Covenant was no longer to be simply engraved on stone. It is written in our hearts as God himself revealed through the prophet Jeremiah.

*I will place my law within them, and write it upon their hearts; I will be their God, and they shall be my people.*

JEREMIAH 31:33

**Activity** God says that his Commandments are written on our hearts. That means they are part of who we are and what we know is true. Think of a rule that is written on your heart.

Write the rule in this space.

# YO SIGO A JESÚS

**Dios** ha sido, es y será siempre fiel a la Alianza. Dios nos invita a hacer lo mismo y nos da la gracia para ello.

## MI COMPROMISO CON LA ALIANZA

Crea un símbolo que muestre tu fidelidad a Dios. Luego escribe cómo tratarás de ser fiel a Dios del mismo modo en que Él es fiel a ti.

_____

_____

_____

_____

_____

_____

_____

_____

_____

_____

_____

## MI ELECCIÓN DE FE

Esta semana, seguiré cumpliendo mi Alianza con Dios. Yo voy a

_____

_____

_____

 **Reza:** "¡Oh Dios, listo está mi corazón, quiero cantar, quiero tocar para ti con todo mi corazón!". SALMO 108:2

# I FOLLOW JESUS

**God** has, is, and always will be faithful to the Covenant. God invites us and gives us the grace to do the same.

## MY COMMITMENT TO THE COVENANT

Create a symbol that shows your faithfulness to God. Then write how you will try to be faithful to God just as he is faithful to you.

_____

_____

_____

_____

_____

_____

_____

_____

_____

_____

_____

_____

This week I will remain true to my Covenant with God. I will

_____

_____

_____

**MY FAITH CHOICE**

Pray, "My heart is steadfast, God; my heart is steadfast. I will sing and chant praise."

PSALM 108:2

## PARA RECORDAR

1. Somos el pueblo de la Alianza. Nuestro Bautismo nos une en una Alianza eterna con Dios.

2. Dios dio a Moisés los Diez Mandamientos en el monte Sinaí para guiarnos a vivir la Alianza.

3. Jesús, Hijo de Dios, es la Alianza nueva y eterna que vino a cumplir la ley y los profetas.

# Repaso del capítulo

*Busca las palabras de la Alianza que están escondidas en la sopa de letras y enciérralas en un círculo. Usando estas palabras, escribe un párrafo breve acerca de la Alianza.*

| C | O | R | A | Z | Ó | N |
|---|---|---|---|---|---|---|
| A | B | R | A | H | Á | N |
| J | L | J | X | N | D | O |
| A | O | N | E | W | I | S |
| C | N | O | C | S | Y | E |
| O | E | É | R | T | Ú | S |
| B | M | O | I | S | É | S |

_____

_____

_____

_____

# Oración de compromiso

*Rezar es un signo de que vivimos en Alianza con Dios. Reza esta oración en silencio, en tu corazón.*

Padre Celestial, Tú revelaste que Jesús era tu Hijo amado cuando fue bautizado en el río Jordán y el Espíritu Santo descendió sobre Él.

Mantenme a mí, (di tu nombre), tu hijo renacido del agua y del Espíritu Santo, fiel a nuestra Alianza.

Concédeme que, como tu hijo adoptivo por el Bautismo, siga el camino de Cristo al servicio de los demás.

Haz que viva como tu hijo, siguiendo el ejemplo de Jesús.

Amén.

# Chapter Review

Find and circle the Covenant words hidden in the word search. Write a brief paragraph about the Covenant using these words.

| | | | | | | |
|---|---|---|---|---|---|---|
| J | A | C | O | B | G | C |
| A | B | R | A | H | A | M |
| C | L | J | X | N | D | O |
| O | O | N | E | W | I | S |
| B | N | O | C | S | Y | E |
| H | E | A | R | T | U | S |
| N | C | H | T | D | X | S |

_____

_____

_____

_____

▶ **TO HELP YOU REMEMBER**

1. We are Covenant people. Our Baptism binds us in an everlasting Covenant with God.

2. God gave Moses the Ten Commandments on Mount Sinai to guide us in living the Covenant.

3. Jesus, the Son of God, is the new and everlasting Covenant who came to fulfill the law and the prophets.

# Prayer of Commitment

_Prayer is a sign that we live in Covenant with God. Pray this prayer silently in your heart._

Father in Heaven, when the Spirit came down upon Jesus at his baptism in the Jordan River, you revealed him to be your own beloved Son.

Keep me (Say your name), your child, born of water and the Holy Spirit, faithful to our Covenant.

May I, who share in our Covenant as your adopted child through Baptism, follow in Christ's path of service to people.

May I live as your child, following the example of Jesus. Amen.

# Con mi familia

## Esta semana...

**En el capítulo 19,** "Vivir la Alianza", su niño aprendió que::

▶ Nuestro Bautismo nos une en una Alianza eterna con Dios. Dios nunca rompe su parte de la Alianza.

▶ Los Diez Mandamientos son una guía que nos ayuda a vivir en armonía.

▶ Jesucristo es el cumplimiento de la Antigua Alianza.

▶ La virtud de la obediencia es elegir libremente seguir la voluntad de Dios por nuestro amor a Dios y nuestra confianza en su fidelidad a la Alianza.

**Para saber más** sobre otras enseñanzas de la Iglesia, consulten el *Catecismo de la Iglesia Católica*, 26–231, y el *Catecismo Católico de los Estados Unidos para los Adultos*, páginas 11–76.

## ■ Compartir la Palabra de Dios

**Lean el Salmo 108:1-5.** Concéntrense en la manera en que el salmista agradece a Dios por la fidelidad y el amor de Dios. Reflexionen en qué pueden parecerse al salmista.

## ■ Vivimos como discípulos

**El hogar cristiano** con la familia es una escuela de discipulado. Elijan una o más de las siguientes actividades para hacer en familia, o creen una actividad similar ustedes mismos.

▶ Hagan una lista corta de las reglas de la familia que los ayudan a vivir como cristianos fieles en armonía con Dios y con los demás. Coloquen la lista en un lugar donde todos la vean y les recuerde las reglas de la familia.

▶ Hagan una lista de la manera en que cada miembro de la familia vive diariamente su Alianza bautismal con Dios. Compártanla con los demás

## ■ Nuestro viaje espiritual

**Dios nos invita** a ser fieles y obedientes a su voluntad y nos da la gracia para ello. Nosotros vivimos la Alianza con Dios. Él camina con nosotros a nuestro lado, paso a paso. Tenemos siempre el don de su presencia, aun cuando le demos la espalda. Esta semana, recen en voz alta en familia la oración de la Alianza de la página 360.

Para hallar más ideas sobre las maneras en que su familia puede vivir como discípulos de Jesús, visiten **seanmisdiscipulos.com**

# With My Family

## This Week...

**In chapter 19,** "Living the Covenant," your child learned:

▶ Our Baptism binds us in an everlasting Covenant with God. God never breaks his part of the Covenant.

▶ The Ten Commandments are a guide to help us live in harmony.

▶ Jesus Christ is the fulfillment of the Old Covenant.

▶ The virtue of obedience is to freely choose to follow God's ways because of our love for God and our trust in his faithfulness to the Covenant.

**For more** about related teachings of the Church, see the *Catechism of the Catholic Church,* 26–231; and the *United States Catholic Catechism for Adults,* pages 11–76.

## ■ Sharing God's Word

**Read Psalm 108:1–5.** Focus on how the psalmist gives thanks to God for God's faithfulness and love. Reflect on how you can be like the psalmist.

## ■ We Live as Disciples

**The Christian home** and family is a school of discipleship. Choose one of the following activities to do as a family or design a similar activity of your own.

▶ Make a short list of family rules that will help you live as faithful Christians in harmony with God and one another. Post the list in a place where everyone can see it and be reminded of the family rules.

▶ Make a list of how each of the family members live out their baptismal Covenant with God daily. Share it with each other.

## ■ Our Spiritual Journey

**God invites** and gives us the grace to be faithful and obedient to his ways. We live the Covenant with God. He walks with us side by side, step by step. We always have the gift of his presence—even when we turn away from him. Pray the Covenant prayer on page 361 aloud as a family this week.

For more ideas on ways your family can live as disciples of Jesus, visit **BeMyDisciples.com**

## Lo que vendrá

En este capítulo el Espíritu Santo te invita a ▶

**INVESTIGAR** de qué manera los cristianos son signos del amor de Dios.

**DESCUBRIR** qué significa ser verdaderamente bendecido por Dios.

**DECIDIR** cómo vivirás las Bienaventuranzas.

# Las Bienaventuranzas

**?** ¿De dónde crees que proviene la verdadera felicidad?

Todos quieren ser felices. Todos pasan la vida entera buscando la felicidad. Jesús nos enseñó el verdadero significado de la felicidad. Nos dijo que, si vivimos una vida de santidad, aun cuando sea difícil, descubriremos la felicidad.

*"Alégrense y muéstrense contentos, porque será grande la recompensa que recibirán en el cielo."*  MATEO 5:12

**?** ¿Cuáles son algunas maneras en que Jesús quiere que vivas?

## Looking Ahead

In this chapter the Holy Spirit invites you to: ▶

**EXPLORE** how Christians are signs of God's love.

**DISCOVER** what it means to be truly blessed by God.

**DECIDE** how you will live the Beatitudes.

# The Beatitudes

[?] Where do you think true happiness comes from?

Everyone wants to be happy. Everyone spends their whole life seeking happiness. Jesus taught us the true meaning of happiness. If we live a life of holiness, even when it is difficult, Jesus told us that we would discover happiness.

*"Rejoice and be glad, for your reward will be great in heaven."*          MATTHEW 5:12

[?] What are some of the ways you know that Jesus wants you to live?

## Justicia

La justicia es una Virtud Cardinal que nos ayuda a dar a Dios lo que le es debido y a los demás lo que debidamente les corresponde.

# LA IGLESIA SIGUE A JESÚS

## Hábitat para la Humanidad

Jesús nos animó a ayudar a los demás y nos dijo que, haciéndolo, encontraríamos la felicidad. Hábitat para la Humanidad es una organización cristiana internacional que construye viviendas. Reúne a voluntarios católicos y a otros cristianos para que trabajen juntos por la justicia y la rectitud. Construyen viviendas sencillas, decentes y asequibles junto con quienes las necesitan.

Muchos católicos participan en Hábitat para la Humanidad. Sus voluntarios han construido más de 150,000 casas en todo el mundo. Esta cifra incluye más de 50,000 en Estados Unidos. Estas viviendas son para personas que no tienen dinero para comprar su propia casa. Ellas mismas participan a menudo en la construcción de la vivienda.

Los voluntarios de Hábitat para la Humanidad construyen viviendas para personas de todas las razas, religiones y grupos étnicos. Su obra es un signo del amor de Dios por todas las personas, y ayuda a que todas ellas depositen su confianza en Él. Imagina la felicidad que sienten esas familias cuando se mudan a una casa construida por Hábitat para la Humanidad.

**Actividad** ¿Cómo ayuda tu parroquia a construir un mundo mejor? Escribe en los renglones algunas de las cosas que hace tu parroquia.

_____

_____

_____

_____

_____

_____

El ex presidente Jimmy Carter y la señora Carter participan de un proyecto de construcción de Hábitat para la Humanidad.

# THE CHURCH FOLLOWS JESUS

## Habitat for Humanity

Jesus encouraged us to help others and told us that by doing so we would find happiness. Habitat for Humanity International is a Christian housing organization. It brings together Catholic and other Christian volunteers to work together for justice and righteousness. They build simple, decent, and affordable housing in partnership with those who need it.

Many Catholics participate in Habitat for Humanity. Its volunteers have built more than 150,000 homes all over the world. This includes more than 50,000 in the United States. These homes are for people who cannot afford to buy a home of their own. The people themselves often participate.

Habitat for Humanity volunteers build homes for people of all races, religions, and ethnic groups. Their work is a sign of God's love for all people and helps all people place their trust in him. You can imagine the happiness that families feel when they move into a home built by Habitat for Humanity.

### Disciple Power

**Justice**

Justice is the Cardinal Virtue that helps us give to God what rightfully belongs to him and to give to our neighbors what rightfully belongs to them.

Former President Jimmy Carter and Mrs. Carter assist in a Habitat for Humanity building project.

**Activity** How does your parish help to build a better world? Write some of the things your parish does on the arrow lines.

_____

_____

_____

_____

_____

_____

## VOCABULARIO DE FE

**Sermón de la montaña**
El Sermón de la montaña incluye las enseñanzas de Jesús que se agrupan en los capítulos 5, 6 y 7 del Evangelio según Mateo.

**Bienaventuranzas**
Las Bienaventuranzas son los dichos o enseñanzas de Jesús que se encuentran en el Sermón de la montaña y que describen las cualidades y las acciones de las personas que Dios bendice.

# El camino a la felicidad

Durante su vida en la Tierra, Jesús enseñó muchas cosas a sus discípulos. Les dio pautas concretas acerca de cómo quería que vivieran. Mateo reunió muchas de las enseñanzas de Jesús en los capítulos 5, 6 y 7 de su Evangelio. Esta parte del Evangelio de Mateo se llama **Sermón de la montaña.**

El Sermón de la montaña empieza con las **Bienaventuranzas.** Las Bienaventuranzas son los dichos o enseñanzas de Jesús que describen tanto las cualidades como las acciones de las personas que Dios bendice. Las palabras *felices* y *Reino* son clave para entender las enseñanzas de Jesús en las Bienaventuranzas.

**Felices.** El pueblo judío describía como "felices" a quienes creían y tenían esperanza en Dios por sobre todas las personas y por sobre todas las cosas.

**Reino.** El pueblo judío de la época de Jesús estaba bajo el gobierno de los romanos. Ellos querían liberarse de ese gobierno y rezaban para que Dios estableciera el Reino que les había prometido a Abrahán, a Moisés y a David. Los oyentes y los discípulos de Jesús esperaban que Él trajera ese Reino.

[?] ¿Cómo crees que es diferente el entendimiento que tenía Jesús sobre el Reino de Dios de la idea que muchas personas tenían sobre lo que debía ser?

# The Way of Happiness

During his life on Earth, Jesus taught his disciples many things. He gave his disciples concrete guidelines on how he wanted them to live. Matthew has gathered many of the teachings of Jesus in chapters 5, 6, and 7 of his Gospel. This part of Matthew's Gospel is called the **Sermon on the Mount**.

The Sermon on the Mount begins with the **Beatitudes**. The Beatitudes are the sayings or teachings of Jesus that describe both the qualities and the actions of people blessed by God. The words *blessed* and *kingdom* are the key to understanding Jesus' teachings in the Beatitudes.

**Blessed**. The Jewish people described people who trusted and hoped in God above everyone and everything else as "blessed."

**Kingdom**. The Jewish people living in Jesus' time were under the rule of the Romans. They wanted to be free of that rule and prayed that God would establish the kingdom he had promised to Abraham, Moses, and David. Jesus' listeners and disciples hoped that Jesus would bring about that kingdom.

How do you think Jesus' understanding of the Kingdom of God differed from what many people thought it would be?

**FAITH FOCUS**
How do the Beatitudes help us make decisions to live as Christians?

**FAITH VOCABULARY**

**Sermon on the Mount**
The Sermon on the Mount includes the teachings of Jesus that are grouped together in chapters 5, 6, and 7 in the Gospel of Matthew.

**Beatitudes**
Beatitudes are the sayings or teachings of Jesus that are found in the Sermon on the Mount that describe both the qualities and the actions of people blessed by God.

### San Damián de Veuster

El Padre Damián nació en Bélgica. Cuando era un joven sacerdote, se ofreció para ser misionero en las Islas Hawái. Después se ofreció para llevar su ministerio a los leprosos que vivían en el exilio en la isla de Molokai. Luego de cuidar de ellos durante 15 años, el Padre Damián contrajo lepra y murió. La Iglesia celebra su día el 10 de mayo.

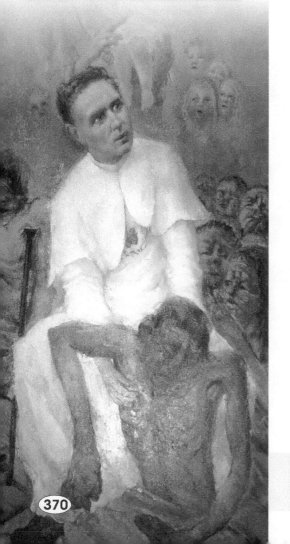

San Damián de Veuster, Capilla de San José, Lovaina, Bélgica

## Las Bienaventuranzas

Jesús recorrió Galilea y Judea predicando la Buena Nueva de la venida del Reino de Dios. Un día una multitud lo siguió hasta la ladera de una montaña en Galilea. Al verlos, empezó a enseñarles. Dijo:

*"Felices los que tienen el espíritu del pobre,*
*porque de ellos es el Reino de los Cielos.*

*Felices los que lloran,*
*porque recibirán consuelo.*

*Felices los pacientes,*
*porque recibirán la tierra en herencia.*

*Felices los que tienen hambre y sed de justicia,*
*porque serán saciados.*

*Felices los compasivos,*
*porque obtendrán misericordia.*

*Felices los de corazón limpio,*
*porque verán a Dios.*

*Felices los que trabajan por la paz,*
*porque serán reconocidos como hijos de Dios.*

*Felices los que son perseguidos por causa del bien,*
*porque de ellos es el Reino de los Cielos".*

MATEO 5:3–12

Jesús concluyó diciendo a sus oyentes que vivir las Bienaventuranzas no sería fácil. Las personas se reirían de ellos y hasta los perseguirían. Les dijo que tuvieran valor para vivir las Bienaventuranzas. Si lo hacían, descubrirían la felicidad.

**?** ¿A qué persona conoces o de quién has escuchado hablar que viva las Bienaventuranzas?

## The Beatitudes

Jesus traveled throughout Galilee and Judea preaching the Good News of the coming of the Kingdom of God. One day a crowd followed Jesus up a mountainside in Galilee. Seeing the crowd, he began to teach them. He said:

"Blessed are the poor in spirit,
   for theirs is the kingdom of heaven.

Blessed are they who mourn,
   for they will be comforted.

Blessed are the meek,
   for they will inherit the land.

Blessed are they who hunger and thirst
      for righteousness,
   for they will be satisfied.

Blessed are the merciful,
   for they will be shown mercy.

Blessed are the clean of heart,
   for they will see God.

Blessed are the peacemakers,
   for they will be called children of God.

Blessed are they who are persecuted for the
      sake of righteousness,
   for theirs is the kingdom of heaven."

MATTHEW 5:3–12

Jesus concluded by telling his listeners that living the Beatitudes would not be easy. People would make fun of them and even persecute them. He told them to have the courage to live the Beatitudes. If they did, they would discover happiness.

**?** Who is a person you know or have learned about who lives the Beatitudes?

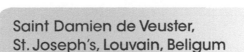

Saint Damien de Veuster,
St. Joseph's, Louvain, Beligum

# Los católicos creen

## Dinero de San Pedro

El dinero de San Pedro es el que dan los católicos para mantener el ministerio del Papa, en especial su obra con los pobres y otros necesitados. La colecta del Dinero de San Pedro comenzó en Inglaterra. Cada persona donaba un centavo, excepto los pobres, y lo recaudado era enviado al Papa.

## La Nueva Alianza

El Reino de Dios no es un reino de poder en la Tierra, sino un reino de felicidad con Dios. Comprendiendo el significado de las Bienaventuranzas, podemos entender mejor lo que significa ser bendecido por Dios.

**Los que tienen el espíritu del pobre.** Las personas que tienen el espíritu del pobre depositan toda su confianza en Dios.

**Los que lloran.** Las personas que lloran han sufrido una pérdida en su vida. Son fuertes porque saben que Dios está siempre con ellas.

**Los pacientes.** Las personas pacientes son consideradas. Tratan a los demás con amabilidad y respeto.

**Los que tienen hambre y sed de justicia.** Estas personas trabajan para que todos sean tratados con imparcialidad y justicia.

**Los compasivos.** Las personas compasivas son generosas y amables con los demás.

**Los de corazón limpio.** Los de corazón limpio ponen a Dios por sobre todas las personas y por sobre todas las cosas de su vida.

**Los que trabajan por la paz.** Los que trabajan por la paz se esfuerzan por resolver problemas sin dañar a nadie y por construir la clase de mundo que Dios quiere.

**Los que son perseguidos por causa del bien.** Estas personas hacen lo que Dios quiere, aun cuando sea difícil.

Las Bienaventuranzas son guías para vivir como Jesús nos enseñó. Los bienaventurados recibirán la recompensa prometida en el Reino de Dios.

### Actividad

El titular "Los trabajadores se reúnen para plantear demandas salariales" podría describir la aplicación de "Felices los que trabajan por la paz". Crea un titular para cada Bienaventuranza puesta en práctica.

_____

_____

_____

## The New Covenant

The Kingdom of God is not a kingdom of power on Earth, but of happiness with God. By understanding the meaning of the Beatitudes, we can better understand what it means to be blessed by God.

**The poor in spirit.** People who are poor in spirit place all their trust in God.

**Those who mourn.** People who mourn have suffered a loss in their lives. They are strong because they know God is always with them.

**The meek.** People who are meek are considerate. They treat others kindly and respectfully.

**Those who hunger and thirst for righteousness.** These people work so that everyone is treated fairly and justly.

**The merciful.** Merciful people are generous and kind to others.

**The clean of heart.** The clean of heart place God above everyone and everything else in their lives.

**The peacemakers.** Peacemakers work to solve problems without harming anyone and to build the kind of world God wants.

**Those persecuted for righteousness.** These people do what God wants, even when it is difficult.

The Beatitudes are guides for living as Jesus taught us to live. The rewards promised to the blessed will be received in the Kingdom of God.

**Activity** The headline "Workers Meet to Settle Salary Demands" might describe "Blessed are the peacemakers." Create a headline for one other Beatitude in action.

_____

_____

_____

# YO SIGO A JESÚS

**Cuando vives** las Bienaventuranzas, eres un signo de lo que significa ser bendecido por Dios para los demás. Tienes los ojos puestos en vivir en el Reino de los Cielos.

## VIVIR LAS BIENAVENTURANZAS

Piensa en cada una de estas acciones como una manera de vivir las Bienaventuranzas. Luego nombra la Bienaventuranza que cada una pone en práctica y escribe una manera en que podrías vivirla.

| Acción | Bienaventuranza | Cómo la viví |
|---|---|---|
| Eres amable con alguien de quien otros se burlan. | | |
| Escuchas a alguien con quien no estás de acuerdo. Juntos resuelven el problema. | | |

## MI ELECCIÓN DE FE

Creo que el Espíritu Santo me llama a vivir las Bienaventuranzas. Esta semana yo voy a

_____

_____ .

**Pide a Jesús que te ayude a vivir las Bienaventuranzas, al actuar siempre con justicia en tu vida diaria.**

# I FOLLOW JESUS

**When you live** the Beatitudes, you are a sign to others of what it means to be blessed by God. You have your eyes on living in the Kingdom of Heaven.

## LIVING THE BEATITUDES

Think about each of these actions as ways of living the Beatitudes. Then name the Beatitude that each puts into action and write one way you could live that Beatitude.

| Action | Beatitude | How I Lived It |
|---|---|---|
| You are kind to someone others are picking on. | | |
| You listen to someone you disagree with. Together you solve your problem. | | |

I believe that the Holy Spirit calls me to live the Beatitudes.
This week I will

_____

_____.

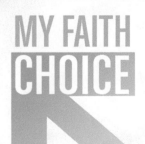

**MY FAITH CHOICE**

**Ask Jesus to help you live the Beatitudes, acting with justice in all your daily life.**

1. Las Bienaventuranzas muestran las maneras en que Jesús quiere que vivan sus discípulos.

2. Las Bienaventuranzas son los dichos de Jesús que describen las cualidades y acciones de las personas que Dios bendice.

3. Las Bienaventuranzas nos guían en la preparación del camino para la venida del Reino de Dios, que llegará al final de los tiempos.

# Repaso del capítulo

*Une las partes de las Bienaventuranzas.*

____ **1.** "Felices los pacientes,

____ **2.** "Felices los que trabajan por la paz,

____ **3.** "Felices los que tienen el espíritu del pobre,

____ **4.** "Felices los de corazón limpio,

____ **5.** "Felices los que lloran,

**a.** porque de ellos es el Reino de los Cielos.

**b.** porque verán a Dios.

**c.** porque recibirán consuelo.

**d.** porque recibirán la tierra en herencia.

**e.** porque serán reconocidos como hijos de Dios."

# Vive las Bienaventuranzas

*Pide a Dios que nos ayude a vivir para el Reino de Dios. Pide a Dios que te ayude a vivir las Bienaventuranzas.*

**Lider:** Padre amoroso, envíanos al Espíritu Santo. Enséñanos a tener el espíritu del pobre

**Todos: para que recibamos el don del reino.**

**Lider:** Enséñanos a llorar

**Todos: para que recibamos el don de tu consuelo.**

**Lider:** Enséñanos a ser pacientes

**Todos: para que recibamos la tierra en herencia.**

**Lider:** Enséñanos a tener hambre y sed de justicia

**Todos: para que seamos saciados.**

**Lider:** Enséñanos a ser compasivos

**Todos: para que obtengamos misericordia.**

**Lider:** Enséñanos a ser de corazón limpio

**Todos: para verte a ti.**

**Lider:** Enséñanos a trabajar por la paz

**Todos: para ser reconocidos como hijos de Dios.**

**Lider:** Enséñanos a tener valor cuando nos hacen daño por nuestro amor por ti

**Todos: para que recibamos el don del reino.**

BASADO EN MATEO 5:3–10

# Chapter Review

*Match the parts of the Beatitudes.*

____ **1.** "Blessed are the meek

____ **2.** "Blessed are the peacemakers

____ **3.** "Blessed are the poor in spirit

____ **4.** "Blessed are the clean of heart

____ **5.** "Blessed are they who mourn

**a.** for theirs is the kingdom of heaven."

**b.** for they will see God."

**c.** for they will be comforted."

**d.** for they will inherit the land."

**e.** for they will be called children of God."

# Live the Beatitudes

*Ask God to help us live for the Kingdom of God. Ask God to help you live the Beatitudes.*

**Leader:** Loving Father, send us the Holy Spirit. Teach us to be poor in spirit

**All:** that we will receive the gift of the kingdom.

**Leader:** Teach us to mourn

**All:** that we will receive the gift of your comfort.

**Leader:** Teach us to be meek

**All:** that we will inherit the earth.

**Leader:** Teach us to hunger and thirst for righteousness

**All:** that we will be satisfied.

**Leader:** Teach us to be merciful

**All:** that we will be shown mercy.

**Leader:** Teach us to be clean of heart

**All:** that we will see you.

**Leader:** Teach us to be peacemakers

**All:** that we will be called children of God.

**Leader:** Teach us to have courage when we are treated harmfully because of our love for you.

**All:** that we will receive the gift of the kingdom.

BASED ON MATTHEW 5:3–10

# Con mi familia

## Esta semana...

**En el capítulo 20,** "Las Bienaventuranzas", su niño aprendió que:

▶ Las Bienaventuranzas se encuentran en El Sermón de la montaña, en el Evangelio de Mateo.

▶ Las Bienaventuranzas nombran las cualidades y recompensas de las personas que Dios bendice.

▶ Los discípulos de Jesús son llamados a vivir de tal manera que podamos ser testigos de la venida del Reino de los Cielos.

▶ Debemos ser signos vivientes de la bendición, o felicidad, que Dios desea para todos.

▶ Su niño aprendió también cómo la Virtud Cardinal de la justicia puede ayudarnos a vivir las Bienaventuranzas.

**Para saber más** sobre otras enseñanzas de la Iglesia, consulten el *Catecismo de la Iglesia Católica*, 1716–1724, y el *Catecismo Católico de los Estados Unidos para los Adultos*, páginas 307–321.

## ■ Compartir la Palabra de Dios

**Lean juntos** Mateo 5:3–12. Enfaticen que Jesús enseñó las Bienaventuranzas para identificar a las personas que eran verdaderamente bendecidas por Dios. Comenten qué puede hacer su familia para vivir las Bienaventuranzas en la vida diaria.

## ■ Vivimos como discípulos

**El hogar cristiano** con la familia es una escuela de discipulado. Elijan una o más de las siguientes actividades para hacer en familia, o creen una actividad similar ustedes mismos.

▶ Vivimos las Bienaventuranzas cuando somos mediadores de paz. Nombren maneras concretas en que pueden vivir como mediadores de paz en su casa, en la escuela, en el trabajo y en su comunidad.

▶ Escriban cada una de las Bienaventuranzas en una ficha y colóquenlas en una caja, cerca de la entrada de su casa. Pidan a los miembros de su familia que elijan una ficha cada día de esta semana, la lean, la coloquen de nuevo en la caja y traten de poner esa Bienaventuranza en práctica.

## ■ Nuestro viaje espiritual

**En este capítulo,** su niño rezó una oración de petición, para pedirle a Dios la gracia para vivir las Bienaventuranzas. Lean y recen juntos esta oración de la página 376.

Para hallar más ideas sobre las maneras en que su familia puede vivir como discípulos de Jesús, visiten

**seanmisdiscipulos.com**

# With My Family

## This Week...

**In chapter 20,** "The Beatitudes," your child learned:

▶ The Beatitudes are found in the Sermon on the Mount in Matthew's Gospel.

▶ The Beatitudes name qualities and rewards of those blessed by God.

▶ The disciples of Jesus are called to live in such a way that we witness to the coming of the Kingdom of Heaven.

▶ We are to be living signs of the blessedness, or happiness, God wishes for all.

▶ Your child also learned how the Cardinal Virtue of justice can help us live the Beatitudes.

**For more** about related teachings of the Church, see the *Catechism of the Catholic Church*, 1716–1724; and the *United States Catholic Catechism for Adults*, pages 307–321.

## ◼ Sharing God's Word

**Read together** Matthew 5:3–12. Emphasize that Jesus taught the Beatitudes to identify people who were truly blessed by God. Talk about what your family can do to live the Beatitudes in your daily lives.

## ◼ We Live as Disciples

**The Christian home** and family is a school of discipleship. Choose one of the following activities to do as a family or design a similar activity of your own.

▶ We live the Beatitudes when we are peacemakers. Name concrete ways that you can live as peacemakers at home, at school, at work, and in your community.

▶ Write each of the Beatitudes on an index card and put the cards in a container near the entrance of your home. Each day this week have each family member choose a card, read it, place it back in the container, and try to put the Beatitude on it into practice that day.

## ◼ Our Spiritual Journey

**In this chapter** your child prayed a prayer of petition, asking God for the grace to live the Beatitudes. Read and pray together this prayer on page 377.

For more ideas on ways your family can live as disciples of Jesus, visit **BeMyDisciples.com**

# Unidad 5: **Repaso**

## A. Elije la mejor palabra

*Escribe en los espacios en blanco para completar las oraciones.*
*Usa las palabras de la lista.*

| | | |
|---|---|---|
| imagen | compasivas | monte Sinaí |
| semejanza | conciencia | mediadores de paz |

**1.** Los _____ se esfuerzan por resolver problemas sin dañar a
nadie y por construir la clase de mundo que Dios quiere.

**2.** Nuestra _____ nos guía para saber y juzgar
lo que es correcto o incorrecto.

**3.** En el _____, Dios dio a los israelitas los Diez Mandamientos
como guía.

**4.** Las personas _____ son generosas y amables con los demás.

**5.** Dios nos creó a su _____ y _____.

## B. Muestra lo que sabes

*Une los elementos de la Columna A con los de la Columna B.*

**Columna A**

**1.** Sermón de la montaña

**2.** libre albedrío

**3.** gracia actual

**4.** obediencia

**5.** prudencia

**Columna B**

_____ **a.** nos ayuda a evaluar las situaciones
y a juzgar si nos conducen a hacer
el bien o el mal

_____ **b.** poder que Dios nos da para
que tomemos nuestras propias
decisiones

_____ **c.** enseñanzas de Jesús que se
agrupan en los capítulos 5, 6 y 7
del Evangelio según Mateo

_____ **d.** nos fortalece para respetar a los que
tienen la autoridad

_____ **e.** don de la presencia de Dios con
nosotros para ayudarnos a vivir
como hijos de Dios y seguidores de
Jesucristo

# Unit 5 **Review**

Name _____

## A. Choose the Best Word

*Fill in the blanks to complete each of the sentences.*
*Use the words from the word bank.*

| | | |
|---|---|---|
| image | Merciful | Mount Sinai |
| likeness | conscience | Peacemakers |

1. _____ work to solve problems without harming anyone and to build the kind of world God wants.

2. Our _____ guides us to know and judge what is right and what is wrong.

3. At _____, God gave the Israelites the Ten Commandments as a guide.

4. _____ people are generous and kind to others.

5. God created us in his _____ and _____.

## B. Show What You Know

*Match the items in Column A with those in Column B.*

**Column A**

1. Sermon on the Mount

2. free will

3. actual grace

4. obedience

5. prudence

**Column B**

_____ **a.** helps us evaluate situations and judge whether they will lead us to do good or evil

_____ **b.** the power God gives us to make our own decisions

_____ **c.** the teachings of Jesus that are grouped together in chapters 5, 6, and 7 of the Gospel of Matthew

_____ **d.** strengthens us to respect people in authority

_____ **e.** the gift of God's presence with us to help us live as children of God and followers of Jesus Christ

## C. La Escritura y tú

*Vuelve a leer el pasaje de la Sagrada Escritura de la página de Inicio de la unidad.*

*¿Qué relación hay entre lo que ves en esta página y lo que aprendiste en esta unidad?*

_____

_____

_____

## D. Sé un discípulo

**1.** *Repasa las cuatro páginas de esta unidad llamadas La Iglesia sigue a Jesús. ¿Qué persona o ministerio de la Iglesia de estas páginas te inspirará para ser un mejor discípulo de Jesús? Explica tu respuesta.*

_____

_____

_____

**2.** *Trabaja en grupo. Repasa las cuatro virtudes o dones de Poder de los discípulos que has aprendido en esta unidad. Después de anotar tus ideas, comparte con el grupo maneras prácticas en las que vivirás estas virtudes o dones día a día.*

_____

_____

_____

## C. Connect with Scripture

*Reread the Scripture passage on the Unit Opener page. What connection do you see between this passage and what you learned in this unit?*

_____

_____

_____

## D. Be a Disciple

**1.** *Review the four pages in this unit titled The Church Follows Jesus. What person or ministry of the Church on these pages will inspire you to be a better disciple of Jesus? Explain your answer.*

_____

_____

_____

**2.** *Work with a group. Review the four Disciple Power virtues or gifts you have learned about in this unit. After jotting down your own ideas, share with the group practical ways that you will live these virtues or gifts day by day.*

_____

_____

_____

# Costa Rica: Nuestra Señora de los Ángeles

Todos los años los costarricenses celebran la Fiesta de Nuestra Señora de los Ángeles cada 2 de agosto.

El pueblo de Costa Rica siente una gran devoción por Nuestra Señora de los Ángeles. En 1635, una joven mujer nativa llamada Juana Pereira caminaba por un camino cercano a la ciudad de Cartago. Mientras recogía leña, sobre una roca encontró una estatua de María hecha en piedra. Era el 2 de agosto, Fiesta de Nuestra Señora de los Ángeles.

La mujer se llevó la imagen a su casa y la guardó bajo llave. Pero de nuevo, dos veces, sucedió lo mismo: la estatua reaparecía sobre la roca. Aun después de llevarle la estatua a un sacerdote y que este la guardara bajo llave, la estatua reapareció, ¡dos veces! Con esto, el sacerdote y las personas que sabían lo ocurrido se dieron cuenta de que María les estaba dando un mensaje y construyeron una capilla en ese lugar.

Ahora, cada 2 de agosto, unos dos millones de personas llegan de todas partes de Costa Rica a celebrar esta festividad. Algunos van de rodillas hasta la gran basílica, y visitan la estatua y la roca original que todavía se encuentran allí. Rezan y toman el agua que brota de la roca original donde reposa la estatua. Se dice que el agua tiene poderes curativos. Muchos aseguran que Dios les ha concedido milagros y bendiciones por medio de esta agua y la intercesión de María.

**?** ¿Alguna vez has visitado un santuario o un lugar sagrado como este?

¿Qué simboliza para la gente el agua que brota de la roca?

# Costa Rica: Our Lady of the Angels

> Costa Ricans celebrate the Feast of Our Lady of the Angels each year on August 2.

The people of Costa Rica have a great devotion to Our Lady of the Angels. In 1635, a young native woman named Juana Pereira was walking along a footpath near the city of Cartago. While gathering firewood, she found a stone statue of Mary resting on a rock. It was August 2, the Feast of Our Lady of the Angels.

She took the image to her home and locked it away. Yet, twice again, the same thing happened and the statue reappeared. Even after she brought the statue to a priest and he locked it away, the statue reappeared—twice! With this, the priest and the people who had learned what was happening realized that Mary was giving them a message, and they built a chapel on the spot.

Now, every year on August 2, as many as two million people come from all over Costa Rica to celebrate this feast. Some crawl on their knees to the great basilica and visit the statue and the original rock that are still located there. There they pray and take water that flows from the rock on which the statue rests. The water is said to have healing powers. Many claim that God has granted them miracles and blessings through this water and Mary's intercession.

**?** Have you every visited a shrine or holy place like this?

What might the water flowing from the rock symbolize for the people?

# El Gran Mandamiento

Un hombre quiso probar a Jesús. "Maestro, ¿cuál es el mandamiento más importante de la Ley?". Jesús le dijo: "Amarás al Señor tu Dios con todo tu corazón, con toda tu alma y con toda tu mente. Éste es el gran mandamiento, el primero. Pero hay otro muy parecido: Amarás a tu prójimo como a ti mismo. Toda la Ley y los profetas se fundamentan en estos dos mandamientos".

MATEO 22:36–40

# We Live
## UNIT 6
### Part Two

# The Great Commandment

[A scholar of the law] tested [Jesus] by asking, "Teacher, which commandment in the law is the greatest?" He said to him, "You shall love the Lord, your God, with all your heart, with all your soul, and with all your mind. This is the greatest and the first commandment. The second is like it: You shall love your neighbor as yourself. The whole law and the prophets depend on these two commandments." MATTHEW 22:36–40

# Lo que he aprendido

*¿Qué es lo que ya sabes acerca de estos conceptos de fe?*

**Antigua Alianza**

_____

_____

_____

**Nueva Alianza**

_____

_____

_____

**Diez Mandamientos**

_____

_____

_____

# Vocabulario de fe para aprender

*Escribe X junto a las palabras de fe que sabes. Escribe ? junto a las palabras de fe que necesitas aprender mejor.*

_____ maná

_____ Día del Señor

_____ Gran Mandamiento

_____ Buen Samaritano

_____ administrador

_____ verdad

_____ Padre Nuestro

_____ oración

**La Biblia**

*¿Qué sabes acerca de la Regla de Oro?*

_____

_____

_____

**La Iglesia**

*¿Cuándo reza la Iglesia el Padre Nuestro?*

_____

_____

_____

**Tengo preguntas**

*¿Qué te gustaría preguntar acerca de cómo seguir los Diez Mandamientos?*

_____

_____

_____

# What I Have Learned

*What is something you already know about these faith concepts?*

**Old Covenant**

_____

_____

_____

**New Covenant**

_____

_____

**Ten Commandments**

_____

_____

# Faith Terms to Know

*Put an X next to the faith terms you know. Put a ? next to faith terms you need to learn more about.*

_____ manna

_____ Lord's Day

_____ Great Commandment

_____ Good Samaritan

_____ steward

_____ truth

_____ Lord's Prayer

_____ prayer

**The Bible**

*What do you know about the Golden Rule?*

_____

_____

_____

**The Church**

*When does the Church pray the Our Father?*

_____

_____

_____

**Questions I Have**

*What questions would you like to ask about how to follow the Ten Commandments?*

_____

_____

_____

# El amor de Dios

**?** ¿Por qué son importantes las reglas?

Las reglas nos ayudan a respetarnos mutuamente y a vivir juntos en comunidad. Los Diez Mandamientos definen nuestras responsabilidades para amar y respetar a Dios, a los demás y a nosotros mismos. Escuchen lo que dice el escritor del Salmo 119 sobre obedecer la Ley de Dios.

*Señor, enséñame el camino de tus preceptos; [...]*
*Dame inteligencia para guardar tu Ley, y que la observe*
*de todo corazón.* SALMO 119:33–34

**?** ¿Por qué es importante para nosotros obedecer los mandamientos de Dios?

**Looking Ahead**

In this chapter the Holy Spirit invites you to ▶

**EXPLORE** how Saint Dominic Savio honored God.

**DISCOVER** the ways we must honor God.

**DECIDE** how to honor God in our lives.

# Love of God

**?** Why are rules important?

Rules help us respect one another and live together as a community. The Ten Commandments outline our responsibilities to love and respect God, others, and ourselves. Listen to what the writer of Psalm 119 says about obeying God's Law.

> Lord, teach me the way of your laws; . . .
> Give me insight to observe your teaching,
>   to keep it with all my heart.   PSALM 119:33–34

**?** Why is it important for us to obey God's commandments?

# El Santo Niño

Los Santos de la Iglesia aprendieron y vivieron según la Ley de Dios. Valoraron las Leyes de Dios, o mandamientos, y los siguieron.

Generalmente, cuando pensamos en Santos, pensamos en adultos. La mayoría de los Santos fueron personas comunes que hicieron cosas ordinarias de manera extraordinaria. Incluso, existen Santos niños en la Iglesia.

Domingo Savio (1842–1857) es ejemplo de un muchacho Santo. Fue un niño común, uno de diez hermanos, y muy vivaz. Sabía cuán importante eran las reglas y también sabía cuándo no las estaba cumpliendo. Por ejemplo, Domingo tuvo problemas con sus maestros porque con frecuencia estallaba en risa en clase.

Cuando Domingo estuvo listo para hacer su Primera Comunión, creó cuatro reglas a seguir en su vida. La primera fue que haría la Confesión y la Santa Comunión lo más frecuentemente posible. La segunda fue celebrar los domingos y los días santos de manera especial. La tercera fue que Jesús y María serían sus amigos. La cuarta fue que trataría de no pecar.

En 1857, cuando tenía 15 años, Domingo contrajo tuberculosis, una enfermedad pulmonar que finalmente le causó la muerte. La mansedumbre de Domingo le permitió mantener la fe en Dios cuando estaba muriendo. Cuando su padre estaba rezando con él, la cara de Domingo se encendió con intenso gozo. Le dijo a su padre: "¡Estoy viendo cosas maravillosas!". Domingo vio lo que Jesús había prometido. Ahora está con Dios en el Cielo. Domingo Savio fue canonizado, es decir, nombrado Santo de la Iglesia, en 1954.

**?** ¿Qué reglas te ayudan a vivir la fe católica?

# The Child Saint

The Saints of the Church learned and lived God's Law. They valued God's Laws, or Commandments, and kept them.

Often when we think of the Saints, we think of adults. Most Saints were ordinary people who did ordinary things in an extraordinary way. There are even child Saints in the Church.

Dominic Savio (1842–1857) is an example of a young boy who is a Saint. He was an ordinary boy, one of ten children, and high-spirited. He knew how important rules were, and he knew when he was breaking rules. For example, Dominic even got into trouble with his teachers because he would often break out laughing in class.

When Dominic was getting ready to make his First Communion, he made four rules to live by. The first was that he would go to Confession and Holy Communion as often as possible. The second was to celebrate Sundays and holy days in a special way. The third was that Jesus and Mary would be his friends. The fourth was that he would try not to sin.

In 1857, at the age of fifteen, Dominic caught the lung disease tuberculosis, which eventually caused his death. Dominic's meekness allowed him to keep faith in God when he was dying. As his father was praying with him, Dominic's face lit up with an intense joy. He said to his father: "I am seeing most wonderful things!" Dominic saw what Jesus promised. He is now with God in Heaven. Dominic Savio was canonized, or named a Saint of the Church, in 1954.

❓ What rules help you live your Catholic faith?

## Disciple Power

**Meekness**

Meekness is the virtue that helps us to maintain our confidence in God when difficulties come into our lives, rather than being overcome by the difficult condition itself.

## VOCABULARIO DE FE

**maná**
El maná es el alimento que fue milagrosamente entregado a los israelitas durante los cuarenta años en el desierto.

**Diez Mandamientos**
Los Diez Mandamientos son las leyes de la Alianza reveladas a Moisés y los israelitas en el Monte Sinaí.

# Vivir la Alianza

El relato de la Revelación de Dios de los Diez Mandamientos es parte del relato de la Alianza. La Alianza es el acuerdo solemne que Dios hizo con los israelitas. Él les prometió que sería su Dios, y los israelitas prometieron que lo adorarían solo a Él como Dios.

Después de que Moisés guiara a los israelitas fuera de Egipto, liberándolos de la esclavitud, estuvieron viajando cuarenta años por el desierto. Durante ese tiempo, Dios los alimentó con el **maná** que caía del Cielo. A pesar de eso, los israelitas se enojaron con Dios, con Moisés y entre ellos. Olvidaron la Alianza que habían hecho con Dios.

Las Sagradas Escrituras nos cuentan que Dios vio todo lo que estaba sucediendo y llamó a Moisés a la montaña. Allí le dio a Moisés los **Diez Mandamientos** para guiar a su pueblo a vivir la Alianza. Cuando Moisés bajó de la montaña, le explicó a los israelitas:

"Estos son los [...] mandamientos que Yavé, Dios de ustedes, me mandó, para que yo se los enseñe y ustedes los cumplan..."

DEUTERONOMIO 6:1

Los Diez Mandamientos también guían a los seguidores de Cristo para vivir la Nueva Alianza que Dios ha hecho con todas las personas. Jesús es la Alianza nueva y eterna. Vino para cumplir, no para desechar, los Mandamientos que le fueron revelados a Moisés.

**Actividad** Imagina que estás entre la gente en el momento en que Moisés baja de la montaña. ¿Cómo hubieras reaccionado al mensaje que Dios le dio a Moisés? Haz una dramatización de la escena en tu clase.

# Living the Covenant

The story of God's Revelation of the Ten Commandments is part of the story of the Covenant. The Covenant is the solemn agreement that God entered into with the Israelites. He promised that he would be their God, and the Israelites promised they would worship him alone as God.

After Moses led the Israelites out of slavery in Egypt, they journeyed for forty years in the desert. During this time, God provided them with **manna** to eat from Heaven. Nevertheless the Israelites grew angry with God, with Moses, and with one another. They forgot the Covenant they had entered into with God.

Sacred Scripture tells us that God saw all that was happening and called Moses up to the mountain. There he gave Moses the **Ten Commandments** to guide his people in living the Covenant. After Moses came down from the mountain, he explained to the Israelites:

"These then are the commandments, . . . which the Lord, your God, has ordered that you be taught to observe." DEUTERONOMY 6:1

The Ten Commandments also guide the followers of Christ in living the New Covenant that God has made with all people. Jesus is the new and everlasting Covenant. He came to fulfill, not to do away with the Commandments that were revealed to Moses.

**FAITH FOCUS**
How do the First, Second, and Third Commandments tell us to respond to God's love?

**FAITH VOCABULARY**

**manna**
Manna is the food miraculously sent to the Israelites during their forty years in the desert.

**Ten Commandments**
The Ten Commandments are the laws of the Covenant revealed to Moses and the Israelites on Mount Sinai.

**Activity** Imagine that you are among the people when Moses came down from the mountain. How would you have reacted to Moses' message from God? Act out the scene with your class.

**Moisés**

Actuando en nombre de Dios, Moisés condujo a los israelitas fuera de la esclavitud de Egipto. Él subió al Monte Sinaí y bajó con los Diez Mandamientos. Preparó a los israelitas para entrar a la tierra de Canaán.

# Los tres primeros Mandamientos

El Primero, Segundo y Tercer Mandamiento describen nuestro privilegio y nuestra responsabilidad para adorar a Dios. También nos enseñan cómo debemos mostrar nuestro amor por Dios.

## El Primer Mandamiento

*Yo soy Yavé, tu Dios,.. No tendrás otros dioses fuera de mí.*                    Basado en Éxodo 20:2–3

A través del Primer Mandamiento, Dios nos llama a creer y tener esperanza en Él, y amarlo por encima de todas las cosas. No debemos dejar que las cosas como el dinero o la popularidad sean más importantes para nosotros que Dios.

## El Segundo Mandamiento

*No tomes en vano el nombre de Yavé, tu Dios,...*

Basado en Éxodo 20:7

El Segundo Mandamiento nos enseña que debemos usar el nombre de Dios con sinceridad y respeto. Usamos en vano el nombre de Dios cuando juramos decir la verdad y luego mentimos. Al hacerlo, tomamos a Dios como testigo de una mentira como si fuera verdad. También usamos en vano el nombre de Dios cuando lo nombramos a Él o a Jesús de manera inadecuada o cuando estamos molestos. Esto se denomina blasfemia.

? ¿Cómo pueden ver los demás que agradar a Dios es lo primero en tu vida?

Toma de juramento al cargo presidencial del ex presidente Ronald Reagan.

# The First Three Commandments

The First, Second, and Third Commandments describe our privilege and responsibility to worship God. They also show us how we are to show our love for God.

## The First Commandment

*I am the Lord your God: you shall not have strange gods before me.*    BASED ON EXODUS 20:2–3

Through the First Commandment, God calls us to believe and hope in him, and love him above all else. We are not to let things, such as money or being popular, become more important to us than God.

## The Second Commandment

*You shall not take the name of the Lord, your God, in vain.*    BASED ON EXODUS 20:7

The Second Commandment teaches us that we are to use God's name truthfully and with respect. We use God's name in vain when we take an oath to tell the truth and then lie. When we do this, we call upon God as a witness to a lie as if it were the truth. We also use God's name in vain when we use the name God or Jesus in anger, or in any inappropriate way. This is called profanity.

**?** How can others see that you please God first in your life?

Former President Ronald Reagan as he took the Oath of Office.

La Iglesia comienza la celebración del domingo y de los días de precepto cuando celebra la Misa del sábado en la noche o la noche anterior al día santo. Esta costumbre de la Iglesia se basa en la antigua costumbre judía de definir el día de atardecer en atardecer.

# El Tercer Mandamiento

*Acuérdate santificar el Día del Señor.*

BASADO EN ÉXODO 20:8

En el relato de la Creación, leemos que:

*Bendijo Dios el séptimo día y lo hizo santo, porque ese día descansó de sus trabajos después de toda esta creación que había hecho.*

GÉNESIS 2:3

En la actualidad, para los israelitas y para el pueblo judío, el séptimo día de la semana es un día santo, el Sabbat.

Para los cristianos, el domingo es el día del Señor. Es el día en el que Jesús resucitó de la muerte. Participar de la Misa el Día del Señor, sea sábado a la noche o domingo, es una obligación importante para los católicos. Quienes no tienen una razón seria para no participar de la Misa, como una enfermedad, y eligen deliberadamente no cumplir con su obligación, cometen un pecado grave.

El Día del Señor es un momento para adorar a Dios Creador. Es un momento para descansar de nuestro trabajo y asegurarnos de que todo el trabajo que hacemos es trabajo de Dios. Es un momento para alimentar nuestra fe y nuestra vida.

**Actividad** ¿De qué manera tu familia santifica el domingo, Día del Señor? Completa los espacios siguientes.

_____

_____

_____

_____

_____

_____

_____

_____

## The Third Commandment

*Remember to keep holy the Lord's Day.*

BASED ON EXODUS 20:8

In the story of Creation, we read that:

*God blessed the seventh day and made it holy, because on it he rested from all the work he had done in creation.*

GENESIS 2:3

For the Israelites and the Jewish people today, the seventh day of the week is a holy day, the Sabbath.

For Christians Sunday is the Lord's Day. It is the day on which Jesus was raised from the dead. Taking part in Mass on the Lord's Day, either on Saturday evening or Sunday, is a serious obligation for Catholics. Those who do not have a serious reason for not participating in Mass, such as an illness, and deliberately choose not to fulfill their obligation commit a serious sin.

The Lord's Day is a time to worship God the Creator. It is a time to rest from our work and make sure all the work we do is God's work. It is a time to nourish our faith and our life.

### Catholics Believe

**Saturday Evening Mass**

The Church begins the celebration of Sunday and holy days of obligation by celebrating Mass on Saturday evening or the evening before the holy day. This custom of the Church is based on the ancient Jewish custom of defining a day as sundown to sundown.

---

**Activity** What are ways your family keeps Sunday, the Lord's Day, holy? Fill in the spaces below.

_____

_____

_____

_____

_____

_____

_____

_____

_____

_____

**Estás creciendo** cada día en tu amor por Dios. La virtud de la mansedumbre te permite hacer muchas cosas para mostrar a los demás que Dios está en el centro de tu vida.

## EL CENTRO DE MI VIDA

Escribe o dibuja en cada parte del círculo una cosa que hagas para ayudarte a que Dios sea el centro de tu vida.

DIOS

## MI ELECCIÓN DE FE

Esta semana haré del domingo un día santo y especial dedicado al Señor. Yo voy a

_____

Reza: "Padre, bendito es tu Hijo, Jesús, a quien enviaste para mostrarnos cómo amarte. Llena nuestros corazones del Espíritu Santo, para que podamos seguir tus leyes. Amén".

# I FOLLOW JESUS

**You are growing** in your love for God each day. The virtue of meekness allows you to do many things to show others that God is at the center of your life.

## THE CENTER OF MY LIFE

In each part of the circle write or draw one thing you can do to help you make God the center of your life.

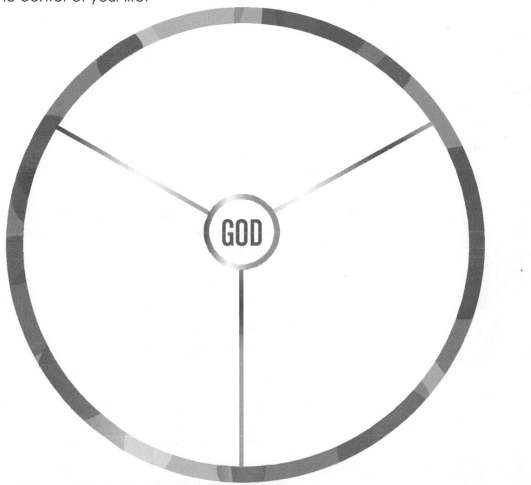

GOD

This week I will keep Sunday as a holy and special day dedicated to the Lord. I will

_____

MY FAITH CHOICE

 Pray, "Father, blessed is your Son, Jesus, whom you sent to show us how we can love you. Fill our hearts with the Holy Spirit, so we may follow your laws. Amen."

1. Dios reveló los Diez Mandamientos para que nos guiaran en tomar decisiones morales.

2. El Primero, Segundo y Tercer Mandamiento describen nuestro privilegio y nuestra responsabilidad para adorar a Dios.

3. El Día del Señor es un día santo y un momento para descansar de nuestro trabajo. Para los cristianos, el domingo es el Día del Señor.

# Repaso del capítulo

*Une las palabras de la Columna A con las descripciones correspondientes de la Columna B.*

## Columna A

___ **1.** Primer Mandamiento

___ **2.** Segundo Mandamiento

___ **3.** Tercer Mandamiento

## Columna B

**a.** Guarda el Día del Señor como día santo.

**b.** Usa de manera sincera y respetuosa el nombre de Dios.

**c.** Adora solo a Dios y ámalo por sobre todas las cosas.

# A ti, oh Dios

*El Te Deum ("A ti, oh Dios") es un antiguo himno de la Iglesia. Fue escrito alrededor del año 300 y es un gran himno de alabanza a Dios.*

**Todos:** **Santo Dios, alabamos tu nombre.**

**Grupo 1:** A ti, oh Dios, te alabamos,
a ti, Señor, te reconocemos;

**Grupo 2:** A ti, eterno Padre,
te venera toda la creación.

**Todos:** **Santo Dios, alabamos tu nombre.**

**Grupo 1:** La gloriosa compañía de los Apóstoles te alaba.
La noble hermandad de los profetas te alaba.
El ejército de mártires en togas blancas te alaba.

**Grupo 2:** A ti, la Iglesia santa, en todo el mundo, te proclama: Padre, de inmensa majestad, tu Hijo único y verdadero, digno de adoración, y el Espíritu Santo, Intérprete y Guía.

**Todos:** **Santo Dios, alabamos tu nombre.**

Basado en el *Te Deum*

# Chapter Review

Match the terms in Column A with their descriptions in Column B.

**Column A**

___ **1.** First Commandment

___ **2.** Second Commandment

___ **3.** Third Commandment

**Column B**

**a.** Keep the Lord's Day as a holy day.

**b.** Use God's name truthfully and respectfully.

**c.** Worship only God and love him above all things.

▶ **TO HELP YOU REMEMBER**

**1.** God revealed the Ten Commandments to guide us in making moral decisions.

**2.** The First, Second, and Third Commandments describe our privilege and responsibility to worship God.

**3.** The Lord's Day is a holy day and a time to rest from our work. Sunday is the Lord's Day for Christians.

# You Are God

The *Te Deum* ("You Are God") is an ancient hymn of the Church. Written in the 300s, it is a great hymn of praising God.

**All:** **Holy God, we praise your name.**

**Group 1:** You are God: we praise you;
You are the Lord: we acclaim you;

**Group 2:** You are the eternal Father:
All creation worships you.

**All:** **Holy God, we praise your name.**

**Group 1:** The glorious company of Apostles praises you.
The noble fellowship of prophets praises you.
The white-robed army of martyrs praises you.

**Group 2:** Throughout the world the holy Church acclaims you:
Father, of majesty unbounded, your true and only Son,
worthy of all worship, and the Holy Spirit,
Advocate and Guide.

**All:** **Holy God, we praise your name.**

Based on the *Te Deum*

# Con mi familia

## Esta semana...

**En el capítulo 21,** "El amor de Dios" su niño aprendió que:

▶ El Primero, Segundo y Tercer Mandamiento describen nuestro privilegio y nuestra responsabilidad de adorar, respetar y reverenciar a Dios como Dios.

▶ El Primer Mandamiento nos llama a creer en Dios, tener esperanza en Él y a amarlo por sobre todas las cosas.

▶ El Segundo Mandamiento nos enseña a respetar a Dios al nombrarlo únicamente con sinceridad.

▶ El Tercer Mandamiento nos obliga a adorar a Dios juntos en la Misa y a alimentar nuestra relación con Él y con nuestra familia.

▶ La virtud de la mansedumbre nos ayuda a confiar en Dios a pesar de las dificultades.

**Para saber más** sobre otras enseñanzas de la Iglesia, consulten el *Catecismo de la Iglesia Católica,* 2083–2132, 2142–2159 y 2168–2188, y el *Catecismo Católico de los Estados Unidos para los Adultos,* páginas 339–371.

## ■ Compartir la Palabra de Dios

**Existen dos** pasajes de la Sagrada Escritura para los Diez Mandamientos: Éxodo 20:2–17 y Deuteronomio 5:6–21. Lean con su familia las dos versiones de la Sagrada Escritura sobre los Diez Mandamientos.

## ■ Vivimos como discípulos

**El hogar cristiano** con la familia es una escuela de discipulado. Elijan una o más de las siguientes actividades para hacer en familia, o creen una actividad similar ustedes mismos.

▶ El Primero, Segundo y Tercer Mandamiento nos enseñan a mostrar nuestro amor y respeto por Dios. Comenten cómo muestran su amor y respeto por Dios durante la Misa y cómo muestran su amor y respeto por Dios en casa. Den un buen ejemplo al usar siempre el nombre de Dios con reverencia.

▶ El Tercer Mandamiento nos enseña a santificar el domingo, Día del Señor. Cuenten cómo su familia celebra el domingo como un día santo. Elijan una cosa que puedan hacer para que el domingo sea un día para el Señor.

## ■ Nuestro viaje espiritual

**El Te Deum** es un antiguo himno de alabanza que data del siglo cuatro. Es una versión más solemne del *Gloria* que cantamos en la Misa. Las alabanzas siguen la línea del Credo de los Apóstoles. Recen en familia las primeras palabras de alabanza de esta oración todos los días de esta semana.

Para hallar más ideas sobre las maneras en que su familia puede vivir como discípulos de Jesús, visiten **seanmisdiscipulos.com**

# With My Family

## This Week...

**In chapter 21,** "Love of God," your child learned:

▶ The First, Second, and Third Commandments describe our privilege and responsibility to worship, respect, and reverence God as God.

▶ The First Commandment calls us to believe in, hope in, and love God above all else.

▶ The Second Commandment teaches us to respect God by only calling on his name truthfully.

▶ The Third Commandment obliges us to worship God together at Mass and to nourish our relationship with both him and our family.

▶ The virtue of meekness helps us keep confidence in God in spite of difficulties.

**For more** about related teachings of the Church, see the *Catechism of the Catholic Church*, 2083–2132, 2142–2159, and 2168–2188; and the *United States Catholic Catechism for Adults*, pages 339–371.

## ▪ Sharing God's Word

**There are two** Scripture passages for the Ten Commandments: Exodus 20:2–17, and Deuteronomy 5:6–21. Read the two Scripture accounts of the Ten Commandments with your family.

## ▪ We Live as Disciples

**The Christian home** and family is a school of discipleship. Choose one of the following activities to do as a family or design a similar activity of your own.

▶ The First, Second, and Third Commandments teach us to show our love and respect for God. Talk about how you show your love and respect for God during Mass, and how you show your love and respect for God at home. Set a good example by always using God's name with reverence.

▶ The Third Commandment teaches us to keep holy the Lord's Day, Sunday. Talk about how your family celebrates Sunday as a holy day. Choose one thing you can do to make your Sunday a day for the Lord.

## ▪ Our Spiritual Journey

**The *Te Deum*** is an ancient hymn of praise dating from the fourth century. It is a more solemn version of the *Gloria* we sing at Mass. The praises follow the outline of the Apostles' Creed. Pray the opening words of praise from this prayer as a family each day this week.

For more ideas on ways your family can live as disciples of Jesus, visit **BeMyDisciples.com**

CAPÍTULO

22

**Lo que vendrá**

En este capítulo el Espíritu Santo te invita a ▶

INVESTIGAR quién es tu prójimo.

DESCUBRIR el llamado a amar a tu prójimo como a ti mismo.

DECIDIR cómo responder al llamado de Dios de amar a los demás.

# Amor al prójimo

**?** ¿De qué manera nos mostramos respeto?

A través de la Biblia, Dios nos dice y nos recuerda que debemos vivir la Alianza. Jesús recordó a su pueblo que el Gran Mandamiento resume cómo debemos vivir la Alianza. Debemos guardar la Palabra de Dios en nuestro corazón.

*En mi corazón escondí tu palabra*
*para no pecar contra ti.*

SALMO 119:11

**?** ¿Quién te ha ayudado a conocer los caminos de Dios?

## Looking Ahead

In this chapter the Holy Spirit invites you to ▶

**EXPLORE** who is your neighbor.

**DISCOVER** the call to love your neighbor as yourself.

**DECIDE** how to respond to God's call to love others.

CHAPTER

# 22

# Love of Neighbor

**?** What are some of the ways we show respect for one another?

Throughout the Bible, God speaks to us and reminds us that we are to live the Covenant. Jesus reminded the people of his time that the Great Commandment summarizes how we are to live the Covenant. We are to keep God's Word in our hearts.

*In my heart I treasure your promise,*
*that I may not sin against you.*

PSALM 119:11

**?** Who has helped to make God's ways known to you?

## Poder de los discípulos

### Templanza

La templanza equilibra cómo actuamos y hablamos de una buena manera. Esta Virtud Cardinal también permite que una persona exprese sus sentimientos de manera apropiada.

# Responder al amor de Dios

Todos los días conoces personas cuyas palabras y acciones muestran respeto por ellos mismos y por los demás. También conoces personas cuyas palabras y acciones no lo muestran. ¡Y sabes la diferencia! Sabes bien los beneficios que resultan de alguien que verdaderamente vive los caminos de Dios, como rezó el salmista.

Rosa de Lima (1586–1617) fue una de esas personas que vivió el camino del Señor. Su amor por Dios era tan profundo que desbordó en un práctico amor por las personas. Su día estaba lleno de oraciones, trabajo duro y ayuda a los enfermos y los pobres de su comunidad.

Rosa los llevó a su pequeño albergue, donde los alimentó y cuidó. Vendió sus finos trabajos de aguja y cultivó hermosas flores que vendió en el mercado. Con el dinero que obtuvo, mantuvo a su familia y obras de caridad. Rosa les mostró a las personas no solo cuánto las amaba, sino también cuánto los amaba Dios.

Rosa fue miembro laico de la Orden de los Dominicos. Se la nombró Santa de la Iglesia. Mientras más aprendamos acerca de la vida de Santa Rosa de Lima, más llegaremos a conocer y seguir los caminos de Dios. Y mejor viviremos la Alianza que hicimos con Dios en el Bautismo.

**?** ¿De qué manera te ayudó la vida de Rosa a mostrar amor y respeto por tu familia y por las demás personas?

*Santa Rosa de Lima,* Catedral San Francisco, Santa Fe, NM

# Responding to God's Love

Every day you experience people whose words and actions show respect for themselves and for others. You also experience people whose words and actions do not. And you know the difference! You know well the good that comes about when someone truly lives God's ways as the psalmist prayed.

Rosa of Lima (1586–1617) was one of those people who lived the way of the Lord. Her love for God was so deep that it overflowed into a very practical love for people. Her day was filled with prayer, hard work, and helping sick and poor people in her community.

Rosa brought them to her little shed, where she fed and cared for them. She sold her fine needlework and grew beautiful flowers that she sold at the market. With the money she made, she supported her family and works of charity. Rosa showed people not only how much she loved them but also how much God loved them.

Rosa became a lay member of the Dominican Order. Rosa was named a Saint of the Church. The more we learn about the life of Saint Rosa of Lima, the more we will come to know and follow God's ways. The better we will live the Covenant we made with God at Baptism.

**?** How does Rosa's life help you to show love and respect for your family and for other people?

*St. Rose of Lima*, St. Francis Cathedral, Santa Fe, NM

# Respetarnos a nosotros y a los demás

Jesús enseñó que existe un Gran Mandamiento que tiene dos partes. Debemos amar a Dios por sobre todas las cosas, y debemos amar a nuestro prójimo como a nosotros mismos.

En la parábola El buen samaritano, Jesús enseña quién es nuestro prójimo. Nuestro prójimo es toda persona viva. Dios nos pide que amemos a todos. Todos somos prójimos a los ojos de Dios. Los Diez Mandamientos nos ayudan a vivir esta parte del Gran Mandamiento.

## El Cuarto Mandamiento

*Respeta a tu padre y a tu madre,...*

ÉXODO 20:12

El Cuarto Mandamiento enseña que debemos amar, honrar y respetar a los miembros de nuestra familia, especialmente a nuestros padres. La familia es el primero y más importante grupo de la sociedad. Es nuestra responsabilidad fortalecer nuestras relaciones familiares.

**Actividad**

Comenta las reglas familiares que ayudan a los miembros de la familia a mostrarse respeto entre sí. Elige una de las reglas y escribe acerca de ella aquí. Cuenta por qué es una buena regla.

_____

_____

_____

_____

_____

_____

_____

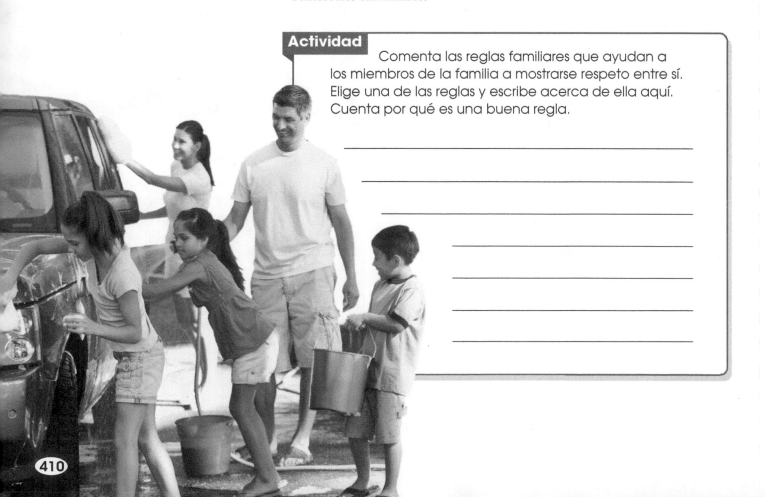

# Respecting Ourselves and Others

Jesus taught that there is one Great Commandment, which has two parts. We are to love God above all, and we are to love our neighbors as we love ourselves.

In the parable of the Good Samaritan, Jesus teaches who our neighbor is. Our neighbor is every living person. God calls us to love everyone. All are neighbors in God's eyes. The Ten Commandments help us live this part of the Great Commandment.

## The Fourth Commandment

*Honor your father and your mother.*

EXODUS 20:12

The Fourth Commandment teaches that we are to love, honor, and respect the members of our family, especially our parents. The family is the first and most important group in society. It is our responsibility to strengthen our family relationships.

**FAITH FOCUS**
What do the Ten Commandments teach us about loving our neighbor as we love ourselves?

**FAITH VOCABULARY**
**chastity**
The virtue of chastity is the respecting and honoring of our sexuality. Chastity guides us to share our love with others in appropriate ways.

### Activity

Discuss family rules that help family members show respect for one another. Choose one of the rules and write about it here. Tell why it is a good rule.

_____

_____

_____

_____

_____

_____

_____

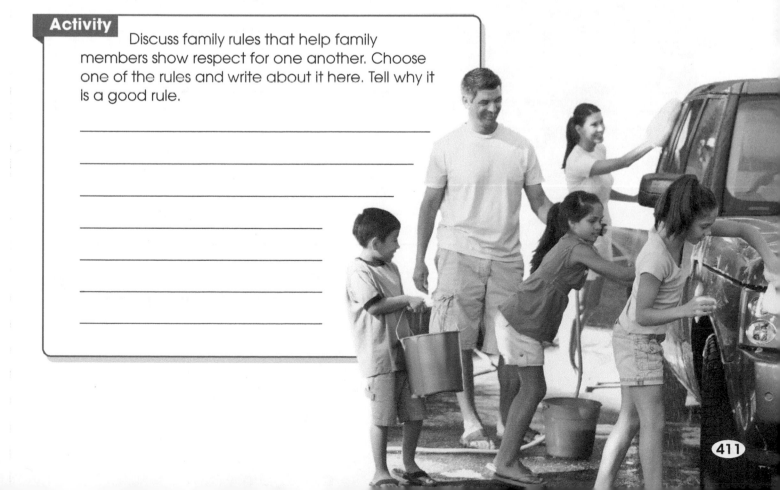

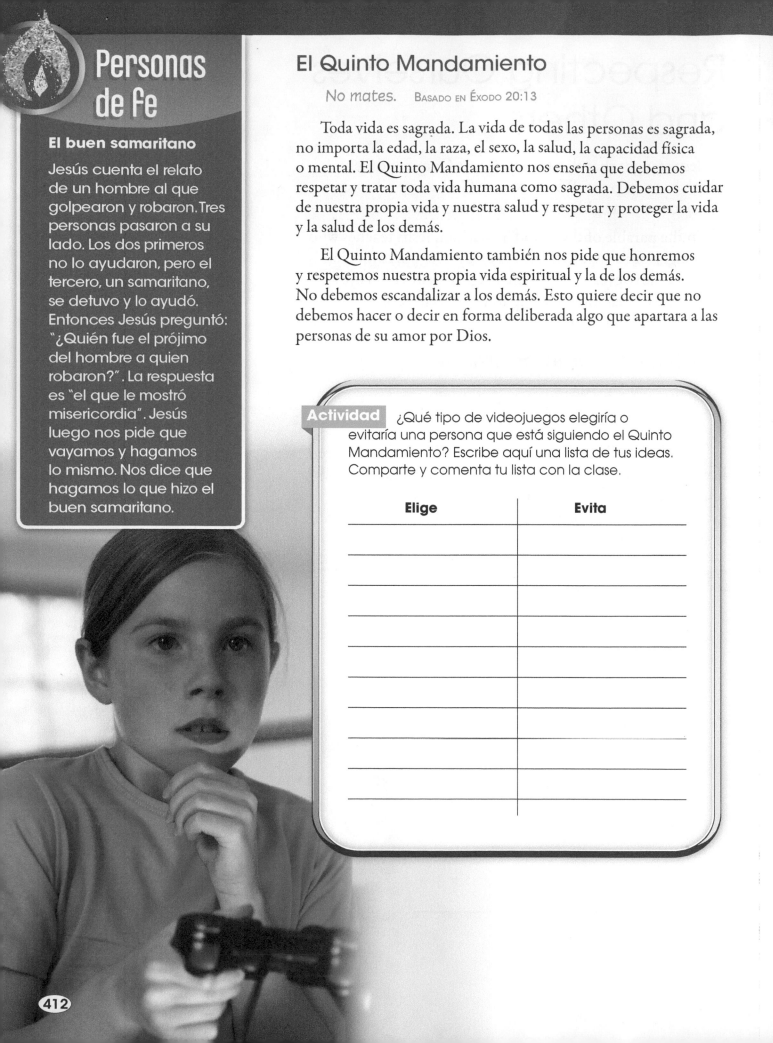

## Personas de fe

### El buen samaritano

Jesús cuenta el relato de un hombre al que golpearon y robaron. Tres personas pasaron a su lado. Los dos primeros no lo ayudaron, pero el tercero, un samaritano, se detuvo y lo ayudó. Entonces Jesús preguntó: "¿Quién fue el prójimo del hombre a quien robaron?". La respuesta es "el que le mostró misericordia". Jesús luego nos pide que vayamos y hagamos lo mismo. Nos dice que hagamos lo que hizo el buen samaritano.

## El Quinto Mandamiento

*No mates.* BASADO EN ÉXODO 20:13

Toda vida es sagrada. La vida de todas las personas es sagrada, no importa la edad, la raza, el sexo, la salud, la capacidad física o mental. El Quinto Mandamiento nos enseña que debemos respetar y tratar toda vida humana como sagrada. Debemos cuidar de nuestra propia vida y nuestra salud y respetar y proteger la vida y la salud de los demás.

El Quinto Mandamiento también nos pide que honremos y respetemos nuestra propia vida espiritual y la de los demás. No debemos escandalizar a los demás. Esto quiere decir que no debemos hacer o decir en forma deliberada algo que apartara a las personas de su amor por Dios.

**Actividad** ¿Qué tipo de videojuegos elegiría o evitaría una persona que está siguiendo el Quinto Mandamiento? Escribe aquí una lista de tus ideas. Comparte y comenta tu lista con la clase.

| Elige | Evita |
|-------|-------|
|       |       |
|       |       |
|       |       |
|       |       |
|       |       |
|       |       |
|       |       |
|       |       |

## The Fifth Commandment

*You shall not kill.*   BASED ON EXODUS 20:13

All life is sacred. The life of every person is sacred, regardless of age, race, gender, health, physical ability, or mental ability. The Fifth Commandment teaches that we are to respect and treat all human life as sacred. We are to take care of our own life and health and to respect and protect the life and health of others.

The Fifth Commandment also requires us to honor and respect the spiritual life of ourselves and others. We are not to scandalize others. This means we are not to deliberately do or say anything that leads people away from their love for God.

**Activity**   What kind of video game would a person who is following the Fifth Commandment choose and avoid? List your ideas here. Share and discuss your list with your class.

| Choose | Avoid |
|--------|-------|
|        |       |
|        |       |
|        |       |
|        |       |
|        |       |
|        |       |
|        |       |
|        |       |

## Faith-Filled People

### The Good Samaritan

Jesus tells a story of a man that was beaten and robbed. Three persons passed by him. The first two did not help but the third, a Samaritan, stopped and helped. Jesus then asked, "Who was the neighbor to the robbed man?" The answer is "the one who showed him mercy." Jesus then tells us to go and do the same. He tells us to do what the Good Samaritan did.

413

# Los católicos creen

## Cartas pastorales

Los Obispos de los EUA a veces escriben cartas pastorales. Las cartas pastorales son declaraciones oficiales que han aprobado los obispos de los EUA. Las cartas pastorales presentan los principios y las enseñanzas de la Iglesia en temas clave de la vida católica. Estas guían a los católicos de los Estados Unidos para que vivan su fe según las enseñanzas de la Iglesia.

## El Sexto y el Noveno Mandamiento

*No cometerás adulterio... No codicies la mujer de tu prójimo.* BASADO EN ÉXODO 20:14, 17

Dios ha dado a cada persona el don de ser un varón o una niña que crecerá para convertirse en un hombre o una mujer. Ese don es nuestra sexualidad.

El Sexto y el Noveno Mandamiento enseñan que debemos respetar nuestra propia sexualidad y la de los demás. Debemos expresar y compartir nuestra amistad y amar a los demás de maneras adecuadas. La **castidad** es una de las virtudes que nos ayudan a hacer esto. El Sexto y el Noveno Mandamiento también enseñan que el amor y la vida de los esposos son sagrados o santos. Los esposos deben amarse y honrarse el uno al otro durante toda la vida.

El Noveno Mandamiento enseña que las otras personas deben ayudar a los matrimonios a crecer en el amor. No deben hacer o decir cosas que tienten a las personas casadas a ser infieles o romper el matrimonio o la familia.

**?** ¿Cómo nos ayuda la virtud de la castidad en nuestra relación con los demás?

## The Sixth and Ninth Commandments

*You shall not commit adultery. You shall not covet your neighbor's wife.* BASED ON EXODUS 20:14, 17

God has given each person the gift of being either a boy or a girl who will grow to be a man or a woman. This gift is called our sexuality.

The Sixth and Ninth Commandments teach that we are to respect our own sexuality and the sexuality of others. We are to express and share our friendship and love for others in appropriate ways. **Chastity** is one of the virtues that helps us do this. The Sixth and Ninth Commandments also teach that the love and life of a husband and wife are sacred, or holy. A husband and wife are to love and honor each other their whole life long.

The Ninth Commandment teaches that other people are to help married people grow in love. They are not to do or say things that tempt married people to be unfaithful or break up a marriage or a family.

❓ How does the virtue of chastity help us in our relationship with others?

# YO SIGO A JESÚS

**El Espíritu Santo** te enseña y te ayuda a vivir los Diez Mandamientos a diario. Tú rezas. Respetas y honras a tus padres y a tus maestros. Tratas a tus compañeros de clase y a tus amigos con respeto de todas las maneras posibles.

## AMAR Y RESPETAR A LOS DEMÁS

Escribe un relato, haz un dibujo o escribe una escena que muestre maneras en las que tú y otros compañeros de 5.° grado viven el Quinto Mandamiento.

## MI ELECCIÓN DE FE

Todos los días tendré muchas oportunidades de mostrar mi amor por los demás tal como Jesús enseñó. Esta semana yo voy a

_____

_____.

 **Reza:** "Oh, Dios, conoces la firmeza de mi creencia en ti y sabes de mi dedicación hacia ti. Te amo por sobre todas las cosas. Ayúdame a amar a mi prójimo como a mí mismo. Amén".

# I FOLLOW JESUS

**The Holy Spirit** teaches and helps you live the Ten Commandments each day. You pray. You respect and honor your parents and teachers. You treat your classmates and friends with respect in all ways.

## LOVING AND RESPECTING OTHERS

Write a story, draw a picture, or outline a skit that shows ways you and other fifth graders can live the Fifth Commandment.

Each day I will have many opportunities to show my love for others as Jesus taught. This week I will

_____

_____,

**MY FAITH CHOICE**

Pray, "O God, you know how firmly I believe in you and dedicate myself to you. I love you above all things. Help me to love my neighbor as myself. Amen."

1. El Cuarto Mandamiento nos enseña a obedecer y respetar a nuestros padres y a las autoridades.

2. El Quinto Mandamiento nos enseña que debemos respetar toda vida humana y considerarla sagrada.

3. El Sexto y el Noveno Mandamiento nos enseñan a ser castos y a expresar nuestro amor hacia los demás y nuestra amistad de maneras adecuadas.

# Repaso del capítulo

*Escribe el número del Mandamiento que corresponda a los siguientes principios morales.*

____ **1.** Respetar el don de la sexualidad.

____ **2.** Reverenciar y respetar toda vida.

____ **3.** Honrar y respetar a los padres y a las autoridades.

____ **4.** Ser fieles en el matrimonio.

____ **5.** Crear familias felices y santas.

# Oración de paz

*Reza esta oración de San Francisco y apréndela de memoria.*

Señor, hazme un instrumento de tu paz.

Donde haya odio, que siembre yo amor;

donde haya injuria, perdón:

donde haya duda, fe;

donde haya desesperación, esperanza;

donde haya tinieblas, luz;

y donde haya tristeza, alegría.

Oh Divino Maestro, concédeme que yo busque

no tanto ser consolado, sino consolar;

no tanto ser comprendido, sino comprender;

no tanto ser amado, sino amar;

pues es dando que recibimos,

es perdonando que somos perdonados,

y es muriendo que nacemos a la vida eterna.

**Amén.**

ORACIÓN DE SAN FRANCISCO DE ASÍS

# Chapter Review

*Write the number of the Commandment that names these moral principles.*

____ **1.** Respect the gift of sexuality.

____ **2.** Reverence and respect all life.

____ **3.** Honor and respect parents and those in authority.

____ **4.** Be faithful in marriage.

____ **5.** Build happy and holy families.

# A Peace Prayer

*Pray this prayer of Saint Francis and learn it by heart.*

Lord, make me an instrument of your peace.

Where there is hatred, let me sow love;

where there is injury, pardon;

where there is doubt, faith;

where there is despair, hope;

where there is darkness, light;

and where there is sadness, joy.

O Divine Master, grant that I may not so much seek

to be consoled as to console;

to be understood as to understand;

to be loved as to love.

For it is in giving that we receive;

it is in pardoning that we are pardoned;

and it is in dying that we are born to eternal life.

Amen.

PRAYER OF SAINT FRANCIS OF ASSISI

# Con mi familia

## Esta semana...

**En el capítulo 22,** "Amor al prójimo", su niño aprendió que:

▶ El Cuarto Mandamiento nos enseña a honrar a nuestros padres al respetarlos y obedecerlos.

▶ El Quinto Mandamiento nos enseña a respetar la vida de todas las personas y considerarla sagrada, sin importar la edad, la raza, el sexo, la salud, la capacidad física o mental.

▶ El Sexto y Noveno Mandamiento nos enseñan que debemos compartir nuestro amor por los demás de manera fiel y casta.

▶ La templanza equilibra la manera en que actuamos y hablamos. Nos ayuda a usar nuestros dones de buenas maneras.

**Para saber más** sobre otras enseñanzas de la Iglesia, consulten el *Catecismo de la Iglesia Católica,* 2196–2400 y 2514–2533; y el *Catecismo Católico de los Estados Unidos para los Adultos,* páginas 373–416, 439–446.

## ■ Compartir la Palabra de Dios

**Lean juntos** Mateo 5:17–20. Enfaticen que Jesús cumplió con los Mandamientos.

## ■ Vivimos como discípulos

**El hogar cristiano** con la familia es una escuela de discipulado. Elijan una o más de las siguientes actividades para hacer en familia, o creen una actividad similar ustedes mismos.

▶ Miren juntos la televisión y hagan un seguimiento de los Mandamientos que se respetan y que se rompen en cada programa.

▶ El Cuarto Mandamiento nos enseña a honrar a nuestra madre y a nuestro padre, y a los padres a amar y respetar a sus hijos. ¿Como se honran mutuamente los miembros de su familia?

## ■ Nuestro viaje espiritual

**Existe un** adagio que dice: "La familia que reza unida permanece unida". Integren la disciplina espiritual de la oración diaria en la vida de su matrimonio y en la vida de su familia. Creen momentos especiales durante la semana en los que la familia rece junta, aunque solo sea brevemente. Ayuden a su niño a aprender la Oración de San Francisco rezándola juntos a diario.

Para hallar más ideas sobre las maneras en que su familia puede vivir como discípulos de Jesús, visiten

**seanmisdiscipulos.com**

# With My Family

## This Week...

**In chapter 22,** "Love of Neighbor," your child learned:

▶ The Fourth Commandment teaches us to honor our parents by respecting and obeying them.

▶ The Fifth Commandment teaches us to respect the life of every person as sacred regardless of age, race, gender, health, physical ability, or mental ability.

▶ The Sixth and Ninth Commandments teach us that we are to share our love for others in a faithful and chaste manner.

▶ Temperance gives balance in the way we act and speak. It helps us to use our gifts in good ways.

**For more** about related teachings of the Church, see the *Catechism of the Catholic Church*, 2196–2400 and 2514–2533; and the *United States Catholic Catechism for Adults*, pages 373–416, 439–446.

## Sharing God's Word

**Read together** Matthew 5:17–20. Emphasize that Jesus fulfilled the Commandments.

## We Live as Disciples

**The Christian home** and family is a school of discipleship. Choose one of the following activities to do as a family or design a similar activity of your own.

▶ Watch TV together and keep track of the Commandments that are kept and broken as you watch each show.

▶ The Fourth Commandment teaches us to honor our mother and father and for parents to love and respect their children. How does your family honor one another?

## Our Spiritual Journey

**There is an** adage that reads, "The family that prays together stays together." Integrate the spiritual discipline of daily prayer into the life of your marriage and into the life of your family. Create special times throughout the week in which your family can pray together, even if only briefly. Help your children to learn the Prayer of Saint Francis by praying it together daily.

**Lo que vendrá**

En este capítulo el Espíritu Santo te invita a ▶

**INVESTIGAR** la importancia de actuar con justicia.

**DESCUBRIR** los frutos de una vida justa.

**DECIDIR** las maneras de preparar el camino para el Reino de Dios.

# Vivir una vida justa y sincera

**?** ¿Alguna vez observaste a alguien ser tratado injustamente? ¿Cómo respondiste?

Las Sagradas Escrituras están repletas de relatos y pasajes que nos cuentan del deseo de Dios por un mundo en el que a las personas siempre sean tratadas con justicia.

*Que los cielos manden de lo alto, como lluvia,
y las nubes descarguen la Justicia.*

*Que se abra la tierra y produzca su fruto,
que es la salvación,
y al mismo tiempo florezca la justicia, porque soy yo,
Yavé, quien lo envió.*

ISAÍAS 45:8

**?** ¿Quién trae la justicia de Dios de manera más plena?

## Looking Ahead

In this chapter the Holy Spirit invites you to ▶

**EXPLORE** the importance of acting with justice.

**DISCOVER** the fruits of living justly.

**DECIDE** ways to prepare the way for God's Kingdom.

CHAPTER

# 23

# Living a Just and Truthful Life

**?** Have you ever noticed someone being treated unfairly? How did you respond?

The Scriptures are filled with stories and passages telling us about God's desire for a world where people are always treated fairly.

> Let justice descend, O heavens, like dew from above,
>     like gentle rain let the skies drop it down.
> Let the earth open and salvation bud forth;
>     Let justice spring up!
>     I the LORD have created this.
>
> ISAIAH 45:8

**?** Who is the one who brings God's justice most fully?

## Poder de los discípulos

### Integridad

Esta virtud permite que una persona sea la persona para lo cual Dios la creó. Una persona con integridad dice y hace lo que sabe y cree que es correcto decir y hacer.

# Beato Miguel Pro

Existen muchas personas de fe que han encontrado muchos retos y enfrentado muchos peligros para continuar la obra de la Iglesia y celebrar el amor de Dios con los demás. El Beato Miguel Pro es una de esas personas que dio su vida por la fe.

Miguel Pro nació en México en 1891. Su padre era un ingeniero que trabajaba en las minas. Su madre era ama de casa. La familia de Miguel era devotamente católica.

Cuando creció, Miguel ingresó en la orden jesuita para convertirse en sacerdote. En esa época, el gobierno de México perseguía a la Iglesia Católica. La fe católica había sido declarada ilegal.

El Padre Pro celebraba en secreto los Sacramentos y ayudaba a los pobres. Evitaba la policía y se disfrazaba para que no lo arrestaran. A veces se vestía como mendigo y fingía pedir limosna fuera de la casa de alguna persona. Pero una vez dentro, celebraba la Misa en secreto o realizaba un Bautismo. ¡Incluso visitaba las prisiones fingiendo ser policía! Una vez que pasaba los guardias, el Padre Pro escuchaba las confesiones de los prisioneros y les daba la Sagrada Comunión.

Después de dos años, arrestaron al Padre Pro. Fue acusado de tratar de matar al futuro presidente de México. Era totalmente inocente, pero el gobierno quería deshacerse de él. En 1927 lo ejecutaron. Antes de morir, levantó sus brazos en forma de cruz y perdonó a quienes lo iban a ejecutar. Sus últimas palabras fueron: "¡Viva Cristo Rey!".

Al Padre Miguel Pro lo beatificaron en 1998. Su día es el 23 de noviembre.

? ¿Cómo demostró el Padre Miguel Pro su integridad?

# Blessed Miguel Pro

## Disciple Power

**Integrity**

This virtue enables a person to be the person God created him or her to be. A person of integrity says and does what he or she knows and believes is the right thing to do and say.

There are many people of faith who have met many challenges and faced many dangers in order to continue the work of the Church and celebrate God's love with others. Blessed Miguel Pro is one of those people who gave his very life for his faith.

Miguel Pro was born in Mexico in 1891. His father was an engineer who worked in the mines. His mother was a homemaker. Miguel's family was devoutly Catholic. When he grew up, Miguel entered the Jesuit order to become a priest. During this time, the government of Mexico was persecuting the Catholic Church. The Catholic faith had been outlawed.

Father Pro secretly celebrated the Sacraments and helped the poor. He avoided the police and used disguises so that he would not be arrested. Sometimes he would dress like a beggar and pretend to beg for alms outside someone's home. But once inside he would celebrate Mass secretly or perform a Baptism. He even visited prisons by pretending to be a policeman! Once he was past the guards, Father Pro would hear the prisoners' confessions and give them Holy Communion.

After two years, Father Pro was arrested. He was charged with trying to kill the future president of Mexico. He was completely innocent, but the government wanted to get rid of him. In 1927, he was executed. Before he died, he held out his arms in the form of a cross and forgave his executioners. His last words were "Viva Cristo Rey!" In English, this means "Long live Christ the King!"

Father Miguel Pro was beatified in 1998. His feast day is November 23.

? How did Father Miguel Pro demonstrate his integrity?

**VOCABULARIO DE FE**

**justicia**
La Virtud Cardinal de la justicia es darle a Dios y a las personas lo que debidamente les corresponde.

**honestidad**
La honestidad es negarse a mentir, robar o engañar de cualquier manera.

# Ama a tu prójimo

El Séptimo, el Octavo y el Décimo Mandamiento nos enseñan a vivir la segunda parte del Gran Mandamiento. Nos enseñan a tratar con justicia a todas las personas, a cuidar de los demás, a respetar los bienes y la reputación de las demás personas.

## El Séptimo Mandamiento

*No robes.*

Éxodo 20:15

El Séptimo Mandamiento nos cuenta que los amigos de Jesús son personas de justicia y misericordia. Debemos dar a Dios y a los demás lo que es debido. Tomar cosas que no nos pertenecen es un acto contra Dios y contra el prójimo. Cuando engañamos, robamos o usamos indebidamente la creación, no estamos viviendo como hijos de Dios y amigos de Jesús.

Debemos reparar las cosas que dañamos y que pertenecen a otras personas. Debemos devolver o reponer lo que hemos tomado o dañado. Al hacerlo, estamos actuando justamente.

**Actividad**

Imagina que un compañero de clase admite en un mensaje de texto que robó algo y que se le rompió, de modo que no puede devolverlo. Respóndele con otro mensaje dándole un consejo sobre qué puede hacer ahora.

# Love Your Neighbor

The Seventh, Eighth, and Tenth Commandments teach us to live the second part of the Great Commandment. They teach us to treat all people with **justice**, to care for others, to respect other people's goods and their reputation.

## The Seventh Commandment

*You shall not steal.*

EXODUS 20:15

The Seventh Commandment tells us that friends of Jesus are people of justice and mercy. We are to give God and others what is their due. Taking things that do not belong to us is an act against both God and neighbor. When we cheat or steal, or misuse creation, we are not living as children of God and friends of Jesus.

We are to make reparation if we damage things that belong to others. We are to return or replace what we have taken or damaged. When we do this, we are acting justly.

**FAITH FOCUS**
What is the importance of living the Seventh, Eighth, and Tenth Commandments?

**FAITH VOCABULARY**
**justice**
The Cardinal Virtue of justice is the giving to God and all people what is rightfully due to them.

**honesty**
Honesty is the refusal to lie, steal or deceive in any way.

**Activity** Imagine that a classmate admits in a text message to you that she stole something and has now broken it, so she can't return it. Text her back and give her advice on what to do now.

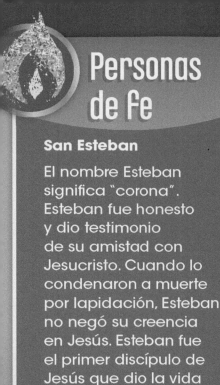

**San Esteban**

El nombre Esteban significa "corona". Esteban fue honesto y dio testimonio de su amistad con Jesucristo. Cuando lo condenaron a muerte por lapidación, Esteban no negó su creencia en Jesús. Esteban fue el primer discípulo de Jesús que dio la vida por Él. Celebramos el día de San Esteban, protomártir, el 26 de diciembre.

# El Octavo Mandamiento

*No atestigües en falso contra tu prójimo.*

BASADO EN ÉXODO 20:16

El Octavo Mandamiento enseña que debemos practicar la **honestidad.** No solo debemos ser sinceros en lo que decimos, sino también en lo que hacemos. San Pablo enseña:

*... que todos digan la verdad a su prójimo, ya que todos somos parte del mismo cuerpo.*

EFESIOS 4:25

"Decir la verdad" significa no mentir. También debemos respetar la reputación o buen nombre de los demás. No debemos murmurar ni contar mentiras o inventar historias acerca de otras personas. Cuando murmuramos, no estamos actuando como amigos de Cristo.

Mentir y murmurar crea una división entre nosotros y nuestro prójimo. También crea una división entre nosotros y Dios.

Cuando hemos provocado una división, debemos reparar la relación con nuestro prójimo y con Dios. Según qué se dijo o se hizo, se podría, por ejemplo, pedir perdón a la persona. Si dañamos seriamente el buen nombre o la reputación de alguien, debemos confesar ese pecado en el Sacramento de la Penitencia y de la Reconciliación.

**?** ¿Por qué murmurar es dañino para una persona? ¿Qué podrías hacer si alguien viene y murmura acerca de un compañero de clase?

## The Eighth Commandment

*You shall not bear false witness against your neighbor*

BASED ON EXODUS 20:16

The Eighth Commandment teaches that we are to practice **honesty**. We are not only to be truthful in what we say but also in what we do. Saint Paul teaches:

*[We are to] speak the truth, each one to his neighbor, for we are members one of another*

EPHESIANS 4:25

"To speak the truth" means more than not lying. We are also to respect the reputation, or good name, of others. We are not to gossip, or tell lies about and make up stories about people either. When we gossip, we are not acting as a friend of Christ.

Lying and gossiping create a division between us and our neighbor. They also create a division between us and God. When we have created division, we must repair the relationship with our neighbor and with God. Depending on what was said or done, an example might be apologizing to the person. If we seriously harm the good name or reputation of someone, we are to confess that sin in the Sacrament of Penance and Reconciliation.

**?** Why is gossip so harmful to a person? What could you do if someone came to you and gossiped about a classmate?

## Justicia social

Tiene relación con las necesidades básicas que provienen de la dignidad de las personas. Estas necesidades incluyen alimentos, vestimenta, vivienda, salud, educación y un ingreso para mantener a la familia.

# El Décimo Mandamiento

*No codicies los bienes de tu prójimo.*

BASADO EN ÉXODO 20:17

Todas las cosas buenas que tenemos son dones de Dios. El Décimo Mandamiento nos ayuda a valorar y respetar todos esos dones. Aprendemos acerca de compartir no solo nuestras bendiciones materiales, como el dinero, sino otras bendiciones, como nuestros talentos.

Este Mandamiento nos ayuda a apreciar que Dios es el origen y fuente de todas las cosas. Así como Dios compartió con nosotros el don de la creación, estamos en la obligación de compartir con los demás. Somos llamados a ser buenos administradores de la creación de Dios. Debemos compartir nuestro tiempo, nuestros talentos y nuestros tesoros de manera libre y generosa, especialmente con los necesitados.

Ser un buen administrador es más que compartir con las personas. Debemos cuidar de la creación. Debemos trabajar para protegerla y preservarla. Debemos usarla de manera responsable. Siempre debemos recordar que ninguna parte de la creación nos pertenece solo a nosotros. La Creación es de Dios y Él se la ha dado a todas las personas.

Debemos usar los recursos naturales para hacer del mundo un lugar mejor para todos, y no solo para que nuestra vida sea mejor. Ser un buen administrador es el trabajo de un discípulo y amigo de Cristo.

Piensa en algo que tenga un amigo que a ti también te gustaría tener. Luego cuenta por qué lo quieres y por qué puedes vivir sin eso.

**Actividad**

Lo que quiero: _____

Por qué lo quiero: _____

Por qué no lo necesito: _____

# The Tenth Commandment

*You shall not covet your neighbor's goods.*

BASED ON EXODUS 20:17

All the good things that we have are gifts from God. The Tenth Commandment helps us value and respect all those gifts. We learn about sharing not only our material blessings, such as money, but other blessings, such as our talents.

This Commandment helps us appreciate that God is the origin and source of all things. Just as God shared with us the gift of creation, we are commanded to share with others. We are called to be good stewards of God's creation. We are to share our time, talents, and treasures freely and generously, especially with people in need.

Being a good steward extends beyond sharing with people. We are to take care of creation. We are to work to protect and preserve it. We are to use it responsibly. We are always to keep in mind that no part of creation belongs just to us. Creation is God's and he has given it to all people.

We are to use natural resources to make the world a better place for all, and not just to make our lives better. Being a good steward is the work of a disciple and friend of Christ.

**Activity** Think of one thing a friend has that you would like to have too. Then tell why you want it and why you can live without it.

What I want: _____

Why I want it: _____

Why I don't need it: _____

# YO SIGO A JESÚS

**La Biblia** dice que cuando Jesús venga nuevamente en la gloria, habrá una nueva creación, el Reino de Dios. El Séptimo, el Octavo y el Décimo Mandamiento mencionan las maneras en las que podemos preparar el camino para la llegada del reino.

## FIELES A LA PALABRA DE DIOS

El Séptimo, el Octavo y el Décimo Mandamiento aparecen a continuación. Para cada mandamiento, cuenta algo práctico que puedas hacer mejor para serle fiel.

**Séptimo Mandamiento:** "No robes".

_____

_____

**Octavo Mandamiento:** "No atestigües en falso contra tu prójimo".

_____

_____

**Décimo Mandamiento:** "No codicies los bienes de tu prójimo".

_____

_____

## MI ELECCIÓN DE FE

Esta semana seré una persona con integridad. Seré sincero conmigo mismo al:

_____

_____

_____

**Reza:** "Señor Dios, tu espíritu de sabiduría llena la Tierra y me enseña tus caminos. Ayúdame a dar siempre testimonio de Jesús, que es el camino, la verdad y la vida. Amén".

# I FOLLOW JESUS

**The Bible** tells us that when Jesus comes again in glory there will be a new creation, the Kingdom of God. The Seventh, Eighth, and Tenth Commandments name ways that we can prepare the way for the coming of the kingdom.

## FAITHFUL TO GOD'S WORD

The Seventh, Eighth, and Tenth Commandments are listed below. For each commandment, tell one practical thing you could do better to be faithful to it.

**Seventh Commandment** — "You shall not steal."

_____

_____

**Eighth Commandment** — "You shall not bear false witness against your neighbor."

_____

_____

**Tenth Commandment** — "You shall not covet your neighbor's goods."

_____

_____

This week I will be a person of integrity. I will be true to myself by:

_____

_____

_____

## MY FAITH CHOICE

 Pray, "Lord God, your spirit of wisdom fills the Earth and teaches me your ways. Help me to always give witness to Jesus, who is the way, the truth, and the life. Amen."

# Repaso del capítulo

*Une las palabras de la Columna A con las descripciones correspondientes de la Columna B.*

**Columna A**

_____ 8.º Mandamiento

_____ Discípulo

_____ 10.º Mandamiento

_____ Administración

_____ 7.º Mandamiento

**Columna B**

**A.** La responsabilidad de usar la creación de manera justa e imparcial y compartirla con generosidad.

**B.** Es importante ser generoso con mi tiempo, mis talentos y mis tesoros.

**C.** Un seguidor de Jesucristo.

**D.** Siempre decir la verdad sin importar qué.

**E.** Si no es mío, no debo tomarlo.

# Rezar el Salmo 19

*La miel nunca pierde su dulzura. Incluso después de miles de años, la miel hallada en vasijas enterradas en las tumbas egipcias, ¡todavía sabe dulce! El Salmo 19 dice que la Ley de Dios es aún más dulce que la miel.*

**Líder:** La ley del Señor es perfecta, es remedio para el alma.

**Todos: Elegiremos la vida.**

**Líder:** Toda declaración del Señor es cierta y da sabiduría a quienes la siguen.

**Todos: Seremos fieles.**

**Líder:** Las leyes del Señor son rectas, alegren los corazones.

**Todos: Seremos amorosos.**

**Líder:** Las leyes del Señor son verdaderas, duran para siempre.

**Todos: Son más preciosos que el oro, más dulces que la miel.**
**Gloria al Padre ...**

BASADO EN EL SALMO 19:8–12

# Chapter Review

*Match the terms in column A with the statements in column B.*

**Column A**

_____ 8th Commandment

_____ Disciple

_____ 10th Commandment

_____ Stewardship

_____ 7th Commandment

**Column B**

**A.** The responsibility to use creation justly, fairly, and share it generously.

**B.** It is important to be generous with my time, talents, and treasures.

**C.** A follower of Jesus Christ

**D.** No matter what, always tell the truth.

**E.** If it is not mine, I must not take it.

# Praying Psalm 19

*Honey never loses its sweetness. Even after thousands of years, honey found in jars buried in Egyptian tombs still tastes sweet! Psalm 19 says that God's Law is even sweeter than honey.*

**Leader:** The law of the Lord is perfect, refreshing the soul.

**All: We will choose life.**

**Leader:** The law of the Lord is trustworthy, giving wisdom to those who follow it.

**All: We will be faithful.**

**Leader:** The law of the Lord is right, rejoicing the heart.

**All: We will be loving.**

**Leader:** The laws of the lord are true, enduring forever.

**All: They are more precious than gold, sweeter than honey.**
**Glory be to the Father ...**

BASED ON PSALM 19:8–12

# Con mi familia

## Esta semana...

**En el capítulo 23,** "Vivir una vida justa y sincera", su niño aprendió que.

▶ Robar es malo. Es un acto contra Dios y contra el prójimo.

▶ Decir la verdad es lo que se espera de todos los cristianos.

▶ Dios nos llama a todos a ser buenos administradores al compartir nuestro tiempo, nuestros talentos y nuestros tesoros.

▶ La integridad es una virtud que permite que una persona sea la persona para lo cual Dios la creó.

**Para saber más** ssobre otras enseñanzas de la Iglesia, consulten el *Catecismo de la Iglesia Católica,* 2083–2132, 2142–2159 y 2168–2188, y el *Catecismo Católico de los Estados Unidos para los Adultos,* páginas 417–438, 447–457.

## ◼ Compartir la Palabra de Dios

**Lean juntos 15:1-17** juntos. Enfaticen con sus propias palabras que nuestra amistad con Jesús está en el centro de nuestra relación con Él.

## ◼ Vivimos como discípulos

**El hogar cristiano** con la familia es una escuela de discipulado. Elijan una o más de las siguientes actividades para hacer en familia, o creen una actividad similar ustedes mismos.

▶ El Octavo Mandamiento nos enseña sobre la importancia de decir la verdad. Comenten: "¿Cómo decir la verdad nos ayuda a crecer en nuestra fe?"

▶ El Décimo mandamiento nos enseña que debemos ser buenos administradores de la creación. Nombren maneras en que su familia vive este Mandamiento.

Señalen que la verdad es una forma importante de ser fieles con nosotros mismos.

## ◼ Nuestro viaje espiritual

**El objetivo** de la misión de la Iglesia de compartir su fe con otros, es invitar a los demás a crecer en la intimidad y el conocimiento de Jesucristo. Dos maneras de lograrlo son a través de cumplir la Ley de Dios y a través de la oración. Recen en familia la oración de la página 434. El Salmo 19 alaba a Dios y honra sus Leyes.

Para hallar más ideas sobre las maneras en que su familia puede vivir como discípulos de Jesús, visiten **seanmisdiscipulos.com**

# With My Family

## This Week...

**In chapter 23**, "Living a Just and Truthful Life," your child learned that:

▶ Stealing is wrong. It is an act against both God and neighbor.

▶ Telling the truth is expected of all Christians.

▶ God calls us all to be good stewards by sharing our time, talents, and treasures.

▶ Integrity is a virtue that enables a person to be the person God created him or her to be.

**For more** about related teachings of the Church, see the *Catechism of the Catholic Church*, 2401–2513 and 2534–2557; and the *United States Catholic Catechism for Adults*, pages 417–438, 447–457.

## ■ Sharing God's Word

**Read John 15:1-17** together. Emphasize in your own words that our friendship with Jesus is at the center of our relationship with him.

## ■ We Live as Disciples

**The Christian home** and family is a school of discipleship. Choose one of the following activities to do as a family or design a similar activity of your own.

▶ The Eighth Commandment teaches us about the importance of telling the truth. Discuss, "How does telling the truth help us to grow in our faith?"

▶ The Tenth Commandment teaches us that we are to be good stewards of creation. Name ways that your family is living this Commandment.

Point out that truthfulness is an important way of being true to ourselves.

## ■ Our Spiritual Journey

**The goal** of the Church's work of sharing the faith of the Church with others is to invite others to grow in intimacy and knowledge of Jesus Christ. Two ways we can do this are by keeping God's Law and through prayer. Pray the prayer on page 435 with your family. Psalm 19 praises God and honors his Laws.

For more ideas on ways your family can live as disciples of Jesus, visit **BeMyDisciples.com**

CAPÍTULO

# 24

**Lo que vendrá**

En este capítulo
el Espíritu Santo
te invita a ▶

# Señor, enséñanos a orar

**?** ¿Cuál es tu manera preferida de rezar?

Podemos rezar solos o con otras personas. Podemos usar los salmos para rezar solos o rezar con otras personas. Escucha cómo el salmista le habla a Dios.

> Pero a ti, oh Dios, sube mi oración,
> sea ese el día de tu favor.
> Según tu gran bondad, oh Dios,
> respóndeme, sálvame tú que eres fiel.
>
> SALMO 69:14

**?** ¿Cómo describirías la oración del salmista? ¿Cuándo has rezado de esta manera?

## Looking Ahead

In this chapter the Holy Spirit invites you to ▶

**EXPLORE** the importance of prayer.

**DISCOVER** the power of prayer.

**DECIDE** how to pray.

CHAPTER
**24**

# Lord, Teach Us to Pray

**?** What is your favorite way to pray?

We can pray alone or with others. We can use the psalms to pray alone, or to pray with others. Listen to how the psalmist speaks to God.

> But I pray to you, O Lord,
> for the time of your favor.
> God, in your great kindness answer me
> with your constant help.
>
> PSALM 69:14

**?** How would you describe the prayer of the psalmist? When have you prayed in this way?

## Poder de los discípulos

### Piedad

La piedad es un Don del Espíritu Santo que lleva a tener devoción a Dios. Es una expresión de profunda reverencia que una persona siente por Dios. Fluye del reconocimiento propio del valor que una persona le da a su relación con Dios. La piedad también es una expresión del profundo respeto que uno siente por los padres y la familia.

# Monjes de Getsemaní

Los cristianos son un pueblo de oración. Rezamos de muchas maneras diferentes; rezamos en muchos idiomas diferentes. En la Iglesia, existen comunidades religiosas de hombres y comunidades religiosas de mujeres que dedican su vida a rezar. Estos religiosos se llaman contemplativos.

Viven en conventos, monasterios o abadías. Organizan su día de modo que todo lo que hacen se centra en la oración.

Los monjes Trapenses de la Abadía de Getsemaní en Trappist, Kentucky, son contemplativos. Reservan momentos de oración conjunta durante el día y la noche.

Se reúnen siete veces por día para rezar la Liturgia de las Horas. La Liturgia de las Horas es la oración diaria oficial y pública de la Iglesia. Además, cada monje dedica tiempo todos los días para leer las Sagradas Escrituras con devoción, así como los escritos de los Santos y otros escritos espirituales.

Los monjes de la Abadía de Getsemaní se ganan la vida fabricando queso, torta de frutas y dulce de caramelo. También cuidan a los huéspedes que van allí a hacer un retiro. Todo lo que hacen los monjes, de una manera o de otra, lleva a la oración y es una forma de rezar. Todo lo que hacen glorifica a Dios. Es un acto de devoción a Dios y una expresión del don de la piedad.

**?** ¿Cuándo se reúne tu parroquia para rezar? ¿Cómo podría tu familia centrar su vida alrededor de la oración?

# Monks of Gethsemani

Christians are people of prayer. We pray in many different ways; we pray in many different languages. There are religious communities of men and religious communities of women in the Church who dedicate their lives to praying. These religious are called contemplatives. They live in convents, monasteries, or abbeys. They organize their day so that everything they do centers around prayer.

The Trappist monks of the Abbey of Gethsemani in Trappist, Kentucky, are contemplatives. They set aside times for praying all during the day and night. They gather seven times a day to pray the Liturgy of the Hours. The Liturgy of the Hours is the official public daily prayer of the Church. In addition, each monk spends time every day prayerfully reading the Scriptures, the writings of the Saints, and other spiritual writings.

The monks of the Abbey of Gethsemani earn their living by making cheese, fruitcake, and fudge. They also care for guests who come there to make a retreat. Everything the monks do, in one way or another, leads to prayer and is a form of prayer. Everything they do gives glory to God. It is an act of devotion to God, and an expression of the gift of piety.

❓ When does your parish gather to pray?
How might your family center its life around prayer?

## Disciple Power

### Piety

Piety is a Gift of the Holy Spirit that leads to a devotion to God. It is an expression of a person's deep reverence for God. It flows from one's recognition of the value a person places on their relationship with God. Piety also is an expression of one's deep respect for one's parents and family.

## VOCABULARIO DE FE
**Padre nuestro**
Los primeros cristianos
llamaron Padre Nuestro
a la Oración del Señor
porque Jesús se la
confió. La Iglesia nos
enseña que la Oración
del Señor es el resumen
de todo el Evangelio.

# La Oración del Señor

En la versión de Mateo del Evangelio, leemos que Jesús subió a rezar a una montaña. Las montañas tenían un significado especial para el pueblo judío que se había convertido en discípulo de Jesús. Un discípulo es una persona que aprende y sigue las enseñanzas de otra persona. La montaña era un lugar especial de presencia de Dios. Fue en el Monte Sinaí que Dios le habló a Moisés y acordaron la Alianza con Moisés y los israelitas.

En el Evangelio según Mateo, Jesús enseña a sus discípulos acerca de la oración cuando están reunidos en la ladera de una montaña. Fue entonces que Jesús enseñó a sus discípulos a rezar el **Padre Nuestro**. Esto enfatiza cuán importante es la oración para todos los cristianos, en especial rezar el Padre Nuestro.

Muchos creen que el Padre Nuestro del Evangelio según Mateo era una oración que la Iglesia primitiva había rezado a menudo. Rezar el Padre Nuestro se convirtió en parte de lo que la Iglesia hace cuando nos reunimos para la oración.

Colina cerca al mar
de Galilea

**Actividad**
Comparte con un compañero por qué la oración es parte esencial de ser discípulo de Jesús.

# The Lord's Prayer

In Matthew's account of the Gospel, we read that Jesus went up a mountain to pray. Mountains had a special meaning to the Jewish people who had become disciples of Jesus. A disciple is a person who learns from and follows the teachings of another person. The mountain was a special place of God's presence. It was on Mount Sinai that God spoke to Moses and entered into the Covenant with Moses and the Israelites.

In Matthew's Gospel, Jesus teaches his disciples about prayer while they are together on a mountainside. It was at this time that Jesus taught his disciples to pray the **Our Father**. This emphasizes how important prayer, especially praying the Our Father is for all Christians.

Many believe that the Our Father in Matthew's Gospel was a prayer the early Church had often prayed. Praying the Our Father had become part of what the Church does when we gather for prayer.

**FAITH FOCUS**
Why do we pray the Our Father?

**FAITH VOCABULARY**
**Our Father**
The early Christians called the Our Father the Lord's Prayer, because it was given to them by Jesus. The Church teaches us that the Lord's Prayer is a summary of the whole Gospel.

**Activity**  Share with a partner why prayer is an essential part of being a disciple of Jesus.

Hillside near the Sea of Galilee

## Beato Pierre Toussaint

Pierre nació en una familia de esclavos de Haití. Su dueño lo llevó a Nueva York, donde Pierre se destacó como peluquero. Él y su esposa se dedicaron a servir a los demás, especialmente a los niños pobres del centro de la ciudad. Murió a los 87 años, en 1853. En 1990 sus restos se trasladaron a la cripta de la Catedral de San Patricio en la ciudad de Nueva York, bajo la dirección del Cardenal O'Connor.

## El Padre Nuestro

Imagina que estás sentado con los discípulos en la ladera de la montaña, escuchando a Jesús. Estás aprendiendo mucho acerca de lo que significa vivir como uno de sus discípulos.

Jesús dice:

"Ustedes, pues, recen así:
Padre Nuestro, que estás en el Cielo,
santificado sea tu Nombre,
venga tu Reino,
hágase tu voluntad
así en la tierra como en el Cielo.
Danos hoy el pan que nos corresponde;
y perdona nuestras deudas,
como también nosotros perdonamos
a nuestros deudores;
y no nos dejes caer en la tentación, "
sino líbranos del Maligno". MATEO 6:9–13

El Padre Nuestro también se llama la Oración del Señor. Es la oración que Jesús, nuestro Señor, nos enseñó.

**?** Si tuvieras que dividir esta oración en dos partes, ¿donde terminaría la primera parte? ¿Por qué?

## The Our Father

Imagine you are sitting with the disciples on the mountainside and listening to Jesus. You are learning much about what it means to live as one of his disciples.

Jesus says:

> "This is how you are to pray:
>   Our Father in heaven,
>     hallowed be your name,
>     your kingdom come,
>     your will be done,
>       on earth as in heaven.
>     Give us today our daily bread;
>   and forgive us our debts,
>       as we forgive our debtors;
>   and do not subject us to the final test,
>       but deliver us from the evil one.'" MATTHEW 6:9–13

The Our Father is also called the Lord's Prayer. It is the prayer that Jesus, our Lord, taught us.

**?** If you were to divide this prayer into two parts, where would the first part end? Why?

## Los católicos creen

### Evangelización

Dios ha hecho a la Iglesia la administradora del Evangelio. La responsabilidad más importante de la Iglesia es cuidar y compartir la Buena Nueva del amor de Dios que Él ha compartido con nosotros en Jesucristo. A esta obra de la Iglesia la llamamos evangelización, o compartir la Buena Nueva.

## Un resumen del Evangelio

La Oración del Señor ha sido llamada resumen del Evangelio. Rezar el Padre Nuestro nos enseña a rezar y vivir como discípulos de Jesús.

**Padre nuestro.** No rezamos "mi Padre", sino "Padre nuestro". Pertenecemos a Dios como sus hijos adoptivos. Dios es nuestro *Abbá*.

**Que estás en el cielo.** Dios, nuestro Padre, es glorioso y majestuoso. Está por encima y más allá de todo y de todas las personas en este mundo.

**Santificado sea tu Nombre.** *Santificado* quiere decir "muy santo" y "muy honrado". Queremos que todos conozcan y amen a Dios, el Creador y Redentor del universo.

**Venga a nosotros tu reino.** Vivimos con esperanza y esperamos con confianza el día en el que el reino de Dios de justicia, paz, amor y sabiduría tome posesión de nuestro mundo.

**Hágase tu voluntad.** La voluntad de Dios es que todos se salven en Jesús. Rezamos para que sigamos la voluntad de Dios y vivamos como nos enseñó Jesús.

**Danos hoy nuestro pan de cada día.** Todos los días y en cada momento de nuestra vida, dependemos de que Dios nos dé vida. Ponemos nuestra confianza en Él.

**Perdona nuestras ofensas, como también nosotros perdonamos a los que nos ofenden.** Le pedimos a Dios que nos perdone. Prometemos perdonar a todas las personas que nos lastimen.

**No nos dejes caer en la tentación, y líbranos del mal.** Pedimos la gracia de Dios para superar lo que sea y a quien sea que nos separara de Él.

**Actividad** En la Misa, concluimos el Padre Nuestro rezando: "Tuyo es el reino, tuyo el poder y la gloria, por siempre, Señor". Haz una lista de las maneras más importantes en las que das gloria a Dios.

_____

_____

_____

## A Summary of the Gospel

The Lord's Prayer has been called a summary of the Gospel. Praying the Our Father teaches us to pray and to live as disciples of Jesus.

**Our Father.** We do not pray "my Father" but "our Father." We belong to God as his adopted children. God is our *Abba*.

**Who art in heaven.** God, our Father, is glorious and majestic. He is above and beyond everything and everyone else in this world.

**Hallowed be thy name.** *Hallowed* means "very holy" and "very honored." We want everyone to know and love God, the Creator and Redeemer of the universe.

**Thy kingdom come.** We live in hope and wait with trust for the day when God's kingdom of justice, peace, love, and wisdom will completely take hold of our world.

**Thy will be done.** God's will is that all will be saved in Jesus. We pray that we will follow God's will and live as Jesus taught us to live.

**Give us this day our daily bread.** Each day and every moment of our lives, we depend on God to give us life. We place our trust in him.

**Forgive us our trespasses as we forgive those who trespass against us.** We ask God to forgive us. We promise to forgive all people who hurt us.

**Lead us not into temptation, but deliver us from evil.** We ask God's grace to overcome whatever and whoever would separate us from him.

**Activity** At Mass we conclude the Our Father by praying, "for the kingdom, the power, and the glory are yours, now and forever." List the most important ways you give glory to God.

_____

_____

_____

# YO SIGO A JESÚS

**Cada vez que rezas** el Padre Nuestro, el Espíritu Santo te ayuda a crecer como hijo de Dios. Aprendes a rezar y a vivir el Evangelio.

## DIOS ES NUESTRO PADRE

Escribe o dibuja algo que pudieras hacer para ayudar a que los demás comprendan que Dios es el Padre de todas las personas.

## MI ELECCIÓN DE FE

Esta semana mostraré que estoy orgulloso de llamar a Dios "Padre Nuestro".
Yo voy a

_____

_____

_____

 **Reza: "Dios, Padre y Creador del universo y todo lo que contiene, determinaste los tiempos y estaciones para que obedecieran tus leyes, y nos hiciste a tu imagen y semejanza; danos fuerzas para que podamos alabarte día tras día. Amén".** (Basado en el *Misal Romano*, Prefacio Dominical V)

# I FOLLOW JESUS

**Each time you pray** the Our Father, the Holy Spirit helps you grow as a child of God. You learn both how to pray and how to live the Gospel.

## GOD IS OUR FATHER

Write or draw something you could do to help others understand that God is the Father of all people.

This week I will show that I am proud to call God, "Our Father." I will

_____

_____

_____.

## MY FAITH CHOICE

Pray, "Holy Father, you have arranged the changing of the times and seasons; you formed us in your own image. May we for ever praise you in your mighty works. Amen." (Based on Preface V of the Sundays in Ordinary Time, *Roman Missal*)

## PARA RECORDAR

1. Jesús enseñó a sus discípulos a rezar el Padre Nuestro.

2. El Padre Nuestro nos enseña cómo rezar.

3. El Padre Nuestro nos enseña cómo vivir el Evangelio.

# Repaso del capítulo

*Imagina que estás en la montaña escuchando cómo Jesús enseñó a los discípulos el Padre Nuestro. Crea un titular y escribe un breve artículo que describa lo que sucedió. Fíjate cuántas de las siguientes palabras y frases puedes incluir en tu artículo.*

| | | |
|---|---|---|
| montaña | adorar | Padre Nuestro |
| confianza | amor | Dios Padre |
| Jesús | perdonar | justicia |

_____

_____

_____

_____

_____

_____

# EL Padre Nuestro

*La Oración del Señor, o Padre Nuestro, es la oración de todos los cristianos. Rézala todos los días.*

**Líder:** Jesús rezó: "Padre, rezo por que todos sean uno, como nosotros somos uno" (basado en Juan 17:20–22). Juntos, unamos nuestras manos y recemos como Jesús nos enseñó:

**Todos:** **Padre nuestro...**

**Líder:** Compartamos la señal de la paz para mostrar que todos somos hijos de Dios, nuestro Padre.

# Chapter Review

*Imagine that you were on the mountain listening as Jesus taught the disciples the Our Father. Create a headline and write a brief news report describing what happened. See how many of these words and phrases you can include in your report.*

mountain          worship          Lord's Prayer

trust             love             God the Father

Jesus             Forgive          justice

_____

_____

_____

_____

_____

▶ **TO HELP YOU REMEMBER**

1. Jesus taught his disciples to pray the Our Father.

2. The Our Father teaches us how to pray.

3. The Our Father teaches us how to live the Gospel.

# The Lord's Prayer

*The Our Father, or Lord's Prayer, is the prayer of all Christians. Pray it every day.*

**Leader:**  Jesus prayed, "Father, I pray that they all may be one, as we are one" (based on John 17:20–22). Together, let us join hands and pray as Jesus taught us:

**All:**  **Our Father ...**

**Leader:**  Let us share a sign of peace to show that we are all children of God, our Father.

# Con mi familia

## Esta semana...

**En el capítulo 24,** "Señor, enséñanos a rezar", su niño aprendió que:

En el Evangelio según Mateo, Jesús enseña el Padre Nuestro, o la Oración del Señor, a los discípulos en la ladera de la montaña.

▶ La Oración del Señor es un resumen del Evangelio.

▶ Cuando rezamos el Padre Nuestro, el Espíritu Santo nos enseña cómo rezar y cómo vivir el Evangelio.

▶ Su niño también aprendió que la piedad, Don del Espíritu Santo, lleva a tener devoción a Dios.

**Para saber más** sobre otras enseñanzas de la Iglesia, consulten el *Catecismo de la Iglesia Católica*, 2558–2865; y el *Catecismo Católico de los Estados Unidos para los Adultos*, páginas 481–495.

## ■ Compartir la Palabra de Dios

**Lean juntos Mateo 6:5–14.** Enfaticen que el Padre Nuestro también se llama la Oración del Señor y que rezarla nos ayuda a vivir el Evangelio.

## ■ Vivimos como discípulos

**El hogar cristiano** con la familia es una escuela de discipulado. Elijan una o más de las siguientes actividades para hacer en familia, o creen una actividad similar ustedes mismos.

▶ Jesús nos recuerda que Dios es nuestro Padre. Cada miembro de la familia es hijo de Dios. Mencionen las cosas que su familia hace para vivir como hijos de Dios.

▶ Elijan una petición de la Oración del Señor para dedicarle tiempo en familia esta semana; por ejemplo: "danos hoy nuestro pan de cada día". Recen por los hambrientos de su comunidad y el mundo. Investiguen una manera concreta en la que puedan ayudar en familia, de modo que su niño sepa que es importante para ustedes.

## ■ Nuestro viaje espiritual

**Desde los primeros días** de la Iglesia, los cristianos han rezado el Padre Nuestro diariamente. Si no rezan la Liturgia de las Horas, recen el Padre Nuestro al comienzo de cada día, récenlo otra vez a media mañana, al mediodía, a la mitad de la tarde, al atardecer y a la hora de dormir.

Para hallar más ideas sobre las maneras en que su familia puede vivir como discípulos de Jesús, visiten **seanmisdiscipulos.com**

# With My Family

## This Week...

**In chapter 24,** "Lord, Teach Us to Pray," your child learned:

- In Matthew's Gospel, Jesus teaches the Our Father, or Lord's Prayer, to the disciples on a mountainside.

- The Lord's Prayer is a summary of the Gospel.

- When we pray the Our Father, the Holy Spirit teaches us both how to pray and how to live the Gospel.

- Your child also learned that piety, a Gift of the Holy Spirit, leads to devotion to God.

**For more** about related teachings of the Church, see the *Catechism of the Catholic Church,* 2558–2865; and the *United States Catholic Catechism for Adults,* pages 481–495.

## Sharing God's Word

**Read Matthew 6:5–14** together. Emphasize that the Our Father is also called the Lord's Prayer and that praying the Lord's Prayer helps us to live the Gospel.

## We Live as Disciples

**The Christian home** and family is a school of discipleship. Choose one of the following activities to do as a family or design a similar activity of your own.

- Jesus reminds us that God is our Father. Every member of your family is a child of God. Name the things your family is doing to live as God's children.

- Choose a petition of the Lord's Prayer to focus on as a family this week, for example, "give us this day our daily bread." Pray for those in your community and in the world who are hungry. Explore a concrete way that you can help as a family, so your children know that it is important to you.

## Our Spiritual Journey

**From the earliest days** of the Church, Christians have prayed the Lord's Prayer as their daily prayer. If you do not pray the Liturgy of the Hours, pray the Lord's Prayer to begin each day, pray it again in the mid-morning, at noon, in the mid-afternoon, in the evening, and at bedtime.

For more ideas on ways your family can live as disciples of Jesus, visit **BeMyDisciples.com**

# Unidad 6: **Repaso**

Nombre _____

## A. Elije la mejor palabra

*Escribe en los espacios en blanco para completar las oraciones.*
*Usa las palabras de la lista.*

| | | |
|---|---|---|
| Sabbat | murmurar | Diez Mandamientos |
| mentir | Gran Mandamiento | Oración del Señor |

**1.** El _____ es amar a Dios por sobre
todas las cosas y amar a los demás como a nosotros mismos.

**2.** Santifica el _____.

**3.** Los _____ son las leyes que Dios
nos dio para ayudarnos a tener vidas felices y santas.

**4.** La _____es otro nombre para el Padre Nuestro.

**5.** Al _____ y al _____ se crean divisiones
entre nosotros y nuestro prójimo.

## B. Muestra lo que sabes

*Une los elementos de la columna A con los de la columna B.*

**Columna A**

**1.** el Quinto Mandamiento

**2.** el Padre Nuestro

**3.** el Segundo Mandamiento

**4.** templanza

**5.** el Octavo Mandamiento

**Columna B**

_____ **a.** a. nos enseña que debemos usar el
nombre de Dios con sinceridad y respeto

_____ **b.** decir la verdad significa más que
no mentir

_____ **c.** enseña que debemos respetar y
tratar toda vida como sagrada

_____ **d.** es la oración que Jesús, nuestro
Señor, nos enseñó

_____ **e.** Esta Virtud Cardinal hace que una
persona exprese sus sentimientos de
manera adecuada.

# Unit 6 **Review**

## A. Choose the Best Word

*Fill in the blanks to complete each of the sentences.*
*Use the words from the word bank.*

| | | |
|---|---|---|
| Sabbath | gossiping | Ten Commandments |
| lying | Great Commandment | Lord's Prayer |

**1.** The _____ is to love God
above all else and to love people as we love ourselves.

**2.** Keep holy the _____.

**3.** The _____ are the laws God
gave us to help us live happy and holy lives.

**4.** The _____ is another name for the Our Father.

**5.** Acts of _____ and _____ create division
between us and our neighbor.

## B. Show What You Know

*Match the items in Column A with those in Column B.*

**Column A**

**1.** the Fifth Commandment

**2.** the Our Father

**3.** Second Commandment

**4.** temperance

**5.** the Eighth Commandment

**Column B**

____ **a.** teaches us that are we to use God's
name truthfully and with respect

____ **b.** to speak the truth means more than
not lying

____ **c.** teaches that we are to respect and
treat all life as sacred

____ **d.** the prayer that Jesus, our Lord
taught us

____ **e.** This Cardinal Virtue enables a person
to express their feelings appropriately.

## C. La Escritura y tú

*Vuelve a leer el pasaje de la Sagrada Escritura de la página de Inicio de la unidad.*
*¿Qué relación hay entre lo que ves en esta página y lo que aprendiste en esta unidad?*

_____

_____

_____

## D. Sé un discípulo

**1.** *Repasa las cuatro páginas de esta unidad llamadas La Iglesia sigue a Jesús. ¿Qué persona o ministerio de la Iglesia de estas páginas te inspirará para ser un mejor discípulo de Jesús? Explica tu respuesta.*

_____

_____

_____

**2.** *Trabaja en grupo. Repasa las cuatro virtudes o dones de Poder de los discípulos que has aprendido en esta unidad. Después de anotar tus ideas, comparte con el grupo maneras prácticas en las que vivirás estas virtudes o dones día a día.*

_____

_____

_____

## C. Connect with Scripture

*Reread the Scripture passage on the Unit Opener page.
What connection do you see between this passage and
what you learned in this unit?*

_____

_____

_____

## D. Be a Disciple

1. *Review the four pages in this unit titled The Church Follows
   Jesus. What person or ministry of the Church on these
   pages will inspire you to be a better disciple of Jesus?
   Explain your answer.*

_____

_____

_____

2. *Work with a group. Review the four Disciple Power virtues
   or gifts you have learned about in this unit. After jotting
   down your own ideas, share with the group practical
   ways that you will live these virtues or gifts day by day.*

_____

_____

_____

# México: La Quinceañera

La Quinceañera es una tradición en muchos países de América Latina y de Estados Unidos. Celebra la edad adolescente de una jovencita a los quince años. La celebración incluye costumbres religiosas, tradiciones familiares y una oportunidad para la formación en la fe. Algunas de las tradiciones tienen más de 500 años.

Hoy en día y antes de la celebración, la jovencita puede asistir a clases que duran seis meses o más. Aprenderá más sobre los valores de la Iglesia y la familia. La celebración católica comienza con una ceremonia en la iglesia presidida por un sacerdote o un diácono. Durante la celebración religiosa, se acostumbra que la joven use un vestido formal y que reciba una diadema, una cruz o medalla religiosa, una Biblia y un libro de oraciones o un rosario. La jovencita también recibe una bendición dicha por el sacerdote o el diácono.

A la ceremonia de la iglesia le sigue una recepción que se realiza en el hogar o en un salón de fiestas. La celebración incluye un brindis por la jovencita y se anima a los invitados a felicitarla y desearle buenos augurios. Una de las tradiciones durante esta celebración, consiste en que el padre de la niña u otro hombre importante de la familia le cambie los zapatos sin tacón por los de tacón alto como un símbolo de su paso de niña a mujer.

**?** ¿Cuál piensas que es la parte más interesante de la tradición de la Quinceañera? ¿Cuál es la más importante?

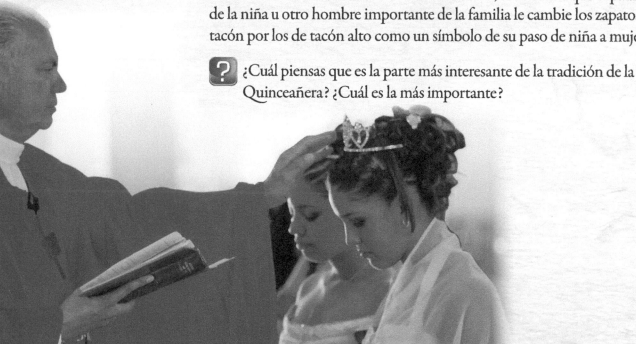

# Mexico: La Quinceañera

The Quinceañera is a tradition in many Latin American countries and in the United States. It celebrates a young girl's coming of age at fifteen. The celebration includes religious customs, family traditions, and an opportunity for faith formation. Some of the traditions are over 500 years old.

Today, the young girl may attend classes before the celebration that last six months or more. She will learn more about her Church's and her family's values. The Catholic celebration begins with a church ceremony presided over by a priest or deacon. During the religious celebration, it is customary for the young woman to wear a formal gown and to receive a tiara, a cross or religious medal, a Bible, and a prayer book or a rosary. The young girl also receives a blessing spoken by the priest or deacon.

The church ceremony is followed by a reception held at home or in a hall. The celebration includes a toast to the young girl and the guests are invited to offer congratulations and best wishes. In one tradition during this celebration, the girl's father or other prominent male relative changes the young girl's flat shoes to high heels as a symbol of her transformation from young girl to woman.

? What do you think is the most interesting part of the Quinceañera tradition? Which is the most important part?

# CELEBRAMOS EL AÑO ECLESIÁSTICO
## El año de la gracia

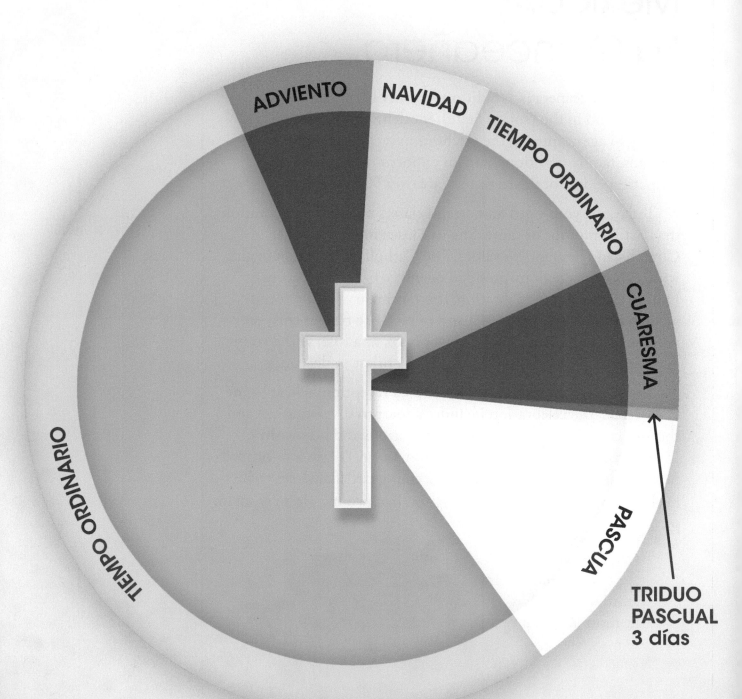

ADVIENTO

NAVIDAD

TIEMPO ORDINARIO

CUARESMA

PASCUA

TRIDUO PASCUAL 3 días

TIEMPO ORDINARIO

# WE CELEBRATE THE CHURCH YEAR

## The Year of Grace

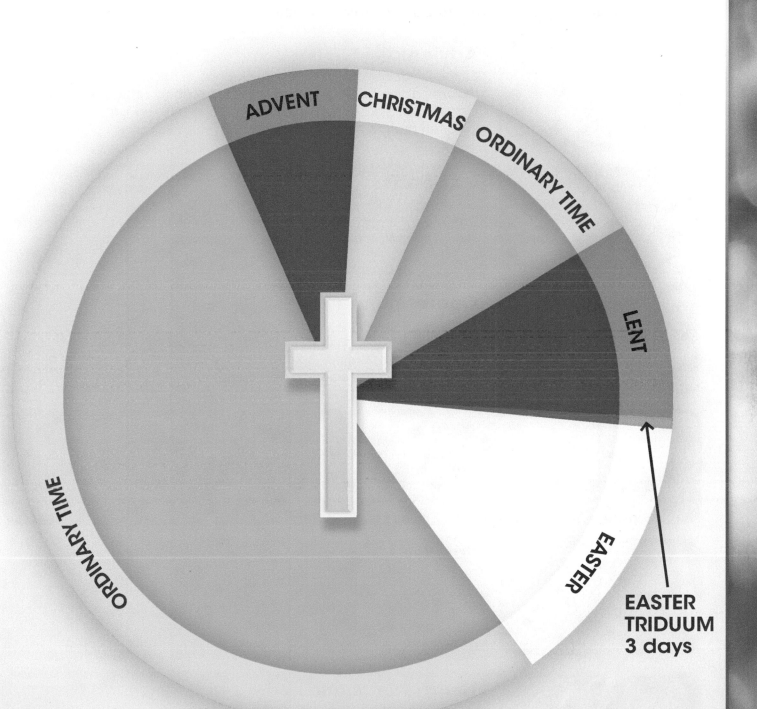

ADVENT

CHRISTMAS

ORDINARY TIME

LENT

EASTER

EASTER TRIDUUM 3 days

ORDINARY TIME

# El año litúrgico

Aunque algunas cosas que ves y oyes en la Misa son siempre las mismas, hay otras que cambian. Las lecturas cambian, como también los colores de los estandartes y las vestiduras. Todos estos cambios nos ayudan a saber qué parte del año eclesiástico estamos celebrando. Cada año es un año de la gracia porque celebramos la presencia salvadora de Cristo en el mundo.

## Adviento

Comenzamos el año litúrgico anticipando el nacimiento de Jesucristo durante el tiempo de Adviento. Esta es una época para prepararnos a través de la oración y el sacrificio. De esta manera, guardamos un lugar en nuestro corazón para el nacimiento del Señor.

## Navidad

Celebramos la Encarnación de Jesucristo al nacer de la Virgen María. Durante el tiempo de Navidad, también celebramos la Solemnidad de María, Madre de Dios, la Epifanía y el Bautismo del Señor.

## Cuaresma

Durante los cuarenta días de Cuaresma, rezamos y hacemos sacrificios personales para llevar nuestro corazón más completamente a Dios. Nos preparamos para la mayor celebración del año eclesiástico: la Resurrección del Señor.

## Triduo

El Triduo Pascual está en el centro de nuestro año de culto. El Triduo, que comienza la tarde del Jueves Santo y termina la tarde del Domingo de Pascua, es nuestra celebración solemne de tres días del Misterio Pascual.

## Pascua

Durante cada uno de los cincuenta días de Pascua, celebramos nuestra nueva vida en Cristo Resucitado. En la Vigilia Pascual, encendemos el Cirio Pascual en medio de la oscuridad para que nos recuerde que Jesús es la luz del mundo. Nuestra celebración continúa hasta Pentecostés.

## Tiempo Ordinario

El resto del año eclesiástico se llama Tiempo Ordinario. Celebramos muchos acontecimientos de la vida y el ministerio de Jesús. También celebramos importantes fiestas y solemnidades en honor a Jesús, a María y a los Santos.

# The Liturgical Year

While many things you see and hear at Mass are always the same, other things change. The readings change, as do the colors of banners and vestments. All of the changes help us know what part of the Church's year we are celebrating. Each year is a year of grace because we celebrate the saving presence of Christ in the world.

### Advent
We begin the liturgical year by anticipating the birth of Jesus Christ during the season of Advent. It is a time to prepare ourselves through prayer and sacrifice. In these ways, we make room in our hearts for the birth of the Lord.

### Christmas
We celebrate the Incarnation of Jesus Christ through his birth to the Virgin Mary. During the Christmas season, we also celebrate the Solemnity of Mary, the Holy Mother of God, Epiphany of the Lord, and the Baptism of the Lord.

### Lent
During the forty days of Lent, we pray and make personal sacrifices so that we can turn our hearts more completely toward God. We are preparing for the greatest celebration of the Church year—the Resurrection of the Lord.

### The Triduum
The Easter Triduum is at the center of our year of worship. Beginning on the evening of Holy Thursday and ending on Easter Sunday evening, the Triduum is our three-day solemn celebration of the Paschal Mystery.

### Easter
On each of the fifty days of Easter, we celebrate our new life in the Risen Christ. At the Easter Vigil, we light the Paschal candle in the midst of darkness to remind us that Jesus is the light of the world. Our celebration continues until Pentecost.

### Ordinary Time
The rest of the Church's year is called Ordinary Time. We celebrate many events in the life and ministry of Jesus. We also celebrate other great feasts and solemnities honoring Jesus, Mary, and the Saints.

## Enfoque en la fe
¿Qué es la Comunión de los Santos?

## Palabra de Dios
Elige una de las lecturas para la Solemnidad de Todos los Santos. Pide a tu familia que la lea contigo. Comenta con ellos la lectura.

**Primera lectura**
Apocalipsis 7:2-4, 9-14

**Segunda lectura**
1.ª Juan 3:1-3

**Evangelio**
Mateo 5:1-12a

# Solemnidad de Todos los Santos

La Solemnidad de Todos los Santos es una fiesta muy importante que la Iglesia celebra el 1 de noviembre. Este día honramos a todos los discípulos de Cristo que han muerto y ahora comparten la felicidad eterna con Dios en el Cielo. Algunas personas han sido oficialmente reconocidas o canonizadas por la Iglesia como santos. Estos hombres y mujeres Santos son modelos de discipulado. Algunos son conocidos por su vida de heroica virtud. Otros Santos son conocidos por los grandes sacrificios que hicieron por su fe. María, Madre de Jesús, es la Santa más importante de todos.

Los Santos provienen de todas las épocas, de todas las culturas, razas y naciones de la Tierra. Eran jóvenes y ancianos, pobres y ricos. Algunos eran grandes eruditos, mientras que otros nunca aprendieron a leer. Algunos Santos pertenecían a familias nobles; otros eran campesinos. Muchos de estos Santos tienen días especiales en el calendario eclesiástico en honor de sus contribuciones particulares a la Iglesia. También hay muchos Santos en el Cielo que solo conoce Dios. La Iglesia enseña que todo el que está en el Cielo es un Santo. En la Solemnidad de Todos los Santos honramos a todos los Santos del Cielo, a los que conocemos y a los que no conocemos.

En la Solemnidad de Todos los Santos nos regocijamos por la Comunión de los Santos. La Comunión de los Santos incluye a todos los fieles seguidores de Jesús, tanto vivos como muertos: los que están en el Cielo, en el Purgatorio y en la Tierra. Profesamos nuestra creencia de que estamos unidos como pueblo de fe cuando, en el Credo de los Apóstoles, rezamos que creemos en la Comunión de los Santos.

María, Santa Kateri Tekakwita, San Martín de Porres, Santa Rosa de Lima

# Solemnity of All Saints

The Solemnity of All Saints is a major feast that the Church celebrates on November 1. On this day we honor all the disciples of Christ who have died and now share eternal happiness with God in Heaven. Some people have been officially recognized, or canonized, by the Church as Saints. These holy men and women are models of discipleship. Some are known for their lives of heroic virtue. Other Saints are known for the great sacrifices they made for their faith. Mary, the Mother of Jesus, is the greatest of all the Saints.

The Saints come from every time, every culture, race, and from every nation on Earth. They were young and old, poor and wealthy. Some were great scholars, while others never learned to read. Some Saints were from royal families; others were peasants. Many of these Saints have special feast days on the Church calendar to honor their unique contributions to the Church. There are also many Saints in Heaven who are known only to God. The Church teaches that anyone in Heaven is a Saint. On the Solemnity of All Saints we honor all the Saints in Heaven, those we know and those we do not know.

On the Solemnity of All Saints we rejoice in the Communion of Saints. The Communion of Saints includes all the faithful followers of Jesus, both living and dead—those in Heaven, those in Purgatory, and those living on Earth. We profess our belief that we are united as a people of faith when we pray in the Apostles' Creed that we believe in the Communion of Saints.

## Faith Focus
What is the Communion of Saints?

## The Word of the Lord
Choose one of the readings for the Solemnity of All Saints. Ask your family to read it with you. Talk about the reading with them.

**First Reading**
Revelation 7:2-4, 9-14

**Second Reading**
1 John 3:1-3

**Gospel**
Matthew 5:1-12a

Mary, Saint
Kateri Tekakwita,
Saint Martin de Porres,
Saint Rose of Lima

# Tapiz de santos

En las tres secciones siguientes, dibuja o escribe sobre tres Santos
que admires. Puedes incluir a familiares que hayan muerto,
que tú y tu familia crean que viven ahora con Dios en el Cielo.
Debajo de las imágenes, cuenta algo sobre el Santo canonizado
que prefieras.

**Mi Santo preferido**

_____

_____

_____

## MI ELECCIÓN DE FE

Esta semana imitaré el discipulado de los Santos. Yo voy a

_____

_____

_____

**Reza:** "Te agradezco, Dios, por los hombres, las mujeres y los
niños santos que nos enseñan cómo vivir una vida santa. Amén".

# A Tapestry of Saints

In the Three sections below, draw or write about three Saints whom you admire. You might include relatives who have died whom you and your family believe now live with God in Heaven. Beneath the images, tell about your favorite canonized Saint.

**My Favorite Saint**

_____

_____

_____

This week I will imitate the discipleship of the Saints. I will

_____

_____

_____.

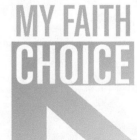

**MY FAITH CHOICE**

**Pray, "Thank you God, for the holy men, women and children who teach us how to live holy lives. Amen."**

**Palabra de Dios**
Estas son las lecturas del Evangelio para el Primer Domingo de Adviento. Elige la lectura de este año. Léela y coméntala con tu familia.

**Año A**
Mateo 24:37–44

**Año B**
Marcos 13:33–37

**Año C**
Lucas 21:25–28, 34–36

**A la vista**
La corona de Adviento está hecha con ramas de árboles perennes y cuatro velas. Las velas se encienden sucesivamente cada semana de Adviento para simbolizar la venida de Cristo, la Luz del Mundo.

# Adviento

Todo el tiempo suceden cosas nuevas. En la primavera vemos vida nueva en todos lados. En la escuela aprendemos cosas nuevas todos los días. Cuando miramos televisión, aprendemos cosas que no sabíamos sobre el mundo.

El Adviento da comienzo a un año nuevo para los católicos. Es un año nuevo y un tiempo nuevo para renovar nuestro amor por Dios y por los demás. Es un tiempo para aceptar la invitación del Espíritu Santo de hacerle un lugar a Jesús en nuestro corazón.

Juan Bautista anunció: "Preparen el camino del Señor" (Lucas 3:4). Hacemos precisamente eso durante las cuatro semanas de Adviento. Escuchamos las lecturas de la Sagrada Escritura cada domingo durante la Misa y se nos recuerda prepararnos para la venida del Señor a nuestra vida. El Señor no vino solamente esa primera Navidad, sino que viene en cada momento de cada día. También volverá en la gloria al final de los tiempos.

Durante el Adviento preparamos nuestro corazón todos los días para recibir a Jesús. Entonces estaremos listos para celebrar el Nacimiento de Jesús con gran alegría en Navidad.

# Advent

New things happen all the time. In the Spring we see new life everywhere. In school we learn new things every day. Watching television, we learn things about the world we never knew before.

Advent begins a new year for Catholics. It is a new year and a new time to renew our love for God and for one another. It is a time to accept the Holy Spirit's invitation to make room in our hearts for Jesus.

John the Baptist announced, "Prepare the way of the Lord" (Luke 3:4). During the four weeks of Advent we do just that. We listen to the Scripture readings each Sunday during Mass and are reminded to prepare for the coming of the Lord in our lives. The Lord came not only on that first Christmas, but in every moment of every day. He will come again in glory at the end of time.

During Advent we prepare our hearts every day to welcome Jesus. Then we will be ready to celebrate the Birth of Jesus with great joy at Christmas.

### Faith Focus
What does the season of Advent help us to prepare for?

### The Word of the Lord
These are the Gospel readings for the First Sunday of Advent. Choose this year's reading. Read and discuss it with your family.

**Year A**
Matthew 24:37–44

**Year B**
Mark 13:33–37

**Year C**
Luke 21:25–28, 34–36

### What You See
The Advent wreath is made of evergreens with four candles. The candles are lighted successively each week of Advent to symbolize the coming of Christ, the Light of the world.

# Esperar la venida del Señor

Busca estos relatos en tu Biblia. Cada uno trata de personas cuyas palabras y ejemplo nos ayudan a prepararnos para la venida del Señor. En los espacios en blanco, escribe el nombre de la persona de cada relato.

*Lee Marcos 1:1-8.* ¿Quién dijo primero las palabras:
"Mira, te voy a enviar a mi mensajero delante de ti
para que te prepare el camino"?                    MARCOS 1:2

_____

*Lee Lucas 1:46-56.* ¿Quién dijo sí a Dios y cantó estas palabras:
"Proclama mi alma la grandeza del Señor"?          LUCAS 1:46

_____

*Lee Mateo 1:18-25.* ¿Quién creía en las palabras de Isaías:
"La virgen concebirá y dará a luz un hijo,
y le pondrán por nombre Emmanuel"?                  MATEO 1:23

_____

*Lee Mateo 3:1-7.* ¿Quién anunció la venida de Jesús y predicó
arrepentimiento diciendo:
"Preparen un camino al Señor…"?                     MATEO 3:3

_____

**MI ELECCIÓN DE FE**

Esta semana prepararé el camino del Señor. Yo voy a

_____

_____

_____

**Reza: "Padre Celestial, ayúdame a recibir a Jesús, la Luz del Mundo, en mi corazón. Amén".**

# Awaiting the Lord's Coming

Look up these stories in your Bible. Each is about a person whose words and example help prepare us for the Lord's coming. In the spaces, write the name of the person in each story.

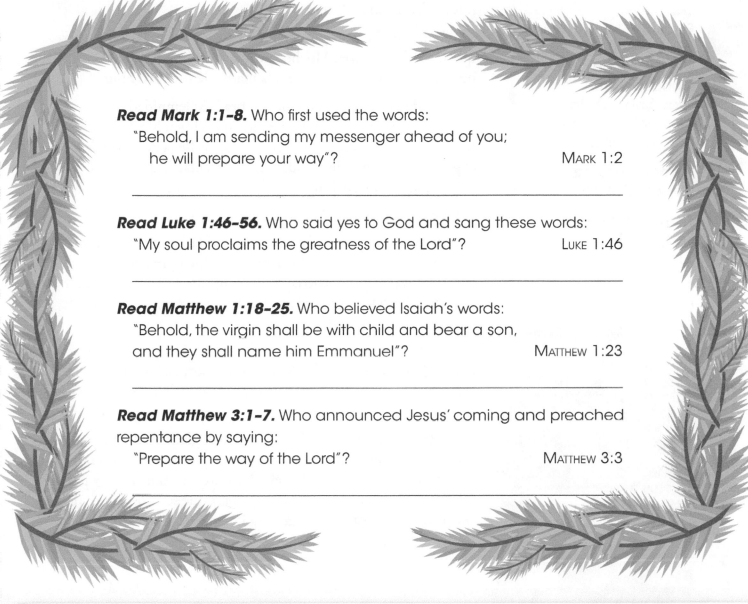

**Read Mark 1:1–8.** Who first used the words:
"Behold, I am sending my messenger ahead of you;
he will prepare your way"?                                MARK 1:2

_____

**Read Luke 1:46–56.** Who said yes to God and sang these words:
"My soul proclaims the greatness of the Lord"?          LUKE 1:46

_____

**Read Matthew 1:18–25.** Who believed Isaiah's words:
"Behold, the virgin shall be with child and bear a son,
and they shall name him Emmanuel"?                    MATTHEW 1:23

_____

**Read Matthew 3:1–7.** Who announced Jesus' coming and preached repentance by saying:
"Prepare the way of the Lord"?                         MATTHEW 3:3

_____

This week I will prepare the way for the Lord. I will

_____

_____

_____.

**MY FAITH CHOICE**

Pray, "Father in Heaven, help me to welcome Jesus, the Light of the world, into my heart. Amen."

## Palabra de Dios

Estas son las lecturas para la Solemnidad de la Inmaculada Concepción. Elige una y léela. Comenta la lectura con tu familia.

**Primera lectura**
Génesis 3:9–15, 20

**Segunda lectura**
Efesios 1:3–6, 11–12

**Evangelio**
Lucas 1:26–38

# La Inmaculada Concepción

Durante las cuatro semanas de Adviento, la Iglesia celebra un tiempo de anticipación y preparación para recibir a Jesús en nuestro corazón en Navidad.

Cada año durante el Adviento, la Iglesia celebra el don único que Dios dio a María. Mucho antes de que Jesús naciera, Dios preparó a María para que fuera la madre de su único Hijo.

El 8 de diciembre, la Iglesia celebra la Solemnidad de la Inmaculada Concepción de la Santísima Virgen María. María fue concebida sin Pecado Original y estaba llena de gracia desde el primer momento de su vida. A esta creencia le decimos la Inmaculada Concepción.

## María, modelo de santidad

María nunca perdió el don de su santidad original. Durante toda su vida permaneció libre de pecado. Siempre eligió obedecer la voluntad de Dios. Vivió como una hija fiel a Dios. Por esto, María es el modelo del verdadero discípulo y el ejemplo perfecto de la santidad cristiana.

María es nuestra Santa más importante. Ahora vive en el Cielo. Podemos rezarle, y ella reza por nosotros. Sus oraciones nos ayudan a fortalecernos para hacer la voluntad de Dios y evitar el pecado.

María reza para que vivamos como verdaderos discípulos de su Hijo como ella lo hizo. Reza para que vivamos con ella y con todos los Santos en el Cielo. Nosotros elevamos la voz para rezar: "Santa Madre de Dios, ruega para que seamos dignos de las promesas de Cristo" (basada en la Letanía de la Bienaventurada Virgen María).

María y Jesús, mosaico artístico de Tailandia.

# The Immaculate Conception

During the four weeks of Advent, the Church celebrates a time of anticipation and preparation to welcome Jesus into our hearts at Christmas.

Each year during Advent, the Church celebrates the unique gift God gave to Mary. Long before Jesus was born, God prepared Mary to be the mother of his only Son.

On December 8, the Church celebrates the Solemnity of the Immaculate Conception of the Blessed Virgin Mary. Mary was conceived without Original Sin and was filled with grace from the first moment of her life. We call this belief the Immaculate Conception.

## Mary, Model of Holiness

Mary never lost the gift of her original holiness. She remained sinless during her entire life. She always chose to obey God's will. She lived as a faithful child of God. Because of this, Mary is the model of a true disciple and the perfect example of Christian holiness.

Mary is our greatest Saint. She now lives in Heaven. We can pray to her, and she prays for us. Her prayers help strengthen us to do God's will and to avoid sin.

Mary prays that we will live as true disciples of her Son as she did. She prays that we will live with her and all the Saints in Heaven. We raise our voices to pray, "Holy Mother of God, make us worthy of the promises of Christ" (based on the Litany of the Blessed Virgin Mary).

**Faith Focus**
Why is Mary the model of a true disciple of Jesus?

**The Word of the Lord**
These are the readings for the Solemnity of the Immaculate Conception. Choose one and read it. Talk about the reading with your family.

**First Reading:**
Genesis 3:9–15, 20

**Second Reading:**
Ephesians 1:3–6, 11–12

**Gospel:**
Luke 1:26–38

Mary and Jesus, Mosaic artwork from Thailand.

# Decir "¡Sí!" a Dios

Piensa en oportunidades en que te haya sido difícil obedecer la voluntad de Dios. En el espacio dado, escribe o dibuja alguna de las veces en que dijiste "sí" a Dios.

*"Yo soy la servidora del Señor, hágase en mí tal como has dicho."* — Lucas 1:38

## MI ELECCIÓN DE FE

Esta semana seguiré el ejemplo de discipulado de María. Yo voy a

_____

_____

_____

**Reza: "María, Madre Inmaculada, ayúdanos a evitar el pecado y a vivir una vida santa. Amén".**

# Saying "Yes!" to God

Think of the times when it has been hard for you to obey God's will. In the space, write or draw about some of the times you said "yes" to God.

*"Behold, I am the handmaid of the Lord. May it be done to me according to your word."* LUKE 1:38

This week I will follow Mary's example of discipleship. I will

_____

_____

_____ .

**MY FAITH CHOICE**

 Pray, "Mary, Mother Immaculate, help us to avoid sin and to live holy lives. Amen."

# Nuestra Señora de Guadalupe

**Enfoque en la fe**
¿Por qué la Iglesia honra a Nuestra Señora de Guadalupe?

**Palabra de Dios**
Elige una de las lecturas para la Fiesta de Nuestra Señora de Guadalupe. Lee y comenta la lectura con tu familia.

Isaías 7:10–14
Gálatas 2:4–7
Lucas 1:39–48

El 12 de diciembre de cada año honramos el amor de María como nuestra madre de una manera especial cuando celebramos la Fiesta de Nuestra Señora de Guadalupe. Esta fiesta recuerda la aparición de la Santísima Virgen María en 1531 d. C. a un campesino mexicano, Juan Diego.

Un día, Juan tuvo una visión de María vestida como una princesa azteca. Ella le dio un mensaje para el obispo. La "Señora", como Juan la llamó, quería que se construyera una iglesia en la colina donde ella había aparecido. Prometió ayudar a todos los que visitaran la iglesia y le rezaran a ella.

Juan llevó el mensaje, pero el obispo no le creyó. María le dio a Juan una señal para el obispo. Señaló un terreno de rosales en flor, algo sorprendente durante el invierno. Juan colocó las rosas en su capa y se apresuró a ir a la casa del obispo.

Cuando abrió la capa, vio que María había dado al obispo una señal aun más extraordinaria. Dentro de la capa, las rosas habían sido reemplazadas por una bella imagen de María, que lucía como Juan la había descrito. El obispo ordenó inmediatamente construir un santuario.

La Basílica de Nuestra Señora de Guadalupe recibe millones de visitantes cada año. En su día rezamos: "Que nosotros, que nos regocijamos en Nuestra Señora de Guadalupe, vivamos unidos y en paz en este mundo hasta el día en que el Señor venga en su gloria" (Versión de *Roman Missal,* Oración después de la Comunión, Oración de los Santos).

Nuestra Señora de Guadalupe es un recordatorio de que Dios cuida de todas las personas, en especial de los pobres y de los que sufren. María es la madre de todos los hijos de Dios, en todas partes y todas los tiempos.

# Our Lady of Guadalupe

We honor Mary's love as our mother in a special way each year on December 12 when we celebrate the Feast of Our Lady of Guadalupe. This feast recalls the appearance of the Blessed Virgin Mary in A.D. 1531 to a native Mexican peasant, Juan Diego.

One day, Juan saw a vision of Mary dressed as an Aztec Indian princess. Mary gave him a message for his bishop. The "Lady," as Juan called her, wanted a church built on the hill where she appeared. She promised to help anyone who visited the church and prayed to her.

Juan delivered the message, but the bishop did not believe him. Mary gave Juan a sign for the bishop. She pointed to a plot of blooming roses, a surprising sight in winter. Juan gathered the roses in his cloak and hurried to the bishop's house.

When he opened his cloak, he saw that Mary had given the bishop an even more wondrous sign. Inside the cloak a beautiful image of Mary, looking just as Juan described, had replaced the roses. The bishop immediately ordered a shrine to be built.

The Basilica of Our Lady of Guadalupe is visited by millions of people each year. On her feast day we pray, "[May] we who rejoice in Our Lady of Guadalupe live united and at peace in this world until the day of the Lord dawns in glory" (Prayer after Communion, *Roman Missal*).

Our Lady of Guadalupe is a reminder that God cares for all people, especially the poor and suffering. Mary is the mother of all God's children, in all places and all times.

**Faith Focus**
Why does the Church honor Our Lady of Guadalupe?

**The Word of the Lord**
Choose one of the readings for the Feast of Our Lady of Guadalupe. Read and discuss the reading with your family.

Isaiah 7:10–14
Galatians 2:4–7
Luke 1:39–48

# Hacer una peregrinación

Una peregrinación es un viaje de oración a un santuario o a otro lugar sagrado. Haz con devoción una peregrinación imaginaria a la Basílica de Nuestra Señora de Guadalupe. "Camina" por el siguiente laberinto hasta el santuario del centro. Mientras viajas, copia en las líneas de abajo las letras que encuentres.

SALIDA

" _____ _____ _____ _____ _____ _____ _____

_____ _____ _____ _____ _____ _____ ."

VERSIÓN DEL SALMO RESPONSORIAL, FIESTA DE NUESTRA SEÑORA DE GUADALUPE

## MI ELECCIÓN DE FE

Esta semana mostraré respeto por las personas en la escuela y en mi familia; yo voy a

_____

_____

_____ .

**Reza:** "Nuestra Señora de Guadalupe, ayúdame a cuidar de los necesitados. Amén".

# Making a Pilgrimage

A pilgrimage is a prayer journey to a shrine or other holy place. Prayerfully make a virtual pilgrimage to the Basilica of Our Lady of Guadalupe. "Walk" through the maze below to the shrine at the center. As you travel, copy the letters you find on the lines below.

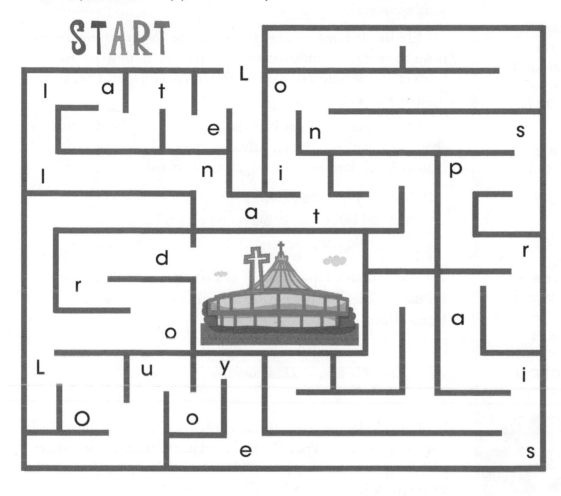

**START**

l a t L o
e n s
l n i p
a t
d r
r a
o
L u y i
O o
e s

" __ __ __ __ __ __ __ __ __ __ __ __ __ __ __

__ __ __ __ __ __ __ __ __ , __ __ __ __ __ __ __ __ . "

BASED ON THE RESPONSORIAL PSALM, FEAST OF OUR LADY OF GUADALUPE

This week I will show respect for people in my school and my family, I will

_____

_____

_____

**MY FAITH CHOICE**

 **Pray, "Our Lady of Guadalupe, help me to care for people in need. Amen."**

**Enfoque en la fe**
¿Por qué decimos que Jesús es el Príncipe de la Paz?

**Palabra de Dios**
Estas son las lecturas del Evangelio para la Misa del Día de Navidad. Elige una lectura. Léela y coméntala con tu familia.

Juan 1:1–18 o
Juan 1:1–5, 9–14

**A la vista**
Los árboles y las coronas de hoja perenne son símbolos de Navidad. El círculo de la corona de hoja perenne es un signo del amor eterno de Dios por nosotros.

# Navidad

Imagina un mundo pleno de paz y armonía. Piensa en un mundo donde a nadie le falte un hogar y todos los niños se alimenten bien todos los días. ¿Cómo sería ese mundo?

El Hijo de Dios se convirtió en uno de nosotros y vivió entre nosotros para mostrarnos cómo construir un mundo así. Es una tarea en la que tendremos que trabajar hasta que Jesús vuelva al final de los tiempos.

Durante el tiempo de Navidad, recordamos y celebramos que "ha nacido para ustedes un Salvador, que es el Mesías y el Señor" (Lucas 2:11). Junto con los ángeles, cantamos:

> "Gloria a Dios en lo más
> alto del cielo y en la tierra paz a los hombres:
> ésta es la hora de su gracia".               Lucas 2:14

Proclamamos que Jesús es el Príncipe de la Paz, quien renueva todas las cosas. Al anunciar el reino de la paz, Isaías dice:

> El lobo habitará con el cordero [...]
> y un niño chiquito los cuidará.
>
> Isaías 11:6

Cuando Jesús nació, renació el plan de Dios para que todas las personas vivieran en paz. Todas las criaturas, hasta las que ahora se tratan como enemigos, son llamadas a vivir en paz. Jesús es el Príncipe de la Paz. Con Él trabajamos por construir un mundo de paz. Nos preparamos para la venida del Reino de Dios.

# Christmas

Imagine a world filled with peace and harmony. Think of a world in which no one is homeless and all children eat well each every day. What would that world be like?

The Son of God became one of us and lived among us to show us how to build such a world. It is a task we will need to work at until Jesus comes again at the end of time.

During the Christmas season we remember and celebrate that "a savior has been born for you who is Messiah and Lord" (Luke 2:11). Joining with the angels, we sing:

> "Glory to God in the highest
> and on earth peace to those on whom his
> favor rests."
>
> LUKE 2:14

We proclaim that Jesus is the Prince of Peace, who makes all things new. Announcing the kingdom of peace, Isaiah says:

> The calf and the young lion shall browse
> together,
> with a little child to guide them.
>
> ISAIAH 11:6

When Jesus was born, God's plan for all people to live in peace was born again, too. All creatures, even those who now treat each other as enemies, are called to live together in peace. Jesus is the Prince of Peace. With him we work to build a world of peace. We prepare for the coming of the Kingdom of God.

**Faith Focus**
Why do we say that Jesus is the Prince of Peace?

**The Word of the Lord**
These are the Gospel readings for Mass on Christmas Day. Choose one reading. Read and discuss it with your family.

John 1:1–18 or
John 1:1–5, 9–14

**What You See**
Evergreen trees and wreaths are Christmas symbols. The circle of the evergreen wreath is a sign of God's never-ending love for us.

# Renovar todas las cosas

Esta es una oración que tú y tu familia pueden rezar para bendecir el árbol de Navidad. Úsala ahora para bendecir el árbol o la corona de tu clase.

**Líder:** Nuestro auxilio está en el nombre del Señor,

**Todos:** **que hizo el Cielo y la Tierra.**

**Lector 1:** Canten al Señor, bendigan su nombre.

**Todos:** **Canten al Señor un canto nuevo.**

**Lector 2:** Traigan la ofrenda y entren en su templo; adoren al Señor, en el atrio sagrado.

**Todos:** **Canten al Señor un canto nuevo.**

**Lector 3:** ¡Gozo en los cielos; júbilo en la tierra,... / lancen vivas los árboles del bosque / delante del Señor, porque ya viene, / porque ya viene a juzgar a la tierra. / Al mundo con justicia juzgará, / y a los pueblos, según su verdad.     Salmo **96:11–13**

**Líder:** Recemos:
Benditas sean estas ramas y todos los árboles del bosque. Que su verdor nos recuerde la vida eterna. Que sus adornos nos recuerden celebrar tu venida entre nosotros como luz y gozo. Te lo pedimos en el nombre de Jesús, tu Hijo, nacido de la Virgen María para nosotros.

**Todos:** **Amén.**

## MI ELECCIÓN DE FE

Esta semana trabajaré para edificar la paz en el mundo. Yo voy a

_____

_____

_____.

**Reza: "Jesús, Príncipe de la Paz, ayúdanos a prepararnos para el Reino de Dios. Amén".**

# Making All Things New

Here is a prayer you and your family may use to bless a Christmas tree. Use it now to bless your classroom tree or wreath.

**Leader:** Our help is in the name of the Lord,

**All:** who made Heaven and Earth.

**Reader 1:** Sing to the Lord, bless his name.

**All:** Sing to the Lord a new song.

**Reader 2:** Bring gifts and enter his courts; bow down to the Lord, splendid in holiness.

**All:** Sing to the Lord a new song.

**Reader 3:** Let the heavens be glad and the earth rejoice; . . . / Then let all the trees of the forest rejoice / before the Lord who comes, who comes to govern the earth, / To govern the world with justice / and the peoples with faithfulness. Psalm 96:11–13

**Leader:** Let us pray:
Bless these boughs and all the trees of the forest. May their green life remind us of eternal life. May their decorations remind us to celebrate your coming among us as light and joy. We ask this in the name of Jesus, your Son, born of the Virgin Mary for us.

**All:** Amen.

This week I will work to build peace in the world. I will

_____

_____

_____.

**MY FAITH CHOICE**

 Pray, "Jesus, Prince of Peace, help us prepare for the Kingdom of God. Amen."

**Enfoque en la fe**
¿Por qué María se llama Madre de Dios?

**Palabra de Dios**
Elige una de las lecturas para la Solemnidad de María, Madre de Dios. Léela y coméntala con tu familia.

**Primera lectura**
Números 6:22–27

**Segunda lectura**
Gálatas 4:4–7

**Evangelio**
Lucas 2:16–21

# La Solemnidad de María, Madre de Dios

A lo largo de su historia, la Iglesia ha honrado a la Santísima Virgen María con muchos títulos diferentes. Cada uno de estos títulos profesa de alguna manera la fe de la Iglesia Católica en María y sus enseñanzas sobre ella. Algunos de estos títulos son "Madre de Jesús", "Madre de la Paz" y "Reina del Cielo".

El 1 de enero de cada año, la Iglesia celebra la creencia de que María es verdaderamente la Madre de Dios. Creemos esto porque Jesús es verdadero Dios y verdadero hombre. Como María es la madre de Jesús, la Iglesia enseña que ella es la Madre de Dios.

A María le decimos *Theotokos*. La palabra *theotokos* es un término griego que significa "portadora de Dios". Al decir "sí" al hecho de ser la madre de Jesús, María aceptó colaborar en el plan de Salvación de Dios para todas las personas. Ella trajo a Jesús al mundo por el poder del Espíritu Santo.

María, nuestra Bienaventurada Madre, es la primera discípula de su Hijo. Nosotros, como discípulos de Jesucristo, también estamos llamados a llevar a Dios a los demás. Lo hacemos a través del ejemplo de nuestra vida. Llevamos a Dios a los demás cuando somos bondadosos y misericordiosos. Llevamos a Dios a los demás cuando ayudamos a los pobres o enseñamos acerca de Jesús.

La Solemnidad de María, Madre de Dios, es un día de precepto. Cuando en este día participamos de la Misa y recibimos la Sagrada Comunión, recibimos la gracia de vivir como discípulos de Jesús. Empezamos el año con las bendiciones de Dios. Cuando decimos "sí" a la gracia de Dios y lo glorificamos con nuestra vida, verdaderamente honramos a María, Madre de Dios. Esto es lo que ella pide que hagamos siempre.

# The Solemnity of Mary, the Holy Mother of God

**Faith Focus**
Why is Mary called Mother of God?

**The Word of the Lord**
Choose one of the readings for the Solemnity of Mary, the Holy Mother of God. Read and discuss it with your family.

**First Reading**
Numbers 6:22–27

**Second Reading**
Galatians 4:4–7

**Gospel**
Luke 2:16–21

Throughout her history, the Church has honored the Blessed Virgin Mary under many different titles. Each of these title professes in some way the faith and teachings of the Catholic Church about Mary. Some of her titles include "Mother of Jesus," "Mother of Peace," and "Queen of Heaven."

On January 1 each year, the Church celebrates the belief that Mary is truly the Mother of God. We believe this because Jesus is true God and true man. Because Mary is the mother of Jesus, the Church teaches that she is the Mother of God.

We call Mary *Theotokos*. The word *theotokos* is a Greek word that means "God-bearer." By saying "yes" to being the mother of Jesus, Mary agreed to cooperate in God's plan of Salvation for all people. She brought Jesus into this world through the power of the Holy Spirit.

Mary, our Blessed Mother, is the first disciple of her Son. As disciples of Jesus Christ, we are also called to bring God to others. We do this by the example of our lives. When we are kind and merciful, we bring God to others. When we help the poor or teach others about Jesus, we bring God to others.

The Solemnity of Mary, the Holy Mother of God, is a holy day of obligation. When we participate in Mass on this day and receive Holy Communion, we receive the grace to live as disciples of Jesus. We begin the year with God's blessings. When we say "yes" to God's grace and glorify him by our lives, we truly honor Mary, the Mother of God. This is what she prays that we will always do.

# Decir "Sí" a Dios

En el siguiente espacio en blanco, crea un recordatorio en honor a María como la Madre de Dios. Puedes hacer un dibujo, usar tus propias palabras o agregar una cita de la Sagrada Escritura acerca de María.

## MI ELECCIÓN DE FE

Esta semana llevaré a Dios a los demás al

_____

_____

_____

 **Reza:** "Madre de Dios, ayúdame a crecer en mi discipulado siguiendo tu ejemplo. Amén".

# Saying "Yes" to God

In the space below, create a reminder to honor Mary as the Mother of God. You may draw, write original words of your own, or add a Scripture quotation about Mary.

This week I will bring God to others by

_____

_____

_____

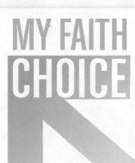

MY FAITH
CHOICE

 **Pray, "Mother of God, help me to grow in discipleship by following your example. Amen."**

**Enfoque en la fe**
¿Por qué se dice
que Jesús es
la Luz de todos
los pueblos?

**Palabra de Dios**
Esta es la lectura
del Evangelio para
la Solemnidad de
la Epifanía. Búscala
en la Biblia y léela
y coméntala con
tu familia.

**Años A, B y C**
Mateo 2:1-12

# Epifanía

Cuando Jesús nació en Belén,
tres hombres sabios conocidos como
Reyes Magos viajaron desde Oriente en
busca del rey recién nacido. Fueron
guiados hasta Jerusalén por la luz de una
gran estrella del cielo. Preguntaron al rey Herodes:
"¿Dónde está el rey de los judíos recién nacido? Porque hemos
visto su estrella en el Oriente y venimos a adorarlo" (Mateo 2:2).

Los hombres sabios creían que la estrella era un signo de que
había nacido un nuevo gobernante. Querían honrar al niño con su
presencia y sus regalos.

Siguieron la estrella hasta que se detuvo en el lugar de Belén
donde Jesús había nacido. Ahí encontraron al niño Cristo con su
madre, María. "[...] se arrodillaron y le adoraron. Abrieron después
sus cofres y le ofrecieron sus regalos de oro, incienso y mirra"
(Mateo 2:11).

Con el tiempo, los creyentes llegaron a saber que Jesús era una
clase distinta de gobernante. Vino a traer un reinado de paz, amor
y justicia para el mundo. Vino a salvar a todas las personas del
pecado y de la muerte. Trajo la luz de Salvación al mundo.

Como los Reyes Magos, que viajaron a Belén para adorar al
rey recién nacido, nosotros también adoramos a Cristo en todas
las Misas. Lo recibimos en la Eucaristía, cuando compartimos el
Cuerpo y la Sangre de Cristo.

En la Misa rezamos: "Un día sagrado ha amanecido para
nosotros. Venid, pueblos, y adorad al Señor, porque una gran luz
ha descendido sobre la tierra" (Antífona de entrada, lunes después
de Epifanía, *Misal romano*).

# Epiphany

When Jesus was born in Bethlehem, three wise men known as Magi traveled from the East searching for a newborn king. They were led to Jerusalem by the light of a great star rising in the sky. They said to King Herod, "Where is the newborn king of the Jews? We saw his star at its rising and have come to do him homage" (Matthew 2:2).

The wise men believed the star was a sign that a new ruler had been born. They wanted to honor the child with their presence and their gifts.

The wise men followed the star until it stopped over the place in Bethlehem where Jesus was born. Here they found the Christ child with his mother, Mary. "They prostrated themselves and did him homage. Then they opened their treasures and offered him gifts of gold, frankincense, and myrrh" (Matthew 2:11).

In time, believers came to know that Jesus was a different kind of ruler. He came to bring the rule of peace, love, and justice into the world. He came to save all people from sin and death. He brought the light of Salvation into the world.

Like the Magi who traveled to Bethlehem to adore the newborn king, we also come to adore Christ at every Mass. We receive him in the Eucharist when we share the Body and Blood of Christ.

At Mass we pray, "A holy day has dawned upon us: Come, you nations, and adore the Lord, for a great light has come down upon the earth" (Entrance Antiphon, Weekdays of Christmas Time (Monday), *Roman Missal*).

**Faith Focus**
Why is Jesus called the Light of all peoples?

**The Word of the Lord**
This is the Gospel reading for the Solemnity of the Epiphany. Find it in the Bible and read and discuss it with your family.

**Years A, B, and C**
Matthew 2:1–12

# Deja brillar tu luz

En muchas partes de nuestra familia, de nuestra comunidad y del mundo hay personas que sufren. ¿Cómo podría alumbrar la luz de Cristo estos lugares oscuros del mundo? Escribe tus ejemplos en los rayos de la estrella. Comparte tus pensamientos con tu clase y con tu familia.

Mientras las tinieblas cubrían la tierra
y los pueblos estaban en la noche,
sobre ti se levantó Yavé,
y sobre ti apareció su Gloria.

ISAÍAS 60: 2

## MI ELECCIÓN DE FE

Esta semana llevaré la luz de Jesús al mundo. Yo voy a

_____

_____

_____.

**Reza: "¡Jesús, haz brillar tu luz en mí! Amén".**

# Let Your Light Shine

There are many places in our families, our communities and in the world where people are suffering. How might the light of Christ shine in these dark places of the world? Write your examples on the star's rays below. Share your thoughts with your class and with your family.

See, darkness covers the earth,
and thick clouds cover the peoples;
But upon you the LORD shines,
and over you appears his glory.

ISAIAH 60: 2

This week I will bring Jesus' light into the world. I will

_____

_____

_____.

## MY FAITH CHOICE

 **Pray, "Jesus, let your light shine in me! Amen."**

**Enfoque en la fe**
¿Qué podemos hacer como señal de que nos apartamos del pecado y regresamos a Dios?

**Palabra de Dios**
Esta es la lectura del Evangelio del Miércoles de Ceniza. Léela y coméntala con tu familia.

**Evangelio**
Mateo 6:1-6, 16-18

# Miércoles de Ceniza

El tiempo de la Cuaresma se desarrolló durante la Iglesia primitiva como el período final de preparación de las personas que querían unirse a la Iglesia. Pasaron un tiempo aprendiendo lo que significaba ser seguidores de Jesús. Habían practicado las tradiciones de la oración, el ayuno y la limosna, tal como lo hicieron todos los seguidores de Jesús. Finalmente, después de dos o tres años de preparativos, eran bienvenidos a la Iglesia en la Vigilia Pascual.

En la actualidad, toda la época de Cuaresma sigue siendo un momento especial de preparativos para las personas que quieren unirse a la Iglesia. La Iglesia en pleno comparte los preparativos de los elegidos, llamados así porque han elegido comenzar el período final de preparativos para el Bautismo.

El ayuno, la oración y la limosna, o hacer el bien, son importantes para todos los católicos. Aquellos que ya están bautizados son llamados a ser ejemplos y testigos vivientes de lo que significa ser un seguidor de Jesús bautizado.

Del mismo modo, los elegidos desarrollan un papel con los miembros de la Iglesia. Su deseo de estar unidos a Cristo y a su Iglesia debe despertar en todo católico un deseo profundo de vivir nuestra fe a diario.

El período de preparativos para la Pascua empieza el Miércoles de Ceniza. Las cenizas que se marcan en nuestra frente nos recuerdan que Jesús nos llamó a apartarnos del pecado y a dedicar las seis semanas siguientes a rezar, ayunar y hacer obras de caridad. Estas son las llamadas disciplinas de la Cuaresma. Nos ayudan a volver nuestros corazones hacia el sacrificio de Jesús para poder sentir el gozo de la Pascua. Este cambio de actitud se llama conversión.

Al bendecir las cenizas del Miércoles de Cenizas en todo el mundo, escuchamos: "Señor Dios, que te apiadas de quienes se humillan y concedes tu paz a los que se arrepienten, escucha con bondad nuestras súplicas..."
(Miércoles de Ceniza, *Misal Romano*).

# Ash Wednesday

The season of Lent developed in the early Church as the final period of preparation for people who wanted to join the Church. They had spent time learning what it meant to be followers of Jesus. They had practiced the traditions of prayer, fasting, and almsgiving, as all of Jesus' followers did. Finally, after two or three years of preparation, they were welcomed into the Church at the Easter Vigil.

Today the entire season of Lent is still a special time of preparation for people who want to join the Church. The whole Church shares in the preparation of the elect, so called because they have elected to begin the final period of preparation for Baptism. Fasting, prayer, and almsgiving, or doing good, are important for all Catholics. Those who are already baptized are called to be examples and living witnesses of what it means to be a baptized follower of Jesus.

Likewise, the elect have an role with the members of the Church. Their desire to become united with Christ and his Church should awaken in every Catholic a deeper desire to live our faith every day.

The period of preparation for Easter begins on Ash Wednesday. The ashes that are traced on our foreheads remind us that Jesus calls us to turn away from sin and to devote the next six weeks to praying, fasting, and doing works of charity. These are called the disciplines of Lent. They help us to turn our hearts toward the sacrifice of Jesus so that we can experience the joy of Easter. This change of heart is called conversion.

As the ashes are blessed for Ash Wednesday all over the world, we hear: "O God, who are moved with acts of humility and respond with forgiveness to works of penance, lend your merciful ear to our prayers…" (Blessing and Distribution of Ashes, Ash Wednesday, *Misal Romano*).

**Faith Focus**
What can we do as a sign of turning away from sin and back to God?

**The Word of the Lord**
This is the Gospel reading for Ash Wednesday. Read and discuss it with your family.

**Gospel**
Matthew 6:1–6, 16–18

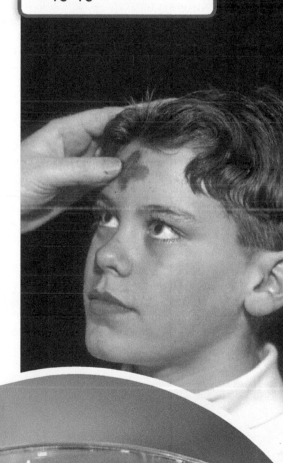

493

# Desafío del Miércoles de Ceniza

El Miércoles de Ceniza, después de que el sacerdote bendice las cenizas, las pone sobre la frente de aquellos que se presentan y repite un versículo basado en las palabras de Jesús según Marcos 1:15.

Ordenen las palabras que están a continuación para revelar ese versículo. Cuando descubran las palabras del versículo, escríbanlas en los renglones dados. Diseñen un cartel para la parroquia en el espacio dado, que se llame a todos los miembros a observar la Cuaresma. Pueden incorporar las palabras que escribieron.

**le ienRo ed soDi tesá recac. mbaCnei uss macison y nrecan ne al euBan euNav.**

_____

_____

**MI ELECCIÓN DE FE**

El Miércoles de Ceniza me apartaré del pecado y empezaré a hacer sacrificios. Yo voy a

_____

_____

_____.

**Reza:** "Señor, perdona mis pecados. Mantenme fiel a las disciplinas de la Cuaresma. Amén".

# Ash Wednesday Challenge

On Ash Wednesday, after the priest blesses the ashes, he places them on the forehead of those who come forward and repeats a verse based on the words of Jesus in Mark 1:15.

Unscramble the words below to reveal that verse. When you discover the words of the verse, write them on the lines. In the space below the words, design a poster for your parish calling all its members to observe Lent. You may incorporate the words you wrote.

**hTe goidKnm fo oGd si ta nhda. ptneRe, nad iebvele ni eth solegp.**

_____

_____

On Ash Wednesday I will turn away from sin and begin to make sacrifices. I will

_____

_____

_____ .

Pray, "Forgive my sins, Lord. Keep me faithful to the disciplines of Lent. Amen."

MY FAITH CHOICE

## Enfoque en la fe

¿Por qué llamamos Cuaresma a la primavera de la Iglesia?

## Palabra de Dios

Estas son las lecturas del Evangelio para el Primer Domingo de Cuaresma. Elige la lectura de este año. Léela y coméntala con tu familia.

### Año A

Mateo 4:1–11

### Año B

Marcos 1:12–15

### Año C

Lucas 4:1–13

## A la vista

Durante la Cuaresma, el color de la vestimenta es morado o violeta. El color morado es símbolo de pena y penitencia. Recordamos la Pasión de Jesús y nos preparamos para celebrar su Resurrección.

# Cuaresma

La primavera es la estación del renacimiento y la renovación. Durante la primavera, las flores empiezan a crecer. Las hojas empiezan a brotar y a cubrir las ramas desnudas del invierno. El hielo y la nieve comienzan a fundirse. Los arroyos corren por las laderas de las montañas y llenan los bosques con sonidos de vida nueva. La naturaleza comienza su largo retorno desde la muerte a una nueva vida.

La Cuaresma es la primavera sagrada de la Iglesia. Es la estación del renacimiento y la renovación espiritual. Es el momento en que las personas hacen sus preparativos finales para recibir nueva vida en Cristo en el Bautismo. Es el momento en que los bautizados renuevan su nueva vida en Cristo.

Durante la Cuaresma, caminamos con Jesús y permanecemos con Él mientras reflexionamos sobre su Pasión y Muerte. La Cuaresma es también el momento en el que esperamos con ilusión la Resurrección en la Pascua.

Durante la Cuaresma, reforzamos nuestra decisión de ser fieles al Gran Mandamiento que nos llama a amar a Dios y a nuestro prójimo como a nosotros mismos. Tomamos decisiones que aumentan nuestros esfuerzos para:

- dar limosnas o nuestro tiempo, nuestros talentos y otros dones con los que Dios nos ha bendecido;

- ayunar, o comer menos, y compartir los sufrimientos de Jesús; y

- rezar, o hablar con Dios con más frecuencia.

# Lent

Spring is a season of rebirth and renewal. During springtime flowers begin to grow. Leaves begin to sprout and cover the bare branches of winter. Ice and snow begin to melt. Flowing down mountainsides, streams fill the forests with sounds of new life. Nature begins its long return from death to new life.

Lent is the Church's sacred springtime. It is a season of spiritual rebirth and renewal. It is the time when people make final preparations to receive new life in Christ at Baptism. It is a time when the baptized renew their new life in Christ.

During Lent we walk with Jesus and stand with him as we reflect on his Passion and Death. Lent is also a time when we look forward to the Resurrection at Easter.

During Lent we strengthen our decision to be faithful to the Great Commandment, which calls us to love God and love our neighbor as ourselves. We make decisions that increase our efforts to:

- give alms, or share our time, talents, and other gifts with which God has blessed us;
- fast, or eat less, and share in the sufferings of Jesus; and
- pray, or talk things over with God more often.

### Faith Focus
Why do we call Lent the Church's springtime?

### The Word of the Lord
These are the Gospel readings for the First Sunday of Lent. Choose this year's reading. Read and discuss it with your family.

**Year A**
Matthew 4:1–11

**Year B**
Mark 1:12–15

**Year C**
Luke 4:1–13

### What You See
During Lent the color of the vestments is purple or violet. Purple is a symbol of sorrow and penance. We remember Jesus' Passion and prepare to celebrate his Resurrection.

# Aprender acerca de la Cuaresma

Durante la Cuaresma, no solo tomamos decisiones privadas para cumplir nuestra promesa bautismal. También nos unimos a otros miembros de la Iglesia para trabajar y rezar juntos.

Busca un compañero que te ayude a completar estos enunciados acerca de la Cuaresma. Escribe las respuestas en los espacios dados y pídele que ponga sus iniciales en esas líneas. Es posible que necesites investigar en casa alguna de las respuestas.

El color que se usa para celebrar la Cuaresma es

_____. Iniciales: _____

La devoción cuaresmal es

_____. Iniciales: _____

La Cuaresma dura todos estos días:

_____. Iniciales: _____

La Cuaresma empieza el

_____. Iniciales: _____

La Cuaresma termina el

_____. Iniciales: _____

La Cuaresma es una época de

_____. Iniciales: _____

## MI ELECCIÓN DE FE

La época de la Cuaresma es un momento de sacrificio, renacimiento y renovación. Para aumentar mis esfuerzos de Cuaresma, yo voy a

_____

_____.

**Reza a diario: "Señor, ayúdame a vivir la nueva vida que recibí en el Bautismo. Amén".**

# Learning About Lent

Throughout Lent we not only make private decisions to fulfill our baptismal promise. We also join with other members of the Church to work and pray together.

Find a classmate who can help you complete these statements about Lent. Write your answers in the spaces provided and have your classmate put his or her initials on the lines. You may need to research some of the answers to these questions at home.

The color used to celebrate Lent is

_____. Initials: _____

A Lenten devotion is

_____. Initials: _____

Lent lasts this many days:

_____. Initials: _____

Lent begins on

_____. Initials: _____

Lent ends on

_____. Initials: _____

Lent is a season of

_____. Initials: _____

The season of Lent is a time of sacrifice, and rebirth, and renewal. To increase my Lenten efforts, I will

_____

_____.

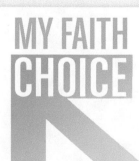

**MY FAITH CHOICE**

 **Pray every day, "Lord, help me to live the new life I received at Baptism. Amen."**

### Enfoque en la fe
¿Por qué decimos que la Semana Santa es una celebración para ser perdonado y crecer en el perdón?

### Palabra de Dios
Estas son las lecturas del Evangelio del Domingo de Ramos de la Pasión del Señor. Elige la lectura de este año. Léela y coméntala con tu familia.

### Año A
Mateo 26:14—27:66 o
Mateo 27:11-54

### Año B
Marcos 14:1—15:47 o
Marcos 15:1-39

### Año C
Lucas 22:14—23:56 o
Lucas 23:1-49

### A la vista
Las ramas de palmas se bendicen, se llevan en procesión y se levantan al escuchar la lectura de "La Pasión de nuestro Señor Jesucristo".

# Domingo de Ramos de la Pasión del Señor

Perdonar a los demás y ser perdonados son dos acciones muy importantes. Una palabra o una mirada de perdón, un abrazo o una sonrisa destinada a alguien que haya sido herido ayuda a unir a las personas. Una disculpa a alguien a quien hayas herido puede fortalecer una amistad. El perdón, la reconciliación y la nueva vida son esenciales para la vida de un discípulo de Jesús.

La Semana Santa nos lleva al centro del relato de los planes de perdón de Dios. En el Domingo de Ramos de la Pasión del Señor, escuchamos cómo celebraron a Jesús cuando entró en Jerusalén sobre un burro. Apenas unos pocos días después, las vivas de la multitud se convirtieron en burlas. Jesús sería crucificado para que nosotros pudiéramos ser perdonados.

En toda su vida en la Tierra, Jesús enseñó que debemos llevar el perdón en el corazón. Debemos perdonar como Dios perdona: no una vez ni dos, sino una y otra vez. Debemos ser compasivos e indulgentes —"No te digo siete, sino setenta y siete veces"— tantas veces como sea necesario (Mateo 18:22–23).

# Palm Sunday of the Passion of the Lord

Forgiving others and being forgiven by others are two very important actions. A forgiving word or look, a hug or a smile for someone who has been hurt helps people grow closer. An apology to someone you have hurt can make a friendship stronger. Forgiveness, reconciliation, and new life are essential to the life of a disciple of Jesus.

Holy Week places us at the center of the story of God's plan of forgiveness. On Palm Sunday of the Passion of the Lord, we listen as Jesus was cheered when he rode into Jerusalem on a donkey. Only a few days later the cheering of the crowds would turn into jeering. Jesus would be crucified so we could be forgiven.

Throughout his life on Earth, Jesus taught that we are to have forgiving hearts. We are to forgive as God forgives—not once, not twice, but over and over again. We are to be merciful and forgiving—"not seven times but seventy-seven times"—as many times as necessary (Matthew 18:22).

## Faith Focus
Why do we say that Holy Week is a celebration of being forgiven and growing in forgiveness?

## The Word of the Lord
These are the Gospel readings for Palm Sunday of the Passion of the Lord. Choose this year's reading. Read and discuss it with your family.

### Year A
Matthew 26:14–27:66
or Matthew 27:11–54

### Year B
Mark 14:1–15:47
or Mark 15:1–39

### Year C
Luke 22:14–23:56
or Luke 23:1–49

## What You See
Palm branches are blessed and carried in procession and are held high as we listen to the reading of "The Passion of our Lord Jesus Christ."

# Celebrar el perdón

La Semana Santa es un buen momento para reflexionar sobre cómo vivimos como personas indulgentes. Necesitamos pedir al Espíritu Santo que nos fortalezca y nos guíe para actuar como personas misericordiosas. Como discípulos de Jesús, continuamos su obra de perdón durante toda nuestra vida. Recemos juntos este servicio de perdón.

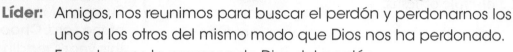

**Líder:** Amigos, nos reunimos para buscar el perdón y perdonarnos los unos a los otros del mismo modo que Dios nos ha perdonado. Escuchemos la promesa de Dios del perdón.

**Lector:** *Lean Ezequiel 36:25–28*

**Líder:** Agradezcamos al Señor por su bondad.

**Todos:** **La misericordia de Dios es eterna.**

**Líder:** El Señor quita la carga de nuestro pecado.

**Todos:** **La misericordia de Dios es eterna.**

**Líder:** El Señor nos da la fuerza y el valor para perdonar y buscar el perdón.

**Todos:** **La misericordia de Dios es eterna.**

**Líder:** Como signo de agradecimiento del perdón de Dios y nuestra decisión de tratar de vivir como personas indulgentes, recemos juntos el Padre Nuestro.

**Todos:** **Padre nuestro...**

**Líder:** Padre, te bendecimos por tu indulgente amor. Míranos con amor. Guíanos a la paz contigo y entre nosotros. Amén.

Ahora ofrezcámonos la señal de la paz.

**Todos:** **Amén.**
***(Todos comparten la señal de la paz.)***

**MI ELECCIÓN DE FE**

Imitaré el ejemplo de misericordia y perdón de Jesús. Esta semana yo voy a

_____

_____

_____

**Reza por que perdonemos a los demás como Dios nos perdonó.**

# Celebrating Forgiveness

Holy Week is a good time to reflect about how we are
living as forgiving people. We need to ask the Holy Spirit
to strengthen and guide us to act as a forgiving people.
As disciples of Jesus we continue his work of forgiveness
throughout our lives. Pray this service of forgiveness together.

**Leader:** My friends, we gather to seek forgiveness and to forgive one another
as God has forgiven us. Let us listen to God's promise of forgiveness.

**Reader:** *Read Ezekiel 36:25–28*

**Leader:** Give thanks to the Lord for his goodness.

**All:** **God's mercy lasts forever.**

**Leader:** The Lord lifts the burdens of our sin.

**All:** **God's mercy lasts forever.**

**Leader:** The Lord grants us the strength and courage to forgive and to seek
forgiveness.

**All:** **God's mercy lasts forever.**

**Leader:** As a sign of thanks for God's forgiveness and our decision to try to
live as forgiving people, let us pray the Our Father together.

**All:** **Our Father ...**

**Leader:** Father, we bless you for your forgiving love. Look kindly on us. Lead us
to peace with you and with one another. Amen.

Let us now offer a sign of peace to one another.

**All:** **Amen.**
**(Everyone shares a sign of peace.)**

I will imitate Jesus' example of mercy and forgiveness. This week I will

_____

_____

_____.

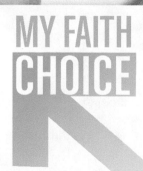
MY FAITH
CHOICE

 **Pray that we will forgive others as God forgives us.**

## Enfoque en la fe
¿Cómo nos ayuda a fortalecer nuestro amor por Dios y por el prójimo el tomar parte de la liturgia durante el Jueves Santo?

## Palabra de Dios
Estas son las lecturas de la Sagrada Escritura para la Misa vespertina de la Cena del Señor el Jueves Santo. Elige una lectura. Léela y coméntala con tu familia.

**Primera lectura**
Éxodo 12:1–8, 11–14

**Segunda lectura**
1.ª Corintios 11:23–26

**Evangelio**
Juan 13:1–15

# Triduo Pascual: Jueves Santo

Hay un refrán que dice: "No se puede juzgar un libro por su portada". En otras palabras, no se puede saber realmente de qué trata el libro hasta que lo lees. Lo mismo podría decirse de las personas. Realmente no podemos conocer a alguien simplemente con mirarlo. Necesitamos escucharlo y verlo en acción.

Los últimos tres días de la Semana Santa se llaman Triduo, palabra que significa "período de tres días". La celebración del Triduo que hace la Iglesia incluye la Misa vespertina de la Cena del Señor el Jueves Santo, la celebración de la Pasión del Señor el Viernes Santo y la Vigilia Pascual la noche del sábado santo y la liturgia del Domingo de Pascua. El Triduo termina con la celebración de la Oración Vespertina la noche del Domingo de Pascua.

El Jueves Santo, después de escuchar el relato de la Última Cena que se nos proclama, el sacerdote envuelve un paño alrededor de su cintura. Se arrodilla delante de doce miembros de la asamblea, lava y seca sus pies. Esto nos recuerda que debemos hacer lo que Jesús hizo. Todos los días debemos "lavar los pies del prójimo". Debemos buscar oportunidades de ser amables y generosos. Debemos tratar a todas las personas con imparcialidad y respeto. Debemos servirnos los unos a los otros como Jesús lo hizo.

Después de lavar los pies de los discípulos, Jesús volvió a la mesa y compartió con ellos la Última Cena. Tomó el pan y dijo: "Esto es mi cuerpo". Luego tomó una copa de vino y dijo: "Éste es el cáliz de mi sangre". Recordamos el acto de amor más grande de Jesús por nosotros. Compartimos la memoria del sacrificio de su vida por nuestra Salvación.

Las palabras y las acciones de nuestra vida deben mostrar nuestro amor por Dios y por el prójimo, tal como lo hicieron las de la vida de Jesús. Debemos vivir como cristianos, tanto como llamarnos cristianos.

# Triduum: Holy Thursday

There is a saying that goes, "You can't judge a book by its cover." In other words, you cannot know what the book is really about until you read it. The same might be said about people. We really cannot know someone simply by looking at them. We need to listen to them and see them in action.

The last three days of Holy Week are called the Triduum, a word that means "a period of three days." The Church's celebration of the Triduum includes the celebration of the Evening Mass of the Lord's Supper on Holy Thursday, the celebration of the Lord's Passion on Good Friday, and the Easter Vigil on Holy Saturday night and the liturgy on Easter Sunday. The Triduum ends with the celebration of Evening Prayer on Easter Sunday evening.

On Holy Thursday, after we listen to the story of the Last Supper proclaimed to us, the priest wraps a cloth around his waist. Kneeling before twelve members of the assembly, he washes and dries their feet. This reminds us that we are to do what Jesus did. Each day we are to "wash one another's feet." We are to look for opportunities to be kind and generous. We are to treat everyone fairly and respectfully. We are to serve one another as Jesus did.

After washing the disciples' feet, Jesus returned to the table and shared the Last Supper with them. He took bread and said, "This is my body." Then he took the cup of wine and said, "This is the cup of my blood." We remember Jesus' greatest act of love for us. We share in the memorial of the sacrifice of his life for our Salvation.

The words and actions of our lives, as those of Jesus' life did, are to show our love for God and for one another. We are to live as Christians as well as call ourselves Christians.

## Faith Focus
How does taking part in the liturgy on Holy Thursday help us strengthen our love for God and for one another?

## The Word of the Lord
These are the Scripture readings for the Evening Mass of the Lord's Supper on Holy Thursday. Choose one reading. Read and discuss it with your family.

**First Reading**
Exodus 12:1–8, 11–14

**Second Reading**
1 Corinthians 11:23–26

**Gospel**
John 13:1–15

# No hay amor más grande

Jesús nos dice que nos amemos los unos a los otros desinteresadamente. Haz una dramatización y comenta esta pequeña obra. ¿Crees que en la actualidad hay muchas personas que actuarían como los dos hermanos? ¿Por qué?

**Narrador:** *Había una vez dos hermanos que cultivaban juntos. Se repartían todo en partes iguales. Pero un día todo cambió.*

**Hermano soltero:** Mi hermano está casado y tiene hijos. Debería tener más de la mitad del cultivo de trigo.

**Hermano casado:** Mi hermano no está casado. No tendrá quién lo cuide cuando sea viejo. Debería tener más de la mitad del cultivo de trigo.

**Narrador:** *Así que durante la noche de luna nueva, el hermano soltero llevó en secreto bolsas de trigo al depósito de su hermano casado. ¡El hermano casado hizo lo mismo que su hermano soltero! Esto pasó noche tras noche.*

**Hermano soltero:** Hmmmm. Tengo la misma cantidad de trigo.

**Hermano casado:** Hmmmm. Tengo la misma cantidad de trigo.

**Narrador:** *Una noche oscura los hermanos se cruzaron. Dejaron caer las bolsas de trigo. Hicieron una pausa y comprendieron. Se abrazaron y rieron de felicidad.*

*El lugar donde se encontraron es un lugar sagrado. Porque donde hay amor, está Dios.*

BASADO EN UN CUENTO JASÍDICO

## MI ELECCIÓN DE FE

Esta semana seré amable, generoso y justo. Yo voy a

_____

_____

_____

**Reza:** "Querido Jesús, planta las semillas del amor en mi corazón para que pueda mostrar mi amor por los demás como Tú lo hiciste. Amén".

# No Greater Love

Jesus tells us to love one another unselfishly. Act out and discuss this short play. Do you think there are many people today who would act like the two brothers? Why or why not?

**Narrator:** *Once upon a time, two brothers farmed together. They divided everything evenly. But one day this changed.*

**Unmarried Brother:** My brother is married and has children. He should have more than half of the wheat crop.

**Married Brother:** My brother is not married. He will have no one to take care of him in his old age. He should have more than half of the wheat crop.

**Narrator:** *So on the night of the new moon, the brother who was not married secretly carried sacks of wheat into his married brother's storage. The married brother did the same for his unmarried brother! This went on night after night.*

**Unmarried Brother:** Hmmmm. I have the same amount of wheat.

**Married Brother:** Hmmmm. I have the same amount of wheat.

**Narrator:** *One dark night the brothers ran into each other. They dropped their sacks of wheat. They paused. They understood. They hugged each other. They laughed for joy.*

*The place where they met is a holy place. For where love is, there is God.*

BASED ON A HASSIDIC TALE

---

This week I will be kind, generous, and fair. I will

_____

_____

_____.

 **Pray, "Dear Jesus, plant the seeds of love in my heart that I may show my love for others as you do. Amen."**

## Enfoque en la fe
¿Por qué la cruz es el símbolo central de los cristianos?

## Palabra de Dios
Estas son las lecturas de la Sagrada Escritura para el Viernes Santo. Elige una lectura. Léela y coméntala con tu familia.

**Primera lectura**
Isaías 52:13–53:12

**Segunda lectura**
Hebreos 4:14–16, 5:7–9

**Evangelio**
Juan 18:1–19:42

# Triduo Pascual: Viernes Santo

Estamos rodeados de símbolos. Un símbolo es un objeto o una acción que tiene un significado especial para nosotros. Por ejemplo, la bandera de nuestra nación es un símbolo de los valores sobre los que se construye nuestra nación. Representa al pueblo que ha construido y sigue construyendo nuestra nación, especialmente a aquellos que han dado la vida por nosotros.

La cruz, o crucifijo, es el símbolo central del cristianismo. En Viernes Santo, los católicos de todo el mundo se reúnen y rezan:

Tu Cruz adoramos, Señor, y tu santa resurrección alabamos y glorificamos, pues del árbol de la Cruz ha venido la alegría al mundo entero (Adoración de la Santa Cruz, Viernes Santo, *Misal Romano*).

Con vestiduras rojas, los ministros entran a la iglesia en silencio. Cuando llegan a los escalones del altar, se tienden boca abajo para un momento de reflexión. Al levantarse van a sus lugares y se unen a nosotros para escuchar el relato acerca de la promesa de Salvación de Dios y su cumplimiento en Jesucristo.

Después de que termina la Liturgia de la Palabra, el diácono o sacerdote entra a la iglesia y atraviesa por la asamblea. Sosteniendo en lo alto el crucifijo, canta tres veces en voz alta:

"Mirad el árbol de la Cruz donde estuvo clavado Cristo, el Salvador del mundo". Respondemos cada vez: "Venid y adoremos".

Entonces toda la asamblea se aproxima a la cruz y hace una reverencia mientras el coro canta una canción adecuada.

La cruz representa el sacrificio de Jesús de entregar su vida. Nos recuerda el amor de Jesús por su Padre y por todas las personas. Representa la vida que estamos llamados a vivir los que hemos sido bautizados en la Muerte y Resurrección de Cristo.

# Triduum: Good Friday

**Faith Focus**
Why is the cross the central symbol for Christians?

We are surrounded by symbols. A symbol is an object or action that has a special meaning for us. For example, the flag of our nation is a symbol of the values on which our nation is built. It represents the people who have built and continue to build our nation, especially those who have given their lives for us.

The cross, or crucifix, is the central symbol of Christianity. On Good Friday, Catholics around the world gather and pray:

> We adore your Cross, O Lord, we praise and glorify your holy Resurrection, for behold, because of the wood of a tree joy has come to the whole of the world (Adoration of the Holy Cross, Good Friday, *Roman Missal*).

**The Word of the Lord**
These are the Scripture readings for Good Friday. Choose one reading. Read and discuss it with your family.

**First Reading**
Isaiah 52:13–53:12

**Second Reading**
Hebrews 4:14–16, 5:7–9

**Gospel**
John 18:1–19:42

Dressed in red vestments, the ministers silently enter the church. When they reach the altar steps, they lie facedown for a moment of reflection. Rising, they go to their places and join us in listening to the retelling of the story of God's promise of Salvation and its fulfillment in Jesus Christ.

After the Liturgy of the Word concludes, the deacon or priest enters the church and walks through the assembly. Holding the crucifix up high, he sings aloud three times, "Behold the wood of the Cross, on which hung the salvation of the world." Each time we respond, "Come, let us adore."

Everyone in the assembly then approaches the cross and reverences it as the choir sings an appropriate song.

The cross stands for the life-giving sacrifice of Jesus. It reminds us of the love of Jesus for his Father and for all people. It stands for the life that we who have been baptized into the Death-Resurrection of Christ are called to live.

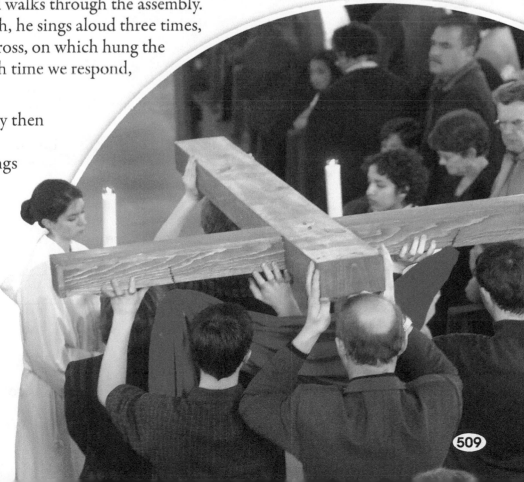

# Hacer elecciones correctas

Haz una lista de algunas de las elecciones que has hecho o que te pudieran pedir que hicieras a diario a causa de tu amor por Dios y por los demás. Clasifica cada elección: 1, fácil; 2, no tan fácil; 3, realmente difícil. Encierra en un círculo tu elección más difícil. Representa con un compañero una situación en la que tengas el valor de hacer la elección correcta.

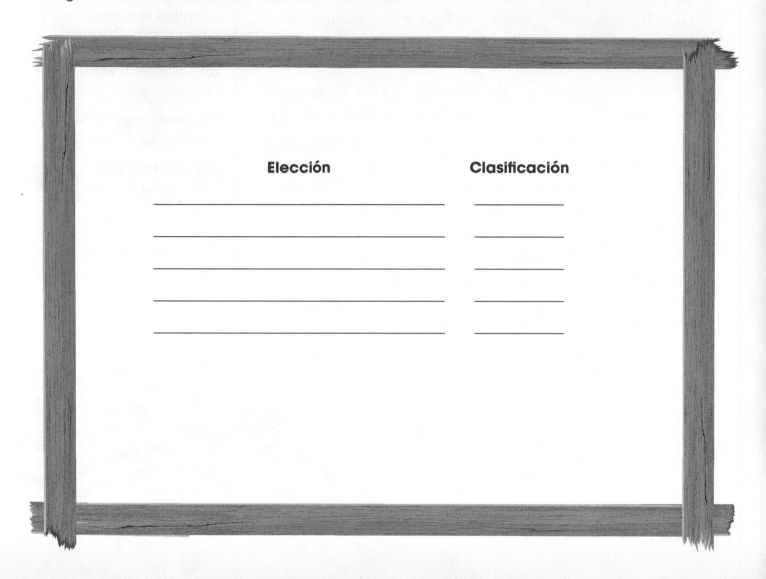

| Elección | Clasificación |
| --- | --- |
| | |
| | |
| | |
| | |
| | |

# Making the Right Choice

Make a list of a few of the many choices you have made or might be asked to make each day because of your love for God and others. Rate each choice as 1, easy; 2, not so easy; or 3, really difficult. Circle your most difficult choice. With a partner, act out a situation in which you have the courage to make the correct choice.

| Choice | Rating |
| --- | --- |
| _____ | _____ |
| _____ | _____ |
| _____ | _____ |
| _____ | _____ |
| _____ | _____ |

This week I will remember that the cross is a symbol of Jesus' love. I will

_____

_____

_____

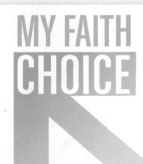

MY FAITH CHOICE

Pray, "Lord, help me to do your will. Amen."

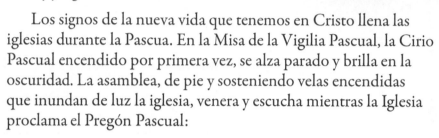

## Enfoque en la fe
¿Por qué la Pascua es la época más importante del año para la Iglesia?

## Palabra de Dios
Estas son las lecturas del Evangelio para el Domingo de Pascua. Elige una de las lecturas del Evangelio de este año. Léela y coméntala con tu familia.

### Año A
Juan 20:1–9,
Mateo 28:1–10 o
Lucas 24:13–35

### Año B
Juan 20:1–9,
Marcos 16:1–8 o
Lucas 24:13–35

### Año C
Juan 20:1–9,
Lucas 24:1–12 o
Lucas 24:13–35

# Pascua

Hay algo especial en una granja donde los cultivos comienzan a crecer y llenan el campo. El aire se llena con nuevos aromas mientras el olor de la suciedad del invierno se transforma en el aroma fresco de la verde vida nueva. ¿Qué signos de primavera y vida nueva llenan los lugares en los que vives y juegas?

Los signos de la nueva vida que tenemos en Cristo llena las iglesias durante la Pascua. En la Misa de la Vigilia Pascual, la Cirio Pascual encendido por primera vez, se alza parado y brilla en la oscuridad. La asamblea, de pie y sosteniendo velas encendidas que inundan de luz la iglesia, venera y escucha mientras la Iglesia proclama el Pregón Pascual:

Alégrense, por fin, los coros de los ángeles,
alégrense las jerarquías del cielo
y, por la victoria de un rey tan poderoso,
que las trompetas anuncien la salvación.

Todos se regocijan. La Pascua es la estación de nueva vida de la Iglesia. El Domingo de Pascua, la Iglesia de todo el mundo rompe en canciones alegres y canta: "Este es el día que ha hecho el Señor, gocemos y alegrémonos en él" (Proclamación de Pascua).

Llenamos nuestros hogares y nuestras vidas con señales de alegría y vida nueva. Las flores y las velas decoran nuestros hogares. Las comidas especiales, como el pan o rosca de Pascua y los huevos de colores, nos recuerdan que esta es una fiesta de dar vida. Durante todo el día y en los siguiente cincuenta días, continúa nuestra celebración de la Pascua. Cantamos en voz alta y en la quietud de nuestro corazón: "¡Aleluya! ¡Aleluya! ¡Aleluya!".

# Easter

There is something special about a farm when crops begin to grow and fill a field. The air is filled with new scents as the smell of winter dirt is transformed into the fresh aroma of new, green life. What signs of spring and new life fill the places where you live and play?

Signs of the new life we have in Christ fill our churches during Easter. At the Easter Vigil Mass the newly lighted Easter candle stands tall and shines in the darkness. Standing and holding lighted candles that flood the church with light, the worshiping assembly listens as the Church proclaims the Exsultet:

> Exult, let them exult, the hosts of heaven,
> exult, let Angel ministers of God exult,
> let the trumpet of salvation
> sound aloud our mighty King's triumph!

Everyone rejoices. Easter is the Church's season of new life. On Easter Sunday the Church around the world breaks into joyful song and sings, "This is the day the Lord has made; let us be glad and rejoice in it" (Easter Proclamation).

We fill our homes and lives with signs of joy and new life. Flowers and candles decorate our homes. Special foods, such as Easter breads and colored eggs, remind us that this is a life-giving feast. Throughout the day and for fifty days afterward, our celebration of Easter continues. We sing aloud and in the quiet of our hearts, "Alleluia! Alleluia! Alleluia!"

## Faith Focus
Why is Easter the most important season of the Church's year?

## The Word of the Lord
These are the Gospel readings for Easter Sunday. Choose one of this year's Gospel readings. Read and discuss it with your family.

**Year A**
John 20:1–9
or Matthew 28:1–10
or Luke 24:13–35

**Year B**
John 20:1–9
or Mark 16:1–8
or Luke 24:13–35

**Year C**
John 20:1–9
or Luke 24:1–12
or Luke 24:13–35

# ¡Aleluya! ¡Cristo ha resucitado!

Diseña un cartel de Pascua en este espacio. Luego usa el diseño para trabajar con tu familia, hacer juntos el cartel y colgarlo en la casa.

## MI ELECCIÓN DE FE

La Pascua es una época para celebrar el don de la vida nueva. Lo celebraré al

_____

_____

_____ .

**Reza:** "Este es el día que ha hecho el Señor, gocemos y alegrémonos en él. ¡Aleluya!"

# Alleluia! Christ Is Risen!

Design an Easter banner in this space. Then, using your design, work with your family to make the banner and hang it in your home.

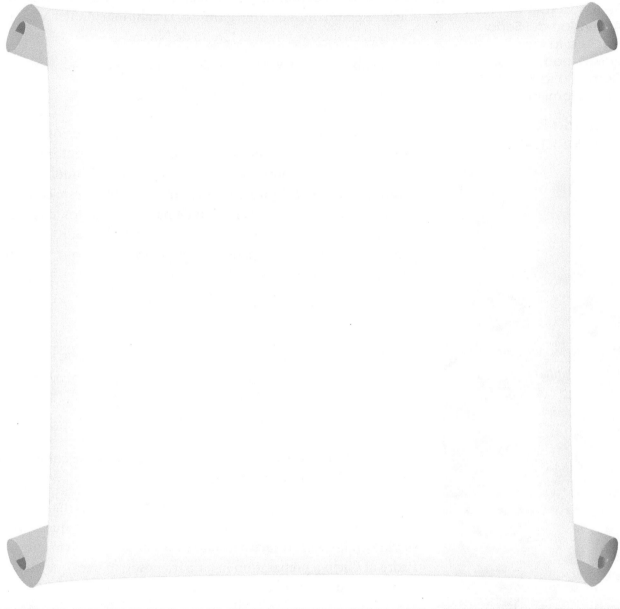

Easter is a time to celebrate the gift of new life. I will celebrate by

_____

_____

_____.

**MY FAITH CHOICE**

 **Pray, "This is the day the Lord has made. Let us rejoice and be glad. Alleluia!"**

## Enfoque en la fe
¿Por qué la Ascensión del Señor es un momento de alegría?

## Palabra de Dios
Cada año esta es la Segunda Lectura de la Ascensión del Señor. Pídele a tu familia que la lean juntos. Comenta la lectura con tu familia.

**Segunda lectura**
Efesios 1:17–23

# Ascensión del Señor

Cuarenta días después de la Pascua, la Iglesia celebra la Ascensión del Señor. Este día celebramos la entrada de Jesús en el Cielo. Recordamos este día glorioso, la culminación del Misterio Pascual, cuando rezamos el Credo de Nicea:

... subió al cielo, y está sentado a la derecha del Padre;
y de nuevo vendrá con gloria
para juzgar a vivos y muertos,...

Durante los cuarenta días después de su Resurrección el Domingo de Pascua, Jesús se les apareció a sus discípulos varias veces. Compartió comidas con ellos y siguió enseñándoles. Prometió enviar al Espíritu Santo para que siempre esté con ellos. Jesús dio a los Apóstoles la misión de hacer "que todos los pueblos sean mis discípulos. Bautícenlos en el nombre del Padre y del Hijo y del Espíritu Santo, y enséñenles a cumplir todo lo que yo les he encomendado a ustedes..." (Mateo 28:19–20).

San Lucas describe lo que sucedió luego:

*Jesús los llevó hasta cerca de Betania y, levantando las manos, los bendijo. Y mientras los bendecía, se separó de ellos (y fue llevado al cielo. Ellos se postraron ante él.) Después volvieron llenos de gozo a Jerusalén,..."*

LUCAS 24:50–52

En el día de la Ascensión del Señor, seguimos el ejemplo de los Apóstoles. Celebramos la Eucaristía.

Adoramos a Dios por su Hijo, Jesús, que vive y reina con Dios en el Cielo. Estamos llenos de alegría por el Salvador, que sacrificó su vida en la Cruz, resucitó de entre los muertos y volvió con su Padre al Cielo a preparar un lugar para nosotros para que un día podamos estar con Él para siempre en el Reino de Dios.

# Ascension of the Lord

Forty days after Easter, the Church celebrates the Ascension of the Lord. On this day, we celebrate Jesus Christ's entry into Heaven. We recall this glorious day, the culmination of the Paschal Mystery, when we pray the Nicene Creed:

> He ascended into heaven
> and is seated at the right hand
> of the Father.

> He will come again in glory to judge
> the living and the dead....

During the forty days after his Resurrection on Easter Sunday, Jesus appeared to his disciples on many occasions. He shared meals with them and continued to teach them. He promised to send the Holy Spirit to be with them always. Jesus gave the Apostles the mission to "make disciples of all nations, baptizing them in the name of the Father, and of the Son, and of the holy Spirit, teaching them to observe all that I have commanded you" (Matthew 28:19–20a).

Saint Luke describes what happened next:

> Then he led them [out] as far as Bethany, raised his hands, and blessed them. As he blessed them he parted from them and was taken up to heaven. They did him homage and then returned to Jerusalem with great joy."
>
> LUKE 24:50–52

On the Feast of the Ascension of the Lord, we follow the example of the Apostles. We celebrate the Eucharist. We praise God for his Son, Jesus, who lives and reigns with God in Heaven. We are filled with joy for the Savior who sacrificed his life on the Cross, rose from the dead, and returned to his Father in Heaven to prepare a place for us so that we may one day be with him forever in the Kingdom of God.

**The Word of the Lord**
Each year, this is the Second Reading for the Ascension of the Lord. Ask your family to read it with you. Talk about the reading with them.

**Second Reading**
Ephesians 1:17–23

# Jesús, nuestro gozo

En el siguiente estandarte, dibuja un símbolo que te recuerde la Ascensión del Señor. Reza las palabras del cartel con la clase antes de empezar a dibujar. Después de que dibujes tu símbolo, decora el estandarte.

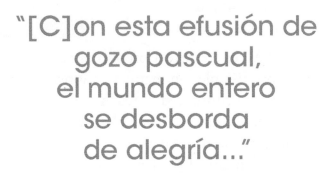

"[C]on esta efusión de
gozo pascual,
el mundo entero
se desborda
de alegría..."

PREFACIO DE LA ASCENSIÓN I, MISA
*MISAL ROMANO*

## MI ELECCIÓN DE FE

Esta semana celebraré la Ascensión del Señor llevándole alegría a alguien al

_____

_____

_____.

**Reza, reflexionando en las palabras de Jesús: "... Yo estoy con ustedes todos los días hasta el fin de la historia" (Mateo 28:20).**

# Jesus Our Joy

On the banner below, draw a symbol that will remind you of the Ascension of the Lord. Pray the words on the banner with your class before you begin to draw. After you draw your symbol, decorate the banner.

"[O]vercome with paschal joy, every land, every people exults in your praise..."

PREFACE, MASS OF THE ASCENSION I
*ROMAN MISSAL*

This week I will celebrate the Ascension of the Lord by bringing joy to someone. I will

_____

_____

_____.

**MY FAITH CHOICE**

**Pray, reflecting on the words of Jesus: "I, the Lord, am with you always, until the end of the world" (Matthew 28:20b).**

**Palabra de Dios**
Estas son las lecturas del Evangelio para Pentecostés. Elige la lectura de este año. Léela y coméntala con tu familia.

**Año A**
Juan 20:19–23

**Año B**
Juan 20:19–23 o Juan 15:26–27, 16:12–15

**Año C**
Juan 20:19–23 o Juan 14:15–16, 23–26

# Pentecostés

Cuando jugamos un juego, sentimos espíritu de equipo. Ese espíritu nos da el valor y el entusiasmo para dar lo mejor de nosotros. ¿Cuándo sientes un espíritu que te lleva a ser valiente, generoso o amable?

Después de que el Señor resucitado ascendió con su Padre al Cielo, sus discípulos se reunieron en una casa en Jerusalén. Allí, en el día de la festividad judía de Pentecostés, un gran viento llenó la habitación. Llamas, como lenguas de fuego, se posaron sobre sus cabezas. Esa fue la señal de que el Espíritu Santo había venido a los discípulos, tal como Jesús prometió. El Espíritu Santo llenó a los discípulos de gozo y valor.

Cuando Pedro predicó acerca de Jesús a personas que habían llegado a Jerusalén desde diferentes países, cada persona comprendió a Pedro en su propio idioma. Muchos escucharon y el Espíritu Santo los movió a ser bautizados.

Todos los años, la Iglesia celebra Pentecostés. En Pentecostés nos ponemos de pie y cantamos:

Ven, Espíritu Santo, llena los corazones de tus fieles, y enciende en ellos el fuego de tu amor.

ANTÍFONA DEL EVANGELIO, PENTECOSTÉS

Los cristianos son templos del Espíritu Santo. El Espíritu Santo está tan cerca de nosotros que vive en nuestro interior. En cada Pentecostés, recordamos que hemos recibido el don del Espíritu Santo en el Bautismo. Le pedimos al Espíritu Santo que nos llene con sus dones para vivir nuestro Bautismo.

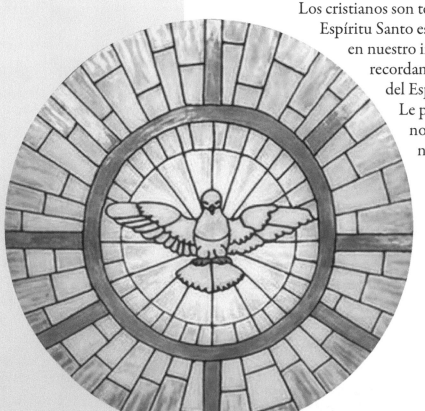

# Pentecost

When we play a game, we feel team spirit. That spirit gives us the courage and enthusiasm to do our best. When do you feel a spirit that moves you to be courageous or generous or kind?

After the Risen Lord ascended to his Father in Heaven, his disciples gathered in a house in Jerusalem. There, on the Jewish feast of Pentecost, a great wind filled the room. Flames, like tongues of fire, settled above them. This was a sign that the Holy Spirit had come to the disciples as Jesus promised. The Holy Spirit filled the disciples with joy and courage.

When Peter preached about Jesus to people who had come to Jerusalem from many countries, each person understood Peter in their own language. Many listened and the Holy Spirit moved them to be baptized.

Each year the Church celebrates Pentecost. On Pentecost we stand and sing:

*Come, Holy Spirit, fill the hearts of your faithful and kindle in them the fire of your love.*

GOSPEL ANTIPHON, PENTECOST

Christians are temples of the Holy Spirit. The Holy Spirit is so close to us that he lives within us. Each Pentecost we remember that we have received the gift of the Holy Spirit at Baptism. We ask the Holy Spirit to fill us with his gifts to live our Baptism.

## Faith Focus
How does celebrating Pentecost each year remind us of our Baptism?

## The Word of the Lord
These are the Gospel readings for Pentecost. Choose this year's reading. Read and discuss it with your family.

**Year A**
John 20:19–23

**Year B**
John 20:19–23 or John 15:26–27, 16:12–15

**Year C**
John 20:19–23 or John 14:15–16, 23–26

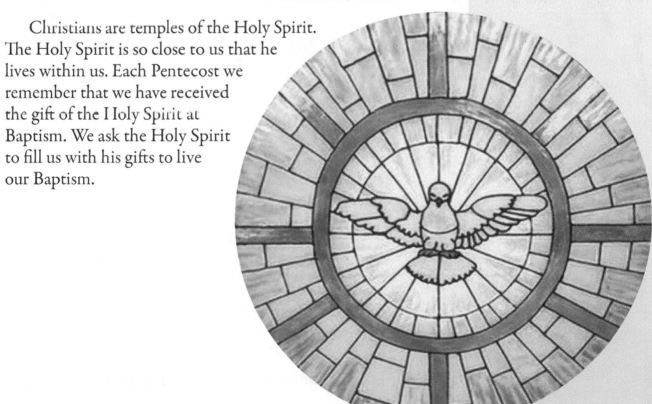

# Frutos del Espíritu Santo

San Pablo nombró nueve signos, o frutos, de vivir la vida guiados por el Espíritu Santo. Lee Gálatas 5:22–23 para descubrir esos signos. Haz una lista con ellos en el espacio dado a continuación.

## MI ELECCIÓN DE FE

Esta semana recordaré que soy un templo del Espíritu Santo. Yo voy a

 **Reza: "Ven, Espíritu Santo, enciende en mí el fuego de tu amor. Amén".**

# Fruits of the Holy Spirit

Saint Paul named nine signs, or fruits, of living a life guided by the Holy Spirit. Read Galatians 5:22–23 to discover these signs. List them in the space below.

This week I will remember that I am a temple of the Holy Spirit. I will

_____

_____

_____.

 Pray, "Come, Holy Spirit, kindle in me the fire of your love. Amen."

# Oraciones y prácticas católicas

## Señal de la cruz

En el nombre del Padre
y del Hijo
y del Espíritu Santo.
Amén.

## Padre Nuestro

Padre nuestro, que estás en el cielo,
santificado sea tu Nombre;
venga a nosotros tu reino;
hágase tu voluntad
en la tierra como en el cielo.
Danos hoy nuestro pan de cada día;
perdona nuestras ofensas,
como también nosotros perdonamos
    a los que nos ofenden;
no nos dejes caer en la tentación,
y líbranos del mal.
Amén.

## Gloria al Padre (Doxología)

Gloria al Padre
y al Hijo
y al Espíritu Santo.
Como era en el principio,
ahora y siempre,
por los siglos de los siglos. Amén.

## Ave María

Dios te salve, María, llena eres
    de gracia;
el Señor es contigo.
Bendita Tú eres entre todas
    las mujeres,
y bendito es el fruto de tu
    vientre, Jesús.
Santa María, Madre de Dios,
ruega por nosotros, pecadores,
ahora y en la hora de nuestra muerte. Amén.

## Signum Crucis

In nómine Patris,
et Fílii,
et Spíritus Sancti. Amen.

## Pater Noster

Pater noster, qui es in cælis:
sanctificétur nomen tuum;
advéniat regnum tuum;
fiat volúntas tua, sicut in cælo,
    et in terra.
Panem nostrum cotidiánum da
    nobis hódie;
et dimítte nobis débita nostra,
sicut et nos dimíttimus
    debitóribus nostris;
et ne nos indúcas in tentatiónem;
sed líbera nos a malo. Amen.

## Gloria Patri

Glória Patri
et Fílio
et Spirítui Sancto.
Sicut erat in princípio,
et nunc et semper
et in sæcula sæculórum. Amen.

## Ave, Maria

Ave, María, grátia plena,
Dóminus tecum.
Benedícta tu in muliéribus,
et benedíctus fructus ventris tui, Iesus.
Sancta María, Mater Dei,
ora pro nobis peccatóribus,
nunc et in hora mortis nostræ.
Amen.

# Catholic Prayers and Practices

## Sign of the Cross

In the name of the Father,
and of the Son,
and of the Holy Spirit. Amen.

## Our Father

Our Father, who art in heaven,
hallowed be thy name;
thy kingdom come,
thy will be done
on earth as it is in heaven.
Give us this day our daily bread,
and forgive us our trespasses,
as we forgive those who trespass
   against us;
and lead us not into temptation,
but deliver us from evil.
Amen.

## Glory Be (Doxology)

Glory be to the Father
and to the Son
and to the Holy Spirit,
as it was in the beginning
is now, and ever shall be,
world without end. Amen.

## The Hail Mary

Hail, Mary, full of grace,
the Lord is with thee.
Blessed art thou among women
and blessed is the fruit
   of thy womb, Jesus.
Holy Mary, Mother of God,
pray for us sinners,
now and at the hour of our death.
Amen.

## Signum Crucis

In nómine Patris,
et Fílii,
et Spíritus Sancti. Amen.

## Pater Noster

Pater noster, qui es in cælis:
sanctificétur nomen tuum;
advéniat regnum tuum;
fiat volúntas tua, sicut in cælo,
   et in terra.
Panem nostrum cotidiánum
   da nobis hódie;
et dimítte nobis débita nostra,
sicut et nos dimíttimus
   debitóribus nostris;
et ne nos indúcas in tentatiónem;
sed líbera nos a malo. Amen.

## Gloria Patri

Glória Patri
et Fílio
et Spirítui Sancto.
Sicut erat in princípio,
et nunc et semper
et in sǽcula sæculórum. Amen.

## Ave, Maria

Ave, María, grátia plena,
Dóminus tecum.
Benedícta tu in muliéribus,
et benedíctus fructus ventris tui, Iesus.
Sancta María, Mater Dei,
ora pro nobis peccatóribus,
nunc et in hora mortis nostræ.
Amen.

## El Credo de los Apóstoles

(tomado del Misal Romano)

Creo en Dios, Padre Todopoderoso,
Creador del cielo y de la tierra.
    Creo en Jesucristo, su único Hijo,
    Nuestro Señor,

*(En las palabras que siguen, hasta
María Virgen, todos se inclinan.)*

    que fue concebido por obra y gracia
      del Espíritu Santo,
    nació de santa María Virgen,
    padeció bajo el poder de Poncio
      Pilato,
    fue crucificado, muerto y sepultado,
    descendió a los infiernos,
    al tercer día resucitó de entre
      los muertos,
    subió a los cielos
    y está sentado a la derecha de
      Dios, Padre todopoderoso.
    Desde allí ha de venir a juzgar a
      vivos y muertos.
Creo en el Espíritu Santo,
    la santa Iglesia católica,
    la comunión de los santos,
    el perdón de los pecados,
    la resurrección de la carne
    y la vida eterna.
Amén.

## El Credo de Nicea

(tomado del Misal Romano)

Creo en un solo Dios,
    Padre Todopoderoso, Creador
      del cielo y de la tierra, de todo lo
      visible y lo invisible.
Creo en un solo Señor, Jesucristo, Hijo
    único de Dios,
    nacido del Padre antes de todos los
      siglos:
    Dios de Dios, Luz de Luz,
    Dios verdadero de Dios verdadero,
    engendrado, no creado,
    de la misma naturaleza del Padre,

por quien todo fue hecho;
    que por nosotros, los hombres,
    y por nuestra salvación bajó del
      cielo,

*(En las palabras que siguen, hasta
se hizo hombre, todos se inclinan.)*

    y por obra del Espíritu Santo
    se encarnó de María, la Virgen, y
      se hizo hombre;
    y por nuestra causa fue crucificado
    en tiempos de Poncio Pilato,
    padeció y fue sepultado,
    y resucitó al tercer día, según las
      Escrituras,
    y subió al cielo, y está sentado
      a la derecha del Padre;
    y de nuevo vendrá con gloria
    para juzgar a vivos y muertos,
    y su reino no tendrá fin.
Creo en el Espíritu Santo, Señor y
    dador de vida,
    que procede del Padre y del Hijo,
    que con el Padre y el Hijo
    recibe una misma adoración y
      gloria,
    y que habló por los profetas.
Creo en la Iglesia,
    que es una, santa, católica y
      apostólica.
Confieso que hay un solo bautismo
    para el perdón de los pecados.
Espero la resurrección de los muertos
    y la vida del mundo futuro.
Amén.

## Apostles' Creed

(from the *Roman Missal*)

I believe in God,
the Father almighty,
Creator of heaven and earth,
and in Jesus Christ, his only Son,
    our Lord,

*(At the words that follow, up to and including* the Virgin Mary, *all bow.)*

who was conceived by the Holy Spirit,
born of the Virgin Mary,
suffered under Pontius Pilate,
was crucified, died and was buried;
he descended into hell;
on the third day he rose again
    from the dead;
he ascended into heaven,
and is seated at the right hand of God
    the Father almighty;
from there he will come to judge
    the living and the dead.

I believe in the Holy Spirit,
the holy catholic Church,
the communion of saints,
the forgiveness of sins,
the resurrection of the body,
and life everlasting. Amen.

## Nicene Creed

(from the *Roman Missal*)

I believe in one God,
the Father almighty,
maker of heaven and earth,
of all things visible and invisible.

I believe in one Lord Jesus Christ,
the Only Begotten Son of God,
born of the Father before all ages.
God from God, Light from Light,
true God from true God,
begotten, not made, consubstantial
    with the Father;
through him all things were made.
For us men and for our salvation
he came down from heaven,

*(At the words that follow, up to and including* and became man, *all bow.)*

and by the Holy Spirit was incarnate
    of the Virgin Mary,
and became man.

For our sake he was crucified under
    Pontius Pilate,
he suffered death and was buried,
and rose again on the third day
in accordance with the Scriptures.
He ascended into heaven
and is seated at the right hand
    of the Father.
He will come again in glory
to judge the living and the dead
and his kingdom will have no end.

I believe in the Holy Spirit, the Lord,
    the giver of life,
who proceeds from the Father and
  the Son,
who with the Father and the Son is
    adored and glorified,
who has spoken through the prophets.

I believe in one, holy, catholic and
    apostolic Church.
I confess one Baptism
    for the forgiveness of sins
and I look forward to the resurrection
    of the dead
and the life of the world to come. Amen.

## Oración de la mañana

Querido Dios,
al comenzar este día,
guárdame en tu amor y cuidado.
Ayúdame hoy a vivir como hijo tuyo.
Bendíceme a mí, a mi familia y mis
    amigos en todo lo que hagamos.
Mantennos junto a ti. Amén.

## Oración antes de comer

Bendícenos, Señor, junto con estos
    dones que vamos a recibir de tu
    generosidad, por Cristo Nuestro Señor.
Amén.

## Acción de gracias después de comer

Te damos gracias por todos tus dones,
    Dios todopoderoso, Tú que vives
    y reinas ahora y siempre.
Amén.

## Oración vespertina

Querido Dios,
te doy gracias por el día de hoy.
Mantenme a salvo durante la noche.
Te agradezco por todo lo bueno que
    hice hoy.
Y te pido perdón por hacer algo que
    está mal.
Bendice a mi familia y a mis amigos.
Amén.

## Oración por las vocaciones

Dios, sé que me llamarás
para darme una tarea especial
    en mi vida.
Ayúdame a seguir a Jesús cada día
y a estar liso para responder
    a tu llamado.
Amén.

## Invocación al Espíritu Santo

Ven, Espíritu Santo,
llena los corazones de tus fieles,
y enciende en ellos el fuego de tu amor.
Envía tu Espíritu Creador
y renueva la faz de la tierra.
Amén.

## Oración del Penitente

Dios mío, me arrepiento de todo corazón de
todo lo malo que hecho y de todo lo bueno
que he dejado de hacer, porque pecando te he
ofendido a ti, que eres el sumo bien y digno de
ser amado sobre todas las cosas.
Propongo firmemente, con tu gracia, cumplir
la penitencia, no volver a pecar y evitar las
ocasiones de pecado.
Perdóname, Señor, por los méritos de la pasión
de nuestro salvador Jesucristo.
Amén.

## Morning Prayer

Dear God,
as I begin this day,
keep me in your love and care.
Help me to live as your child today.
Bless me, my family, and my friends
    in all we do.
Keep us all close to you. Amen.

## Grace Before Meals

Bless us, O Lord,
and these thy gifts,
which we are about to receive
from thy bounty,
through Christ our Lord.
Amen.

## Grace After Meals

We give thee thanks,
for all thy benefits, almighty God,
who lives and reigns forever.
Amen.

## Evening Prayer

Dear God,
I thank you for today.
Keep me safe throughout the night.
Thank you for all the good I did today.
I am sorry for what I have chosen
    to do wrong.
Bless my family and friends. Amen.

## A Vocation Prayer

God, I know you will call me
for special work in my life.
Help me follow Jesus each day
and be ready to answer your call. Amen.

## Prayer to the Holy Spirit

Come, Holy Spirit, fill the hearts
    of your faithful.
And kindle in them the
    fire of your love.
Send forth your Spirit and
    they shall be created.
And you will renew the
    face of the earth. Amen.

## Act of Contrition

My God,
I am sorry for my sins
    with all my heart.
In choosing to do wrong
and failing to do good,
I have sinned against you
whom I should love above all things.
I firmly intend, with your help,
to do penance,
to sin no more,
and to avoid whatever leads me to sin.
Our Savior Jesus Christ
suffered and died for us.
In his name, my God, have mercy.

## Las Bienaventuranzas

"Felices los que tienen el espíritu del pobre,
porque de ellos es el Reino de los Cielos.
Felices los que lloran,
porque recibirán consuelo.
Felices los pacientes,
porque recibirán la tierra en herencia.
Felices los que tienen hambre y sed de justicia,
porque serán saciados.
Felices los compasivos,
porque obtendrán misericordia.
Felices los de corazón limpio,
porque verán a Dios.
Felices los que trabajan por la paz,
porque serán reconocidos como hijos de
Dios.
Felices los que son perseguidos por causa del
bien,
porque de ellos es el Reino de los Cielos".

Mateo 5:3-12

## Ángelus

**Líder:** El ángel del Señor anunció a María.

**Respuesta:** Y concibió por obra y gracia del Espíritu Santo.

**Todos: Dios te salve, María...**

**Líder:** He aquí la esclava del Señor.

**Respuesta:** Hágase en mí según tu palabra.

**Todos: Dios te salve, María...**

**Líder:** Y el Verbo de Dios se hizo carne.

**Respuesta:** Y habitó entre nosotros.

**Todos: Dios te salve, María...**

**Líder:** Ruega por nosotros,
Santa Madre de Dios,

**Respuesta:** para que seamos dignos de alcanzar las promesas de Jesucristo.

**Líder:** Oremos.
Infunde, Señor,
tu gracia en nuestras almas,
para que, los que hemos
conocido, por el anuncio del
Ángel,
la Encarnación de tu Hijo
Jesucristo,
lleguemos por los Méritos de
su Pasión y su Cruz,
a la gloria de la Resurrección.
Por Jesucristo Nuestro Señor.

**Todos: Amén.**

## The Beatitudes

"Blessed are the poor in spirit,
    for theirs is the kingdom of heaven.
Blessed are they who mourn,
    for they will be comforted.
Blessed are the meek,
    for they will inherit the land.
Blessed are they who hunger
    and thirst for righteousness,
    for they will be satisfied.
Blessed are the merciful,
    for they will be shown mercy.
Blessed are the clean of heart,
    for they will see God.
Blessed are the peacemakers,
    for they will be called children of God.
Blessed are they who are persecuted for
    the sake of righteousness,
    for theirs is the kingdom of heaven."

MATTHEW 5:3–10

## The Angelus

**Leader:** The Angel of the Lord declared unto Mary,

**Response:** And she conceived of the Holy Spirit.

**All: Hail, Mary . . .**

**Leader:** Behold the handmaid of the Lord,

**Response:** Be it done unto me according to your Word.

**All: Hail, Mary . . .**

**Leader:** And the Word was made flesh

**Response:** And dwelt among us.

**All: Hail, Mary . . .**

**Leader:** Pray for us, O holy Mother of God,

**Response:** That we may be made worthy of the promises of Christ.

**Leader:** Let us pray.

**All:** Pour forth, we beseech you, O Lord, your grace into our hearts: that we, to whom the Incarnation of Christ your Son was made known by the message of an Angel, may by his Passion and Cross be brought to the glory of his Resurrection. Through the same Christ our Lord. Amen.

## Los Diez Mandamientos

1. Yo soy el Señor, tu Dios. No tendrás otros dioses fuera de mí.
2. No tomes en vano el nombre del Señor, tu Dios.
3. Acuérdate del Día del Señor, para santificarlo.
4. Respeta a tu padre y a tu madre.
5. No mates.
6. No cometas adulterio.
7. No robes.
8. No digas mentiras.
9. No codicies la mujer de tu prójimo.
10. No codicies nada que sea de tu prójimo.

BASADO EN ÉXODO 20:2-3, 7-17

## Preceptos de la Iglesia

1. Oír misa entera los domingos y demás fiestas de precepto y no realizar trabajos serviles.
2. Confesar los pecados mortales al menos una vez al año.
3. Recibir el Sacramento de la Eucaristía al menos por Pascua.
4. Abstenerse y ayunar en los días establecidos por la Iglesia.
5. Ayudar a la Iglesia en sus necesidades, cada uno según su posibilidad.

## El Gran Mandamiento

"Amarás al Señor tu Dios con todo tu corazón, con toda tu alma y con toda tu mente.
Amarás a tu prójimo como a ti mismo".

MATEO 22:37, 39

## La Ley del Amor

"Este es mi mandamiento: que se amen unos a otros como yo los he amado".

JUAN 15:12

## Obras de Misericordia Corporales

Dar de comer al hambriento.
Dar de beber al sediento.
Vestir al desnudo.
Visitar a los presos.
Dar techo a quien no lo tiene.
Visitar a los enfermos.
Enterrar a los muertos.

## Obras de Misericordia Espirituales

Corregir al que yerra.
Enseñar al que no sabe.
Dar buen consejo al que lo necesita.
Consolar al triste.
Sufrir con paciencia los defectos de los demás.
Perdonar las injurias.
Rogar a Dios por vivos y difuntos.

## The Ten Commandments

1. I am the LORD your God: you shall not have strange gods before me.
2. You shall not take the name of the LORD your God in vain.
3. Remember to keep holy the LORD's Day.
4. Honor your father and your mother.
5. You shall not kill.
6. You shall not commit adultery.
7. You shall not steal.
8. You shall not bear false witness against your neighbor.
9. You shall not covet your neighbor's wife.
10. You shall not covet your neighbor's goods.

BASED ON EXODUS 20:2-3, 7-17

## Precepts of the Church

1. Participate in Mass on Sundays and holy days of obligation, and rest from unnecessary work.
2. Confess sins at least once a year.
3. Receive Holy Communion at least during the Easter season.
4. Observe the prescribed days of fasting and abstinence.
5. Provide for the material needs of the Church, each according to one's abilities.

## The Great Commandment

"You shall love the Lord, your God, with all your heart, with all your soul, and with all your mind. . . . You shall love your neighbor as yourself."

MATTHEW 22:37, 39

## The Law of Love

"This is my commandment: love one another as I love you."

JOHN 15:12

## Corporal Works of Mercy

Feed people who are hungry.
Give drink to people who are thirsty.
Clothe people who need clothes.
Visit prisoners.
Shelter people who are homeless.
Visit people who are sick.
Bury people who have died.

## Spiritual Works of Mercy

Help people who sin.
Teach people who are ignorant.
Give advice to people who have doubts.
Comfort people who suffer.
Be patient with other people.
Forgive people who hurt you.
Pray for people who are alive and for those who have died.

# El Rosario

Los católicos rezan el Rosario para honrar a María y recordar los sucesos importantes en la vida de Jesús y María. Hay veinte misterios del Rosario. Sigue los pasos del 1 al 5.

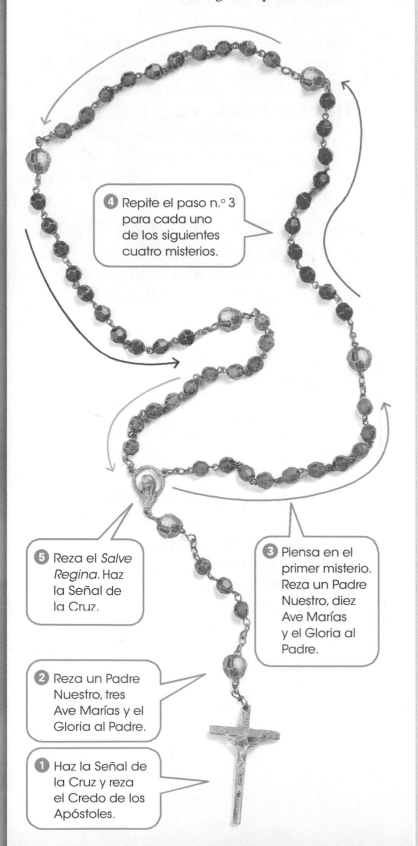

**4** Repite el paso n.° 3 para cada uno de los siguientes cuatro misterios.

**5** Reza el *Salve Regina*. Haz la Señal de la Cruz.

**3** Piensa en el primer misterio. Reza un Padre Nuestro, diez Ave Marías y el Gloria al Padre.

**2** Reza un Padre Nuestro, tres Ave Marías y el Gloria al Padre.

**1** Haz la Señal de la Cruz y reza el Credo de los Apóstoles.

## Misterios gozosos

**1** La Anunciación
**2** La Visitación
**3** La Natividad
**4** La Presentación
**5** El hallazgo de Jesús en el Templo

## Misterios luminosos

**1** El Bautismo de Jesús en el río Jordán
**2** El milagro de Jesús en la boda de Caná
**3** La proclamación del Reino de Dios
**4** La transfiguración
**5** La institución de la Eucaristía

## Misterios dolorosos

**1** La agonía en el Huerto
**2** La flagelación en la columna
**3** La coronación de espinas
**4** La cruz a cuestas
**5** La Crucifixión

## Misterios gloriosos

**1** La Resurrección
**2** La Ascensión
**3** La venida del Espíritu Santo
**4** La Asunción de María
**5** La Coronación de María

## *Salve Regina*

Dios te salve, Reina y Madre
    de misericordia,
vida, dulzura y esperanza nuestra;
Dios te salve.
A ti llamamos los desterrados hijos
    de Eva;
a ti suspiramos, gimiendo y llorando
    en este valle de lágrimas.
Ea, pues, Señora, abogada nuestra,
vuelve a nosotros esos tus
    ojos misericordiosos;
y después de este destierro,
    muéstranos a Jesús,
fruto bendito de tu vientre.
¡Oh, clementísima, oh piadosa, oh
    dulce Virgen María!

# Rosary

Catholics pray the Rosary to honor Mary and remember the important events in the lives of Jesus and Mary. There are twenty mysteries of the Rosary. Follow the steps from 1 to 5.

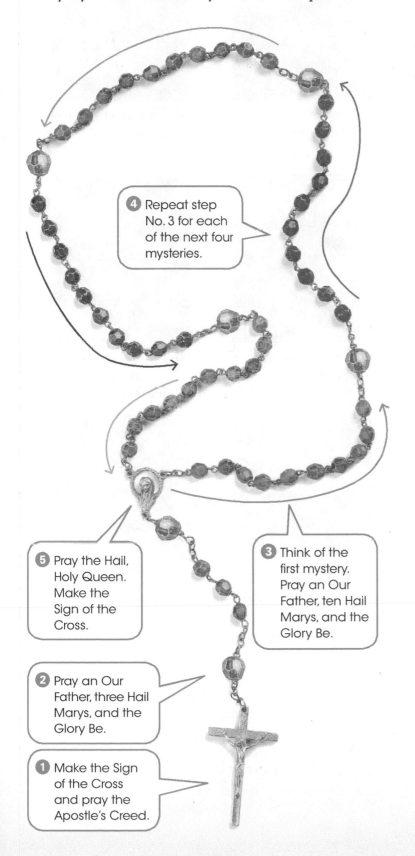

**4** Repeat step No. 3 for each of the next four mysteries.

**5** Pray the Hail, Holy Queen. Make the Sign of the Cross.

**3** Think of the first mystery. Pray an Our Father, ten Hail Marys, and the Glory Be.

**2** Pray an Our Father, three Hail Marys, and the Glory Be.

**1** Make the Sign of the Cross and pray the Apostle's Creed.

## Joyful Mysteries
1. The Annunciation
2. The Visitation
3. The Nativity
4. The Presentation of Jesus in the Temple
5. The Finding of the Child Jesus After Three Days in the Temple

## Luminous Mysteries
1. The Baptism at the Jordan
2. The Miracle at Cana
3. The Proclamation of the Kingdom and the Call to Conversion
4. The Transfiguration
5. The Institution of the Eucharist

## Sorrowful Mysteries
1. The Agony in the Garden
2. The Scourging at the Pillar
3. The Crowning with Thorns
4. The Carrying of the Cross
5. The Crucifixion and Death

## Glorious Mysteries
1. The Resurrection
2. The Ascension
3. The Descent of the Holy Spirit at Pentecost
4. The Assumption of Mary
5. The Crowning of the Blessed Virgin as Queen of Heaven and Earth

## Hail, Holy Queen

Hail, holy Queen, Mother of mercy:
Hail, our life, our sweetness
    and our hope.
To you do we cry, poor banished
    children of Eve.
To you do we send up our sighs,
mourning and weeping
    in this valley of tears.
Turn then, most gracious advocate,
your eyes of mercy toward us;
and after this our exile
show unto us the blessed fruit
    of your womb, Jesus.
O clement, O loving, O sweet
    Virgin Mary.

# Estaciones de la Cruz

**1.** Jesús es condenado a muerte.

**2.** Jesús acepta la cruz.

**3.** Jesús cae por primera vez.

**4.** Jesús se encuentra con su Madre.

**5.** Simón el Cirineo ayuda a Jesús a llevar la cruz.

**6.** Verónica limpia el rostro de Jesús.

**7.** Jesús cae por segunda vez.

**8.** Jesús se encuentra con las mujeres de Jerusalén.

**9.** Jesús cae por tercera vez.

**10.** Jesús es despojado de sus vestiduras.

**11.** Jesús es clavado en la cruz.

**12.** Jesús muere en la cruz.

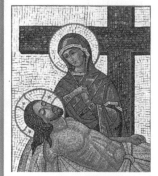

**13.** Jesús es bajado de la cruz.

**14.** Jesús en enterrado en el sepulcro.

(Algunas parroquias terminan las Estaciones de la Cruz con una reflexión acerca de la Resurrección de Jesús.)

# Stations of the Cross

**1.** Jesus is condemned to death.

**2.** Jesus accepts his cross.

**3.** Jesus falls the first time.

**4.** Jesus meets his mother.

**5.** Simon helps Jesus carry the cross.

**6.** Veronica wipes the face of Jesus.

**7.** Jesus falls the second time.

**8.** Jesus meets the women.

**9.** Jesus falls the third time.

**10.** Jesus is stripped of his clothes.

**11.** Jesus is nailed to the cross.

**12.** Jesus dies on the cross.

**13.** Jesus is taken down from the cross.

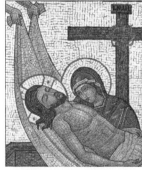

**14.** Jesus is buried in the tomb.

(Some parishes conclude the Stations by reflecting on the Resurrection of Jesus.)

# Los Siete Sacramentos

Jesús le dio a la Iglesia los Siete Sacramentos. Los Sacramentos son los signos litúrgicos más importantes de la Iglesia. Hacen que esté presente entre nosotros el Misterio Pascual de Jesús, quien es el principal celebrante de cada Sacramento. Nos hacen partícipes de la obra de salvación Cristo y de la vida de la Santísima Trinidad.

## Los Sacramentos de la Iniciación Cristiana

### Bautismo

A través del Bautismo, nos unimos a Cristo y nos hacemos miembros del Cuerpo de Cristo, la Iglesia. Renacemos como hijos adoptivos de Dios y recibimos el don del Espíritu Santo. Se nos perdonan el Pecado Original y todos los pecados personales.

### Confirmación

La Confirmación completa el Bautismo. En este Sacramento, el don del Espíritu Santo nos fortalece para vivir nuestro Bautismo.

### Eucaristía

Participar de la Eucaristía nos une más plenamente a Cristo y a la Iglesia. Participamos del sacrificio único de Cristo. El pan y el vino se convierten en el Cuerpo y la Sangre de Cristo a través del poder del Espíritu Santo y las palabras del sacerdote. Recibimos el Cuerpo y la Sangre de Cristo.

## Sacramentos de Curación

### Penitencia y Reconciliación

A través del ministerio del sacerdote, recibimos el perdón de Dios por los pecados que cometimos después del Bautismo. Necesitamos confesar todos nuestros pecados mortales.

### Unción de los Enfermos

La Unción de los Enfermos fortalece la fe y confianza en Dios de quienes están gravemente enfermos, debilitados por su edad avanzada o de los moribundos.

## Sacramentos al Servicio de la Comunidad

### Orden Sagrado

Por medio del Orden Sagrado, un hombre bautizado es consagrado para servir a toda la Iglesia como obispo, sacerdote o diácono en el nombre de Cristo. Los obispos, que son los sucesores de los Apóstoles, reciben este Sacramento más plenamente. Se los consagra para enseñar el Evangelio, dirigir a la Iglesia en la adoración de Dios y guiar a la Iglesia para vivir vidas santas. Para hacer su trabajo, los obispos reciben la ayuda de sus colegas, los sacerdotes, y de los diáconos.

### Matrimonio

El Matrimonio une a un hombre bautizado y a una mujer bautizada en un acuerdo mutuo de toda la vida de amarse fielmente para honrarse siempre y de aceptar el don de Dios de los hijos. En este Sacramento, la pareja casada se consagra para ser un signo del amor de Dios por la Iglesia.

# The Seven Sacraments

Jesus gave the Church the Seven Sacraments. The Sacraments are the main liturgical signs of the Church. They make the Paschal Mystery of Jesus, who is always the main celebrant of each Sacrament, present to us. They make us sharers in the saving work of Christ and in the life of the Holy Trinity.

## Sacraments of Christian Initiation

### Baptism

Through Baptism, we are joined to Christ and become members of the Body of Christ, the Church. We are reborn as adopted children of God and receive the gift of the Holy Spirit. Original Sin and all personal sins are forgiven.

### Confirmation

Confirmation completes Baptism. In this Sacrament, the gift of the Holy Spirit strengthens us to live our Baptism.

### Eucharist

Sharing in the Eucharist joins us most fully to Christ and to the Church. We share in the one sacrifice of Christ. The bread and wine become the Body and Blood of Christ through the power of the Holy Spirit and the words of the priest. We receive the Body and Blood of Christ.

## Sacraments of Healing

### Penance and Reconciliation

Through the ministry of the priest, we receive forgiveness of sins committed after our Baptism. We need to confess all mortal sins.

### Anointing of the Sick

Anointing of the Sick strengthens our faith and trust in God when we are seriously ill, dying, or weak because of old age.

## Sacraments at the Service of Communion

### Holy Orders

Through Holy Orders, a baptized man is consecrated to serve the whole Church as a bishop, priest, or deacon in the name of Christ. Bishops, who are the successors of the Apostles, receive this Sacrament most fully. They are consecrated to teach the Gospel, to lead the Church in the worship of God, and to guide the Church to live holy lives. Bishops are helped in their work by priests, their co-workers, and by deacons.

### Matrimony

Matrimony unites a baptized man and a baptized woman in a lifelong bond of faithful love to honor each other always and to accept the gift of children from God. In this Sacrament, the married couple is consecrated to be a sign of God's love for the Church.

# Celebramos la Misa
## Los Ritos Iniciales
Recordamos que somos la comunidad de la Iglesia.
Nos preparamos para escuchar la Palabra de Dios y celebrar la Eucaristía.

### La entrada
Nos ponemos de pie mientras el sacerdote, el diácono y otros ministros entran a la asamblea. Cantamos un canto de entrada. El sacerdote y el diácono besan el altar. Luego el sacerdote va hacia una silla, desde donde preside la celebración.

### Saludo al altar y al pueblo congregado
El sacerdote nos guía para hacer la Señal de la Cruz. El sacerdote nos saluda y respondemos:
> **"Y con tu espíritu".**

### El Acto Penitencial
Admitimos nuestras faltas y bendecimos al Señor por su misericordia.

### El Gloria
Alabamos a Dios todo lo bueno que Él ha hecho por nosotros.

### Oración colecta
El sacerdote nos guía para rezar la oración de colecta o la oración inicial.
Respondemos: **"Amén"**.

# We Celebrate the Mass

## The Introductory Rites

We remember that we are the community of the Church.
We prepare to listen to the Word of God and to celebrate the Eucharist.

### The Entrance

We stand as the priest, deacon, and other ministers enter the assembly. We sing a gathering song. The priest and deacon kiss the altar. The priest then goes to the chair where he presides over the celebration.

### Sign of the Cross and Greeting

The priest leads us in praying the Sign of the Cross. The priest greets us, and we say,
**"And with your spirit."**

### The Penitential Act

We admit our wrongdoings.
We bless God for his mercy.

### The Gloria

We praise God for all the good that he has done for us.

### The Collect

The priest leads us in praying the Collect.
We respond, **"Amen."**

# La Liturgia de la Palabra

Dios habla con nosotros hoy.
Escuchamos y respondemos a la Palabra de Dios.

### La primera lectura de la Sagrada Escritura

Nos sentamos y escuchamos mientras el lector lee del Antiguo Testamento o de los Hechos de los Apóstoles. El lector termina diciendo: "Palabra de Dios". Respondemos:

**"Te alabamos, Señor".**

### El Salmo Responsorial

El líder de canto nos guía para cantar un salmo.

### La segunda lectura de la Sagrada Escritura

El lector lee del Nuevo Testamento pero no lee de los cuatro Evangelios. El lector termina diciendo: "Palabra de Dios". Respondemos:

**"Te alabamos, Señor".**

### La aclamación

Nos ponemos de pie para honrar a Cristo, presente con nosotros en el Evangelio. El líder de canto nos guía para cantar el **"Aleluya"** u otra canción durante la Cuaresma.

### El Evangelio

El diácono o el sacerdote proclama: "Lectura del santo Evangelio según san (nombre del escritor del Evangelio)". Respondemos:

**"Gloria a ti, Señor".**

Proclama el evangelio y al finalizar dice: "Palabra del Señor". Respondemos:

**"Gloria a ti, Señor Jesús".**

### La homilía

Nos sentamos. El sacerdote o el diácono predica la homilía. Ayuda a que el pueblo encienda la Palabra de Dios oída en las lecturas.

### La profesión de fe

Nos ponemos de pie y profesamos nuestra fe. Todos juntos rezamos el Credo de Nicea.

### La Oración de los Fieles

El sacerdote nos guía para rezar por la Iglesia y sus líderes, por nuestro país y sus líderes, por nosotros y por los demás, por los enfermos y por quienes han muerto. Podemos responder a cada oración de diferentes maneras. Una manera de responder es:

**"Te rogamos, Señor".**

# The Liturgy of the Word

God speaks to us today.
We listen and respond to God's Word.

## The First Reading from Scripture

We sit and listen as the reader reads from the Old Testament or from the Acts of the Apostles. The reader concludes, "The word of the Lord." We respond,

**"Thanks be to God."**

## The Responsorial Psalm

The cantor leads us in singing a psalm.

## The Second Reading from Scripture

The reader reads from the New Testament, but not from the four Gospels. The reader concludes, "The word of the Lord." We respond,

**"Thanks be to God."**

## The Acclamation

We stand to honor Christ, present with us in the Gospel. The song leader leads us in singing **"Alleluia, Alleluia, Alleluia,"** or another chant during Lent.

## The Gospel

The deacon or priest proclaims, "A reading from the holy Gospel according to (name of Gospel writer)." We respond,

**"Glory to you, O Lord."**

He proclaims the Gospel. At the end he says, "The Gospel of the Lord." We respond,

**"Praise to you, Lord Jesus Christ."**

## The Homily

We sit. The priest or deacon preaches the homily. He helps the people gathered to understand the Word of God spoken to us in the readings.

## The Profession of Faith

We stand and profess our faith. We pray the Nicene Creed together.

## The Prayer of the Faithful

The priest leads us in praying for our Church and her leaders, for our country and its leaders, for ourselves and others, for those who are sick and those who have died. We can respond to each prayer in several ways. One way that we respond is,

**"Lord, hear our prayer."**

# La Liturgia Eucarística

### Nos unimos a Jesús y al Espíritu Santo para agradecer y alabar a Dios Padre.

## La preparación de los dones

Nos sentamos mientras se prepara la mesa de altar y se recibe la colecta. Compartimos nuestras bendiciones con la comunidad de la Iglesia y en especial con los necesitados. El líder de canto puede guiarnos en una canción. Se llevan al altar los dones del pan y el vino.

El sacerdote alza el pan y bendice a Dios por todos nuestros dones. Reza: "Bendito seas, Señor Dios del universo...". Respondemos:

**"Bendito seas por siempre, Señor".**

El sacerdote alza la copa y reza: "Bendito seas, Señor Dios del universo...". Respondemos:

**"Bendito seas por siempre, Señor".**

El sacerdote nos invita:
"Oremos, hermanos,
para que este sacrificio, mío y suyo,
sea agradable a Dios, Padre todopoderoso".

Nos ponemos de pie y respondemos:
**"El Señor reciba de tus manos este sacrificio,
para alabanza y gloria de su nombre,
para nuestro bien
y el de toda su santa Iglesia".**

## La Oración sobre las Ofrendas

El sacerdote nos guía para rezar la Oración sobre las Ofrendas.
Respondemos: **"Amen."**

# The Liturgy of the Eucharist

We join with Jesus and the Holy Spirit
to give thanks and praise to God the Father.

## The Preparation of the Altar and Gifts

We sit as the altar is prepared and the collection is taken up. We share our blessings with the community of the Church and especially with those in need. The song leader may lead us in singing a song. The gifts of bread and wine are brought to the altar.

The priest lifts up the bread and blesses God for all our gifts. He prays, "Blessed are you, Lord God of all creation . . ." We respond,
**"Blessed be God for ever."**

The priest lifts up the cup of wine and prays, "Blessed are you, Lord God of all creation . . ." We respond,
**"Blessed be God for ever."**

The priest invites us,
"Pray, brothers and sisters, that my sacrifice and yours may be acceptable to God, the almighty Father."

We stand and respond,
**"May the Lord accept the sacrifice at your hands for the praise and glory of his name, for our good, and the good of all his holy Church."**

## The Prayer over the Offerings

The priest leads us in praying the Prayer over the Offerings.
We respond, **"Amen."**

## Prefacio

El sacerdote nos invita a unirnos para rezar la importante oración de la Iglesia de alabanza y acción de gracias a Dios Padre.

**Sacerdote:** "El Señor esté con ustedes".

**Asamblea:** **"Y con tu espíritu".**

**Sacerdote:** "Levantemos el corazón".

**Asamblea:** **"Lo tenemos levantado hacia el Señor".**

**Sacerdote:** Demos gracias al Señor, nuestro Dios".

**Asamblea:** **"Es justo y necesario".**

Después de que el sacerdote canta o reza en voz alta el Prefacio, nos unimos para proclamar:
**"Santo, santo, santo es el Señor, Dios del universo. Llenos están el cielo y la tierra de tu gloria. Hosanna en el cielo. Bendito el que viene en el nombre del Señor. Hosanna en el cielo."**

## La Plegaria Eucarística

El sacerdote guía a la asamblea para rezar la Plegaria Eucarística. Rogamos al Espíritu Santo para que santifique nuestros dones del pan y el vino y los convierta en el Cuerpo y la Sangre de Jesús. Recordamos lo sucedió en la Última Cena. El pan y el vino se convierten en el Cuerpo y la Sangre del Señor. Jesús está verdadera y realmente presente bajo la apariencia del pan y el vino.

El sacerdote canta o reza en voz alta el "Misterio de la fe". Respondemos usando esta u otra aclamación de la Iglesia:
**"Anunciamos tu muerte, proclamamos resurrección. ¡Ven, Señor Jesús!".**
Luego el sacerdote reza por la Iglesia. Reza por los vivos y los muertos.

## Doxología

El sacerdote termina de rezar la Plegaria Eucarística. Canta o reza en voz alta:
"Por Cristo, con él y en él, a ti, Dios Padre omnipotente, en la unidad del Espíritu Santo, todo honor y toda gloria por los siglos de los siglos".
Respondemos cantando: **"Amén".**

## Preface

The priest invites us to join in praying the Church's great prayer of praise and thanksgiving to God the Father.

**Priest:** "The Lord be with you."

**Assembly: "And with your spirit."**

**Priest:** "Lift up your hearts."

**Assembly: "We lift them up to the Lord."**

**Priest:** "Let us give thanks to the Lord our God."

**Assembly: "It is right and just."**

After the priest sings or prays aloud the Preface, we join in acclaiming,

**"Holy, Holy, Holy Lord God of hosts.
Heaven and earth are full of your glory.
Hosanna in the highest.
Blessed is he who comes in the name of the Lord.
Hosanna in the highest."**

## The Eucharistic Prayer

The priest leads the assembly in praying the Eucharistic Prayer. We call on the Holy Spirit to make our gifts of bread and wine holy and that they become the Body and Blood of Jesus. We recall what happened at the Last Supper. The bread and wine become the Body and Blood of the Lord. Jesus is truly and really present under the appearances of bread and wine.

The priest sings or says aloud, "The mystery of faith." We respond using this or another acclamation used by the Church,

**"We proclaim your Death, O Lord, and profess your Resurrection until you come again."**

The priest then prays for the Church. He prays for the living and the dead.

## Doxology

The priest concludes the praying of the Eucharistic Prayer. He sings or prays aloud,

"Through him, and with him, and in him,
O God, almighty Father,
in the unity of the Holy Spirit,
all glory and honor is yours,
for ever and ever."

We respond by singing, **"Amen."**

# El Rito de la Comunión

## La Oración del Señor

Rezamos juntos el Padre Nuestro.

## El Rito de la Paz

El sacerdote nos invita a compartir una señal de la paz diciendo: "La paz del Señor esté siempre con ustedes". Respondemos:

**"Y con tu espíritu".**

Compartimos una señal de la paz.

## La Fracción del Pan

El sacerdote parte la hostia o pan consagrado. Cantamos o rezamos en voz alta:

**"Cordero de Dios, que quitas el
    pecado del mundo,
    ten piedad de nosotros.
Cordero de Dios, que quitas el
    pecado del mundo,
    ten piedad de nosotros.
Cordero de Dios, que quitas el
    pecado del mundo,
    danos la paz."**

## Comunión

El sacerdote alza la hostia y dice en voz alta:
    "Éste es el Cordero de Dios,
    que quita el pecado del mundo.
    Dichosos los invitados a la cena
      del Señor".

Nos unimos a él y decimos:
    **"Señor, no soy digno
    de que entres en mi casa,
    pero una palabra tuya
    bastará para sanarme".**

El sacerdote recibe la Comunión. Luego, el diácono y los ministros extraordinarios de la Sagrada Comunión y los miembros de la asamblea reciben la Comunión.

El sacerdote, el diácono o el ministro extraordinario de la Sagrada Comunión alza la hostia. Nos inclinamos y el sacerdote, el diácono o el ministro extraordinario de la Sagrada Comunión dice: "El Cuerpo de Cristo". Respondemos: **"Amén"**. Entonces recibimos la hostia consagrada en nuestras manos o sobre la lengua.

Si nos corresponde recibir la Sangre de Cristo, el sacerdote, el diácono o el ministro extraordinario de la Sagrada Comunión alza la copa que contiene el vino consagrado. Nos inclinamos y el sacerdote, el diácono o el ministro extraordinario de la Sagrada Comunión dice: "La Sangre de Cristo". Respondemos: **"Amén"**. Tomamos la copa en las manos y bebemos de ella.

## La Oración después de la Comunión

Nos ponemos de pie mientras el sacerdote nos invita a rezar, diciendo: "Oremos". Él reza la Oración después de la Comunión. Respondemos:
**"Amen."**

# The Communion Rite

### The Lord's Prayer
We pray the Lord's Prayer together.

### The Sign of Peace
The priest invites us to share a sign of peace, saying, "The peace of the Lord be with you always." We respond,

> **"And with your spirit."**

We share a sign of peace.

### The Fraction, or the Breaking of the Bread
The priest breaks the host, the consecrated bread. We sing or pray aloud,

> **"Lamb of God, you take away**
> **the sins of the world,**
> > **have mercy on us.**
> **Lamb of God, you take away**
> **the sins of the world,**
> > **have mercy on us.**
> **Lamb of God, you take away**
> **the sins of the world,**
> > **grant us peace."**

### Communion
The priest raises the host and says aloud,
> "Behold the Lamb of God,
> behold him who takes away the sins
> of the world.
> Blessed are those called to the supper
> of the Lamb."

We join with him and say,
> **"Lord, I am not worthy that**
> **you should enter under my roof,**
> **but only say the word**
> **and my soul shall be healed."**

The priest receives Communion. Next, the deacon and the extraordinary ministers of Holy Communion and the members of the assembly receive Communion.

The priest, deacon, or extraordinary minister of Holy Communion holds up the host. We bow, and the priest, deacon, or extraordinary minister of Holy Communion says, "The Body of Christ." We respond, **"Amen."** We then receive the consecrated host in our hands or on our tongues.

If we are to receive the Blood of Christ, the priest, deacon, or extraordinary minister of Holy Communion holds up the cup containing the consecrated wine. We bow, and the priest, deacon, or extraordinary minister of Holy Communion says, "The Blood of Christ." We respond, **"Amen."** We take the cup in our hands and drink from it.

### The Prayer after Communion
We stand as the priest invites us to pray, saying, "Let us pray." He prays the Prayer after Communion. We respond,
**"Amen."**

# El Rito de Conclusión

Se nos envía a hacer buenas obras, alabando y bendiciendo al Señor.

## Saludo

Nos ponemos de pie. El sacerdote nos saluda mientras nos preparamos para irnos. Dice: "El Señor esté con ustedes". Respondemos:

**"Y con tu espíritu".**

## Bendición final

El sacerdote o el diácono puede invitarnos diciendo:

"Inclinen la cabeza y oren para recibir la bendición de Dios".

El sacerdote nos bendice diciendo:

"La bendición de Dios todopoderoso, Padre, Hijo y Espíritu Santo, descienda sobre ustedes".

Respondemos: **"Amén".**

## Despedida del pueblo

El sacerdote o el diácono nos despide, usando estas palabras u otras similares:

"Glorifiquen al Señor con su vida. Pueden ir en paz".

Respondemos:

**"Demos gracias a Dios".**

Cantamos un himno.

El sacerdote y el diácono besan el altar.

El sacerdote, el diácono y los otros ministros se inclinan ante el altar y salen en procesión.

# The Concluding Rites
We are sent forth to do good works, praising and blessing the Lord.

### Greeting

We stand. The priest greets us as we prepare to leave. He says, "The Lord be with you." We respond,

**"And with your spirit."**

### Final Blessing

The priest or deacon may invite us,
"Bow down for the blessing."
The priest blesses us, saying,
"May almighty God bless you,
the Father, and the Son,
and the Holy Spirit."
We respond, **"Amen."**

### Dismissal of the People

The priest or deacon sends us forth, using these or similar words,
"Go in peace, glorifying the Lord
by your life."
We respond,
**"Thanks be to God."**
We sing a hymn. The priest and the deacon kiss the altar. The priest, deacon, and other ministers bow to the altar and leave in procession.

# El Sacramento de la Penitencia y la Reconciliación

## Rito individual

### Saludo
"Cuando el penitente llega a confesar sus pecados, el sacerdote lo recibe amablemente y lo saluda con palabras afables" (*Ritual de la Penitencia* 41).

### Lectura de la Escritura
"Por la Palabra de Dios, en efecto, el fiel recibe luz para conocer sus pecados, se siente llamado a convertirse y a confiar en la misericordia de Dios" (*Ritual de la Penitencia* 17).

### Confesión de los pecados y aceptación de la penitencia
"[El sacerdote]... exhorta [al penitente] al arrepentimiento de sus pecados y le recuerda que el cristiano, por el Sacramento de la Penitencia, muriendo y resucitando con Cristo, se renueva en el Misterio pascual" (*Ritual de la Penitencia* 44).

### Oración del Penitente
"En los actos del penitente ocupa el primer lugar la contrición... La autenticidad de la penitencia depende de esta contrición del corazón" (*Ritual de la Penitencia* 6a).

### Absolución
"La fórmula de la absolución indica que la reconciliación del penitente procede de la misericordia del Padre" (*Ritual de la Penitencia* 19).

### Oración final
"Recibido el perdón de los pecados, el penitente reconoce la misericordia de Dios y le da gracias... Luego el sacerdote lo despide en paz" (*Ritual de la Penitencia* 20).

## Rito comunitario

### Saludo
"Una vez que estén reunidos los fieles, al entrar el sacerdote (o los sacerdotes) a la iglesia, se canta, si se juzga conveniente, un salmo o una antífona o algún canto apropiado" (*Ritual de la Penitencia* 48).

### Lectura de la Escritura
"[P]orque mediante [su Palabra] Dios llama a la penitencia y conduce a la verdadera conversión del corazón" (*Ritual de la Penitencia* 24).

### Homilía
"La homilía... deberá mover a los penitentes a hacer el examen de conciencia y a conseguir la renovación de la vida" (*Ritual de la Penitencia* 52).

### Examen de Conciencia
"Conviene que haya un tiempo suficiente..., para hacer el examen de conciencia ya suscitar la verdadera contrición por los pecados" (*Ritual de la Penitencia* 53).

### Letanía de Contrición y el Padre Nuestro
"El diácono u otro ministro invita a los fieles a arrodillarse o a hacer una inclinación... [y entonces] dicen una fórmula de confesión general" (*Ritual de la Penitencia* 54).

### Confesión individual y absolución
"[C]ada uno de los penitentes acude a uno de los sacerdotes... le confiesa sus pecados y, después de aceptar la satisfacción impuesta, recibe la absolución" (*Ritual de la Penitencia* 55).

### Oración final
"Después del cántico de alabanza o de la oración litánica [por la misericordia de Dios], el sacerdote concluye la oración comunitaria" (*Ritual de la Penitencia* 57).

# The Sacrament of Penance and Reconciliation

## Individual Rite

### Greeting
"When the penitent comes to confess [his or her] sins, the priest welcomes [him or her] warmly and greets [the penitent] with kindness" (*Rite of Penance* 41).

### Scripture Reading
"[T]hrough the word of God Christians receive light to recognize their sins and are called to conversion and to confidence in God's mercy" (*Rite of Penance* 17).

### Confession of Sins and Acceptance of Penance
"[The priest] urges [the penitent] to be sorry for [his or her] faults, reminding [him or her] that through the sacrament of penance the Christian dies and rises with Christ and is renewed in the paschal mystery" (*Rite of Penance* 44).

### Act of Contrition
"The most important act of the penitent is contrition...The genuineness of penance depends on [a] heartfelt contrition" (*Rite of Penance* 6a).

### Absolution
"The form of absolution indicates that the reconciliation of the penitent comes from the mercy of the Father" (*Rite of Penance* 19).

### Closing Prayer
"After receiving pardon for sin, the penitent praises the mercy of God and gives him thanks...Then the priest bids the penitent to go in peace" (*Rite of Penance* 20).

## Communal Rite

### Greeting
"When the faithful have assembled, they may sing a psalm, antiphon, or other appropriate song while the priest is entering the church" (*Rite of Penance* 48).

### Scripture Reading
"[T]hrough his word God calls his people to repentance and leads them to a true conversion of heart" (*Rite of Penance* 24).

### Homily
"The homily...should lead the penitents to examine their consciences and renew their lives" (*Rite of Penance* 52).

### Examination of Conscience
"A period of time may be spent in making an examination of conscience and in arousing true sorrow for sins" (*Rite of Penance* 53).

### Litany of Contrition, and the Lord's Prayer
"The deacon or another minister invites all to kneel or bow, and to join in saying a general formula for confession" (*Rite of Penance* 54).

### Individual Confession and Absolution
"[T]he penitents go to the priests designated for individual confession, and confess their sins. Each one receives and accepts a fitting act of satisfaction and is absolved" (*Rite of Penance* 55).

### Closing Prayer
"After the song of praise or the litany [for God's mercy], the priest concludes the common prayer" (*Rite of Penance* 57).

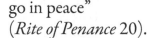

# Enseñanzas clave de la Iglesia Católica

## El Misterio de Dios

### Revelación Divina

**¿Quién soy?**

Todas las personas humanas han sido creadas por Dios para que vivan en amistad con Él tanto aquí en la Tierra como en el Cielo para siempre.

**¿Cómo sabemos esto con respecto a nosotros mismos?**

Lo sabemos porque todas las personas desean conocer y amar a Dios y desean que Dios las conozca y las ame. Lo sabemos también porque Dios nos habló acerca de nosotros y de Él.

**¿Cómo nos lo dijo Dios?**

En primer lugar, Dios nos lo dice por medio de su creación, que es la obra de Dios; la creación refleja la bondad y la belleza del Creador y nos habla acerca de Dios Creador. En segundo lugar, Dios vino a nosotros y nos lo dijo, o nos lo reveló, con respecto a sí mismo. Lo reveló más plenamente al enviar a su Hijo, Jesucristo, que se hizo uno de nosotros y vivió entre nosotros.

**¿Qué es la fe?**

La fe es un don sobrenatural que viene de Dios, que nos permite conocer a Dios y todo lo que Él ha revelado, y a responder a Dios con todo nuestro corazón y nuestra mente.

**¿Qué es un misterio de fe?**

La palabra *misterio* describe el hecho de que nunca podremos comprender o captar completamente a Dios ni su plan amoroso para nosotros. Sólo sabemos quién es Dios y cuál es su plan para nosotros por medio de la Revelación Divina.

**¿Qué es la Revelación Divina?**

La Revelación Divina es el don generoso de Dios de darse a conocer y entregarse a nosotros comunicando gradualmente con palabras y hechos su propio misterio y su plan divino para la humanidad. Dios se revela a sí mismo para que podamos vivir en comunión con él y con los demás para siempre.

**¿Qué es la Sagrada Tradición?**

La palabra *tradición* proviene de un término latino que significa "transmitir". La Sagrada Tradición es la transmisión de la Revelación divina por la Iglesia, a través del poder y la guía del Espíritu Santo.

**¿Qué es el depósito de la fe?**

El depósito de la fe es la fuente de fe en la que nos basamos para transmitir la Revelación de Dios. El depósito de la fe es la unión de la Sagrada Escritura y la Sagrada Tradición, que la Iglesia transmite desde el tiempo de los Apóstoles.

**¿Qué es el Magisterio?**

El Magisterio es la autoridad educativa de la Iglesia. Con la guía del Espíritu Santo, la Iglesia tiene la responsabilidad de interpretar auténtica y exactamente la Palabra de Dios, tanto en la Sagrada Escritura como en la Sagrada Tradición. Lo hace para asegurar que su entendimiento de la Revelación sea fiel a la enseñanza de los Apóstoles.

**¿Qué es un dogma de fe?**

Un dogma de fe es una verdad que la Iglesia enseña tal como la reveló Dios y a la que estamos llamados a dar nuestra conformidad de mente y corazón en la fe.

### Sagrada Escritura

**¿Qué es la Sagrada Escritura?**

Las palabras *sagrada escritura* vienen de dos términos latinos que significan "escritos santos". La Sagrada Escritura es la colección de todos los escritos que Dios inspiró a los autores para que escribieran en su nombre.

**¿Qué es la Biblia?**

La palabra *biblia* proviene de un término griego que significa "libro". La Biblia es la colección de los cuarenta y seis libros del Antiguo Testamento y los veintisiete libros del Nuevo Testamento identificados por la Iglesia como todos los escritos que Dios inspiró a los autores humanos para que escribieran en su nombre.

**¿Qué es el canon de la Escritura?**

La palabra *canon* proviene de un término griego que significa "varilla para medir", o estándar por el cual se juzga algo. El canon de la Sagrada Escritura es la lista de libros que la Iglesia ha identificado y enseña que son la Palabra de Dios inspirada.

**¿Qué es la inspiración bíblica?**

La inspiración bíblica es un término que describe al Espíritu Santo que guía a los autores humanos de la Sagrada Escritura para que comuniquen fiel y exactamente la Palabra de Dios.

**¿Qué es el Antiguo Testamento?**

El Antiguo Testamento es la primera parte principal de la Biblia. Son los cuarenta y seis libros que inspiró el Espíritu Santo, escritos antes del nacimiento de Jesús y centrados en la Alianza entre Dios y su pueblo, Israel, y la promesa del Mesías o Salvador. El Antiguo Testamento se divide en la Tora o Pentateuco, los libros históricos, la literatura de sabiduría y los escritos de los profetas.

# Key Teachings of the Catholic Church

## The Mystery of God

### Divine Revelation

**Who am I?**

Every human person has been created by God to live in friendship with him both here on Earth and forever in Heaven.

**How do we know this about ourselves?**

We know this because every human person desires to know and love God and wants God to know and love them. We also know this because God told us this about ourselves and about him.

**How did God tell us?**

First of all God tells us this through creation, which is the work of God; creation reflects the goodness and beauty of the Creator and tells us about God the Creator. Secondly, God came to us and told us, or revealed this about himself. He revealed this most fully by sending his Son, Jesus Christ, who became one of us and lived among us.

**What is faith?**

Faith is a supernatural gift from God that enables us to know God and all that he has revealed, and to respond to God with our whole heart and mind.

**What is a mystery of faith?**

The word *mystery* describes the fact that we can never fully comprehend or fully grasp God and his loving plan for us. We only know who God is and his plan for us through Divine Revelation.

**What is Divine Revelation?**

Divine Revelation is God's free gift of making himself known to us and giving himself to us by gradually communicating in deeds and words his own mystery and his divine plan for humanity. God reveals himself so that we can live in communion with him and with one another forever.

**What is Sacred Tradition?**

The word *tradition* comes from a Latin word meaning "to pass on." Sacred Tradition is the passing on of Divine Revelation by the Church through the power and guidance of the Holy Spirit.

**What is the deposit of faith?**

The deposit of faith is the source of faith that we draw from in order to pass on God's Revelation. The deposit of faith is the unity of Sacred Scripture and Sacred Tradition handed on by the Church from the time of the Apostles.

**What is the Magisterium?**

The Magisterium is the teaching authority of the Church. Guided by the Holy Spirit, the Church has the responsibility to authentically and accurately interpret the Word of God, both in Sacred Scripture and in Sacred Tradition. She does this to assure that her understanding of Revelation is faithful to the teaching of the Apostles.

**What is a dogma of faith?**

A dogma of faith is a truth taught by the Church as revealed by God and to which we are called to give our assent of mind and heart in faith.

### Sacred Scripture

**What is Sacred Scripture?**

The words *sacred scripture* come from two Latin words meaning "holy writings." Sacred Scripture is the collection of all the writings God has inspired authors to write in his name.

**What is the Bible?**

The word *bible* comes from a Greek word meaning "book." The Bible is the collection of the forty-six books of the Old Testament and the twenty-seven books of the New Testament named by the Church as all the writings God has inspired human authors to write in his name.

**What is the canon of Scripture?**

The word *canon* comes from a Greek word meaning "measuring rod," or standard by which something is judged. The canon of Scripture is the list of books that the Church has identified and teaches to be the inspired Word of God.

**What is biblical inspiration?**

Biblical inspiration is a term that describes the Holy Spirit guiding the human authors of Sacred Scripture so that they faithfully and accurately communicate the Word of God.

**What is the Old Testament?**

The Old Testament is the first main part of the Bible. It is the forty-six books inspired by the Holy Spirit, written before the birth of Jesus and centered on the Covenant between God and his people, Israel, and the promise of the Messiah or Savior. The Old Testament is divided into the Torah/Pentateuch, historical books, wisdom literature, and writings of the prophets.

## ¿Qué es la Tora?

La Tora es la Ley de Dios, que fue revelada a Moisés. La Tora escrita se encuentra en los cinco primeros libros del Antiguo Testamento, llamados "Tora" o "Pentateuco".

## ¿Qué es el Pentateuco?

La palabra *pentateuco* significa "cinco recipientes". El Pentateuco son los cinco primeros libros del Antiguo Testamento, a saber, Génesis, Éxodo, Levítico, Números y Deuteronomio.

## ¿Qué es la Alianza?

La Alianza es el acuerdo solemne de fidelidad que hicieron Dios y su pueblo libremente. Se renovó y alcanzó su plenitud en Jesucristo, la Alianza nueva y eterna.

## ¿Qué son los libros históricos del Antiguo Testamento?

Los libros históricos nos hablan de la fidelidad y la infidelidad del pueblo de Dios a la Alianza y acerca de las consecuencias de esas elecciones.

## ¿Qué son los escritos de Sabiduría del Antiguo Testamento?

Los escritos de Sabiduría son los siete libros del Antiguo Testamento que contienen inspirados consejos prácticos y pautas de sentido común para vivir la Alianza y la Ley de Dios. Son el Libro de Job, el Libro de los Salmos, el Libro del Eclesiastés, el Libro de la Sabiduría, el Libro de los Proverbios, el Libro de Sirácida (Eclesiástico) y el Cantar de los Cantares.

## ¿Qué son los escritos de los profetas del Antiguo Testamento?

La palabra *profeta* proviene de un término griego que significa "los que hablan delante de los demás". Los profetas bíblicos fueron aquellas personas que Dios había elegido para que hablaran en su nombre. Los escritos de los profetas son los dieciocho libros del Antiguo Testamento que contienen el mensaje de los profetas al pueblo de Dios. Le recuerdan al pueblo de Dios la fidelidad sin fin de Dios hacia ellos y la responsabilidad que ellos tienen de ser fieles a la Alianza.

## ¿Qué es el Nuevo Testamento?

El Nuevo Testamento es la segunda parte principal de la Biblia. Son los veintisiete libros inspirados por el Espíritu Santo y escritos en la época apostólica que se centran en Jesucristo y su obra salvadora entre nosotros. Las partes principales son los cuatro Evangelios, los Hechos de los Apóstoles, las veintiuna epístolas y el Libro del Apocalipsis.

## ¿Qué son los Evangelios?

La palabra *evangelio* proviene de un término griego que significa "buena nueva". El Evangelio es la Buena Nueva del plan amoroso de Dios de la Salvación, revelado en la Pasión, Muerte, Resurrección y Ascensión de Jesucristo.

Los Evangelios son las cuatro versiones escritas de Mateo, Marcos, Lucas y Juan. Los cuatro Evangelios ocupan un lugar fundamental en la Sagrada Escritura porque Jesucristo es su centro.

## ¿Qué es una epístola?

La palabra *epístola* proviene de un término griego que significa "mensaje o carta". Una epístola es un tipo de carta formal. Algunas de las cartas del Nuevo Testamento son epístolas.

## ¿Qué son las Epístolas y cartas paulinas?

Las Epístolas y cartas paulinas son las catorce cartas del Nuevo Testamento que se atribuyen tradicionalmente a San Pablo Apóstol.

## ¿Qué son las cartas católicas?

Las cartas católicas son las siete cartas del Nuevo Testamento que llevan los nombres de los Apóstoles Juan, Pedro, Judas y Santiago, y que se escribieron más bien para la Iglesia universal que para una comunidad en particular de la Iglesia.

## La Santísima Trinidad

### ¿Quién es el Misterio de la Santísima Trinidad?

La Santísima Trinidad es el misterio de Un Dios en Tres Personas Divinas: Dios Padre, Dios Hijo y Dios Espíritu Santo. Es el misterio fundamental de la fe cristiana.

### ¿Quién es Dios Padre?

Dios Padre es la Primera Persona de la Santísima Trinidad.

### ¿Quién es Dios Hijo?

Dios Hijo es Jesucristo, la Segunda Persona de la Santísima Trinidad. Es el único Hijo engendrado del Padre, que se hizo carne y se convirtió en uno de nosotros sin renunciar a su divinidad.

### ¿Quién es Dios Espíritu Santo?

Dios Espíritu Santo es la Tercera Persona de la Santísima Trinidad, que procede del Padre y del Hijo. Es el Intérprete, o Paráclito, que el Padre nos envió en nombre de Jesús, su Hijo.

### ¿Qué son las misiones divinas, u obras de Dios?

Toda la obra de Dios es común a las Tres Personas Divinas de la Santísima Trinidad. La obra de creación es la labor de la Santísima Trinidad, que se atribuye al Padre. Del mismo modo, la obra de Salvación se atribuye al Hijo y la obra de santificación se atribuye al Espíritu Santo.

## Obra divina de la Creación

### ¿Qué es la obra divina de la Creación?

La Creación es la obra de Dios que dio origen a todo y a todos, visible e invisible, por amor y sin ninguna ayuda.

## What is the Torah?

The Torah is the Law of God that was revealed to Moses. The written Torah is found in the first five books of the Old Testament, which are called the "Torah" or the "Pentateuch."

## What is the Pentateuch?

The word *pentateuch* means "five containers." The Pentateuch is the first five books of the Old Testament, namely Genesis, Exodus, Leviticus, Numbers, and Deuteronomy.

## What is the Covenant?

The Covenant is the solemn agreement of fidelity that God and his people freely entered into. It was renewed and fulfilled in Jesus Christ, the new and everlasting Covenant.

## What are the historical books of the Old Testament?

The historical books tell about the fidelity and infidelity of God's people to the Covenant and about the consequences of those choices.

## What are the Wisdom writings of the Old Testament?

The Wisdom writings are the seven books of the Old Testament that contain inspired practical advice and common-sense guidelines for living the Covenant and the Law of God. They are the Book of Job, Book of Psalms, Book of Ecclesiastes, Book of Wisdom, Book of Proverbs, Book of Sirach (Ecclesiasticus), and Song of Songs.

## What are the writings of the prophets in the Old Testament?

The word *prophet* comes from a Greek word meaning "those who speak before others." The biblical prophets were those people God had chosen to speak in his name. The writings of the prophets are the eighteen books of the Old Testament that contain the message of the prophets to God's people. They remind God's people of his unending fidelity to them and of their responsibility to be faithful to the Covenant.

## What is the New Testament?

The New Testament is the second main part of the Bible. It is the twenty-seven books inspired by the Holy Spirit and written in apostolic times that center on Jesus Christ and his saving work among us. The main parts are the four Gospels, the Acts of the Apostles, the twenty-one letters, and the Book of Revelation.

## What are the Gospels?

The word *gospel* comes from a Greek word meaning "good news." The Gospel is the Good News of God's loving plan of Salvation, revealed in the Passion, Death, Resurrection, and Ascension of Jesus Christ. The Gospels are the four written accounts of Matthew, Mark, Luke, and John. The four Gospels occupy a central place in Sacred Scripture because Jesus Christ is their center.

## What is an epistle?

The word *epistle* comes from a Greek word meaning "message or letter." An epistle is a formal type of letter. Some of the letters in the New Testament are epistles.

## What are the Pauline Epistles and letters?

The Pauline Epistles and letters are the fourteen letters in the New Testament traditionally attributed to Saint Paul the Apostle.

## What are the Catholic Letters?

The Catholic Letters are the seven New Testament letters that bear the names of the Apostles John, Peter, Jude, and James, and which were written to the universal Church rather than to a particular Church community.

## The Holy Trinity

## Who is the Mystery of the Holy Trinity?

The Holy Trinity is the mystery of One God in Three Divine Persons—God the Father, God the Son, God the Holy Spirit. It is the central mystery of the Christian faith.

## Who is God the Father?

God the Father is the First Person of the Holy Trinity.

## Who is God the Son?

God the Son is Jesus Christ, the Second Person of the Holy Trinity. He is the only begotten Son of the Father who took on flesh and became one of us without giving up his divinity.

## Who is God the Holy Spirit?

God the Holy Spirit is the Third Person of the Holy Trinity, who proceeds from the Father and Son. He is the Advocate, or Paraclete, sent to us by the Father in the name of his Son, Jesus.

## What are the divine missions, or the works of God?

The entire work of God is common to all Three Divine Persons of the Trinity. The work of creation is the work of the Trinity, though attributed to the Father. Likewise, the work of Salvation is attributed to the Son and the work of sanctification is attributed to the Holy Spirit.

## Divine Work of Creation

## What is the divine work of creation?

Creation is the work of God bringing into existence everything and everyone, seen and unseen, out of love and without any help.

### ¿Quiénes son los ángeles?

Los ángeles son criaturas espirituales que no tienen un cuerpo como el de los humanos. Los ángeles glorifican a Dios sin cesar y, a veces, sirven a Dios llevando su mensaje a las personas.

### ¿Quién es la persona humana?

La persona humana es la creación única a imagen y semejanza de Dios. La dignidad humana se alcanza en la vocación de una vida de felicidad con Dios.

### ¿Qué es el alma?

El alma es la parte espiritual de una persona. Es inmortal; nunca muere. El alma es el ser más interior, aquel que lleva la impronta de la imagen de Dios.

### ¿Qué es el intelecto?

El intelecto es un poder esencial del alma. Es el poder de conocer a Dios, a nosotros mismos y a los demás; es el poder para entender el orden de las cosas que Dios estableció.

### ¿Qué es el libre albedrío?

El libre albedrío es una cualidad esencial del alma. Es la habilidad y el poder que Dios da para reconocerlo como parte de nuestra vida y para elegir centrar nuestra vida a su alrededor, así como para elegir entre el bien y el mal. Por medio del libre albedrío, la persona humana es capaz de dirigirse hacia lo verdadero, bello y bueno, es decir, la vida en comunión con Dios.

### ¿Qué es el Pecado Original?

El Pecado Original es el pecado de Adán y Eva, por el cual eligieron el mal por sobre la obediencia a Dios. Al hacerlo, perdieron el estado de santidad original para ellos y para todos sus descendientes. Como resultado del Pecado Original, entraron en el mundo la muerte, el pecado y el sufrimiento.

## Jesucristo, el Hijo de Dios Encarnado

### ¿Qué es la Anunciación?

La Anunciación es el anuncio del ángel Gabriel a María de que Dios la había elegido para ser la madre de Jesús, el Hijo de Dios, por el poder del Espíritu Santo.

### ¿Qué es la Encarnación?

La palabra *encarnación* proviene de un término latino que significa "hacerse carne". El término *Encarnación* es el hecho de que el Hijo de Dios, la Segunda Persona de la Santísima Trinidad, se hizo verdaderamente humano mientras seguía siendo verdaderamente Dios. Jesucristo es verdadero Dios y verdadero hombre.

### ¿Qué significa que Jesús es el Señor?

La palabra *señor* significa "amo, soberano, una persona de autoridad" y se usa en el Antiguo Testamento para nombrar a Dios. La designación, o título, "Jesús, el Señor", expresa que Jesús es verdaderamente Dios.

### ¿Qué es el Misterio Pascual?

El Misterio Pascual son los acontecimientos salvadores de la Pasión, Muerte, Resurrección y gloriosa Ascensión de Jesucristo; el paso de Jesús de la muerte a una vida nueva y gloriosa; el nombre que damos al plan de Dios de Salvación en Jesucristo.

### ¿Qué es la Salvación?

La palabra *salvación* proviene de un término latino que significa "salvar". La Salvación es redimir o librar a la humanidad del poder del pecado y de la muerte a través de Jesucristo. Toda Salvación viene de Cristo a través de la Iglesia.

### ¿Qué es la Resurrección?

La Resurrección es el hecho histórico del paso de Jesús de la muerte a una nueva y gloriosa vida, después de su Muerte en la Cruz y su sepultura en la tumba.

### ¿Qué es la Ascensión?

La Ascensión es el regreso del Cristo Resucitado en gloria a su Padre, al mundo de lo divino.

### ¿Qué significa la Segunda Venida de Cristo?

El advenimiento de Cristo es su regreso en gloria al final de los tiempos para juzgar a los vivos y a los muertos; el cumplimiento del plan de Dios en Cristo.

### ¿Qué significa que Jesús es el Mesías?

La palabra *mesías* es un término hebreo que significa "ungido". Jesucristo es el Ungido, el Mesías, el que Dios prometió enviar para salvar a las personas. Jesús es el Salvador del mundo.

## El Misterio de la Iglesia

### ¿Qué es la Iglesia?

La palabra *iglesia* significa "asamblea", los llamados a reunirse. La Iglesia es el Sacramento de la Salvación: el signo y el instrumento de nuestra reconciliación y comunión con Dios Santísima Trinidad y con los demás. La Iglesia es el Cuerpo de Cristo, el pueblo que Dios Padre ha llamado a reunirse en Jesucristo por medio del poder del Espíritu Santo.

### ¿Cuál es la obra principal de la Iglesia?

La obra principal de la Iglesia es proclamar el Evangelio de Jesucristo e invitar a todas las personas a conocerlo y a creer en Él, y a vivir en comunión con Él. Llamamos a esta obra de la Iglesia "evangelización", palabra que proviene de un término griego que significa "dar buenas noticias".

### ¿Qué es el Cuerpo de Cristo?

El Cuerpo de Cristo es una imagen de la Iglesia, que usó el Apóstol San Pablo, que enseña que todos los miembros de la Iglesia son uno en Cristo, que es la Cabeza de la Iglesia, y que todos los miembros tienen una misión única y vital en la Iglesia.

### Who are angels?

Angels are spiritual creatures who do not have bodies as humans do. Angels give glory to God without ceasing and sometimes serve God by bringing his message to people.

### Who is the human person?

The human person is uniquely created in the image and likeness of God. Human dignity is fulfilled in the vocation to a life of happiness with God.

### What is the soul?

The soul is the spiritual part of a person. It is immortal; it never dies. The soul is the innermost being, that which bears the imprint of the image of God.

### What is the intellect?

The intellect is an essential power of the soul. It is the power to know God, yourself, and others; it is the power to understand the order of things established by God.

### What is free will?

Free will is an essential quality of the soul. It is the God-given ability and power to recognize him as part of our lives and to choose to center our lives around him as well as to choose between good and evil. By free will, the human person is capable of directing oneself toward the truth, beauty and good, namely, life in communion with God.

### What is Original Sin?

Original Sin is the sin of Adam and Eve by which they choose evil over obedience to God. By doing so, they lost the state of original holiness for themselves and for all their descendants. As a result of Original Sin, death, sin, and suffering entered into the world.

## Jesus Christ, the Incarnate Son of God

## What is the Annunciation?

The Annunciation is the announcement by the angel Gabriel to Mary that God chose her to be the mother of Jesus, the Son of God, by the power of the Holy Spirit.

## What is the Incarnation?

The word *incarnation* comes from a Latin word meaning "take on flesh." The term *Incarnation* is the event in which the Son of God, the Second Person of the Holy Trinity, truly became human while remaining truly God. Jesus Christ is true God and true man.

## What does it mean that Jesus is Lord?

The word *lord* means "master, ruler, a person of authority" and is used in the Old Testament to name God. The designation, or title, "Jesus, the Lord" expresses that Jesus is truly God.

## What is the Paschal Mystery?

The Paschal Mystery is the saving events of the Passion, Death, Resurrection, and glorious Ascension of Jesus Christ; the passing over of Jesus from death into a new and glorious life; the name we give to God's plan of Salvation in Jesus Christ.

## What is Salvation?

The word *salvation* comes from a Latin word meaning "to save." Salvation is the saving, or deliverance, of humanity from the power of sin and death through Jesus Christ. All Salvation comes from Christ through the Church.

## What is the Resurrection?

The Resurrection is the historical event of Jesus being raised from the dead to a new glorified life after his Death on the Cross and burial in the tomb.

## What is the Ascension?

The Ascension is the return of the Risen Christ in glory to his Father, to the world of the divine.

## What is the Second Coming of Christ?

The Second Coming of Christ is the return of Christ in glory at the end of time to judge the living and the dead; the fulfillment of God's plan in Christ.

## What does it mean that Jesus is the Messiah?

The word *messiah* is a Hebrew term meaning "anointed one." Jesus Christ is the Anointed One, the Messiah, who God promised to send to save people. Jesus is the Savior of the world.

# The Mystery of the Church

### What is the Church?

The word *church* means "convocation," those called together. The Church is the Sacrament of Salvation—the sign and instrument of our reconciliation and communion with God the Holy Trinity and with one another. The Church is the Body of Christ, the people God the Father has called together in Jesus Christ through the power of the Holy Spirit.

### What is the central work of the Church?

The central work of the Church is to proclaim the Gospel of Jesus Christ and to invite all people to come to know and believe in him and to live in communion with him. We call this work of the Church "evangelization," a word that comes from a Greek word that means "to tell good news."

### What is the Body of Christ?

The Body of Christ is an image for the Church used by Saint Paul the Apostle that teaches that all the members of the Church are one in Christ, who is the Head of the Church, and that all members have a unique and vital work in the Church.

## ¿Quiénes son el Pueblo de Dios?

El Pueblo de Dios son aquellos a los que el Padre ha elegido y reunido en Cristo, el Hijo de Dios Encarnado, la Iglesia. Todas las personas están invitadas a pertenecer al Pueblo de Dios y a vivir como una familia de Dios.

## ¿Qué es el Templo del Espíritu Santo?

El Templo del Espíritu Santo es una imagen del Nuevo Testamento, que se usa para describir que el Espíritu Santo mora en la Iglesia y dentro del corazón de los fieles.

## ¿Qué es la Comunión de los Santos?

La comunión de los santos es la comunión de las cosas sagradas y de las personas santas, que forman parte de la Iglesia. Es la comunión, o unidad, de todos los fieles, los que viven en la Tierra, los que se están purificando después de la muerte y los que disfrutan de la vida duradera y la felicidad eterna con Dios, los ángeles, María y todos los Santos.

## ¿Cuáles son los Atributos de la Iglesia?

Los Atributos de la Iglesia son cuatro signos y características esenciales de la Iglesia y su misión, a saber: una, santa, católica y apostólica.

## ¿Quiénes son los Apóstoles?

La palabra *apóstol* proviene de un término griego que significa "enviar". Los Apóstoles fueron aquellos doce hombres que Jesús eligió y envió a predicar el Evangelio y a hacer discípulos de todos los pueblos.

## ¿Quiénes son los "Doce"?

Los "Doce" es el término que identifica a los Apóstoles que eligió Jesús antes de su Muerte y Resurrección. "Estos son los nombres de los doce apóstoles: el primero Simón, llamado Pedro, y su hermano Andrés; Santiago, hijo de Zebedeo, y su hermano Juan; Felipe y Bartolomé; Tomás y Mateo, el recaudador de impuestos; Santiago, el hijo de Alfeo, y Tadeo; Simón, el cananeo y Judas Iscariote, el que lo traicionaría" (Mateo 10:2–4). El Apóstol Matías fue elegido después de la Ascensión de Jesús.

## ¿Qué es Pentecostés?

Pentecostés es la venida del Espíritu Santo sobre la Iglesia tal como lo prometió Jesús; marca el comienzo de la obra de la Iglesia.

## ¿Quiénes son los ministros ordenados de la Iglesia?

Los ministros ordenados de la Iglesia son aquellos hombres bautizados que están consagrados en el Sacramento del Orden Sagrado para servir a toda la Iglesia. Los ministros ordenados de la Iglesia son los obispos, los sacerdotes y los diáconos, que forman el clero.

## ¿Cómo guían el Papa y los otros obispos a la Iglesia en su obra?

Cristo, la Cabeza de la Iglesia, gobierna la Iglesia a través del Papa y el colegio episcopal que está en comunión con él. El Papa es el obispo de Roma y el sucesor del Apóstol San Pedro.

El Papa, el Vicario de Cristo, es la base visible de la unidad de toda la Iglesia. Los demás obispos son los sucesores de los otros apóstoles y son la base visible de sus propias Iglesias particulares. El Espíritu Santo guía al Papa y al colegio episcopal que trabaja con el Papa, para enseñar la fe y la doctrina moral sin error. Esta gracia del Espíritu Santo se llama *infalibilidad*.

## ¿Qué es la vida consagrada?

La vida consagrada es un estado de vida para aquellos bautizados que prometen o hacen votos de vivir el Evangelio mediante la profesión de los consejos evangélicos de la pobreza, la castidad y la obediencia, en una manera de vivir que aprueba la Iglesia. La vida consagrada se conoce también como "vida religiosa".

## ¿Quiénes son los laicos?

Los laicos son todos los bautizados que no han recibido el Sacramento del Orden Sagrado ni han prometido o hecho votos de vivir la vida consagrada. Están llamados a ser testigos de Cristo en el núcleo mismo de la comunidad humana.

## La Santísima Virgen María

## ¿Cuál es el papel de María en el plan amoroso de Dios para la humanidad?

María tiene un papel único en el plan de Dios de Salvación para la humanidad. Por esta razón, está llena de gracia desde el primer momento de su concepción, o existencia. Dios eligió a María para que fuera la madre del Hijo de Dios Encarnado, Jesucristo, que es verdadero Dios y verdadero hombre. María es la Madre de Dios, la Madre de Cristo y la Madre de la Iglesia. Es la Santa más importante de la Iglesia.

## ¿Qué es la Inmaculada Concepción?

La Inmaculada Concepción es la gracia única dada a María, que la preservó totalmente de la mancha de todo pecado desde el mismísimo primer momento de su existencia, o concepción, en el vientre de su madre y a lo largo de su vida.

## ¿Qué es la virginidad perpetua de María?

La *virginidad perpetua de María* es un término que describe el hecho de que María permaneció siempre virgen. Era virgen antes de la concepción de Jesús, durante su nacimiento, y siguió siendo virgen después del nacimiento de Jesús durante toda su vida.

## ¿Qué es la Asunción de María?

Al final de su vida en la Tierra, la Santísima Virgen María fue llevada en cuerpo y alma al Cielo, donde participa de la gloria de la Resurrección de su Hijo. María, la Madre de la Iglesia, oye nuestras oraciones e intercede por nosotros ante su Hijo. Es una imagen de la gloria celestial de la que todos nosotros deseamos participar cuando Cristo, su Hijo, vuelva otra vez en gloria.

## Who are the People of God?

The People of God are those the Father has chosen and gathered in Christ, the Incarnate Son of God, the Church. All people are invited to belong to the People of God and to live as one family of God.

## What is the Temple of the Holy Spirit?

The Temple of the Holy Spirit is a New Testament image used to describe the indwelling of the Holy Spirit in the Church and within the hearts of the faithful.

## What is the Communion of Saints?

The Communion of Saints is the communion of holy things and holy people that make up the Church. It is the communion, or unity, of all the faithful, those living on Earth, those being purified after death, and those enjoying life everlasting and eternal happiness with God, the angels, Mary and all the Saints.

## What are the Marks of the Church?

The Marks of the Church are the four attributes and essential characteristics of the Church and her mission, namely, one, holy, catholic, and apostolic.

## Who are the Apostles?

The word *apostle* comes from a Greek word meaning "to send away." The Apostles were those twelve men chosen and sent by Jesus to preach the Gospel and to make disciples of all people.

## Who are the "Twelve"?

The "Twelve" is the term that identifies the Apostles chosen by Jesus before his Death and Resurrection. "The names of the twelve apostles are these: first, Simon called Peter, and his brother Andrew; James, the son of Zebedee, and his brother John; Philip and Bartholomew, Thomas and Matthew the tax collector; James the son of Alphaeus, and Thaddaeus; Simon the Cananean, and Judas Iscariot who betrayed him" (Matthew 10:2–4). The Apostle Matthias was chosen after Jesus' Ascension.

## What is Pentecost?

Pentecost is the coming of the Holy Spirit upon the Church as promised by Jesus; it marks the beginning of the work of the Church.

## Who are the ordained ministers of the Church?

The ordained ministers of the Church are those baptized men who are consecrated in the Sacrament of Holy Orders to serve the whole Church. Bishops, priests, and deacons are the ordained ministers of the Church and make up the clergy.

## How do the Pope and other bishops guide the Church in her work?

Christ, the Head of the Church, governs the Church through the Pope and the college of bishops in communion with him. The Pope is the bishop of Rome and the successor of Saint Peter the Apostle. The Pope, the Vicar of Christ, is the visible foundation of the unity of the whole Church. The other bishops are the successors of the other Apostles and are the visible foundation of their own particular Churches. The Holy Spirit guides the Pope and the college of bishops working together with the Pope, to teach the faith and moral doctrine without error. This grace of the Holy Spirit is called *infallibility*.

## What is the consecrated life?

The consecrated life is a state of life for those baptized who promise or vow to live the Gospel by means of professing the evangelical counsels of poverty, chastity, and obedience, in a way of life approved by the Church. The consecrated life is also known as the "religious life."

## Who are the laity?

The laity (or laypeople) are all the baptized who have not received the Sacrament of Holy Orders nor have promised or vowed to live the consecrated life. They are called to be witnesses to Christ at the very heart of the human community.

## The Blessed Virgin Mary

### What is Mary's role in God's loving plan for humanity?

Mary has a unique role in God's plan of Salvation for humanity. For this reason she is full of grace from the first moment of her conception, or existence. God chose Mary to be the mother of the Incarnate Son of God, Jesus Christ, who is truly God and truly man. Mary is the Mother of God, the Mother of Christ, and the Mother of the Church. She is the greatest Saint of the Church.

### What is the Immaculate Conception?

The Immaculate Conception is the unique grace given to Mary that totally preserved her from the stain of all sin from the very first moment of her existence, or conception, in her mother's womb and throughout her life.

### What is the perpetual virginity of Mary?

The *perpetual virginity of Mary* is a term that describes the fact that Mary remained always a virgin. She was virgin before the conception of Jesus, during his birth, and remained a virgin after the birth of Jesus her whole life.

### What is the Assumption of Mary?

At the end of her life on earth, the Blessed Virgin Mary was taken body and soul into Heaven, where she shares in the glory of her Son's Resurrection. Mary, the Mother of the Church, hears our prayers and intercedes for us with her Son. She is an image of the heavenly glory in which we all hope to share when Christ, her Son, comes again in glory.

## Vida eterna

### ¿Qué es la vida eterna?

La vida eterna es la vida después de la muerte. En la muerte, el alma se separa del cuerpo. En el Credo de los Apóstoles, profesamos la fe en "la vida eterna". En el Credo de Nicea, profesamos la fe en "la vida del mundo futuro".

### ¿Qué es el juicio particular?

El juicio particular es la misión dada a nuestra alma en el momento de la muerte hasta nuestro destino final, según lo que hayamos hecho en nuestra vida.

### ¿Qué es el Juicio Final?

El Juicio Final es el juicio en el que todos los humanos aparecerán en su propio cuerpo y darán cuenta de sus actos. En el Juicio final, Cristo mostrará su identidad con el más humilde de sus hermanos y hermanas.

### ¿Qué es la visión beatífica?

La visión beatífica es ver a Dios "cara a cara" en la gloria celestial.

### ¿Qué es el Cielo?

El Cielo es la vida eterna y la comunión con la Santísima Trinidad. Es el estado supremo de la felicidad; de vivir con Dios para siempre, para lo cuál Él nos ha creado.

### ¿Qué es el Reino de Dios?

El Reino de Dios, o Reino de los Cielos, es la imagen que usó Jesús para describir a todas las personas y la creación viviendo en comunión con Dios. El Reino de Dios se realizará completamente cuando Cristo venga otra vez en gloria al final de los tiempos.

### ¿Qué es el Purgatorio?

El Purgatorio es la oportunidad después de la muerte de purificar y fortalecer nuestro amor por Dios antes de entrar en el Cielo.

### ¿Qué es el infierno?

El infierno es la separación inmediata y eterna de Dios.

# Celebración de la vida y el misterio cristianos

## La liturgia y el culto

### ¿Qué es el culto?

El culto es la adoración y el honor que dirigimos a Dios. La Iglesia adora a Dios públicamente en la celebración de la liturgia. La liturgia es el culto de Dios de la Iglesia. Es la obra de toda la Iglesia. En la liturgia, el misterio de la Salvación en Cristo se hace presente por medio del poder del Espíritu Santo.

### ¿Qué es el año litúrgico?

El año litúrgico es el ciclo de tiempos y fiestas importantes que forman el año eclesiástico de culto. Los principales tiempos y días del año litúrgico son el Adviento, la Navidad, la Cuaresma, el Triduo Pascual, la Pascua y el Tiempo Ordinario.

## Los Sacramentos

### ¿Qué son los Sacramentos?

Los Sacramentos son siete signos del amor de Dios y las principales acciones litúrgicas de la Iglesia, a través de los cuales los fieles se hacen partícipes del Misterio Pascual de Cristo. Son signos efectivos de gracia, instituidos por Cristo y confiados a la Iglesia, mediante los cuales la vida divina se comparte con nosotros.

### ¿Cuáles son los Sacramentos de la Iniciación Cristiana?

Los Sacramentos de la Iniciación Cristiana son el Bautismo, la Confirmación y la Eucaristía. Estos tres Sacramentos son el fundamento de toda vida cristiana. "El Bautismo es el comienzo de la vida nueva en Cristo; la Confirmación es su fortalecimiento; la Eucaristía alimenta a los fieles para su transformación en Cristo."

### ¿Qué es el Sacramento del Bautismo?

Por medio del Bautismo, nacemos a una nueva vida en Cristo. Nos unimos a Jesucristo, nos volvemos miembros de la Iglesia y volvemos a nacer como hijos de Dios. Recibimos el don del Espíritu Santo y se nos perdonan el Pecado Original y nuestros pecados personales. El Bautismo nos marca de manera indeleble y para siempre al pertenecer a Cristo. Debido a esto, el Bautismo se puede recibir solo una vez.

### ¿Qué es el Sacramento de la Confirmación?

La Confirmación fortalece las gracias del Bautismo y celebra el don especial del Espíritu Santo. La Confirmación también imprime un carácter espiritual o indeleble en el alma y se puede recibir solo una vez.

### ¿Qué es el Sacramento de la Eucaristía?

La Eucaristía es la fuente y la cima de la vida cristiana. En la Eucaristía, los fieles se unen a Cristo para agradecer, honrar y glorificar al Padre a través del poder del Espíritu Santo. A través del poder del Espíritu Santo y de las palabras del sacerdote, el pan y el vino se convierten en el Cuerpo y la Sangre de Cristo.

### ¿Cuál es la obligación de los fieles de participar en la Eucaristía?

Los fieles tienen la obligación de participar en la Eucaristía los domingos y los días de precepto. El domingo es el Día del Señor. El domingo, el día de la Resurrección del Señor, es "el fundamento y núcleo de todo el año litúrgico". Para la vida cristiana, es vital participar regularmente en la Eucaristía y recibir la Sagrada Comunión. En la Eucaristía recibimos el Cuerpo y la Sangre de Cristo.

## Life Everlasting

### What is eternal life?

Eternal life is life after death. At death the soul is separated from the body. In the Apostles' Creed we profess faith in "the life everlasting." In the Nicene Creed we profess faith in "the life of the world to come."

### What is the particular judgment?

The particular judgment is the assignment given to our souls at the moment of our death to our final destiny based on what we have done in our lives.

### What is the Last Judgment?

The Last Judgment is the judgment at which every human being will appear in their own bodies and give an account of their deeds. At the Last Judgment, Christ will show his identity with the least of his brothers and sisters.

### What is the beatific vision?

The beatific vision is seeing God "face-to-face" in heavenly glory.

### What is Heaven?

Heaven is eternal life and communion with the Holy Trinity. It is the supreme state of happiness—living with God forever for which he created us.

### What is the Kingdom of God?

The Kingdom of God, or Kingdom of Heaven, is the image used by Jesus to describe all people and creation living in communion with God. The Kingdom of God will be fully realized when Christ comes again in glory at the end of time.

### What is Purgatory?

Purgatory is the opportunity after death to purify and strengthen our love for God before we enter Heaven.

### What is Hell?

Hell is the immediate and everlasting separation from God.

# Celebration of the Christian Life and Mystery

## Liturgy and Worship

### What is worship?

Worship is the adoration and honor given to God. The Church worships God publicly in the celebration of the liturgy. The liturgy is the Church's worship of God. It is the work of the whole Church. In the liturgy the mystery of Salvation in Christ is made present by the power of the Holy Spirit.

### What is the liturgical year?

The liturgical year is the cycle of seasons and great feasts that make up the Church's year of worship. The main seasons and times of the Church year are Advent, Christmas, Lent, Easter Triduum, Easter, and Ordinary Time.

## The Sacraments

### What are the Sacraments?

The Sacraments are seven signs of God's love and the main liturgical actions of the Church through which the faithful are made sharers in the Paschal Mystery of Christ. They are effective signs of grace, instituted by Christ and entrusted to the Church, by which divine life is shared with us.

### What are the Sacraments of Christian Initiation?

The Sacraments of Christian Initiation are Baptism, Confirmation, and the Eucharist. These three Sacraments are the foundation of every Christian life. "Baptism is the beginning of new life in Christ; Confirmation is its strengthening; the Eucharist nourishes the faithful for their transformation into Christ."

### What is the Sacrament of Baptism?

Through Baptism we are reborn into new life in Christ. We are joined to Jesus Christ, become members of the Church, and are reborn as God's children. We receive the gift of the Holy Spirit, and Original Sin and our personal sins are forgiven. Baptism marks us indelibly and forever as belonging to Christ. Because of this, Baptism can be received only once.

### What is the Sacrament of Confirmation?

Confirmation strengthens the graces of Baptism and celebrates the special gift of the Holy Spirit. Confirmation also imprints a spiritual or indelible character on the soul and can be received only once.

### What is the Sacrament of the Eucharist?

The Eucharist is the source and summit of the Christian life. In the Eucharist the faithful join with Christ to give thanksgiving, honor, and glory to the Father through the power of the Holy Spirit. Through the power of the Holy Spirit and the words of the priest, the bread and wine become the Body and Blood of Christ.

### What is the obligation of the faithful to participate in the Eucharist?

The faithful have the obligation to participate in the Eucharist on Sundays and holy days of obligation. Sunday is the Lord's Day. Sunday, the day of the Lord's Resurrection, is "the foundation and kernel of the whole liturgical year." Regular participation in the Eucharist and receiving Holy Communion is vital to the Christian life. In the Eucharist we receive the Body and Blood of Christ.

## ¿Qué es el Santísimo Sacramento?

El Santísimo Sacramento es otro nombre para la Eucaristía. El término se usa con frecuencia para identificar a la Eucaristía guardada en el sagrario.

## ¿Qué es la Misa?

La Misa es la principal celebración de la Iglesia, en la cual nos reunimos para escuchar la Palabra de Dios (Liturgia de la Palabra) y a través de la cual se nos hace partícipes de la Muerte y la Resurrección salvadoras de Cristo, y alabamos y glorificamos al Padre (Liturgia Eucarística).

## ¿Cuáles son los Sacramentos de Curación?

Los dos Sacramentos de Curación son la Penitencia y la Unción de los Enfermos. A través del poder del Espíritu Santo, se continúa la obra de Cristo de Salvación y curación de los miembros de la Iglesia.

## ¿Qué es el Sacramento de la Penitencia y de la Reconciliación?

El Sacramento de la Penitencia es uno de los dos Sacramentos de Curación por el cual recibimos el perdón de Dios por los pecados que hemos cometido después del Bautismo.

## ¿Qué es la confesión?

La confesión es contarle nuestros pecados a un sacerdote en el Sacramento de la Penitencia. Este acto del penitente es un elemento esencial del Sacramento de la Penitencia. Confesión es también otro nombre para el Sacramento de la Penitencia.

## ¿Qué es el sello de confesión?

El sello de confesión es la obligación del sacerdote de no revelar nunca a nadie lo que el penitente le ha confesado.

## ¿Qué es la contrición?

La contrición es el arrepentimiento por los pecados, que incluye el deseo y el compromiso de reparar el daño que causó nuestro pecado y el propósito de enmienda de no volver a pecar. La contrición es un elemento esencial del Sacramento de la Penitencia.

## ¿Qué es una penitencia?

Una penitencia es una oración o acto de bondad que muestra que estamos verdaderamente arrepentidos por nuestros pecados y que nos ayuda a reparar el daño que causó nuestro pecado. Aceptar nuestra penitencia es una parte fundamental del Sacramento de la Penitencia.

## ¿Qué es la absolución?

La absolución es el perdón de los pecados por Dios a través del ministerio del sacerdote.

## ¿Qué es el Sacramento de la Unción de los Enfermos?

El Sacramento de la Unción de los Enfermos es uno de los dos Sacramentos de Curación. La gracia de este Sacramento fortalece la fe y la confianza en Dios de quienes están gravemente enfermos, debilitados por su edad avanzada o moribundos.

Los fieles pueden recibir este Sacramento cada vez que estén gravemente enfermos o si su enfermedad empeora.

## ¿Qué es el Viático?

El Viático es la Eucaristía, o Sagrada Comunión, que un moribundo recibe como alimento y fortaleza para su viaje desde la vida en la Tierra, a través de la muerte, hacia la vida eterna.

## ¿Cuáles son los Sacramentos al Servicio de la Comunidad?

Los dos Sacramentos al Servicio de la Comunidad son el Orden Sagrado y el Matrimonio. Estos Sacramentos confieren una obra particular, o misión, a ciertos miembros de la Iglesia para el servicio de edificar el Pueblo de Dios.

## ¿Qué es el Sacramento del Orden Sagrado?

El Sacramento del Orden Sagrado es uno de los dos Sacramentos al Servicio de la Comunidad. Es el Sacramento por el cual los hombres bautizados se consagran como obispos, sacerdotes o diáconos para servir a toda la Iglesia en el nombre y la persona de Cristo.

## ¿Quién es un obispo?

Un obispo es un sacerdote que recibe la plenitud del Sacramento del Orden Sagrado. Es un sucesor de los Apóstoles y guía una iglesia particular, que se le confía, por medio de la enseñanza, dirigiendo el culto divino y gobernando la Iglesia como lo hizo Jesús.

## ¿Quién es un sacerdote?

Un sacerdote es un hombre bautizado que ha recibido el Sacramento del Orden Sagrado. Los sacerdotes son colaboradores de sus obispos, que tienen el ministerio de "enseñar auténticamente la fe, de celebrar el culto divino, sobre todo la Eucaristía, y de dirigir su Iglesia como verdaderos pastores".

## ¿Quién es un diácono?

Un diácono se ordena para ayudar a los obispos y los sacerdotes. No está ordenado para el sacerdocio sino para un ministerio de servicio a la Iglesia.

## ¿Qué es el Sacramento del Matrimonio?

El Sacramento del Matrimonio es uno de los dos Sacramentos al Servicio de la Comunidad. En el Sacramento del Matrimonio, un hombre bautizado y una mujer bautizada dedican su vida a la Iglesia y mutuamente en un vínculo de amor fiel y procreador para toda la vida. En este Sacramento, reciben la gracia para ser un signo viviente del amor de Cristo por la Iglesia.

## ¿Qué son los sacramentales de la Iglesia?

Los sacramentales son signos sagrados instituidos por la Iglesia. Incluyen bendiciones, oraciones y ciertos objetos que nos preparan para participar de los Sacramentos y nos hacen conscientes y nos ayudan a responder a la presencia amorosa de Dios en nuestra vida.

## What is the Blessed Sacrament?

The Blessed Sacrament is another name for the Eucharist. The term is often used to identify the Eucharist reserved in the tabernacle.

## What is the Mass?

The Mass is the main celebration of the Church at which we gather to listen to the Word of God (Liturgy of the Word) and through which we are made sharers in the saving Death and Resurrection of Christ and give praise and glory to the Father (Liturgy of the Eucharist).

## What are the Sacraments of Healing?

Penance and Anointing of the Sick are the two Sacraments of Healing. Through the power of the Holy Spirit, Christ's work of Salvation and healing of the members of the Church is continued.

## What is the Sacrament of Penance and Reconciliation?

The Sacrament of Penance is one of the two Sacraments of Healing through which we receive God's forgiveness for the sins we have committed after Baptism.

## What is confession?

Confession is the telling of sins to a priest in the Sacrament of Penance. This act of the penitent is an essential element of the Sacrament of Penance. Confession is also another name for the Sacrament of Penance.

## What is the seal of confession?

The seal of confession is the obligation of the priest to never reveal to anyone what a penitent has confessed to him.

## What is contrition?

Contrition is sorrow for sins that includes the desire and commitment to make reparation for the harm caused by one's sin and the purpose of amendment not to sin again. Contrition is an essential element of the Sacrament of Penance.

## What is a penance?

A penance is a prayer or act of kindness that shows we are truly sorry for our sins and that helps us repair the damage caused by our sin. Accepting and doing our penance is an essential part of the Sacrament of Penance.

## What is absolution?

Absolution is the forgiveness of sins by God through the ministry of the priest.

## What is the Sacrament of Anointing of the Sick?

The Sacrament of Anointing of the Sick is one of the two Sacraments of Healing. The grace of this Sacrament strengthens our faith and trust in God when we are seriously ill, weakened by old age, or dying. The faithful may receive this Sacrament each time they are seriously ill or when an illness gets worse.

## What is Viaticum?

Viaticum is the Eucharist, or Holy Communion, received as food and strength for a dying person's journey from life on Earth through death to eternal life.

## What are the Sacraments at the Service of Communion?

Holy Orders and Matrimony are the two Sacraments at the Service of Communion. These Sacraments bestow a particular work, or mission, on certain members of the Church to serve in building up the People of God.

## What is the Sacrament of Holy Orders?

The Sacrament of Holy Orders is one of the two Sacraments at the Service of Communion. It is the Sacrament in which baptized men are consecrated as bishops, priests, or deacons to serve the whole Church in the name and person of Christ.

## Who is a bishop?

A bishop is a priest who receives the fullness of the Sacrament of Holy Orders. He is a successor of the Apostles and shepherds a particular Church entrusted to him by means of teaching, leading divine worship, and governing the Church as Jesus did.

## Who is a priest?

A priest is a baptized man who has received the Sacrament of Holy Orders. Priests are coworkers with their bishops, who have the ministry of "authentically teaching the faith, celebrating divine worship, above all the Eucharist, and guiding their Churches as true pastors."

## Who is a deacon?

A deacon is ordained to assist bishops and priests. He is not ordained to the priesthood but to a ministry of service to the Church.

## What is the Sacrament of Matrimony?

The Sacrament of Matrimony is one of the two Sacraments at the Service of Communion. In the Sacrament of Matrimony a baptized man and a baptized woman dedicate their lives to the Church and to one another in a lifelong bond of faithful life-giving love. In this Sacrament they receive the grace to be a living sign of Christ's love for the Church.

## What are the sacramentals of the Church?

Sacramentals are sacred signs instituted by the Church. They include blessings, prayers, and certain objects that prepare us to participate in the Sacraments and make us aware of and help us respond to God's loving presence in our lives.

# Vida en el Espíritu Santo

## La vida moral

### ¿Por qué se creó a la persona humana?

La persona humana se creó para honrar y glorificar a Dios y para vivir una vida de bienaventuranza con Dios aquí en la Tierra y para siempre en el Cielo.

### ¿Qué es la vida moral cristiana?

Los bautizados tienen una nueva vida en Cristo en el Espíritu Santo. Responden al "deseo de felicidad que Dios ha puesto en el corazón del hombre", cooperando con la gracia del Espíritu Santo y viviendo el Evangelio. "La vida moral es un culto espiritual que se alimenta en la liturgia y la celebración de los Sacramentos."

### ¿Cuál es el camino a la felicidad que reveló Jesucristo?

Jesús enseñó que el camino a la felicidad es el Gran Mandamiento de amar a Dios por sobre todas las cosas y a nuestro prójimo como a nosotros mismos. Es el resumen y el núcleo de los Mandamientos y de toda la Ley de Dios.

### ¿Cuáles son los Diez Mandamientos?

Los Diez Mandamientos son las leyes de la Alianza que Dios reveló a Moisés y a los israelitas en el monte Sinaí. Los Diez Mandamientos se conocen también como el Decálogo, o "Diez Palabras". Son la "expresión privilegiada de la ley natural", que está escrita en el corazón de todas las personas.

### ¿Qué son las Bienaventuranzas?

Las Bienaventuranzas son las enseñanzas de Jesús que resumen el camino a la verdadera felicidad, el Reino de Dios, que es vivir en comunión y en amistad con Dios y con María y todos los Santos. Las Bienaventuranzas nos guían para que vivamos como discípulos de Cristo, manteniendo nuestra vida enfocada y centrada en Dios.

### ¿Qué es el Nuevo Mandamiento?

El Nuevo Mandamiento es el Mandamiento de amor que Jesús dio a sus discípulos. Jesús dijo: "Les doy un mandamiento nuevo: que se amen los unos a los otros. Ustedes deben amarse unos a otros como yo los he amado" (Juan 13:34).

### ¿Qué son las Obras de Misericordia?

La palabra *misericordia* proviene de un término hebreo que destaca la caridad y bondad incondicionales de Dios que obran en el mundo. Las Obras de Misericordia son actos de caridad y bondad por los cuales nos acercamos a las personas por sus necesidades corporales y espirituales.

### ¿Qué son los preceptos de la Iglesia?

Los preceptos de la Iglesia son responsabilidades específicas que se refieren a la vida moral y cristiana, unidas a la liturgia y alimentadas por ella.

## Santidad de vida y gracia

### ¿Qué es la santidad?

La santidad es el estado de vivir en comunión con Dios. Designa a la vez la presencia de Dios, el Santo, con nosotros y nuestra fidelidad a Él. Es la característica de una persona que lleva una relación correcta con Dios, con las personas y con la creación.

### ¿Qué es la gracia?

La gracia es el don de Dios de compartir su vida y su amor con nosotros. Las categorías de la gracia son: gracia santificante, gracia actual, carismas y gracias sacramentales.

### ¿Qué es la gracia santificante?

La palabra *santificante* proviene de un término latino que significa "hacer santo". La gracia santificante es un don de Dios concedido libremente y dado por el Espíritu Santo, como la fuente de santidad y un remedio contra el pecado.

### ¿Qué es la gracia actual?

Las gracias actuales son las ayudas divinas que da Dios, que nos dan el poder de vivir como sus hijas e hijos adoptivos.

### ¿Qué son los carismas?

Los carismas son dones o gracias dados libremente a los cristianos en particular por el Espíritu Santo, para el beneficio de edificar la Iglesia.

### ¿Qué son las gracias sacramentales?

Las gracias sacramentales son las gracias de cada uno de los Sacramentos, que nos ayudan a vivir nuestra vocación cristiana.

### ¿Cuáles son los Dones del Espíritu Santo?

Los siete Dones del Espíritu Santo son las gracias que nos fortalecen para vivir nuestro Bautismo, o nuestra nueva vida en Cristo. Ellos son: sabiduría, entendimiento, buen juicio (o consejo), valor (o fortaleza), ciencia, reverencia (o piedad) y admiración y veneración (o temor de Dios).

### ¿Qué son los Frutos del Espíritu Santo?

Los doce Frutos del Espíritu Santo son los signos y los efectos visibles del Espíritu Santo que obran en nuestra vida. Ellos son: caridad (amor), gozo, paz, paciencia, longanimidad, bondad, benignidad, mansedumbre, fidelidad, modestia, continencia y castidad.

## Las virtudes

### ¿Qué son las virtudes?

Las virtudes son poderes, hábitos o comportamientos espirituales que nos ayudan a hacer el bien. La Iglesia Católica habla de Virtudes Teologales, Virtudes Morales y Virtudes Cardinales.

### ¿Cuáles son las Virtudes Teologales?

Las Virtudes Teologales son las tres virtudes de la fe, la esperanza y la caridad (amor). Estas virtudes "son infundidas por Dios en el alma de los fieles para hacerlos capaces de obrar como hijos suyos y merecer la vida eterna" (CIC 1813).

# Life in the Spirit

## The Moral Life

### Why was the human person created?

The human person was created to give honor and glory to God and to live a life of beatitude with God here on Earth and forever in Heaven.

### What is the Christian moral life?

The baptized have new life in Christ in the Holy Spirit. They respond to the "desire for happiness that God has placed in every human heart" by cooperating with the grace of the Holy Spirit and living the Gospel. "The moral life is a spiritual worship that finds its nourishment in the liturgy and celebration of the Sacraments."

### What is the way to happiness revealed by Jesus Christ?

Jesus taught that the Great Commandment of loving God above all else and our neighbor as ourselves is the path to happiness. It is the summary and heart of the Commandments and all of God's Law.

### What are the Ten Commandments?

The Ten Commandments are the laws of the Covenant that God revealed to Moses and the Israelites on Mount Sinai. The Ten Commandments are also known as the Decalogue, or "Ten Words." They are the "privileged expression of the natural law," which is written on the hearts of all people.

### What are the Beatitudes?

The Beatitudes are the teachings of Jesus that summarize the path to true happiness, the Kingdom of God, which is living in communion and friendship with God, and with Mary and all the Saints. The Beatitudes guide us in living as disciples of Christ by keeping our life focused and centered on God.

### What is the New Commandment?

The New Commandment is the Commandment of love that Jesus gave his disciples. Jesus said, "I give you a new commandment: love one another. As I have loved you, so you should also love one another" (John 13:34).

### What are the Works of Mercy?

The word *mercy* comes from a Hebrew word pointing to God's unconditional love and kindness at work in the world. Human works of mercy are acts of loving kindness by which we reach out to people in their corporal and spiritual needs.

### What are the precepts of the Church?

Precepts of the Church are specific responsibilities that concern the moral Christian life united with the liturgy and nourished by it.

## Holiness of Life and Grace

### What is holiness?

Holiness is the state of living in communion with God. It designates both the presence of God, the Holy One, with us and our faithfulness to him. It is the characteristic of a person who is in right relationship with God, with people, and with creation.

### What is grace?

Grace is the gift of God sharing his life and love with us. Categories of grace are sanctifying grace, actual grace, charisms, and sacramental graces.

### What is sanctifying grace?

The word *sanctifying* comes from a Latin word meaning "to make holy." Sanctifying grace is a gratuitous gift of God, given by the Holy Spirit, as a remedy for sin and the source of holiness.

### What is actual grace?

Actual graces are the God-given divine helps empowering us to live as his adopted daughters and sons.

### What are charisms?

Charisms are gifts or graces freely given to individual Christians by the Holy Spirit for the benefit of building up the Church.

### What are sacramental graces?

Sacramental graces are the graces of each of the Sacraments that help us live out our Christian vocation.

### What are the Gifts of the Holy Spirit?

The seven Gifts of the Holy Spirit are graces that strengthen us to live our Baptism, our new life in Christ. They are wisdom, understanding, right judgment (or counsel), courage (or fortitude), knowledge, reverence (or piety), wonder and awe (or fear of the Lord).

### What are the Fruits of the Holy Spirit?

The twelve Fruits of the Holy Spirit are visible signs and effects of the Holy Spirit at work in our life. They are charity (love), joy, peace, patience, kindness, goodness, generosity, gentleness, faithfulness, modesty, self-control, and chastity.

## The Virtues

### What are virtues?

The virtues are spiritual powers or habits or behaviors that help us do what is good. The Catholic Church speaks of Theological Virtues, Moral Virtues, and Cardinal Virtues.

### What are the Theological Virtues?

The Theological Virtues are the three virtues of faith, hope, and charity (love). These virtues are "gifts from God infused into the souls of the faithful to make

## ¿Cuáles son las virtudes cardinales?

Las virtudes morales son "actitudes firmes, disposiciones estables, perfecciones habituales del entendimiento y de la voluntad que regulan nuestros actos, ordenan nuestras pasiones y guían nuestra conducta según la razón y la fe. Proporcionan facilidad, dominio y gozo para llevar una vida moralmente buena" (CIC 1804).

## ¿Cuáles son las Virtudes Cardinales?

Las Virtudes Cardinales son las cuatro Virtudes Morales de la prudencia, la justicia, la fortaleza y la templanza. Se las llama Virtudes Cardinales porque todas las Virtudes Morales se relacionan con ellas y están agrupadas en torno a ellas.

## ¿Qué es la conciencia?

La palabra *conciencia* proviene de un término latino que significa "ser consciente de la culpa". La conciencia es la parte de toda persona humana que nos ayuda a juzgar si un acto moral está de acuerdo o no con la Ley de Dios; nuestra conciencia nos mueve a hacer el bien y a evitar el mal.

## Mal moral y pecado

### ¿Qué es el mal moral?

El mal moral es el daño que por voluntad propia nos ocasionamos unos a otros y a la buena creación de Dios.

### ¿Qué es la tentación?

La tentación es todo lo que, dentro o fuera de nosotros, en vez de guiarnos a hacer algo bueno que sabemos que podemos y debemos hacer, nos lleva a hacer o decir algo que sabemos que está en contra de la voluntad de Dios. La tentación es todo lo que trata de alejarnos de vivir una vida santa.

### ¿Qué es el pecado?

El pecado es hacer o decir libremente y a sabiendas lo que está en contra de la voluntad de Dios y de la Ley de Dios. El pecado se pone en contra del amor de Dios y aleja nuestro corazón de su amor. La Iglesia habla de pecado mortal, pecado venial y pecados capitales.

### ¿Qué es el pecado mortal?

Un pecado mortal es una falla grave y deliberada de nuestro amor y respeto por Dios, nuestro prójimo, la creación y nosotros mismos. Es elegir a sabiendas y voluntariamente hacer algo que está gravemente en contra de la Ley de Dios. El efecto del pecado mortal es la pérdida de la gracia santificante y, si la persona no se arrepiente, el pecado mortal lleva a la muerte eterna.

### ¿Qué son los pecados veniales?

Los pecados veniales son pecados menos graves que un pecado mortal. Debilitan nuestro amor por Dios y por los demás, y disminuyen nuestra santidad.

### ¿Qué son los Pecados Capitales?

Los Pecados Capitales son los pecados que son la causa de otros pecados. Los siete Pecados Capitales son: soberbia, avaricia, envidia, ira, gula, lujuria y pereza.

# Oración cristiana

## ¿Qué es la oración?

La oración es una conversación con Dios. Es hablarle y escucharlo, elevando nuestra mente y nuestro corazón hacia Dios Padre, Hijo y Espíritu Santo.

## ¿Cuál es la oración de todos los cristianos?

La Oración del Señor, o el Padre Nuestro, es la oración de todos los cristianos. Es la oración que Jesús enseñó a sus discípulos y que dio a la Iglesia. El Padre Nuestro es un "resumen de todo el Evangelio". Rezar el Padre Nuestro "nos pone en comunión con el Padre y con su Hijo, Jesucristo" y desarrolla "en nosotros la voluntad de ser como Jesús y de poner nuestra confianza en el Padre como Él hizo".

## ¿Cuáles son las expresiones tradicionales de la oración?

Las expresiones tradicionales de la oración son la oración vocal, la oración de meditación y la oración de contemplación.

## ¿Qué es la oración vocal?

La oración vocal es una oración hablada: rezar usando palabras dichas en voz alta.

## ¿Qué es la oración de meditación?

La meditación es una forma de oración en la que usamos nuestra mente, nuestro corazón, nuestra imaginación, nuestras emociones y nuestros deseos para entender y seguir lo que el Señor nos pide que hagamos.

## ¿Qué es la oración de contemplación?

La contemplación es una forma de oración que es, simplemente, estar con Dios.

## ¿Cuáles son las formas tradicionales de la oración?

Las formas tradicionales de la oración son: oración de adoración y bendición, oración de acción de gracias, oración de alabanza, oración de petición y oración de intercesión.

## ¿Qué son las devociones?

Las devociones son una parte de la vida de oración de la Iglesia y de los bautizados. Son actos de oración comunal o individual que se originan en torno a la celebración de la liturgia.

them capable of acting as his children and of attaining eternal life" (CCC 1813).

## What are the moral virtues?

The moral virtues are "firm attitudes, stable dispositions, habitual perfections of intellect and will that govern our actions, order our passions, and guide our conduct according to reason and faith. They make possible ease, self-mastery, and joy in leading a morally good life" (CCC 1804).

## What are the Cardinal Virtues?

The Cardinal Virtues are the four Moral Virtues of prudence, justice, fortitude, and temperance. They are called the Cardinal Virtues because all of the Moral Virtues are related to and grouped around them.

## What is conscience?

The word *conscience* comes from a Latin word meaning "to be conscious of guilt." Conscience is that part of every human person that helps us judge whether a moral act is in accordance or not in accordance with God's law; our conscience moves us to do good and avoid evil.

### Moral Evil and Sin

## What is moral evil?

Moral evil is the harm we willingly inflict on one another and on God's good creation.

## What is temptation?

Temptation is everything, either within us or outside us, that tries to move us from doing something good that we know we can and should do and to do or say something we know is contrary to the will of God. Temptation is whatever tries to move us away from living a holy life.

## What is sin?

Sin is freely and knowingly doing or saying that which is against the will of God and the Law of God. Sin sets itself against God's love and turns our hearts away from his love. The Church speaks of mortal sin, venial sin, and capital sins.

## What is mortal sin?

A mortal sin is a serious, deliberate failure in our love and respect for God, our neighbor, creation, and ourselves. It is knowingly and willingly choosing to do something that is gravely contrary to the Law of God. The effect of mortal sin is the loss of sanctifying grace and, if unrepented, mortal sin brings eternal death.

## What are venial sins?

Venial sins are sins that are less serious than a mortal sin. They weaken our love for God and for one another and diminish our holiness.

## What are Capital Sins?

Capital Sins are sins that are at the root of other sins. The seven Capital Sins are false pride, avarice, envy, anger, gluttony, lust, and sloth.

# Christian Prayer

## What is prayer?

Prayer is conversation with God. It is talking and listening to him, raising our minds and hearts to God the Father, Son, and Holy Spirit.

## What is the prayer of all Christians?

The Lord's Prayer, or Our Father, is the prayer of all Christians. It is the prayer Jesus taught his disciples and gave to the Church. The Lord's Prayer is "a summary of the whole Gospel." Praying the Lord's Prayer "brings us into communion with the Father and his Son, Jesus Christ" and develops "in us the will to become like [Jesus] and to place our trust in the Father as he did."

## What are the traditional expressions of prayer?

The traditional expressions of prayer are vocal prayer, the prayer of meditation, and the prayer of contemplation.

## What is vocal prayer?

Vocal prayer is spoken prayer; prayer using words said aloud.

## What is the prayer of meditation?

Meditation is a form of prayer in which we use our minds, hearts, imaginations, emotions, and desires to understand and follow what the Lord is asking us to do.

## What is the prayer of contemplation?

Contemplation is a form of prayer that is simply being with God.

## What are the traditional forms of prayer?

The traditional forms of prayer are the prayers of adoration and blessing, the prayer of thanksgiving, the prayer of praise, the prayer of petition, and the prayer of intercession.

## What are devotions?

Devotions are part of the prayer life of the Church and of the baptized. They are acts of communal or individual prayer that surround and arise out of the celebration of the liturgy.

# Glosario

*Ver página 574 para el glosario en ingles.*

## A-B

**Abbá** *página 74*

El nombre usado por Jesús para llamar a Dios Padre, el cual nos revela el amor y la confianza que existen entre Jesús, Dios Hijo, y Dios Padre.

**admiración y veneración** *página 54*

Este Don del Espíritu Santo nos anima a respetar a Dios y a adorarlo. El misterio de la fe es algo que puede maravillarnos, o inspirarnos admiración, por el gran amor de Dios.

**alianza** *página 352*

Una alianza es un pacto sagrado o una relación, que con frecuencia se sella con un ritual o una ceremonia.

**Anunciación** *página 58*

El anuncio del ángel Gabriel a la Virgen María de que Dios la había elegido para ser la madre de Jesús, el Hijo de Dios, por el poder del Espíritu Santo.

**atributos de Dios** *página 72*

Las cualidades de Dios que nos ayudan a entender el misterio de Dios.

**Bautismo** *página 188*

El Bautismo es el Sacramento de la Iniciación Cristiana, en el que por primera vez nos unimos a Jesucristo, nos hacemos miembros de la Iglesia, volvemos a nacer como hijos adoptivos de Dios, recibimos el don del Espíritu Santo y por el cual se nos perdonan nuestros pecados personales y el Pecado Original.

**benignidad** *página 186*

La benignidad es un Fruto del Espíritu Santo. Practicar la benignidad nos ayuda a servir a la Iglesia y al mundo. Con benignidad, compartimos nuestros dones y talentos con los demás. Compartimos nuestras bendiciones materiales y espirituales.

**Bienaventuranzas** *página 368*

Las Bienaventuranzas son los dichos o enseñanzas de Jesús que se encuentran en el Sermón de la montaña y que describen tanto las cualidades y las acciones de las personas que Dios bendice.

**bondad** *página 318*

La bondad es un Fruto del Espíritu Santo. Mostramos bondad cuando honramos a Dios evitando el pecado y tratando siempre de hacer lo que sabemos que es correcto.

## C-D

**caridad** *página 218*

La caridad es una de las tres Virtudes Teologales. Es la virtud, o hábito, que recibimos de Dios que nos permite amar y servir a Dios y a los demás con devoción desinteresada.

**carismas** *página 132*

Los carismas son dones, o gracias, entregados por el Espíritu Santo para edificar la Iglesia en la Tierra, para el bien de todas las personas y las necesidades del mundo.

**castidad** *página 414*

La virtud de la castidad es el respeto y la honra de nuestra sexualidad. La castidad nos guía para compartir nuestro amor con los demás de manera apropiada.

**ciencia** *página 22*

La ciencia es una virtud y un Don del Espíritu Santo, que nos permite elegir el camino correcto hacia Dios. Nos anima a evitar los obstáculos que nos alejan de Dios.

**conciencia** *página 338*

La conciencia es el don de Dios que forma parte de cada persona y que nos guía para saber y juzgar lo que está bien o está mal.

**Confirmación** *página 204*

La Confirmación es el Sacramento de la Iniciación Cristiana que fortalece las gracias del Bautismo y en el cual nuestra nueva vida en Cristo se sella con el don del Espíritu Santo.

**Crisma** *página 188*

El Crisma es uno de los tres óleos que la Iglesia usa en la celebración de la liturgia. Se lo usa en los Sacramentos del Bautismo, de la Confirmación y del Orden Sagrado. El Crisma también se usa en la consagración de iglesias y altares.

**Cristo** *página 98*

Un título de Jesús que establece que Él es el Mesías, el Santo que Dios prometió enviar para salvar a su pueblo.

**decisiones morales** *página 338*

Las decisiones morales son las buenas elecciones que hacemos para vivir como hijos de Dios y seguidores de Jesucristo.

**Diez Mandamientos** *página 394*

Los Diez Mandamientos son las leyes de la Alianza reveladas a Moisés y los israelitas en el Monte Sinaí.

## E–F–G–H

**entendimiento** *página 202*

El entendimiento es un Don del Espíritu Santo que nos ayuda a saber el significado de las enseñanzas de la Iglesia. También nos ayuda a ser comprensivos con los demás y sentir cuando alguien sufre o necesita compasión.

**esperanza** *página 112*

La esperanza es la virtud que nos impide desalentarnos, poniendo nuestra confianza en Jesús y en la promesa de vida eterna.

**Eucaristía** *página 220*

La Eucaristía es el Sacramento de la Iniciación Cristiana en el que participamos del Misterio Pascual de Cristo, recibimos el Cuerpo y la Sangre de Cristo y nos unimos plenamente a Cristo y a la Iglesia, el Cuerpo de Cristo.

**Evangelio** *página 44*

El Evangelio es la Buena Nueva del amor de Dios revelado en la vida, sufrimiento, Muerte, Resurrección y Ascensión de Jesucristo.

**fe** *página 28*

Es una de las tres Virtudes Teologales. Es un don y un poder sobrenatural de Dios, que nos invita a conocerlo y a creer en Él, y nosotros respondemos libremente a esa invitación.

**fidelidad** *página 96*

La fidelidad es uno de los Frutos del Espíritu Santo. Cuando somos fieles, vivimos de acuerdo a la voluntad de Dios. Ponemos en práctica las enseñanzas de Jesús, las Sagradas Escrituras y de la Iglesia Católica.

**gozo** *página 70*

El gozo muestra que estamos cooperando con la gracia del Espíritu Santo. Reconocemos que la verdadera felicidad viene, no del dinero ni de las posesiones, sino de conocer, confiar y amar a Dios. El gozo es un Fruto del Espíritu Santo.

**gracia actual** *página 322*

La gracia actual es un don adicional de la presencia de Dios con nosotros para ayudarnos a vivir como hijos de Dios y seguidores de Jesucristo.

**gracia santificante** *página 322*

La gracia santificante es un don de la vida y el amor de Dios que nos hace santos y nos ayuda a vivir vidas santas.

**honestidad** *página 428*

La honestidad es negarse a mentir, robar o engañar de cualquier manera.

**humildad** *página 292*

La humildad es la capacidad de reconocer que todas nuestras bendiciones vienen de Dios. Esta virtud nos permite vernos y valorarnos a nosotros mismos y a los demás como hijos de Dios. Nos permite ensalzar a Dios por todo lo bueno en nuestra vida.

## I–J–K–L

**Iglesia** *página 146*

El Cuerpo de Cristo; el nuevo Pueblo de Dios congregado por Dios en Cristo por el poder del Espíritu Santo.

**Inspiración de la Biblia** *página 40*

La guía del Espíritu Santo a los escritores humanos de la Sagrada Escritura para comunicar la Palabra de Dios con fidelidad y exactitud.

**integridad** *página 424*

Esta virtud permite que una persona sea la persona para lo cual Dios la creó. Una persona con integridad dice y hace lo que sabe y cree que es correcto decir y hacer.

**justicia** *página 426*

La Virtud Cardinal de la justicia es darle a Dios y a las personas lo que debidamente les corresponde.

**liturgia** *página 172*

La liturgia es la obra de la Iglesia, el Pueblo de Dios, de adorar a Dios. Por medio de la liturgia, Cristo continúa la obra de Redención en, con y a través de su Iglesia.

**longanimidad** *página 260*

A veces suele traducirse con la palabra bíblica *misericordia*. Vivimos la virtud de la longanimidad tratando generosamente a los demás, como queremos que nos traten. Se nos llama a ser bondadosos con los demás tal como Dios lo es con nosotros.

## M–N–Ñ–O

**maná** *página 394*

El maná es el alimento que fue milagrosamente entregado a los israelitas durante los cuarenta años en el desierto.

**mansedumbre** *página 392*

La mansedumbre es la virtud que nos ayuda a mantener nuestra confianza en Dios cuando llegan las dificultades a nuestra vida, en vez de dejarnos vencer por esa situación difícil.

**Misa** *página 222*

La Misa es la principal celebración sacramental de la Iglesia en la cual nos reunimos para escuchar la Palabra de Dios y participar de la Eucaristía.

**misericordia** *página 244*

La misericordia es uno de los Frutos del Espíritu Santo. Una persona que actúa con misericordia tiene un corazón que comprende y perdona.

**Misterio Pascual** *página 116*

El Misterio Pascual es el "paso" de Jesús de la vida, a través de la muerte, hacia una nueva y gloriosa vida: Pasión, Resurrección y gloriosa Ascensión de Jesús.

**obediencia** *página 350*

La obediencia es elegir libremente seguir la voluntad de Dios por nuestro amor a Dios y nuestra confianza en su fidelidad a la Alianza. Sabemos que Dios solo desea lo que es bueno para nosotros.

**Oración del Señor** *página 442*

Los primeros cristianos llamaron Padre Nuestro a la Oración del Señor porque Jesús se la confió. La Iglesia nos enseña que la Oración del Señor es el resumen de todo el Evangelio.

## P–Q

**Pascua judía** *página 114*

La Pascua judía es la fiesta que celebra que Dios salvó de la muerte a los niños hebreos y el paso de su pueblo de la esclavitud a la libertad.

**paz** *página 144*

La paz es uno de los signos, o Frutos del Espíritu Santo. Como discípulos fieles, cooperamos con la gracia del Espíritu Santo para crear paz por todo el mundo.

**perseverancia** *página 170*

La perseverancia es la virtud por medio de la cual nos aferramos a nuestra fe, incluso en casos o circunstancias adversas. Para perseverar en la fe, continuamente debemos nutrir nuestra fe con la Palabra de Dios y la celebración de los Sacramentos.

**piedad** *página 440*

La piedad es un Don del Espíritu Santo que lleva a tener devoción a Dios. Es una expresión de la profunda reverencia que una persona siente por Dios. Fluye del reconocimiento propio del valor que una persona le da a su relación con Dios. La piedad también es una expresión del profundo respeto que uno siente por los padres y la familia.

**prudencia** *página 334*

La prudencia es la virtud que ayuda a una persona a saber qué está bien y a elegir hacerlo. Es una virtud importante al tomar decisiones cristianas.

**Reino de Dios** *página 150*

El Reino de Dios es la creación y todas las personas que viven en comunión con Dios, al final de los tiempos cuando la obra de Cristo esté completa y Él venga de nuevo en su gloria.

**Revelación Divina** *página 24*

A través del tiempo, Dios nos da a conocer el misterio de sí mismo y su plan divino de creación y Salvación.

**reverencia** *página 38*

La reverencia es una virtud y un Don del Espíritu Santo que nos ayuda a respetar y honrar a Dios, a María y los santos, a la Iglesia y a las personas como "imagen de Dios".

**Sacramento** *página 172*

Los Sacramentos son los siete signos litúrgicos principales de la Iglesia, dados a la Iglesia por Jesucristo. Ellos hacen presente su obra de salvación y nos hacen partícipes en la vida de Dios, la Santísima Trinidad.

**Sacramento de la Penitencia y de la Reconciliación** *página 248*

En el Sacramento de la Penitencia y de la Reconciliación, recibimos el perdón de Dios por los pecados que cometimos después del Bautismo a través del ministerio del sacerdote.

**Sacramento de la Unción de los Enfermos** *página 262*

El Sacramento de la Unción de los Enfermos es el Sacramento de Curación que fortalece la fe, la esperanza y el amor por Dios de quienes están gravemente enfermos, debilitados por su edad avanzada o de los moribundos.

**Sacramento del Matrimonio** *página 294*

El Sacramento del Matrimonio es el Sacramento al Servicio de la Comunidad que unen a un hombre bautizado y una mujer bautizada en un acuerdo, o alianza, durante toda la vida para amarse fielmente y servirse mutuamente y a toda la Iglesia como un signo del amor de Cristo por la Iglesia.

**Sacramento del Orden Sagrado** *página 278*

El Sacramento del Orden Sagrado es el Sacramento a través del cual un hombre bautizado es consagrado para servir a toda la Iglesia como obispo, sacerdote o diácono.

**Sacramentos al Servicio de la Comunidad** *página 278*

Los Sacramentos al Servicio de la Comunidad son dos Sacramentos que apartan a miembros de la Iglesia para servir a toda la Iglesia, ellos son, el Orden Sagrado y el Matrimonio.

**Sacramentos de Curación** *página 248*

Hay dos Sacramentos de Curación. Ellos son el Sacramento de la Penitencia y de la Reconciliación y el Sacramento de la Unción de los Enfermos.

**Sagrada Tradición** *página 134*

La Sagrada Tradición es la transmisión de las enseñanzas de Cristo por la Iglesia a través del poder y la guía del Espíritu Santo.

**Santísima Trinidad** *página 56*

La creencia principal de la fe cristiana; el misterio de Un Dios en Tres Personas Divinas: Dios Padre, Dios Hijo y Dios Espíritu Santo.

**Señor** *página 98*

Un título de Jesús que establece que Jesús es verdaderamente Dios.

**Sermón de la montaña** *página 368*

El Sermón de la montaña incluye las enseñanzas de Jesús que se agrupan en los capítulos 5, 6 y 7 del Evangelio según Mateo.

**templanza** *página 408*

La templanza equilibra cómo actuamos y hablamos de una buena manera. Esta Virtud Cardinal también permite que una persona exprese sus sentimientos de manera apropiada.

**valor** *página 128*

El valor, o fortaleza, es una de las cuatro Virtudes Cardinales y un Don del Espíritu Santo. Nos ayuda a defender nuestra fe en Cristo y nos ayuda a superar los obstáculos que impidan que practiquemos nuestra fe y que elijamos lo que está bien.

# Glossary

## A-B

**Abba** *page 75*
The name Jesus used for God the Father that reveals the love and trust that exist between Jesus, God the Son, and God the Father.

**actual grace** *page 323*
Actual grace is the additional gift of God's presence with us to help us live as children of God and followers of Jesus Christ.

**Annunciation** *page 59*
The announcement to the Virgin Mary by the angel Gabriel that God has chosen her to be the mother of Jesus, the Son of God, through the power of the Holy Spirit.

**attributes of God** *page 73*
Qualities of God that help us understand the mystery of God.

**Baptism** *page 189*
Baptism is the Sacrament of Christian Initiation in which we are first joined to Jesus Christ, become members of the Church, are reborn as God's adopted children, receive the gift of the Holy Spirit, and by which Original Sin and personal sins are forgiven.

**Beatitudes** *page 369*
Beatitudes are the sayings or teachings of Jesus that are found in the Sermon on the Mount that describe both the qualities and the actions of people blessed by God.

## C-D

**charity** *page 405*
Charity is one of the three Theological Virtues. It is the virtue, or habit, we receive from God that enables us to love and serve God and others with unselfish devotion.

**charisms** *page 133*
Charisms are graces, or gifts, given by the Holy Spirit to build up the Church on Earth for the good of all people and the needs of the world.

**chastity** *page 415*
The virtue of chastity is the respecting and honoring of our sexuality. Chastity guides us to share our love with others in appropriate ways.

**Chrism** *page 189*
Chrism is one of the three oils the Church uses in the celebration of the liturgy. It is used in the Sacraments of Baptism, Confirmation, and Holy Orders. Chrism is also used in the consecration of churches and altars.

**Christ** *page 99*
A title for Jesus that states that he is the Messiah, the One whom God promised to send to save his people.

**Church** *page 147*
The Body of Christ; the new People of God who God calls together in Christ by the power of the Holy Spirit.

**Confirmation** *page 205*
Confirmation is the Sacrament of Christian Initiation that strengthens the graces of Baptism and in which our new life in Christ is sealed by the gift of the Holy Spirit.

**conscience** *page 339*
Conscience is the Gift of God that is part of every person and that guides us to know and judge what is right and wrong.

**courage** *page 129*
Courage, or fortitude, is one of four Cardinal Virtues and a Gift of the Holy Spirit. It helps us stand up for our faith in Christ and helps us overcome obstacles that might keep us from practicing our faith, and to choose that which is good.

**covenant** *page 353*
A covenant is a sacred agreement or relationship, sometimes sealed by a ritual or ceremony.

**Divine Revelation** *page 25*
God's making known over time the mystery of himself and his divine plan of creation and Salvation.

## E-F-G-H

**Eucharist** *page 221*

Eucharist is the Sacrament of Christian Initiation in which we are made sharers in the Paschal Mystery of Christ, we receive the Body and Blood of Christ, and we are joined most fully to Christ and to the Church, the Body of Christ.

**faith** *page 29*

One of the three Theological Virtues. A supernatural gift and power from God inviting us to know and believe in him, and our free response to that invitation.

**faithfulness** *page 97*

Faithfulness is one of the Fruits of the Holy Spirit. When we are faithful, we live according to God's will. We put into practice the teachings of Jesus, the Scriptures, and the Catholic Church.

**generosity** *page 187*

Generosity is a Fruit of the Holy Spirit. Practicing generosity helps us serve the Church and the world. With generosity, we share our gifts and our talents with others. We share our material and spiritual blessings.

**goodness** *page 319*

Goodness is a Fruit of the Holy Spirit. We exhibit goodness when we honor God by avoiding sin and always trying to do what we know is right.

**Gospel** *page 45*

The Gospel is the Good News of God's love revealed in the life, suffering, Death, Resurrection and Ascension of Jesus Christ.

**Holy Trinity** *page 57*

The central belief of the Christian faith; the mystery of One God in Three Divine Persons—God the Father, God the Son, God the Holy Spirit.

**honesty** *page 429*

Honesty is the refusal to lie, steal or deceive in any way.

**hope** *page 113*

Hope is the virtue that keeps us from discouragement by placing our trust in Jesus and the promise of eternal life.

**humility** *page 293*

Humility is the ability to acknowledge that all of our blessings come from God. This virtue enables us to see ourselves and value ourselves and all other people as children of God. It enables us to bless God for all the good in our lives.

## I-J-K-L

**Inspiration of the Bible** *page 41*

The Holy Spirit guiding the human writers of Sacred Scripture to faithfully and accurately communicate God's Word.

**integrity** *page 425*

This virtue enables a person to be the person God created him or her to be. A person of integrity says and does what he or she knows and believes is the right thing to do and say.

**joy** *page 71*

Joy shows that we are cooperating with the grace of the Holy Spirit. We recognize that true happiness comes, not from money or possessions, but from knowing, trusting, and loving God. Joy is a fruit of the Holy Spirit.

**justice** *page 427*

The Cardinal Virtue of justice is the giving to God and all people what is rightfully due to them.

**kindness** *page 261*

Sometimes used to translate the biblical word *mercy*. We live the virtue of kindness by generously treating others as we want to be treated. We are called to be as kind to others as God is to us.

**Kingdom of God** *page 151*

All people and creation living in communion with God at the end of time when the work of Christ will be completed and he will come again in glory.

**knowledge** *page 23*

Knowledge is a virtue and a Gift of the Holy Spirit that allows us to choose the right path to God. It encourages us to avoid obstacles that will keep us from God.

**liturgy** *page 173*

The liturgy is the work of the Church, the People of God, of worshipping God. Through the liturgy, Christ continues the work of Redemption in, with, and through his Church.

**Lord** *page 99*

A title for Jesus that states that Jesus is truly God.

**Lord's Prayer** *page 443*

The early Christians called the Our Father the Lord's Prayer because it was given to them by Jesus. The Church teaches us that the Lord's Prayer is a summary of the whole Gospel.

## M–N–O

**manna** *page 395*

Manna is the food miraculously sent to the Israelites during their forty years in the desert.

**Mass** *page 223*

Mass is the main sacramental celebration of the Church at which we gather to listen to God's Word and share in the Eucharist.

**meekness** *page 393*

Meekness is the virtue that helps us to maintain our confidence in God when difficulties come into our lives, rather than being overcome by the difficult condition itself.

**mercy** *page 245*

Mercy is one of the Fruits of the Holy Spirit. A person who acts with mercy has a forgiving and understanding heart.

**moral decisions** *page 339*

Moral decisions are the good choices we make to live as children of God and followers of Jesus Christ.

**obedience** *page 351*

Obedience is to freely choose to follow God's ways because of our love for God and our trust in his faithfulness to the Covenant. We know that God only desires what is best for us.

## P–Q

**Paschal Mystery** *page 117*

The Paschal Mystery is the "passing over" of Jesus from life through death into new and glorious life; the Passion, Resurrection, and glorious Ascension of Jesus.

**Passover** *page 115*

Passover is the Jewish feast celebrating God's sparing of the Hebrew children from death and the passage of his people from slavery to freedom.

**peace** *page 145*

Peace is one of the signs, or Fruits of the Holy Spirit. As faithful disciples, we cooperate with the grace of the Holy Spirit to create peace throughout the world.

**perseverance** *page 171*

Perseverance is the virtue by which we hold to our faith, even through trying events or circumstances. To persevere in faith, we must continually nourish faith with the Word of God and the celebration of the Sacraments.

**piety** *page 441*

Piety is a Gift of the Holy Spirit that leads to a devotion to God. It is an expression of a person's deep reverence for God. It flows from one's recognition of the value of a person places on their relationship with God. Piety also is an expression of one's deep respect for one's parents and family.

**prudence** *page 335*

Prudence is the virtue that helps a person know what is good and choose to do it. It is an important virtue in making Christian decisions.

# Índice

# Index

# Créditos

Ilustración de la portada: Marcia Adams Ho

## CRÉDITOS DE FOTOGRAFÍA

**Introducción:** 10, © Simon Watson/Getty Images; 12, © Nejron Photo/Shutterstock.

**Capítulo 1:** Página 20, © David Epperson/Getty Images; 22, © De Agostini/SuperStock; 22, © Faraways; 24, © The Crosiers/Gene Plaisted, OSC; 26, © Purestock/Jupiterimages; 32, © Inti St Clair/Jupiterimages.

**Capítulo 2:** Página 36, © Comstock Images/Jupiterimages; 38, © Bill Wittman; 40, © Design Pics/Kelly Redinger/Jupiterimages; 48, © Bill Wittman; 50, © Bill Wittman.

**Capítulo 3:** Página 52, © The Crosiers/Gene Plaisted, OSC; 56, © Bill Wittman; 58, © The Crosiers/Gene Plaisted, OSC; 60, © Bill Wittman; 64, © Bill Wittman; 66, © Bill Wittman.

**Capítulo 4:** Página 68, © David Fischer/Jupiterimages; 70, © LHB Photo/Alamy; 70, © Fuse/Jupiterimages; 70, © Bill Wittman; 72, © CELESTIAL IMAGE PICTURE CO./Getty Images; 74, © SuperStock/Getty Images; 76, © Bill Wittman; 80, © Bill Wittman; 82, © Robert Michael/Corbis/Jupiterimages; 88, © Chris Howarth/Chile/Alamy.

**Capítulo 5:** Página 94, © Neale Cousland/Shutterstock; 96, © Kamira/Shutterstock; 96, © Godong/Getty Images; 96, © Elizabeth Barakah Hodges/Getty Images; 102, © Robert Harding Picture Library Ltd/Alamy; 106, © Stephen Swintek/Getty Images; 108, © DreamPictures/Getty Images.

**Capítulo 6:** Página 112, © James, Laura (Contemporary Artist)/Private Collection/The Bridgeman Art Library International; 112, © James, Laura (Contemporary Artist)/Private Collection/The Bridgeman Art Library International; 112, © James, Laura (Contemporary Artist)/Private Collection/The Bridgeman Art Library International; 114, © Israel images/Alamy; 116, © Gregory Gerber/Shutterstock.com; 122, © Bill Wittman; 124, © Bill Wittman.

**Capítulo 7:** Página 126, © Andy Z./Shutterstock; 128, © William Thomas Cain/Getty Images; 130, © Zvonimir Atletic/Shutterstock; 132, © Vico Collective/Jupiterimages; 134, © Jupiterimages; 134, © Jupiterimages; 138, © RedChopsticks/Getty Images.

**Capítulo 8:** Página 140, © Fuse/Getty Images; 142, © Friedrich Stark/Alamy; 144, © Rick D'Elia/Corbis; 144, © Kerry Sanders/NBC NewsWire via AP Images); 144, © Borderlands/Alamy; 146, © Bill Wittman; 146, © Bill Wittman; 146, © Bill Wittman; 150, © SuperStock/Getty Images; 154, © rubberball/Getty Images; 156, © Jupiterimages; 162, © Tito Alarcon/Dreamstime.com.

**Capítulo 9:** Página 170, © AP Photo/Marco Ravagli; 180, © Stockbyte/Getty Images.

**Capítulo 10:** Página 188, © Bill Wittman; 196, © Bill Wittman; 198, © Andersen Ross/Getty Images.

**Capítulo 11:** Página 202, © Bettmann/CORBIS; 202, © Ken Korotkin/NY Daily News via Getty Images; 214, © Bill Wittman.

**Capítulo 12:** Página 222, © Alain Keler; 228, © Bill Wittman; 236, © GDA via AP Images.

**Capítulo 13:** Página 242, © Jupiterimages; 246, © PM Images/Jupiterimages; 246, © Feng Yu/Alamy; 250, © The Crosiers/Gene Plaisted, OSC; 254, © Bill Wittman; 256, © Wealan Pollard/Jupiterimages.

**Capítulo 14:** Página 258, © Paula Bronstein/Getty Images; 260, © Custom Medical Stock Photo/Alamy; 260, © P Deliss/Godong/Corbis; 260, © David H. Wells/CORBIS; 260, © Catholic Courier; 264, © The Crosiers/Gene Plaisted, OSC; 266, © The Crosiers/Gene Plaisted, OSC; 270, © IAN HOOTON/SPL/Jupiterimages; 272, © Rob Lewine/Jupiterimages.

**Capítulo 15:** Página 274, © AP Photo/Steve Ruark; 278, © MIGUEL MEDINA/AFP/Getty Images; 280, © Landon Nordeman/Getty Images; 280, © Taro Yamasaki/Time Life Pictures/Getty Images; 282, © Paul Haring/Catholic News Service; 286, © Bill Wittman; 288, © Monalyn Gracia/Corbis.

**Capítulo 16:** Página 290, © Marilyn Conway/Getty Images; 292, © Fine Art Photographic Library/Corbis; 294, © Radius Images/Jupiterimages; 294, © Chris Ryan/Getty Images; 296, © Brand X Pictures/Jupiterimages; 298, © Fuse/Jupiterimages; 298, © Lisa F. Young/Shutterstock; 302, © Image Source/Alamy; 304, © Jenny Acheson/Jupiterimages; 310, © Michael McGrath © Bee Still Studio, www.beestill.com, 410.398.3057.

**Capítulo 17:** Página 316, © Jim Cummins/Getty Images; 318, © Province of St. Joseph of the Capuchin Order; 318, © Province of St. Joseph of the Capuchin Order; 320, © Blend Images/Jon Feingersh/Jupiterimages; 320, © Design Pics/Ron Nickel/Jupiterimages; 322, © frans lemmens/Alamy; 322, © Tara Flake/Shutterstock; 324, © SergiyN/Shutterstock; 328, © Peter Mukherjee/Getty Images; 330, © Jupiterimages.

**Capítulo 18:** Página 332, © Emmanuel Faure/Jupiterimages; 334, © CuboImages srl/Alamy; 334, © Hulton Archive/Getty Images; 336, © Jose Luis Pelaez Inc/Jupiterimages; 338, © Design Pics/Design Pics RF/Getty Images; 340, © American Images Inc/Jupiterimages; 344, © Fuse/Jupiterimages; 346, © Monkey Business Images/Shutterstock.

**Capítulo 19:** Página 348, © John Lund/Getty Images; 350, © Vinicius Tupinamba/Shutterstock; 350, © Pascal Deloche/Godong/Corbis; 350, © Bill Wittman; 354, © The Crosiers/Gene Plaisted, OSC; 360, © Eddie Gerald/Alamy; 362, © UpperCut Images/Alamy.

**Capítulo 20:** Página 364, © Roger Weber/Jupiterimages; 366, © Taylor Jones/ZUMA Press/Corbis; 366, © AP Photo/Nick Ut; 368, © Jim West/Alamy; 368, © Jeff Greenberg/Alamy; 370, © The Crosiers/Gene Plaisted, OSC; 372, © Radius Images/Alamy; 376, © Juniors Bildarchiv/Alamy; 378, © IMAGEMORE Co., Ltd./Alamy; 384, © JJM Stock Photography/Arts/Alamy.

**Capítulo 21:** Página 390, © Myrleen Pearson/Alamy; 392, © Wikipedia Commons/Public Domain; 396, © AP Photo/Ron Edmonds; 398, © Fancy/Alamy; 402, © Big Glass Eye/Alamy; 404, © Hill Street Studios/Jupiterimages.

**Capítulo 22:** Página 406, © Radius Images/Jupiterimages; 408, © The Crosiers/Gene Plaisted, OSC; 410, © Andersen Ross/Jupiterimages; 412, © imagebroker/Alamy; 414, © Hill Street Studios/Getty Images; 414, © Radius Images/Getty Images; 414, © altrendo images/Getty Images; 414, © Blend Images/Alamy; 418, © Odilon Dimier/Getty Images; 420, © Ariel Skelley/Jupiterimages.

**Capítulo 23:** Página 422, © Jerry Marks Productions/Getty Images; 426, © ZouZou/Shutterstock; 428, © Thomas Barwick/Jupiterimages; 430, © Jeff Greenberg/Alamy; 434, © Jupiterimages/Getty Images; 436, © Image Source/Getty Images.

**Capítulo 24:** Página 438, © Juice Images/Corbis; 440, © www.peterjordanphoto.com; 440, © www.peterjordanphoto.com; 440, © www.peterjordanphoto.com; 442, © Neil Beer/Getty Images; 450, © Bob Daemmrich/Photo Edit; 452, © Fuse/Jupiterimages; 458, © Marmaduke St. John/Alamy.

**Tiempos Litúrgicos:** Página 462, © aaron peterson.net/Alamy; 462, © Bill Wittman; 462, © Beth Schlanker/ZUMA Press/Corbis; 462, © Chris Knorr/Design Pics/Corbis; 462, © Ted Foxx/Alamy; 462, © Muskopf Photography, LLC/Alamy; 464, © The Crosiers/Gene Plaisted, OSC; 464, © The Crosiers/Gene Plaisted, OSC; 464, © The Crosiers/Gene Plaisted, OSC; 464, © The Crosiers/Gene Plaisted, OSC; 468, © Bill Wittman; 468, © The Crosiers/Gene Plaisted, OSC; 472, © Ryan Rodrick Beiler/Alamy; 476, © David R. Frazier Photolibrary, Inc./Alamy; 476, © The Crosiers/Gene Plaisted, OSC; 480, © The Crosiers/Gene Plaisted, OSC; 480, © Bill Ross/CORBIS; 482, © PhotoAlto/Sigrid Olsson/Getty Images; 484, © The Crosiers/Gene Plaisted, OSC; 488, © Jill Fromer/Getty Images; 488, © The Crosiers/Gene Plaisted, OSC; 492, © Bill Wittman; 496, © ZUKAGAWA/amanaimages/Corbis; 496, © Tim Pannell/Corbis; 500, © ; 500, © Anna Nemkovich/Shutterstock; 500, © The Crosiers/Gene Plaisted, OSC; 502, © Subbotina Anna/Shutterstock; 504, © Bill Wittman; 506, © Subbotina Anna/Shutterstock; 508, © Bill Wittman; 512, © david sanger photography/Alamy; 512, © Bill Wittman; 516, © The Crosiers/Gene Plaisted, OSC; 520, © Bill Wittman; 524, © Bill Wittman; 528, © Andersen Ross/Blend Images/Corbis; 536, © The Crosiers/Gene Plaisted, OSC; 536, © The Crosiers/Gene Plaisted, OSC; 536, © The Crosiers/Gene Plaisted, OSC; 536, © The Crosiers/Gene Plaisted, OSC; 536, © The Crosiers/Gene Plaisted, OSC; 536, © The Crosiers/Gene Plaisted, OSC; 536, © The Crosiers/Gene Plaisted, OSC; 536, © The Crosiers/Gene Plaisted, OSC; 536, © The Crosiers/Gene Plaisted, OSC; 536, © The Crosiers/Gene Plaisted, OSC; 536, © The Crosiers/Gene Plaisted, OSC; 540, © Bill Wittman; 266, © Bill Wittman; 544, © James Shaffer/Photo Edit; 546, © Bill Wittman; 548, © Bill Wittman; 550, © Bill Wittman; 552, © Bill Wittman; 554, © Bill Wittman.

## CRÉDITOS DE ILUSTRACIONES

**Capítulo 1:** Página 28, Q2A Media.
**Capítulo 2:** Página 42, Michele Noiset.
**Capítulo 3:** Página 54, Craig Orback.
**Capítulo 5:** Página 98, Jenny Raynish.
**Capítulo 6:** Página 110, John Walker; 118, John Walker.
**Capítulo 9:** Página 174, Q2A Media.
**Capítulo 10:** Página 194, Q2A Media.
**Capítulo 11:** Página 210, Donald Wu.
**Capítulo 12:** Página 226, Q2A Media.
**Capítulo 13:** Página 244, Gina Capaldi; 248, John Walker.
**Capítulo 14:** Página 262, John Walker.
**Capítulo 15:** Página 276, David Harrington.
**Capítulo 19:** Página 352, John Walker; 356, John Walker.
**Capítulo 21:** Página 394, John Walker.
**Capítulo 24:** Página 444, John Walker.
**Tiempos Litúrgicos:** Página 478, Ivanke y Lola.

# Credits

**Cover Illustration: Marcia Adams Ho**

## PHOTO CREDITS

**Fronmatter:** 11, © Simon Watson/Getty Images; 13, © Nejron Photo/Shutterstock.

**Chapter 1:** Page 21, © David Epperson/Getty Images; 23, © De Agostini/SuperStock; 23, © Faraways; 25, © The Crosiers/Gene Plaisted, OSC; 27, © Purestock/Jupiterimages; 33, © Inti St Clair/Jupiterimages.

**Chapter 2:** Page 37, © Comstock Images/Jupiterimages; 39, © Bill Wittman; 41, © Design Pics/Kelly Redinger/Jupiterimages; 49, © Bill Wittman; 51, © Bill Wittman.

**Chapter 3:** Page 53, © The Crosiers/Gene Plaisted, OSC; 57, © Bill Wittman; 59, © The Crosiers/Gene Plaisted, OSC; 61, © Bill Wittman; 65, © Bill Wittman; 67, © Bill Wittman.

**Chapter 4:** Page 69, © David Fischer/Jupiterimages; 71, © LHB Photo/Alamy; 71, © Fuse/Jupiterimages; 71, © Bill Wittman; 73, © CELESTIAL IMAGE PICTURE CO./Getty Images; 75, © SuperStock/Getty Images; 77, © Bill Wittman; 81, © Bill Wittman; 83, © Robert Michael/Corbis/Jupiterimages; 89, © Chris Howarth/Chile/Alamy.

**Chapter 5:** Page 95, © Neale Cousland/Shutterstock; 97, © Kamira/Shutterstock; 97, © Godong/Getty Images; 97, © Elizabeth Barakah Hodges/Getty Images; 103, © Robert Harding Picture Library Ltd/Alamy; 107, © Stephen Swintek/Getty Images; 109, © DreamPictures/Getty Images.

**Chapter 6:** Page 113, © James, Laura (Contemporary Artist)/Private Collection/The Bridgeman Art Library International; 113, © James, Laura (Contemporary Artist)/Private Collection/The Bridgeman Art Library International; 113, © James, Laura (Contemporary Artist)/Private Collection/The Bridgeman Art Library International; 115, © Israel images/Alamy; 117, © Gregory Gerber/Shutterstock.com; 123, © Bill Wittman; 125, © Bill Wittman.

**Chapter 7:** Page 127, © Andy Z./Shutterstock; 129, © William Thomas Cain/Getty Images; 131, © Zvonimir Atletic/Shutterstock; 133, © Vico Collective/Jupiterimages; 135, © Jupiterimages; 135, © Jupiterimages; 139, © RedChopsticks/Getty Images.

**Chapter 8:** Page 141, © Fuse/Getty Images; 143, © Friedrich Stark/Alamy; 145, © Rick D'Elia/Corbis; 145, © Kerry Sanders/NBC NewsWire via AP Images); 145, © Borderlands/Alamy; 147, © Bill Wittman; 147, © Bill Wittman; 147, © Bill Wittman; 151, © SuperStock/Getty Images; 155, © rubberball/Getty Images; 157, © Jupiterimages; 163, © Tito Alarcon/Dreamstime.com.

**Chapter 9:** Page 171, © AP Photo/Marco Ravagli; 181, © Stockbyte/Getty Images.

**Chapter 10:** Page 189, © Bill Wittman; 197, © Bill Wittman; 199, © Andersen Ross/Getty Images.

**Chapter 11:** Page 203, © Bettmann/CORBIS; 203, © Ken Korotkin/NY Daily News via Getty Images; 215, © Bill Wittman.

**Chapter 12:** Page 223, © Alain Keler; 229, © Bill Wittman; 237, © GDA via AP Images.

**Chapter 13:** Page 243, © Jupiterimages; 247, © PM Images/Jupiterimages; 247, © Feng Yu/Alamy; 251, © The Crosiers/Gene Plaisted, OSC; 255, © Bill Wittman; 257, © Wealan Pollard/Jupiterimages.

**Chapter 14:** Page 259, © Paula Bronstein/Getty Images; 261, © Custom Medical Stock Photo/Alamy; 261, © P Deliss/Godong/Corbis; 261,

© David H. Wells/CORBIS; 261, © Catholic Courier; 265, © The Crosiers/Gene Plaisted, OSC; 267, © The Crosiers/Gene Plaisted, OSC; 271, © IAN HOOTON/SPL/Jupiterimages; 273, © Rob Lewine/Jupiterimages.

**Chapter 15:** Page 275, © AP Photo/Steve Ruark; 279, © MIGUEL MEDINA/AFP/Getty Images; 281, © Landon Nordeman/Getty Images; 281, © Taro Yamasaki/Time Life Pictures/Getty Images; 283, © Paul Haring/Catholic News Service; 287, © Bill Wittman; 289, © Monalyn Gracia/Corbis.

**Chapter 16:** Page 291, © Marilyn Conway/Getty Images; 293, © Fine Art Photographic Library/Corbis; 295, © Radius Images/Jupiterimages; 295, © Chris Ryan/Getty Images; 297, © Brand X Pictures/Jupiterimages; 299, © Fuse/Jupiterimages; 299, © Lisa F. Young/Shutterstock; 303, © Image Source/Alamy; 305, © Jenny Acheson/Jupiterimages; 311, © Michael McGrath / © Bee Still Studio, www.beestill.com, 410.398.3057.

**Chapter 17:** Page 317, © Jim Cummins/Getty Images; 319, © Province of St. Joseph of the Capuchin Order; 319, © Province of St. Joseph of the Capuchin Order; 321, © Blend Images/Jon Feingersh/Jupiterimages; 321, © Design Pics/Ron Nickel/Jupiterimages; 323, © frans lemmens/Alamy; 323, © Tara Flake/Shutterstock; 325, © SergiyN/Shutterstock; 329, © Peter Mukherjee/Getty Images; 331, © Jupiterimages.

**Chapter 18:** Page 333, © Emmanuel Faure/Jupiterimages; 335, © CuboImages srl/Alamy; 335, © Hulton Archive/Getty Images; 337, © Jose Luis Pelaez Inc/Jupiterimages; 339, © Design Pics/Design Pics RF/Getty Images; 341, © American Images Inc/Jupiterimages; 345, © Fuse/Jupiterimages; 347, © Monkey Business Images/Shutterstock.

**Chapter 19:** Page 349, © John Lund/Getty Images; 351, © Vinicius Tupinamba/Shutterstock; 351, © Pascal Deloche/Godong/Corbis; 351, © Bill Wittman; 355, © The Crosiers/Gene Plaisted, OSC; 361, © Eddie Gerald/Alamy; 363, © UpperCut Images/Alamy.

**Chapter 20:** Page 365, © Roger Weber/Jupiterimages; 367, © Taylor Jones/ZUMA Press/Corbis; 367, © AP Photo/Nick Ut; 369, © Jim West/Alamy; 369, © Jeff Greenberg/Alamy; 371, © The Crosiers/Gene Plaisted, OSC; 373, © Radius Images/Alamy; 377, © Juniors Bildarchiv/Alamy; 379, © IMAGEMORE Co., Ltd./Alamy; 385, © JJM Stock Photography/Arts/Alamy.

**Chapter 21:** Page 391, © Myrleen Pearson/Alamy; 393, © Wikipedia Commons/Public Domain; 397, © AP Photo/Ron Edmonds; 399, © Fancy/Alamy; 403, © Big Glass Eye/Alamy; 405, © Hill Street Studios/Jupiterimages.

**Chapter 22:** Page 407, © Radius Images/Jupiterimages; 409, © The Crosiers/Gene Plaisted, OSC; 411, © Andersen Ross/Jupiterimages; 413, © imagebroker/Alamy; 415, © Hill Street Studios/Getty Images; 415, © Radius Images/Getty Images; 415, © altrendo images/Getty Images; 415, © Blend Images/Alamy; 419, © Odilon Dimier/Getty Images; 421, © Ariel Skelley/Jupiterimages.

**Chapter 23:** Page 423, © Jerry Marks Productions/Getty Images; 427, © ZouZou/Shutterstock; 429, © Thomas Barwick/Jupiterimages; 431, © Jeff Greenberg/Alamy; 435, © Jupiterimages/Getty Images; 437, © Image Source/Getty Images.

**Chapter 24:** Page 439, © Juice Images/Corbis; 441, © www.peterjordanphoto.com; 441, © www.peterjordanphoto.com; 441, © www.peterjordanphoto.com; 443, © Neil Beer/Getty

Images; 451, © Bob Daemmrich/Photo Edit; 453, © Fuse/Jupiterimages; 459, © Marmaduke St. John/Alamy.

**Liturgical Seasons:** Page 463, © aaron peterson.net/Alamy; 463, © Bill Wittman; 463, © Beth Schlanker/ZUMA Press/Corbis; 463, © Chris Knorr/Design Pics/Corbis; 463, © Ted Foxx/Alamy; 463, © Muskopf Photography, LLC/Alamy; 465, © The Crosiers/Gene Plaisted, OSC; 465, © The Crosiers/Gene Plaisted, OSC; 465, © The Crosiers/Gene Plaisted, OSC; 469, © Bill Wittman; 469, © The Crosiers/Gene Plaisted, OSC; 473, © Ryan Rodrick Beiler/Alamy; 477, © David R. Frazier Photolibrary, Inc./Alamy; 477, © The Crosiers/ Gene Plaisted, OSC; 481, © The Crosiers/Gene Plaisted, OSC; 481, © Bill Ross/CORBIS; 483, © PhotoAlto/Sigrid Olsson/Getty Images; 485, © The Crosiers/Gene Plaisted, OSC; 489, © Jill Fromer/Getty Images; 489, © The Crosiers/ Gene Plaisted, OSC; 493, © Bill Wittman; 497, © ZUKAGAWA/amanaimages/Corbis; 497, © Tim Pannell/Corbis; 501, © ; 501, © Anna Nemkovich/ Shutterstock; 501, © The Crosiers/Gene Plaisted, OSC; 503, © Subbotina Anna/Shutterstock; 505, © Bill Wittman; 507, © Subbotina Anna/ Shutterstock; 509, © Bill Wittman; 511, © david sanger photography/Alamy; 513, © Bill Wittman; 517, © The Crosiers/Gene Plaisted, OSC; 521, © Bill Wittman; 525, © Bill Wittman; 529, © Andersen Ross/Blend Images/Corbis; 537, © The Crosiers/Gene Plaisted, OSC; 537, © The Crosiers/ Gene Plaisted, OSC; 537, © The Crosiers/Gene Plaisted, OSC; 537, © The Crosiers/Gene Plaisted, OSC, 537, © The Crosiers/Gene Plaisted, OSC; 537, © The Crosiers/Gene Plaisted, OSC; 537, © The Crosiers/Gene Plaisted, OSC; 537, © The Crosiers/Gene Plaisted, OSC; 537, © The Crosiers/Gene Plaisted, OSC; 537, © The Crosiers/Gene Plaisted, OSC; 537, © The Crosiers/Gene Plaisted, OSC; 537, © The Crosiers/Gene Plaisted, OSC; 541, © Bill Wittman; 267, © Bill Wittman; 545, © James Shaffer/Photo Edit; 547, © Bill Wittman; 549, © Bill Wittman; 551, © Bill Wittman; 553, © Bill Wittman; 555, © Bill Wittman.

## ILLUSTRATION CREDITS

**Chapter 1:** Page 29, Q2A Media.
**Chapter 2:** Page 43, Michele Noiset.
**Chapter 3:** Page 55, Craig Orback.
**Chapter 5:** Page 99, Jenny Raynish.
**Chapter 6:** Page 111, John Walker; 119, John Walker.
**Chapter 9:** Page 175, Q2A Media.
**Chapter 10:** Page 195, Q2A Media.
**Chapter 11:** Page 211, Donald Wu.
**Chapter 12:** Page 227, Q2A Media.
**Chapter 13:** Page 245, Gina Capaldi; 249, John Walker.
**Chapter 14:** Page 263, John Walker.
**Chapter 15:** Page 277, David Harrington.
**Chapter 19:** Page 353, John Walker; 357, John Walker.
**Chapter 21:** Page 395, John Walker.
**Chapter 24:** Page 445, John Walker.
**Liturgical Seasons:** Page 479, Ivanke and Lola.